APRILHÄXAN

MAJGULL AXELSSON

Aprilhäxan

Brombergs

Detta är en helt fiktiv berättelse. Det finns visserligen både
en vårdcentral och ett sjukhem i Vadstena liksom det finns ett
institut för rymdfysik i Kiruna, men ingen av dessa institutioner
är identisk med dem som skildras i den här boken. Människor
och händelser är också sprungna ur mitt eget huvud – dock med
viss hjälp av Ray Bradbury som för flera årtionden sedan fick mig
att börja fundera på detta med aprilhäxor.

Författaren

ISBN 978-91-7337-330-2
© Majgull Axelsson och Brombergs Bokförlag AB 2011
OMSLAG Wärn Björling
TRYCK ScandBook AB, Falun 2011
www.brombergs.se

Vågor och partiklar

"Neutrinos they are very small
They have no charge and have no mass
And do not interact at all
The earth is just a silly ball
To them, through which they simply pass
Like dustmaids down a drafty hall
Or photons through a sheet of glass ..."

John Updike

"VEM ÄR DU?" frågar min syster.

Hon är känsligare än de andra, det är bara hon som någonsin anar min närvaro. Nu ser hon ut som en fågel där hon står med halsen sträckt och spanar ut mot trädgården. Hon har bara en grå morgonrock över det vita nattlinnet och hon tycks inte märka att nattens frost dröjer kvar. Morgonrocken är öppen och skärpet hänger löst i en enda ögla. Det ligger som en tunn stjärtfjäder på kökstrappan bakom henne.

Hon vrider på huvudet i en knyckig rörelse, lyssnar ut mot trädgården och väntar på svar. När det inte kommer upprepar hon sig, ängsligare nu och med gällare röst:

"Vem är du?"

Hennes andedräkt bildar små vita plymer. Det klär henne. Hon är en eterisk typ. Som dimma, tänkte jag redan när jag såg henne första gången. Det var en het augustidag för många somrar sedan, långt innan jag ens hade kommit till servicehuset. Hubertsson hade sett till att jag rullades ut och placerades i skuggan under den stora lönnen, strax innan en läkarkonferens skulle börja i sjukhemmets sammanträdeslokal. Som av en händelse råkade han stöta ihop med Christina Wulf ute på parkeringsplatsen, och som av en händelse lockade han henne att ta genvägen över den stora gräsmattan där jag satt. Hennes pumps sjönk djupt ner i det mjuka gräset, och när de kom fram till grusplanen stannade hon ett ögonblick för att kontrollera att det inte hade fastnat någon jord under sulorna. Först då såg jag att hon var klädd i strumpor, trots värmen. Prydlig blus, halvlång kjol och strumpbyxor. Allt i olika nyanser av vitt och grått.

"Din storasyster är en sådan där dam som tvättar händerna i Klorin", sa Hubertsson innan han visade upp henne.

Ytligt sett var det en god beskrivning. Men inte tillräcklig. När jag nu såg henne i verkligheten tycktes hon mig så vag till både färg och

7

form att det såg ut som om materiens lagar inte gällde henne, att hon skulle kunna glida som rök genom stängda fönster och låsta dörrar. För ett ögonblick trodde jag att Hubertssons hand skulle passera rakt genom hennes arm när han sträckte sig fram för att stödja henne.

I och för sig skulle det inte ha varit så märkvärdigt. Vi glömmer ofta att det vi kallar naturlagar bara är vår enkla åsikt om en verklighet som är alltför komplicerad för att vi ska kunna förstå den. Som till exempel detta att vi lever i en sky av partiklar som saknar massa; fotoner och neutrinoner. Och detta att all materia – även den i människokroppen – till största delen består av tomrum. Avstånden mellan atomernas partiklar är lika stora som avstånden mellan en stjärna och dess planeter. Det som skapar yta och fasthet är alltså inte partiklarna i sig, utan de elektromagnetiska fält som binder dem samman. Kvantfysiken lär oss dessutom att materiens allra minsta element inte bara är partiklar. De är också vågor. Samtidigt. Några av dem har dessutom förmågan att befinna sig på flera ställen vid samma tidpunkt. Under en mikrosekund prövar elektronen sina möjliga positioner och under det ögonblicket är alla dess möjligheter lika verkliga.

Allt flyter alltså. Som bekant.

Sett mot den bakgrunden är det inte så konstigt att somliga av oss kan bryta mot fysikens lagar. Men när Hubertssons hand nådde fram till Christina, där hon stod på ett ben och granskade sin sula, visade det sig att hon var lika fast i konturen som alla andra människor. Hans hand grep om hennes arm och stannade där.

Hon har inte blivit mindre genomskinlig med åren; hon ser fortfarande ut som om hon när som helst skulle kunna lösas upp och driva i väg i en enda röra av vågor och partiklar.

Men det är naturligtvis bara en illusion, Christina är i själva verket en fast sammanhållen klump mänsklig materia. Till och med mycket fast.

Och nu har hennes elektroner bestämt sig för ett nytt läge. Hon blinkar till och glömmer mig, drar morgonrocken tätare om kroppen och går med klafsande stövlar över trädgårdsgångens smältsnö bort mot brevlådan och morgontidningarna.

Brevet ligger i botten på lådan. När hon får syn på det drar en liten våg av fasa som en vind genom trädgården. *Astrid*, tänker hon men minns i samma stund att Astrid är död, att hon faktiskt varit död i tre års tid. Det tröstar henne. Hon stoppar tidningarna under armen och börjar gå mot huset medan hon vrider och vänder på kuvertet. Hon ser sig inte för.

Det är därför hon snubblar på den döda måsen.

I samma ögonblick slår min andra syster upp ögonen i ett hotellrum i Göteborg och drar häftigt efter andan. Så vaknar hon alltid; i en sekund är hon skräckslagen innan hon minns vem hon är och var hon befinner sig. Men morgonpaniken sjunker undan och hon är halvvägs tillbaka in i sömnen när hon hejdar sig och sträcker händerna mot taket. Herregud! Inte har hon tid att ligga och dra sig! I dag ska hon ju använda en helt vanlig torsdag till att gå i sina egna fotspår. *A walk down Memory Lane!* Hon har gått den vägen förr, men nu var det länge sedan sist.

Margareta sätter sig upp i sängen och famlar efter sina cigarretter. Det första blosset får henne att rysa till, det känns som om huden lossnar och börjar sväva några millimeter ovan köttet. Hon ser ner på sina armar. De är nakna, vitbleka och knottriga. Hon har glömt sitt enda nattlinne hemma hos Claes ...

För att vara övertygad rökare är Margareta ovanligt angelägen om frisk luft. Hon skyler sin nakenhet med filten medan hon går bort mot fönstret och öppnar det på vid gavel. Sedan blir hon stående i kylan och ser ut mot den blygrå vårvintern.

Ingenstans i Sverige är ljuset så fult som i Göteborg, tänker hon. Det är en van och välbekant tanke. Så brukar hon trösta sig när hon pressas till marken av mörkret hemma i Kiruna. Hon har haft tur, trots allt. Hon hade mycket väl kunnat få leva hela sitt liv under Göteborgs metalliska himmel om det inte hade varit för en tillfällighet. En tillfällighet i Tanum ...

Margareta drar ett bloss och låter röken sippra ut i ett belåtet leende. I dag ska hon ju till Tanum. För första gången på mer än två årtionden ska hon tillbaka till den plats som avgjorde hennes vuxenliv.

Hon hade just fyllt tjugotre den gången och var halvfärdig arkeolog. Hela den heta sommaren hade hon grävt, silat och borstat sig genom ljunghedens sand för att frilägga ännu en gammal ristning, och hela tiden hade en sträng inom henne oscillerat av förväntan. Den strängen darrade för Fleming: en dansk gästprofessor med mörk röst och smala ögon. Redan vid det laget hade Margareta – för att uttrycka det milt –

en viss erfarenhet av medelålders män och nu utnyttjade hon alla de tricks och konster hon hade lärt sig. Hon slog ner blicken och drog hastigt handen genom håret när han såg på henne, hon sköt fram brösten och gungade med höfterna när hon gick, hon skrattade lågt och kuttrande åt hans skämt under kafferasterna.

Till en början hade han varit mer rädd än smickrad. Han sökte sig visserligen ofta till henne, log när hon log och skrattade när hon skrattade, men tog inga egna initiativ. I stället nämnde han allt oftare – apropå ingenting – sin fru och sina barn, sin ålder och sina förpliktelser. Men Margareta släppte inte taget. Hon hade en fanatisk läggning, då som nu, och ju mer han flaggade med sina undanflykter desto intensivare sög hon sig fast i hans blick. Hon skulle ha honom!

Problemet var att hon inte riktigt visste vad hon skulle ha honom till.

De skulle ligga med varandra. Naturligtvis. I sitt tält om kvällarna fantiserade hon ofta om hur han skulle gripa om hennes midja med ena handen samtidigt som han skulle öppna gylfen med den andra. Han skulle darra och fumla, men hon skulle inte hjälpa honom, tvärtom skulle hon hindra honom genom att trycka sitt underliv mot hans och sakta låta det rotera. Men när gylfen väl var öppen skulle hon låta sin egen hand leta sig dit in, hon skulle kupa den om hans kön, det som skulle bulta och spänna som en oformlig klump under kalsongernas vita bomullstrikå och sedan skulle hennes fingrar vandra vidare, lätta och fjärilsfladdrande.

Men att ligga med honom var bara vägen. Inte målet. Margareta anade att hon skulle få nöja sig med att spegla sin lust i Flemings och det gjorde henne egentligen detsamma. Det var ett annat tomrum i henne som måste fyllas och det skulle fyllas efteråt, det visste hon, när de låg i ljungen omslutna av sommarnatten. Då skulle Fleming säga eller göra något – vad visste hon inte – och detta något skulle för alltid fylla varje hålighet i hennes kropp. Därefter skulle hon leva tillfredsställd. För evigt uppfylld.

Och till slut hände det. En kväll slog Fleming armen om hennes midja och började fumla med sin gylf. Margaretas hand slöts om hans kön och hennes lust briserade av pur förväntan när hon sjönk ner i ljungen under honom. Strax efteråt briserade Fleming. Sedan var det över, för när Flemings kön hade slaknat hade han ingenting att fylla henne med. Hans tyngd som nyss hade varit en tröst och ett löfte blev kvävande och hotfull. Hon knuffade honom åt sidan och drog efter andan. Han reagerade inte, grymtade bara till och ändrade ställning. Han sov tungt i den blommande ljungen.

Än i denna dag vet Margareta inte hur det kom sig att hon reste sig upp och gick. Det hade varit mera likt henne om hon hade stannat kvar och kurat i hans armhåla, om hon för några månader hade nöjt sig med de smulor hon fått och inte genast hade börjat drömma om andra något större smulor. Men besvikelsen smakade beskt i hennes mun och drev henne att dra på sig shortsen och gå därifrån. Hon gick avsiktligt i fel riktning, bort från utgrävningarna och arkeologernas tältplats mot något annat ...

"Stumpan!" säger Margareta tröstande där hon står vid ett öppet fönster tjugofem år senare. Hon sticker sin ena hand ur filten i en trevande gest, som om hon ville sträcka den genom tiden och nå fram till den ihåliga flickan som strövar över Tanums ljunghed. Men i samma ögonblick inser hon vad den gesten säger om hennes verklighetsuppfattning, hon hejdar sig mitt i rörelsen och låter handen ändra riktning. Den får gripa om cigarretten i stället och fimpa den.

Margareta är fysiker och som sådan är hon lite rädd för den moderna fysiken. Ibland tycker hon att begrepp som tid och rum och materia löses upp framför hennes ögon, och då måste hon hejda sig, då måste hon lägga band på sin skenande fantasi och intala sig att från människans synpunkt har ingenting förändrats. Här på jorden är materien fortfarande fast och tiden en flod som rinner genom världen från livets början till dess slut. Det är bara i teorin, säger hon sig, som tiden är en illusion. För människan är den verklig och därför är det ett tecken på mänsklig galenskap att försöka sträcka sig genom den. Till exempel för att trösta sig själv i en tjugo år yngre upplaga.

Hon stänger fönstret med en smäll, drar för gardinerna och låter filten falla till golvet. Hon sträcker på sig. Nu ska hon duscha och göra sig vacker, sedan ska hon skumpa i väg i Claes vanskötta gamla bil, först mot Tanum, därefter mot Motala och så småningom mot Stockholm. Den tråkiga konferens hon just har genomlidit i Göteborg har fyllt sin uppgift. Hon ska slippa Kiruna och sin satans avhandling i en hel vecka! Inne i duschen kommer minnet tillbaka. Plötsligt ser hon Fleming framför sig, minns hans ängsliga leende dagen därpå och hans angelägna viskningar. Visst var det väl underbart? Och visst skulle det bli underbart i natt igen? Och till hösten skulle han se till att han fick bli hennes handledare ...

Den äldre Margareta lyfter sitt ansikte mot vattnet och sluter ögonen. Därinne ser hon den unga Margareta le stilla och böja sig djupare över sitt arbete.

"Tyvärr", säger hon. "Tyvärr, Fleming. Det går nog inte ..."

"Hvorfor?"

Hon vrider på huvudet och ser upp mot honom.

"För att jag är färdig med arkeologin. Till hösten ska jag läsa fysik. Jag bestämde mig i natt."

Den äldre Margareta skrattar torrt åt minnet av hans uppsyn.

Min tredje syster ligger på en madrass och blinkar. I övrigt är hon fullkomligt orörlig.

Birgitta har ingen säng. Hon har inte ens ett överdrag på sin madrass; hon ligger direkt på dess smutsgula skumgummi. Armarna är utfläkta, ur vänster mungipa rinner en smal sträng saliv ...

Hon ser bedrövlig ut. Som en korsfäst vetedeg.

Ändå tänker hon på skönhet, hon minns den tid då hon var femton år och Motalas mjölkvita svar på Marilyn Monroe. På golvet bredvid henne ligger Roger, en mager liten räka till karl med flottigt hår och grådaskig skäggstubb. Det är för hans skull Birgitta inte kan sova, det är för hans skull hon måste tvinga sig att minnas den tid då hon var vacker. Och nu är hon nära att lyckas. Hon ser Doggen glida ur sin bil, slå igen dörren och se sig om. Det är tyst på parkeringsplatsen, det enda som hörs är Cliff Richards röst som strömmar ur en bärbar skivspelare. Allas blickar är riktade mot Doggen, flickornas längtan fladdrar som fjärilar mot honom, pojkarnas vanmakt blir till tvär tystnad.

Birgitta vet att han är på väg mot henne, redan innan han har börjat gå vet hon att han är på väg mot henne. Och nu kommer han, nu rycker han upp bildörren och griper om hennes handled.

"Du är min tjej nu", säger han. Inget mer. Bara det.

Som en film, tänker Birgitta för tusende gången i sitt liv. Det var precis som en film. Och filmen rullar vidare; körsång och stråkar fyller rymden när hon minns hur han böjde henne över en motorhuv och lutade sig fram för att ge henne en första kyss ...

Men Roger rör sig i sömnen och därför går filmen av, det rasslar till och bilden är borta. Hon vrider på huvudet och ser på honom, en svag doft av ammoniak sticker till i hennes näsa. Hans blekblå jeans täcks av en mörk fuktfläck som har spridit sig från gylfen ner över vänster lår ...

Birgitta är utmattad, men om hon hade haft några krafter kvar skulle hon vältra sig över den där metmasken till karl och kväva honom med tyngden av sitt eget kött. Men hon har inga krafter. Hon orkar inte ens slå händerna för öronen för att stänga hans röst ute. Och förresten skulle det inte göra någon skillnad. Orden är redan sagda, hans replik har för evigt ristats in i hennes hjärnbark.

"Fy fan", säger han i minnet och lägger handen över hennes ansikte. "Fy fan. Du är tamejfan så ful att kuken slaknar ..."

Birgitta blinkar och drar efter andan, letar i sitt minne efter körsång och stråkar, efter Doggens väldiga händer och Motalas mjölkvita svar på Marilyn Monroe. Men filmen har gått av, spolen rasslar tröstlöst runt, filmstumpen fladdrar och alla bilder är borta.

Hon blundar hårt, kniper ögonen till två svarta streck, och försöker krysta fram det trösterika minnet. När det inte lyckas lyfter hon ögonlocken till hälften och ser ner på Roger. I dag ska hon äntligen slänga ut den djäveln.

Ett stycke
drivved

"Det är vår, tänkte Cecy. I natt
ska jag bo i varje levande väsen i
världen."

Ray Bradbury

STRAX FÖRE GRYNINGEN FÖRÄNDRAS alla korridorens ljud, nattpersonalens viskningar och dämpade steg bryts mot smällande klackar och glasklara röster. Det är morgonskiftet. I dag är det Kerstin Etts morgonskift dessutom. Det märks på själva luften, den vibrerar av verksamhetslust redan innan hon ens har kommit. När Kerstin Två har morgonskiftet står luften stilla och luktar kaffe.

I dag är det onsdag. Kanske får jag duscha. Det är en hel vecka sedan sist och den sötsura lukten från min kropp börjar bli kväljande. Den stör min koncentration. Mitt luktsinne är det nämligen inget fel på. Dessvärre.

Jag blåser ett långt och målmedvetet andetag i munstycket och bildskärmen ovanför min säng flimrar till.

"Vill du spara texten innan du avslutar? Ja/Nej?"

Kort puff. Ja, jag vill spara texten. Datorn surrar till och slocknar.

Först nu märker jag hur trötta mina ögon är. Det brinner under ögonlocken. Jag måste få vila i mörker en stund. Dessutom är det säkrast att låtsas sova om Kerstin Ett bestämmer sig för att göra en morgonrunda. Om hon kommer på mig med att ha varit vaken hela natten så kommer hon att hålla ett litet anförande om vikten av en normal dygnsrytm. Kanske kommer hon dessutom att beordra sin uppfostringspatrull att binda upp mig i en rullstol och köra ut mig till en av de evigt pågående enfaldighetstävlingarna i dagrummet. Memory för fyraåringar. Eller Bild-Bingo. Första pris är alltid en apelsin och vinnaren förväntas le och sluta dregla – allt efter förmåga – när den överlämnas. Det är därför jag aldrig vinner oavsett hur många rätt jag har. Kerstin Ett fifflar med resultaten. Patienter med attitydproblem – som hon säger på sin amerikaniserade socialprosa – får nämligen inte vinna. Då skulle det terapeutiska värdet med enfaldighetstävlingarna gå förlorat. Mitt attitydproblem består i att jag låtsas att jag inte kan le. Jag dreglar och grimaserar och låtsas vara förtvivlad över att mina mungipor inte låter sig styras när uppfostringspatrullen frestar mig med segerapelsinen, men jag ler inte. Aldrig. Och Kerstin Ett – som vet att det är lögn och teater – blir lika sammanbitet rasande varje gång. Ändå förmår hon inte anklaga mig öppet; hon kan inte låta underskötersorna få veta att jag faktiskt har lett mot henne en gång.

Det var för en månad sedan, under min första dag på avdelningen. I flera timmar hade jag hört hennes röst i korridoren – ena stunden muntert pladdrande, andra stunden ömsint gnyende – och den hade fått min hud att knottra sig. Den påminde om alldeles för många andra röster, Hon fick dem att växa till en tjattrande kakofoni i mina öron: där var Karin från Vanföreanstalten, soliga Rut som ville bli fostermamma (men inte till den där!), tyska Trudi på neurologen och hennes efterföljare Berit, Anna och Veronica. Alla hade de uppmuntrande fågelröster och alla betedde de sig som gatflickor. De log och kvittrade och smekte mot betalning. Men deras händer var iskalla och priset de krävde var orimligt. En gloria.

På servicehuset var jag omgiven av lagom likgiltiga tanter med varma händer och röster som inte lovade för mycket och för några år sedan fick jag en riktig lägenhet och egna assistenter. Det var folk av många slag, unga män och äldre kvinnor på flykt undan arbetslösheten, trötta småbarnsmammor utan utbildning och medelålders konstnärer vars drömmar om det stora genombrottet höll på att vissna bort. De matade och tvättade och klädde mig utan att begära att jag skulle älska dem till tack. Deras lugn var orubbligt och lyssnande, om jag stönade till eller helt hastigt spände en muskel av obehag släppte de omedelbart taget och sökte ett nytt och vänligare grepp. Men nu var det slut. Mina anfall kom allt tätare och blev allt häftigare, gång på gång var jag på väg att glida in i *status epilepticus*, ett evigt epileptiskt anfall. Och en dag stod Hubertsson vid min säng och förklarade med sänkt blick, som om han skämdes, att det inte gick längre. Assistenterna räckte inte till, jag behövde ständig övervakning av medicinskt utbildad personal, åtminstone under några månader, åtminstone så länge som det krävdes för att pröva och ställa in en ny medicin. Alltså måste jag tillbaka till det sjukhem han en gång hade befriat mig ifrån. Och rösten ute i korridoren avslöjade att här härskade en person som var beredd att bryta ben i sin kamp för godheten.

Trots det försökte jag faktiskt uppföra mig hövligt. En artig hälsning flimrade på bildskärmen när Kerstin Ett klev in på mitt rum och jag skulle just börja blåsa en presentation när hon böjde sig över min säng och sköt bildskärmen åt sidan.

"Du stackars lilla ...", sa hon och sträckte fram handen för att smeka mig på kinden.

Jag kan inte kontrollera mina spasmer, men den här gången hade jag tur. Mitt huvud ryckte till och vreds åt sidan, så som det alltid rycker till och vrids åt sidan, och jag kom i precis rätt vinkel för att få grepp om hennes tumme. Jag högg. Och jag bet. Jag bet så hårt att jag kunde känna hur mina framtänder trängde genom hennes vita skinn och nuddade vid benet innan nästa spasm slet mitt huvud åt sidan och tvingade mig att släppa taget. Det var då jag log. Ett varmt och brett och innerligt leende. Det enda leende jag någonsin kommer att bestå Kerstin Ett.

Vid nästa spasm fick jag grepp om munstycket igen och började blåsa. Jag kunde inte se bildskärmen – hon hade skjutit den för långt åt höger - men jag fick ändå fram det jag ville ha sagt:

"Ingen kallar mig stackare!"

Hon stötte till skärmen och sprang torrsnyftande ut ur rummet med vänsterhanden kupad om sin högra tumme i en ytterligt förebrående gest. För en sekund ville jag jubla över min seger, men ögonblicket senare fick jag syn på texten som flimrade ovanför mitt huvud.

Ingen kallar mig stackare. Ja, jösses. Arnold Schwarzenegger kunde inte ha uttryckt det bättre.

Och ändå måste det sägas. För det finns inget tillstånd som har slitit ut så många namn som detta; varje decennium under de senaste hundra åren har spottat ur sig ett beskt gammalt ord och sökt sig ett nytt och sötare. Så blev krymplingen lytt och den lytte ofärdig, den ofärdige blev vanför och den vanföre invalid, invaliden blev handikappad och slutligen har den handikappade blivit en person med funktionshinder.

Det ligger en vanvettig förhoppning bakom vart och ett av dessa ord. Och jag delar den – tro inte annat. Ingen önskar hetare än jag att vi en dag ska finna det förtrollade ordet, det fulländade ord som får ärrade hjärnor att helas, som ger ryggmärgen förmågan att läka sig själv och låter vissnade nervceller återuppstå. Men än har vi inte funnit det. Och om man adderar de ord vi hittills prövat, vad blir själva summan om inte just det som Kerstin Ett gnydde ovanför mitt huvud?

I väntan på det fulländade ordet väljer jag alltså att stå utanför de gängse beskrivningarna. Jag vet vad jag är. Ett stycke drivved. En gisten vrakspillra från en annan tid.

"Det är tamejfan som om själva seklet har kramat sönder din kropp," sa Hubertsson en nyårsnatt i min lägenhet när han var full. Det var en replik som fick mina kinder att hetta, ändå lät jag min bildskärm förbli svart. För vad skulle jag ha svarat? Ack, låt mig vara en människa för dig, min älskade, och inte ett monument? Sådant säger man inte. I synnerhet inte när man har benen låsta i en evig fosterställning, medan huvudet och armarna är i ständig spastisk rörelse, när ansiktet grimaserar och händerna vajar som vattenväxter. Då aktar man sig för kärleksord och låtsas att man inte hör.

Men jag hör. Jag ser. Och jag känner.

Jag ser och hör och känner trots att det som är ett helt och obrutet samband hos andra människor är sönderslitet och krossat hos mig. Bara några tunna trådar förenar numera det som verkligen är jag med det som är min kropp. Min röst består av tre läten: jag suckar av välbehag, jag stönar av obehag, jag brölar som ett slaktdjur när jag lider. Detta kan jag styra. Jag kan också blåsa korta och långa puffar i ett munstycke, puffar som förvandlas till text på en dataskärm. Dessutom kan jag – om än med oändlig möda – fortfarande gripa om en sked med min vänstra hand, föra den ner på en tallrik och upp till min mun. Jag kan tugga och svälja. Det är allt.

Länge försökte jag intala mig att det kaos som är min kropp ändå rymmer själva kärnan i att vara människa. Jag har vilja och förstånd, jag har ett hjärta som slår, ett par lungor som andas och – icke minst – en mänsklig hjärna med så många märkliga förmågor att den fyller mig själv med bävan. Men de käcka parollerna hjälpte inte. Till slut tvingades jag ändå erkänna att jag är fångad i det spindelnät av villkor som Den Store Skämtaren spänt över världen. Den insikten har stärkts under den senaste månaden. Ibland tror jag till och med att Kerstin Ett är hans sändebud, att hon är den Guds lilla spindel som en dag ska komma smygande på nätet för att lösa upp mitt innanmäte med sin syrliga saliv och sedan suga det ur mig.

Jo. Det vore logiskt. Men än får det inte hända. Två uppgifter återstår.

Först vill jag veta vem av mina systrar som stal det liv som var avsett för mig.

Därefter vill jag följa min älskade till graven.

Först därefter är jag beredd att låta mig tömmas.

Nu hör jag honom. Ingen öppnar dörren till avdelningen så långsamt som han, ingen hasar så morgonsömnigt genom korridoren. Han är lite tveksam i dag, kanske fruktar han att Kerstin Ett plötsligt ska dyka upp och leende spärra vägen.

KåEtt, kallar han henne. Till skillnad från KåTvå.

"Hon är omöjlig", säger han. "Hela strömlinjeformen och alla de där vita ytorna ... Jag ger mig fan på att hon är gjuten i vaniljglass. Värm henne och hon kommer att förlora både färg och form!"

Han har inte mycket till övers för sidenhud och strama senor numera. Möjligen kan det ha ett visst samband med hans eget åldrande. Hans ansikte har förtröttats och förlängts de senaste åren, ögonbrynen har växt sig grå och buskiga, dubbelhakan har svällt och påsarna under hans ögon svullnat. Samtidigt har hans skjortor blivit allt fläckigare och hans byxbak allt säckigare. Några av underskötersorna i Kerstin Etts uppfostringspatrull kallar honom äcklig. Själv nöjer hon sig med att markera distans. Om han kommer för nära drar hon sig hastigt undan och far med handen genom sitt långa hår som för att göra sig kvitt beröringen.

Så skulle jag aldrig göra. Om jag hade en vaniljvit kropp med strama senor och förmågan att röra den, skulle jag ofta låta den röra vid honom. Han är den enda människa vars beröring jag tyckt om. Kanske beror det på att han så sällan rör vid mig. Någon gång i månaden ger han mig en formell undersökning, men då är en sköterska alltid med och hans händer blir sakliga och opersonliga. En enda gång har han avslutat undersökningen med en smekning. Det var när jag hade min fjärde lunginflammation på ett år. Då lade han båda händerna om mitt huvud och drog mig intill sig, tryckte min kind mot sitt bröst.

"Skärp dig", sa han. "Inte ska du dö den här gången heller ..."

Lammullströjan under den vita rocken var sträv mot min kind. Och hans kropp doftade mandel ...

Nåja, det är elva år sedan och det har aldrig hänt igen.

Ibland – när vi är ensamma – sätter han sig på sängkanten och stryker med handen över min filt, men för det mesta sitter han på avstånd och ser inte ens på mig. Han kryper upp i den djupa fönstersmygen och knäpper händerna om sitt knä, tittar ut genom fönstret medan han talar och stirrar intensivt på bildskärmen när jag svarar. För honom är jag mer närvarande i mina ord än i min kropp.

Så är det också han som har gett mig orden. Och inte bara det. Lukt och smak har han gett mig, minnen av köld och hetta, namnet på min mor och bilderna av mina systrar. Han har fått Hemslöjdsföreningen att donera handvävda linnelakan till min säng och till tack hållit föredrag för dem om hur linets rörformade fiber motverkar liggsår. Han har fått Rotary att bekosta min dator och Lions min TV-apparat och en gång om året baxar han mig in i en specialbyggd handikappbil och fraktar mig till Tekniska museet i Stockholm för att jag ska få se en dimkammare. Och när vi väl är där låter han mig sitta i timmar i det svarta rummet och ensam betrakta materiens dans.

Allt har jag fått av Hubertsson. Allt.

Jag var trött och sönderforskad när neurokirurgerna i Linköping för femton år sedan äntligen gav upp och lät mig förflyttas till långvården i Vadstena. Här fick de sätta dropp under de första veckorna för att hålla mig vid liv. Jag öppnade sällan ögonen och rörde mig inte frivilligt. Efter bara ett par dagar kunde jag känna hur liggsåren knoppades och slog ut på mina höfter, trots att man vände mig varannan timme. Det fanns gott om personal på den tiden. Ambitiös personal, dessutom. En av sköterskorna skaffade fram ett gammalt klipp från Östgöta-Correspondenten och hängde upp det på min vägg. Det var en bild av mig själv uppallad i en rullstol och med studentmössa på min halvskalliga skult. *Årets bragdstudent!*

"Se", sa biträdena varje gång de vände mig mot väggen. "Kommer du inte i håg? Du är ju duktig, du har ju tagit studenten ..."

På den tiden kunde jag fortfarande åstadkomma en del ljud som liknade vanligt tal, men blotta tanken på att grimasera fram ett svar gjorde mig utmattad. Ingenting ville jag hellre än att de skulle ta bort den där förfärliga bilden, men jag orkade inte säga det.

Hubertsson kom på torsdagen i den tredje veckan, dessförinnan hade han haft semester. Han klev in i mitt rum och avgav en rad små grymtande läten, medan en sköterska gav honom min anamnes. Jag öppnade inte ögonen för att se på honom. En läkare är en läkare, så vad skulle det finnas att se?

Han böjde sig fram över sängen och granskade klippet på väggen innan han undersökte mig, men kommenterade det inte. I stället strök han med sträva händer över min kropp, klämde och kände på mig på samma sätt som hundra andra läkare hade klämt och känt. Först när han var på väg ut förstod jag att han var annorlunda. Han stannade i dörren och sa:

"Jag tror vi flyttar det där klippet. Sätt det någonstans där andra kan se det, men se till att hon själv slipper ..."

Samma eftermiddag kom ett biträde med en rulle tejp och gjorde som han sagt. När hon var färdig sträckte hon fram ett glas saft på försök och för första gången på tre veckor förmådde jag öppna munnen och dricka.

Ett par dagar senare kom han in på mitt rum med en decimetertjock mapp i famnen. Han gick direkt fram till sängen och tog min vänstra hand.

"Tänker du svara på tilltal i dag?"

Jag såg slött på honom, men svarade inte.

"Strunt samma", sa han och klämde till om min hand. "En tryckning betyder ja. Två betyder nej."

Det var ett signalsystem som jag mindes väl. Det allra första. Från Vanföreanstalten.

"Du är grundligt undersökt och diagnostiserad. Det vet du kanske. Men vet du något mer om dig själv?"

Jag drog åt mig handen. Det hade han inte med att göra.

"Tjura inte", sa han. "Vet du var du är född? Och av vem? Ja eller nej?"

Han hade fått ett nytt och stadigare grepp.

"Nå? Ja eller nej?"

Jag gav upp, slöt ögonen och tryckte hans hand två gånger. Han släppte omedelbart taget och gick fram till fönstret, satte sig i den djupa nischen och knäppte händerna om sitt knä.

"Det är tamejfan fantastiskt", sa han. "Här ligger du och grubblar dig halvknäpp på astronomi och elementarpartikelfysik och andra abstraktioner – jag har läst dina uppsatser! – men utan att veta ett skit om dig själv ..."

Han tystnade och bläddrade i mappen. Jag fixerade honom, men utan att egentligen se. Det var sent om hösten och det hade redan börjat skymma, han var bara en kontur för mig. Efter en stund reste han sig upp och kom tillbaka till sängen.

"Det finns ett skäl till att du har det som du har det", sa han. "En förklaring. Det finns alltid ett skäl och en förklaring. Jag kan ge dig den. Men frågan är förstås om du vill veta?"

Jag lyckades få ett famlande grepp om hans hand och kramade den så hårt jag kunde. Två gånger.

"Jaja", sa han lugnt. "Du gör som du vill. Men jag kommer tillbaka i morgon ..."

Han kunde ha tillagt: och varje morgon intill tidens ände.

Nu skjuter han upp dörren och låter en liten solfjäder av korridorens ljus slå ut över golvet.

"Morrn damen", säger han, så som han har sagt varje morgon i femton års tid. "Läget?"

Jag svarar med ett citat:

"O captain, my captain ..."

Han flinar till och hasar bort mot fönstersmygen.

"Jag är inte död än. Hur är det med systrarna?"

När han har satt sig tillrätta har jag blåst mitt svar, det skimrar mot honom från skärmen.

"De har det ungefär som de förtjänar ..."

Han skrattar till:

"Det tror jag säkert. Nu när de arma satarna har hamnat i klorna på dig ..."

Det fanns en tid då jag trodde att det var han som åstadkom mina vakendrömmar. Det var så jag kallade dem. Det andra ordet – hallucinationer – var alldeles för oroande.

En kväll strax efter vårt första möte landade en mås på mitt fönsterbleck. Det var en alldeles vanlig fiskmås med grå vingar och gula ben. Men detta var en gråkall kväll i november och måsen borde inte ha varit där, den borde ha svävat över vattnet strax utanför Gibraltar. Inte heller borde det ha varit möjligt för mig att lämna min egen kropp och borra mig in i hans fjäderdräkt. Men plötsligt var jag där, djupt nersjunken och omsluten av vita silkesdun.

Först insåg jag inte vad som hände, jag var bara andlös och betagen när jag sjönk in i det mirakel han var. Hinnorna i hans innandöme skimrade som pärlemor, levern glänste fuktigt brunröd och benen i hans skelett var ihåliga och spröda, som om Den Store Skämtaren hade tänkt snida sig en flöjt, men sedan tröttnat och småleende förvandlat sin skapelse till den skränigaste och minst välljudande av alla fåglar. Först när jag såg ner på marken under mig, insåg jag var jag befann mig. Jag satt i måsens svarta öga.

Aldrig glömmer jag min egen skräck, det darrande dån som på ett ögonblick bar mig tillbaka till min egen kropp. Jag brölade. Munnen stod vidöppen och spydde en guttural gröt av hysteriska vokaler. Någon började springa ute i korridoren, hennes klackar klapprade mot golvet och följdes sekunden senare av andra lika smällande steg. Tre vitklädda kvinnor trängdes vid min dörr, men i samma ögonblick som den slogs upp lyfte måsen och försvann.

Den kvällen följdes av andra.

I början var jag mycket rädd. Om en fluga promenerade över taket blundade jag hastigt och intalade mig att jag måste skydda mitt förstånd, för mitt förstånd var det enda jag ägde som var värt att äga. Ibland hjälpte det, ibland inte. Plötsligt kunde jag hänga upp och ner i mitt eget tak och betrakta hundra bilder av varelsen i sängen under mig genom flugans prismaögon. Då släppte jag omedelbart taget och skrek, medan jag föll tillbaka i mig själv.

"Hon drömmer mardrömmar", klagade sköterskorna vid ronden. "Hon vaknar och skriker varenda natt ..."

"Jaså", svarade Hubertsson. "Bra. Utmärkt."

Men när han såg deras miner ändrade han sig och ordinerade ett milt sedativ.

Vid den tiden var han fortfarande en stilig karl, visserligen inte med den ruinens skönhet som han nu äger, utan just stilig. Och han utnyttjade det. Varje torsdag åkte han till Standard Hotell i Norrköping och varje fredagsmorgon steg han avsevärt försenad in på mitt rum med mättnad i blicken. Flickorna på avdelningen var sällan oberörda, alltid var det någon som lät sina ögon vila en minut för länge i hans. När de badade mig eller bäddade min säng handlade de mest lågmälda samtalen nästan alltid om honom och de kvinnor han lägrat. Åtminstone till en början. När det började gå upp för dem att han kom till mitt rum nästan varje morgon spred sig en liten cirkel av tystnad omkring mig. En undrande och ganska förorättad tystnad.

Själv var jag lika undrande, jag begrep inte vad han ville. I och för sig hade jag mött intresserade läkare förut, i synnerhet under de år då jag var en duktig idiot som skulle ta studenten, men ingen av dem var någonsin som han. Han bara kom. Dag efter dag, morgon efter morgon. Ibland sa han inte ett ord, ibland pratade han oavbrutet i en timme eller mer. Jag fick veta hans syn på världsläget och politiken, hans åsikter om forskarsamhällets förfall och specialiseringssystemets inskränkthet plus en och annan pikant detalj om hans studiekamrater och kollegor. Ingetdera intresserade mig.

Ibland skrämde han mig. Om han kom tidigt, innan det hade blivit ljust och innan jag hade vaknat ordentligt, hände det att vissa barndomsminnen exploderade i mitt huvud och att jag greps av ett ögonblicks panik. Skuggan! Men mitt hjärta slutade rusa när han gick mot fönstersmygen. Min barndoms skugga gick aldrig så långt från sängen, han ville vara nära den maktlöshet som fick hans kön att svälla. Men Hubertsson åtrådde aldrig min oförmåga. Han ville ha något annat, något som ingen annan någonsin hade begärt.

När vintern var över hade jag vant mig, jag hade glömt hans första besök och frågorna han ställt den gången. Men en morgon i april bar han än en gång på den tjocka mappen. Han lade den vid fotänden på min säng och grep efter min vänsterhand.

"Din mor heter Ellen Johansson", sa han.

Jag drog åt mig handen så ilsket jag förmådde, men han släppte inte taget.

"Du föddes på Motala BB den 31 december 1949. En minut i tolv."

Mina spasmer tilltog, det gör de alltid när jag blir upprörd. Jag försökte sluta ögonen för att stänga honom ute.

"Hon fick aldrig fler barn. Trots det har du tre systrar."

Jag slog upp ögonen, han såg det och visste att han hade mig på kroken.

"Det var Ellen som bestämde att du skulle heta Desirée. Det betyder den efterlängtade ..."

Jag blängde på honom. Det var åratal sedan jag insåg ironin i mitt namn.

"Allt tyder på att du var frisk som foster."

Tack så mycket. Det var ju en tröst.

"Men du hade gulsot som nyfödd. Allvarlig gulsot. Och vid det laget hade man inte lärt sig att byta blod på nyfödda. Det var därför du fick dina CP-skador..."

Han sög på sin underläpp ett ögonblick, medan han vände blad.

"Dessutom fick du en del hjärnskador vid själva förlossningen. Därav epilepsin och vissa av förlamningarna. Du kan också ha fått en liten hjärnblödning som nyfödd ... Ellens bäcken var missbildat av engelska sjukan och de lät henne ligga i trettio timmar. Det var så på den tiden, de gjorde nästan aldrig kejsarsnitt ..."

Dog hon vid förlossningen? Var det därför jag blev lämnad? Plötsligt blev jag ivrig. Jag ryckte i Hubertssons hand för att få honom att förstå att jag hade frågor att ställa. Men det var många månader sedan jag sist hade haft något att säga och det tog tid att återfinna rösten, det blev bara stönanden och grymtningar. Hubertsson tycktes tro att mina läten och icke-spastiska viftningar berodde på att jag protesterade. Han grep ännu hårdare om min hand och pressade den mot kudden, fortfarande med blicken fäst vid sina papper.

"Ditt huvud var mycket illa åtgånget, men du föddes tydligen med segerhuva ..."

Än sen? Det var ju inte det jag ville veta. Jag var rasande nu, så rasande och förtvivlad att jag försökte spotta honom i ansiktet. Det gick inget vidare, jag felbedömde rytmen i mina ryckningar och loskan hamnade på väggen. Men det var tillräckligt för att få honom att släppa taget om min hand. Han rätade på ryggen, tog ett steg bakåt och såg på mig.

"Jag är också född med segerhuva" sa han. "Det betyder tur, det vet du väl?"

Han gjorde en hastig grimas, men lät den genast förvandlas till ett snett leende.

"Vi är en särskild sort, ser du. En särskilt lycklig sort."

Han tystnade och vände bort blicken, såg ut genom fönstret och sa sedan i samma lätta ton:

"Egentligen får jag inte säga det här, men jag känner faktiskt din mor. Ellen, alltså. Hon var min hyresvärdinna en gång i världen och numera är hon faktiskt min patient. Eller det som är kvar av henne ..."

"Hallå där", säger han nu. "Du verkar borta. Hur är det egentligen?"

Jag blinkar och är tillbaka hos den han är i dag. Han står vid fotänden på min säng, en skuggfigur omsluten av vårvintergryning. Ljuset smickrar honom inte, det suger all färg från hans ansikte och får det att se ut som pergament. Jag puffar hastigt ett svar.

"Jag är OK. Du själv då?"

Han låter frågan hänga på skärmen en stund utan att svara. Det tvingar mig att upprepa.

"Du! Hur är dina värden?"

Han rycker på axlarna:

"Tjata inte ..."

Men jag insisterar, jag är orolig och blåser så fort att det blir stavfel.

"Allvarligt talat. Har du klolat?"

Han suckar djupt.

"Ja, jag har kollat mina värden. De var ungefär som man kunde vänta sig. Därför har jag vidtagit åtgärder ..."

"Extra insulin? I dag också?"

"Mmm..."

"Du borde faktiskt ta det lite försiktigt!"

Han drar handen över ansiktet i en häftig rörelse, ser sedan rakt på mig.

"Lägg av nu."

Men jag tänker inte lägga av. Jag snappar efter munstycket och blåser rappt ett svar:

"Dina värden skulle kanske bli bättre om du söp lite mindre!"

Jag vet inte vad som far i mig. Inte en enda gång under alla dessa år – inte ens efter den där nyårsnatten då han söp sig medvetslös hemma i min lägenhet – har jag låtsats om att jag har sett hans längtan efter berusningens vila. Det har varit ett villkor, första paragrafen i det outtalade avtal som har styrt vår samvaro. Jag har rätt att vara både skämtsam och oförskämd, men jag får inte bli närgången. Aldrig. Därför fladdrar en fruktan i min mage; jag har brutit mot reglerna, han kommer att lämna mig! Men han går inte. Han fryser bara till av häpnad innan han snäser till svar:

"Herregud! Det här börjar tamejfan bli som ett gammalt äktenskap ..."

Han går tillbaka till fönstersnischen och kryper upp. Själv tappar jag greppet om munstycket. Ett gammalt äktenskap? Så har han aldrig sagt förut. Inte ens antytt. Visserligen måste jag medge att jag själv har haft fantasier i den riktningen, att jag har drömt att Den Store Skämtaren skulle komma skridande genom korridoren, klädd som en Teater-Zeus i mörkblå mantel och stjärndiadem, för att göra mig till Hubertssons brud. Han skulle lägga sin läkande hand på min kropp och mina ben skulle rätas ut på ett ögonblick och få muskler – fulländat formade blodfulla muskler – mina händer skulle stillna och ansiktet slätas ut. De skinntorra påsar, som nu är mina bröst, skulle svälla upp till verkliga liljekuddar och smyckas med utsökta små bröstvårtor; skära smultron i en tallrik grädde. Och de glesa testarna på mitt huvud skulle i samma stund förvandlas till en böljande massa av hår. Kastanjebrunt kanske. Att sätta en blond peruk på all denna skönhet vore för mycket, kanske skulle det överväldiga Hubertsson och driva honom på flykten långt före bröllopsnatten. Och jag ville ju inte skrämma honom, jag ville bara sitta på min sängkant, brudklädd och strålande, när han kom på sitt sista morgonbesök. Som en riktig Askunge.

"Vad skrattar du åt?"

Jag snappar efter munstycket och ljuger som en riktig hustru:

"Jag skrattar inte."

Han fnyser och vänder ryggen åt mig igen. Utanför har det börjat bli riktigt ljust, den grå gryningstimmen är slut. Det ser ut att bli en vacker dag. Den flik av himlen som skymtar bakom Hubertsson är isande blå. Men det nya ljuset hjälper inte. Hans ansikte är fortfarande gulgrått och linjerna i hans hud är svartare än någonsin. Det svider i mig när jag ser på honom. Min man? Ja. Kanske. I någon mening.

Inte för att jag vet mycket om äktenskap – jag har bara några tusen romaner och ett okänt antal TV-serier att referera till – men det jag läst och sett liknar på många sätt det som har varit mellan oss. I ett och ett halvt årtionde har vi cirklat runt varandra, ständigt i samma banor, som ett par vilsna elektroner med samma laddning, oförmögna att verkligen smälta samman, lika oförmögna att skiljas åt. Vi har talat i dagar och veckor, månader och år; ändå har vi tigit om det som bränt de djupaste hålen i oss. Därför har vi ofta dykt djupt i min barndom, men bara nuddat ytan på hans. Och därför vet jag mer om hans arbete och patienter än om det korta äktenskap han sedan länge hade lämnat bakom sig när vi möttes. På samma sätt har vi gått i vida cirklar kring det viktigaste i min verklighet. Hans blick varnade mig tidigt för att berätta om mina förmågor. Därför får jag låtsas att det är en lek. Jag leker Sheherazade, medan han låtsas att han är en läkare som låter sig roas av en udda patient med berättartalang. Så gömmer vi oss för varandra i det föregivna förnuftets kinesiska askar.

Ibland sörjer jag att Hubertsson mitt i sin ovanlighet är en så vanlig man. Han lider av teofobi; han fruktar själva tanken på allt han inte kan förstå. Därför måste han vägra befatta sig med frågor som rör materiens och universums natur, därför gäspar han när jag ivrigt rapporterar om elementarpartikelfysikens framsteg under senare år, och därför blir han nervös när jag roar mig med tanken på att tiden kommer att gå baklänges när universum slutar expandera och i stället börjar dra sig samman. Han tycker inte det är lustigt. Däremot tycker han att det är mycket lustigt att jag kan fantisera ihop så många verkligt trovärdiga berättelser om mina assistenter och personalen på sjukhemmet, att de en efter en så småningom bekräftas av verkligheten. Jag har en väl utvecklad iakttagelseförmåga, säger han. Ibland går han till och med så långt att han kallar det intuition.

Nu har han slutat sura.

"Blev det något i natt?" frågar han.

Det finns hopp om förlåtelse. Jag snappar inställsamt efter munstycket.

"Jo. Jag dödade måsen."

Han ser förvånad ut:

"Varför det?"

Jag önskar att jag kunde säga sanningen, att jag dödade måsen för att jag såg Christina drömma. Medan jag blåser mitt lögnaktiga svar fladdrar det sanna minnet förbi; jag ser hur fönstren i Christinas hus blänkte svarta, hur måsen satt på fönsterblecket utanför hennes sovrum och hur jag själv satt i måsens öga. Christinas drömmar svepte som bleka dimmor över sängen därinne. Först var de vaga och obegripliga, men efter en stund tog en tydlig bild form: tre flickor i ett körsbärsträd. Och sedan kom Ellen gående över gräset med en saftbricka, hon hade glasögonen långt nere på näsan och såg med road blick över bågen.

Det var allt. Men det räckte.

Min vrede slog ut som en havsanemon, jag såg den, en mörkröd giftig varelse som sträckte sina tentakler i alla riktningar, mot Ellen, den svikaren, mot Christina, Margareta och Birgitta, dessa satans tjuvar! Och plötsligt gällde min vrede hela världen, också måsen, och jag drev honom upp i luften och tvingade honom att skriande flyga mot vinden i vida cirklar, ända till dess hans vingar tömdes på kraft och han började darra. Då vände jag honom och tvingade honom att dyka från den höga höjden ner mot Sånggatan, rakt mot min systers röda villavägg.

Men sanningen skulle Hubertsson tolka som galenskap och vansinne. Därför svarar jag bara med en enda mening.

"Måsen krånglade bara till saker och ting ..."

Hubertsson rynkar pannan:

"Har du fått stora skälvan nu igen?"

Jag svarar inte. Min svarta bildskärm driver honom att resa sig upp och komma tillbaka till min säng. Han ställer sig vid fotändan och granskar mig med smala ögon.

"Har du det? Har du blivit rädd? Bara för att det handlar om dom där tre?"

Min hand daskar mot sänggallret i en ovanligt kraftig spasm. Han ser det utan att reagera.

"Jag begriper det inte", säger han. "Alla dom andra historierna bara rinner ur dig, men den här tar åratal. Varför är du så rädd för att dra en skröna om just dom? Fattar du inte att det är just därför du måste!"

Jag snappar efter munstycket:

"Är du psykdoktor nu?"

Han fnyser till svar. Sedan går han bort mot bordet och stryker med handen över den svarta pärmen.

"Behöver du mer material?"

Jag ger ifrån mig ett ljud som borde kunna tolkas som ett nej. Jag behöver inte mer material. Redan för flera år sedan försåg han mig med den där pärmen. Den är full av journaler, fotografier och tidningsklipp om min mor och mina systrar. Jag kan det mesta utantill.

"Vad säger du?"

Jag snappar efter munstycket igen och börjar blåsa.

"Nej. Jag behöver inte mer. Det flyter den här gången, det kommer att funka ..."

"Får jag läsa?"

"Nej. Inte än. Inte förrän det är färdigt."

Han vänder ryggen åt mig, ställer sig att tigande granska en tavla på min vägg – ett menlöst dussintryck från Ikea – med händerna nerkörda i fickorna. Hans bortvändhet gör mig ängslig och driver mig att vädja. Jag blåser så fort att munstycket blir fullt av saliv.

"Du! Jag tänker inte ge upp den här gången. Jag lovar."

Han hör när jag har puffat färdigt och vänder sig om, läser och ler.

Han har förlåtit mig.

"Bra."

Det blir tyst mellan oss, våra ögon möts. Och det är först nu jag ser att något saknas: det lilla blänket som alltid har vilat i botten på hans blick. Jag vet vad det betyder; det vet var och en som har levt sitt liv på sjukhus. Det brådskar.

Mina käkar låser sig, de biter hårt om munstycket. Samtidigt slits mitt huvud så häftigt åt sidan att gummislangen spänns till ett smutsgult streck i luften. Hubertsson går fram till min säng och lirkar försiktigt munstycket ur min mun. Hans hud doftar fortfarande mandel. Och doften har en färg. Hela rummet skimrar plötsligt av morgonrodnad.

Inga undanflykter duger längre. Det är dags att sätta mina systrar i rörelse. Men inte riktigt än. Först vill jag sluta mina ögon och vila en minut i mandeldoft.

Annorstädes

"De forntida och framtida ljuskonerna för
en händelse P delar in rumtiden i tre
regioner (...) Annorstädes är den region
av rumtiden som inte ligger inom vare sig
den framtida eller forntida ljuskonen för
P."

Stephen W. Hawking

BREVET SER KONSTIGT UT, det liknar inget annat. Kuvertet är begagnat, uppsprättat och hoptejpat, den gamla adressatens namn är överstruket med vassa lodräta kulspetsstreck och Christinas eget namn har skrivits bredvid. Handstilen ser onaturlig ut, som en dålig förfalskning. Bokstäverna lutar åt olika håll, några hastigt nedrafsade, andra sirligt ornamenterade. Det gamla frimärket i kuvertets högra hörn har rivits bort, tre nya i alldeles för höga valörer har klistrats i en ojämn rad i det vänstra. Men de är inte stämplade, det är inte Postverket som har sett till att det här brevet har hamnat i Christinas brevlåda.

Astrid, tänker hon och marken kränger till under henne innan hon minns att Astrid är död, att hon faktiskt varit död i tre års tid. Samtidigt inser hon att hennes kropp inte har låtit sig övertygas, trots att hon gjorde sig mödan att låta ögonen se och händerna känna; de händer som den gången var ännu vitare än Astrids. Men musklerna, benen och nerverna tror henne inte, kroppen reagerar som om Astrid fortfarande vore vid liv: korsryggen knyter sig i kramp, smärtan sprider sig och sätter sig som ett blybälte över höfterna.

Trots att hon är läkare – eller kanske just därför – vet Christina inget annat sätt att hantera smärtan än att ignorera den. Hon skjuter upp glasögonen i pannan, lutar sig närsynt över kuvertet och försöker tyda den gamla adressatens namn. Men det grå morgonljuset räcker inte, hon kan bara skönja enstaka bokstäver – ett A, ett E och ett S – bakom de blå strecken. Då försöker hon sticka pekfingret under kanten för att sprätta, men det går inte heller. Tejpen är för tjock. Hon behöver en sax.

Inte Astrid, tänker hon medan hon går mot huset och vänder och vrider på kuvertet. Men Birgitta. Det är förstås Birgitta. Och då måste jag ringa Margareta, och hon surar naturligtvis för vi har ju inte träffats på flera år ... Måste vi verkligen låtsas att vi är syskon i all evighet?

Fågeln får henne att glömma brevet, hon snubblar över den döda kroppen och när hon återfår balansen stoppar hon kuvertet i morgon-rockens ficka utan att tänka. Hon tar ett steg tillbaka, ser den grå hin-nan som har lagt sig över de svarta ögonen och drar upp överläppen i en äcklad grimas.

Med Vadstena Tidning och Dagens Nyheter tätt tryckta mot bröstet halvspringer hon i kippande gummistövlar bort mot köksdörren. Erik står inne i köket och skär upp bröd till frukosten, hans kinder är rosiga efter rakningen och det rödblonda håret är mörkt av fukt efter duschen. Han vänder sina blekblå ögon mot henne medan hon drar av sig stöv-larna och för en olustig sekund ser hon sig själv med hans blick: ask-blond och mager, med skrynkligt nattlinne och morgonrufsigt hår. En ruggig gråsparv. Hon drar hastigt till sig morgonrockens skärp, det har släpat som en svans efter henne när hon var ute, och knyter det medan hon försöker göra sin röst så lugn och saklig som möjligt.

"Det ligger en död fågel ute i trädgården. En fiskmås ..."

Han går fram mot köksdörren och tittar ut, fortfarande med kniven i handen.

"Var då?"

Han sträcker på halsen och går upp på tå, hon ställer sig tätt bakom hans rygg för att komma i samma vinkel. Det står en svag doft av tvål omkring honom, och hon fördriver en hastig impuls att slå armarna om honom och dyka djupt i doften. Det skulle leda för långt, säger hon sig. Vi hinner inte.

Den vita fågeln är svår att se på avstånd, den kamoufleras av smutsig snö och svartblankt grus.

"Där", säger Christina och sticker fram sin arm under hans armbåge. "Precis framför syrenen. Ser du den?"

Nu ser han: huvudet som har vridits i en onaturlig vinkel, de utfläkta vingarna och den halvöppna näbben. Han säger ingenting, nickar bara konstaterande och hämtar en plastpåse.

Ute i trädgården sticker han händerna i påsen och greppar fågeln genom plasten, vänder sedan påsen ut och in och knyter den.

"Den är tung", säger han när han kommer in i köket. "Vill du kän-na?"

Han lyfter påsen och väger den i handen, redan i färd med att for-mulera en teori.

"Den har brutit nacken. Den måste ha flugit rakt in i väggen, jag tyckte jag hörde en duns vid halvfemtiden, men jag trodde det var vinden ... Hörde du något?"

Christina skakar stumt på huvudet. Erik ser först på henne och sedan på påsen.

"Den måste ha varit sjuk på något sätt, friska fåglar flyger inte rakt in i ett hus ... Nåja, det är väl ingen mening att ta in den. Jag går ut och slänger den i tunnan ..."

Efteråt tvättar han sig länge under rinnande hett vatten, så länge att hans vita händer rodnar och de bleka fräknarna inte längre går att skönja.

Christinas professor.

Så brukar Margareta beskriva Erik. Fast egentligen är han inte professor, han står och stampar på en docentur sedan många år tillbaka.

Ändå ligger det något i Margaretas beskrivning. Erik ser ut som själva vulgärbilden av en professor. Han är smalaxlad och blekhyad, och när håret torkar efter duschen reser det sig och bildar en rufsig ring av röda lockar runt den nästan kala fläcken mitt på hans huvud. Einsteinfrisyr, skrattar Margareta någonstans i Christinas minne, men i dag vill Christina inte skratta åt Erik och därför kniper hon ihop munnen och vägrar skratta med.

Inte för att Erik skulle märka om hon log åt honom över frukostbordet. Han har dykt djupt i Dagens Nyheter och famlar tankspritt med smörkniven över bordet utan att se vad han gör. Det har funnits morgnar då Christina har dragit smörasken i vida svep över köksbordet och låtit honom famla förgäves, medan hon intresserat iakttagit hur lång tid det skulle ta innan han höjde blicken. Rekordet är åtta minuter.

På den tiden bodde de i Linköping och deras tvillingdöttrar befann sig i sina grinigaste tonår. De satt på var sin sida om köksbordet – Åsa vid mammas sida och Tove vid pappas – och följde stumt smöraskens vandring. När Erik äntligen höjde blicken och såg förvirrad ut bröt Christina ihop i fnitter, men Åsa rynkade pannan och Tove fnös. De reste sig upp i en enda rörelse, sköt in sina stolar under bordet med ett föraktfullt skrapande och sa i korus:

"Gud, vad ni är *barnsliga!*"

Jo, tänker Christina. Kanske är vi det. Åtminstone Erik. Han är barnslig i ordets allra bästa mening, för han undrar fortfarande över världen. De flesta karlar slutar förvåna sig över tillvaron någonstans i tidig pubertet och ägnar sedan resten av sitt liv åt att besegra den. Men Erik är fortfarande nyfiken. Han kämpar inte för att vinna utan för att veta.

Men nu ska han alltså resa. Uppe i sovrummet ligger hans gapande resväska och väntar på att få sluka den sista skjortan. I fem månader ska han vara borta och i fem månader ska Christina leva ensam. Det är första gången, förr har hon alltid haft flickorna hos sig. Men de är stora nu, läser i Uppsala och fladdrar bara genom Vadstena på enstaka besök med många månaders mellanrum.

Christina är inte missnöjd. Tvärtom. Hon anlade visserligen en lämpligt dyster min när Erik skuldmedvetet berättade att han än en gång skulle gästforska, men inom sig kände hon en liten guldfisk av glädje spritta till; hon skulle få vara i fred.

Hon ler för sig själv när hon tänker på de många ensamma frukostar som väntar. Svart kaffe ska hon ha. Nypressad apelsinjuice. Och små varma, vita bröd med cheddarost och whiskymarmelad. Hon ska slänga hans havregryn och müsli så fort hon kommer tillbaka från flygplatsen. Kanske ska hon skaffa katt också ...

Som alltid när hon drömmer om flykt och frihet tycks han ana det. Han sänker sin tidning, ser på henne och säger:

"Skulle du inte kunna ta några veckors semester i maj? Och komma över?"

Christina ler lögnaktigt. I maj tänker hon sitta ensam i trädgården och se syrenen knoppas, inte svettas på ett dammigt universitetsområde i Texas.

"Kanske det. Det beror på hur det blir med Hubertsson. Om jag måste täcka upp för honom så går det nog inte ..."

Det räcker för att driva honom på flykten, han nickar och höjer tidningen. Hubertssons sjukdom stör honom, han vill inte höra talas om den. En läkare som missköter sin diabetes, som super och frossar sig till amputationens gräns, skapar oro och förvirring bland de förståndiga. Och Erik är förståndig.

Och ändå, när Christina nu ser honom rynka pannan över ledaren i Dagens Nyheter fylls hon av samma skamsna ömhet som många gånger förr. Han är min man, tänker hon. Ja, mer än så, han är min befriare och beskyddare. Aldrig har han varit annat än god mot mig och ändå sitter jag här och önskar bort honom ...

Hon reser sig impulsivt och går bort till honom, böjer sig fram och kysser den nästan kala fläcken mitt på hans huvud.

"Jag saknar dig redan", säger hon.

Han kan känna hur han tvekar ett ögonblick, hur hans muskler styvnar för att sedan hastigt mjukna. Han reser sig upp, slår armarna om henne och kysser hennes hals, kinder och öron. Så har det alltid varit, hon ger en kyss och får många tillbaka. Alldeles för många. Hennes egen kärlek räcker aldrig till, den översköljs och dränks av hans. Nu får hon behärska sin lust att sätta händerna mot hans bröst och skjuta undan honom. En sådan tanke är ett hot mot bådas deras sinnesfrid i månader framöver; ingen av dem ska minnas hennes kyss, bara avvisandet.

Men nu har han stillnat, han kysser henne inte längre, håller henne bara tätt intill sig och omfamningen blir äntligen verklig.

"Jag saknar dig också", säger Erik till slut och smeker henne över huvudet.

Christina gör sig fri och sticker händerna i fickorna. I samma ögonblick minns hon. Brevet! Det konstiga brevet.

"Titta här", säger hon och håller fram kuvertet. "Det låg i brevlådan när jag hämtade morgontidningarna."

Men Erik har redan satt sig och dykt ner i Dagens Nyheter igen, han kastar bara en förströdd blick på kuvertet.

"Vem är det ifrån?"

Christina rycker på axlarna och hämtar saxen.

"Vet inte ..."

Hon klämmer på kuvertet, medan hon omsorgsfullt klipper bort en millimeterbred remsa i den övre kanten. Det är tjockt, det måste vara ett brev på många sidor.

Men när hon drar ut innehållet ur kuvertet tror hon först att hon misstagit sig, att det inte alls är ett brev utan ett litet paket i rosa silkespapper, omsorgsfullt hopvikt kring något litet och dyrbart. Men inget dyrbart faller ur när hon slätar ut silkespapperet på frukostbordet, det förefaller först alldeles tomt. Det tar en stund innan hon ser texten i mitten, några minimala rader i blyerts där ingen bokstav kan vara mer än två millimeter hög.

Christina drar åt sig kökslampan, håller den i rätt vinkel över det rosa papperet och läser:

> *"Jag är den efterlängtade*
> *Jag är hon som aldrig kom*
> *Jag är den glömda systern"*

Och några centimeter därunder i ett krokigt miniatyrklotter:

> *"Jag satt också i Tant Ellens körbärsträd.*
> *Fast ni inget märkte!*
> *Tant Ellen, tantellen, tarantellen!*
> *Spindel eller dans?*
> *Spindel!"*

"Äckligt!" säger Christina en timme senare och lägger i femmans växel. "Sjukt och äckligt och neurotiskt, det är vad det är. Vad är det för drama hon ska iscensätta nu? Jag trodde att det var färdigt, att repertoaren var uttömd. Vi har ju redan haft *Stackars Birgitta får dåligt rykte* och *Oskyldiga Birgitta blir orättvist anklagad och drivs till narkomani*, för att inte tala om hela serien med föreställningar på temat *Hjältemodiga Birgitta slutar knarka, men möter svårigheter och trillar dit igen!* Jag är så trött på henne! Och jag är utled på Margareta! Varför i herrans namn ska man hålla på och leka storasyster och lillasyster med främmande människor när man är nästan femtio år gammal? Visst, vi bodde ihop under några år, men det var ju inte Margareta och Birgitta som betydde något. Det var Tant Ellen. Nuförtiden har jag absolut ingenting gemensamt med dom. Ingenting! *Nada!* Noll!"

Erik lägger handen på hennes arm.

"Du kör för fort, ta det lugnt. Bry dig inte om det, släng bara det där brevet och sätt på telefonsvararen så att du kan kolla vem det är som ringer. Förr eller senare måste dom ju fatta att du inte är intresserad ..."

"Ha!" säger Christina. "Jag skulle vilja se Birgitta fatta så fina vinkar. Eller Margareta för den delen. Det krävs nog tyngre artilleri, ingen av dom har ju visat någon större känsla för tillvarons subtiliteter ..."

Erik skrattar och det välbekanta kluckandet får hennes vrede att vika, hon vänder sig mot honom och ser hans hår skimra som rödguld i solskenet. Den grå morgonen har vitnat till en skimrande vårvinterdag, himlen står hög och klarblå och solen gnistrar i de glesa snöfläckarna ute på de svartfuktiga åkrarna.

Hon har tagit ut en semesterdag och ska köra honom ända till Stockholm och Arlanda. De har god tid på sig, hans plan går inte än på många timmar. Hon sänker farten och lägger i en lägre växel. Det finns ingen anledning att jäkta, de kan ta sig tid att njuta av sina sista timmar tillsammans.

Men Erik vill inte njuta. Redan när de svänger ut på motorvägen har han hunnit bli otålig av att sitta stilla och bli skjutsad. Hans ton blir retligare.

"Planerar du några stordåd i Det Postindustriella Paradiset medan jag är borta?"

Christina suckar och kväver ett snäsigt svar. I tjugotre år har hon levt med hans gnälliga svartsjuka och den irriterar henne mer än något annat. Länge trodde hon att den skulle försvinna med åren. Hon hade inte väntat sig att den skulle riktas mot ett hus.

Men så är det. Erik är svartsjuk på deras hus. Och mitt i irritationen tvingas Christina erkänna att han faktiskt har sina skäl. Hon älskar Det Postindustriella Paradiset och kan inte förneka det.

När flickorna flyttade till Uppsala medgav Erik villigt att huset i Linköping var för stort, och att det inte var mer än rimligt att han fick börja pendla, så som hon hade pendlat mellan hemmet i Linköping och tjänsten i Vadstena i alla år. Men när hon presenterade det röda 1700-talshuset för honom visade det sig att han hade andra planer. Egentligen, sa han, ville han bo i lägenhet. Och det fanns en del alldeles utmärkta våningar i centrala Linköping, gedigna och bekväma och på precis lagom avstånd från Universitetssjukhuset. Vore det inte bättre att Christina skaffade sig en tjänst i Linköping i stället? Husläkarreformen hade ju inneburit nya möjligheter ... Under hela deras äktenskap hade Christina tassat på tå kring Erik, ständigt på sin vakt för att inte oroa och irritera honom. Gräl och arga röster gjorde henne rädd. Det räckte med ett snäsigt svar för att paniken skulle fladdra till i hennes mellangärde. Därför fogade och anpassade hon sig i en skamsen blandning av ängslan och likgiltighet. Hur skulle hon orka bråka och argumentera om tillvarons trivialiteter? Hon orkade ju knappt gå upp ur sängen om morgnarna, all kraft gick åt till att bära den tunga hemlighet som var hennes fruktan och leda.

Ändå skämdes hon. Hennes anpassning var ett slags lögnaktighet, ett sätt att manipulera honom. Men Erik tycktes inte ha märkt något. Han hade ett smalt synfält, likt de flesta män, alltså tyckte han att det var alldeles självklart att hon alltid ville det han ville. Det var ju det enda förnuftiga.

Men Christina blev en annan när hon ställdes inför möjligheten att köpa det gamla huset på Sånggatan i Vadstena. Om valet hade stått mellan Erik och huset skulle hon ha valt huset. Och det tycktes han förstå. När han såg henne väga den handsmidda nyckeln i handen, slutade han tala om våningarna i centrala Linköping och erkände sig besegrad. Han kunde bara ge henne ett vanmäktigt tjuvnyp till straff; visst kunde han tänka sig att köpa detta gamla hus, men – och det hoppades han att hon skulle förstå – han hade inte tid att ägna sig åt renovering. Det fick hon sköta själv.

Och Christina hade skött det själv. Medan Erik kurade i deras hus i Linköping hade hon under några månader ägnat all sin lediga tid åt det gamla huset. Hon hade skrapat bort plastfärg och slitit ner vinyltapeter, rivit upp inpyrda heltäckningsmattor och slipat de gamla golven, hon hade dirigerat rörmokare, elektriker, snickare och takläggare samtidigt som hon målat skåp och dörrar med äggoljetempera. Bit efter bit hade hon återställt det som den moderna tiden hade förstört, och ur detta kaos uppstod så småningom en fulländad kompromiss mellan gammalt hantverk och modern bekvämlighet. Och det var hennes mer än hans. Hon hade erövrat huset genom sitt arbete. För första gången i sitt liv tyckte sig Christina äga något och för första gången förstod hon vilken njutning ägande kan rymma.

Ändå var det Erik som gav huset dess namn. Vardagsrummet hade just blivit färdigt, ännu var det tomt och omöblerat, men Christina hade tänt en brasa i kakelugnen och slagit upp dubbeldörrarna för att visa honom hur vackert det var med eldens skuggor mot de pärlgrå väggarna. Rummet överraskade honom, han hejdade sig mitt i steget och blev stående på tröskeln innan han sa:

"Det är som att se in i en annan tid ..."

Med händerna i byxfickorna tog han tre raska steg ut på de breda golvtiljorna, snodde runt och granskade alla detaljer, innan han småskrattande vände sig mot henne:

"Grattis, Christina. Du har skapat det postindustriella paradiset. I det här rummet är det som om 1900-talet aldrig hade funnits, som om det bara var en olycklig parentes."

Skämtet hade gjort henne osäker, nästan skamsen. Plötsligt kände hon sig som en hälares vulgära väninna, en snyltare som koketterade med stulna smycken. I flera veckor efteråt funderade hon över hans replik och försökte förstå sitt eget obehag.

Christina visste i och för sig redan tidigare att hon hade ett neurotiskt förhållande till historien, att den fick henne att känna sig svältfödd och hungrande, bitter och avundsjuk. Erik kunde inte förstå det. Han ryckte på axlarna åt alla de gamla präster och läkare som befolkade hans gener och stönade irriterat över alla antika böcker och prästgårdsmöbler som han och hans systrar förväntades vårda och bevara. Vad skulle han med skräpet till? Han var medicinare och inte antikvarie, han visste väl vem han var och var han kom ifrån utan att behöva släpa på alla dessa gamla saker.

Christina hade aldrig lyckats få honom att förstå att hon själv kände sig som om hon tillhörde en ätt av navellösa Christinor, födda av ingen, kläckta som fåglar eller ödlor ur stora vita ägg. Han slog ut med händerna och avfärdade henne med träaktigt förnuft. Hon visste ju att Astrid var hennes mor. Då var det väl bara att leta i folkbokföringen om hon ville veta mer? Och om hon nu oroade sig över att hon nästan inte hade några minnen före sju års ålder, *so what*? Hon mindes ju både sjukhuset och barnhemmet, åren hos Tant Ellen och tonåren hos Astrid. Om hon ville veta mer var det ju bara att beställa fram gamla journaler och barnavårdspapper ...

"Du förstår ju ingenting", sa hon uppgivet en gång. "Det är ju inte min egen historia jag vill ha. Jag vill ha någon annans."

Och detta var vad Det Postindustriella Paradiset hade givit henne. När hon köpte huset köpte hon också in sig i historien, hon skaffade sig den så som nutidens människor skaffar sig allt de vill ha. Hennes ytterdörr var daterad till 1812. Själva huset var ännu äldre och i den antika bokhyllan i hennes nyinredda vardagsrum låg en liten skrift från Föreningen Gamla Vadstena, som berättade att den första byggnaden på denna tomt restes redan under 1300-talets sista år. Mer historia än så kan den historielöse inte köpa sig.

Och ändå, kärleken kräver inte rationella motiv för att vara kärlek. Christina älskade Det Postindustriella Paradiset, alla insikter till trots. När hon var ensam hemma kunde hon komma på sig själv med att göra de besynnerligaste saker: luta kinden mot ett fönster, smeka en vägg eller stå stilla i ett hörn av vardagsrummet i mer än tjugo minuter, bara för att se hur skymningen kröp in och lade sig som ängladun över de bleka färgerna. En gång hade hon klämt fingrarna när hon försökte omfamna en dörr. När Erik kom hem den kvällen kände hon sig lika skyldig som om hon hade tillbringat eftermiddagen med en älskare, som om blånaderna på hennes fingrar var lika avslöjande som sugmärken på hennes hals. Och Erik hade känt det. Han hade knipit onödigt hårt om hennes ömma fingrar när han lade bandage.

Min man, tänkte hon den gången, som så många gånger förr, och strök honom impulsivt över kinden.

Min man.

Åsa och Tove står utanför utrikesterminalen och väntar. Erik ser dem på långt håll och ger till ett överraskat utrop. Christina blir rörd när hon upptäcker hur rörd han blir. Han hade inte väntat sig att deras döttrar skulle ta sig tid att åka från Uppsala till Arlanda bara för att vinka av honom. Han tumlar ur bilen med öppna armar och omfamnar dem båda innan Christina ens hunnit stanna motorn. När hon kliver ur bilen står de med huvudena tätt tillsammans och armarna om varandras axlar, som fotbollsspelare som laddar upp inför en match. Rävarna, tänker hon. Fotbollslaget Rävarna. Om det nu inte är De Rödhårigas Förening som håller årsmöte. Och där är jag inte med.

Hon låser bilen omsorgsfullt och går fram till dem.

Timmarna därefter blir fulla av röster och rörelse. Erik fladdrar från incheckningsdisken till pressbyrån, medan flickorna hungrigt tjatar om lunch i Sky City. Ändå tar det nästan en timme innan de är framme vid restaurangen, flickorna måste in i varenda affär på vägen. Erik ler och betalar i ett anfall av otypisk slösaktighet. Nya väskor? Visst. Äkta Mullberry. Var sin ny tröja? Visst, handstickad folklore. Nya vantar? Tja, vad gör det i den allmänna konkursen?

Efteråt, när planet har lyft och flickorna hoppat på bussen till Uppsala med händerna hårt knutna om alla sina påsar, går Christina mot parkeringsplatsen med lätta steg. Det blåser lite och hon höjer njutningslystet ansiktet mot vinden, hennes hår fladdrar och för en sekund känns det som om hon skulle kunna lyfta och flyga. Hon är fri. Fullkomligt fri. Ingen tid att passa, ingen middag att laga, inga barn eller patienter som väntar.

För första gången på över tjugo år är hon sin egen.

Hon trycker gasen i botten och driver motorn till ett muntert morrande, innan hon försiktigt backar ut från parkeringsplatsen.

Saknaden drabbar henne mycket plötsligt. Hon har stannat vid Nyköpingsbro för att ta en kopp kaffe och när hon går ut ur cafeterian minns hon plötsligt Eriks sträva kind mot sin egen och sedan flickornas silkesmjuka. Det känns som en rent fysisk förlust, en tung och blodfylld smärta mitt i mellangärdet: min familj! För fyra timmar sedan åt vi lunch och pratade i mun på varandra, nu är det så tyst som om ingen av dem någonsin har funnits ... Men jag vill ha dem här, jag vill ha dem hos mig och omkring mig!

Hon stannar ute på parkeringsplatsen och drar några djupa andetag, det har börjat skymma och luften är kall och fuktig. Borta vid den tomma lastbilsparkeringen står en rakryggad skogsdunge på vakt, som en kohort romerska soldater i väntan på marschorder. Men ingen order kommer. Världen är alldeles stilla, utan vind och rörelse, för en minut rymmer den inte ens ett avlägset motorbuller. Christina sveper sin cape tätare om kroppen och ser mot himlen. Den är syrenfärgad och tom, inga moln, inga stjärnor, inte ens ett flygplan.

Alla är borta, tänker hon. De finns inte längre och jag finns inte för dem ...

En ensam man sneddar över parkeringsplatsen och hans blick tvingar henne att ta sig samman, med överdriven iver börjar hon gräva i sin handväska efter bilnycklarna. Inne i bilen tänder hon lampan och granskar sitt ansikte i backspegeln. Erik hade varit blank i ögonen när de skildes åt, Åsa hade snörvlat och Tove gråtit öppet, men själv hade hon bara stått där utan att känna någonting.

"Vad är jag för en?" säger hon högt till sin spegelbild och upprepar sig omedelbart med högre röst, som om hon talade till en hörselskadad patient:

"Vad är jag för en egentligen?"

Några timmar senare skumpar hennes bil över Sånggatans kullerstenar. Det Postindustriella Paradiset ligger tyst som ett löfte i skenet från en ensam gatlykta, väl skyddat av det gamla Rödtornet på andra sidan gatan. När hon har parkerat och stigit ur stannar hon upp ett ögonblick, står alldeles stilla med huvudet på sned som om hon lyssnar efter något. Staden omkring henne tycks först fullkomligt tyst, men plötsligt driver en mild och mäktig vind in från Vättern, den susar och sjunger och bär en doft av vår och klöverblom mitt i vinterkylan. Christina tycker att den lägger sig bakom hennes rygg, att den driver henne framåt när hon motvilligt går bort mot brevlådan. Hon öppnar den full av onda aningar, men finner bara en räkning och ett reklamblad från Ica.

Hon tar en promenad genom sin nattliga trädgård innan hon går in. Vid syrenen stannar hon och sparkar lite i gruset, som om hon ville begrava minnet av den döda fågeln. Hon ser inte cigarrettglöden och märker inte att någon sitter på kökstrappan och iakttar henne. Därför rycker hon till när hon plötsligt hör den sträva rösten:

"Hej, Christina", säger den. "Har du också fått brev i dag?"

HERREMINJE VAD HON ÄR prudentlig, tänker Margareta. Lodencape och läderhandskar! Och under hela elegansen har hon säkert en gammal Hermèsscarf... Med kedjor och hästhuvuden och hela skiten. Ja, jösses.

Hon reser sig upp och kastar sin fimp i gruset, sätter klacken över den och gnuggar både tobak och filter till osynlighet. Sedan stoppar hon brevet i fickan och släntrar ansträngt nonchalant bort mot syrenen. När hon kommer närmare ser hon Christinas ansiktsuttryck. Munnen är öppen, hon har dragit upp överläppen och blottat tänderna.

"Skrämde jag dig? Ursäkta. Det var inte meningen ..."

Christinas hand fladdrar upp mot kragen, hon kisar närsynt bakom sina tjocka glas.

"Margareta? Är det du?"

Det är en onödig fråga, hon vet mycket väl vem det är. Den sträva rösten, den överdrivet nonchalanta hållningen, plötsligheten i det hela – det kan inte vara någon annan än Margareta. Hennes röst blir lite ljusare:

"Nämen hej! Vad roligt att se dig! Har du väntat länge?"

"I timmar faktiskt. Jag började just tro att du skulle jobba natt."

"Oj då, då måste du vara frusen."

"Ingen fara, jag är norrländskt klädd. Jag har faktiskt haft det riktigt skönt ..."

Margareta ljuger förstås. Visserligen har hon inte frusit – hon fryser sällan, hela hennes kropp är inbäddad i ett aningen för tjockt lager av värmande underhudsfett – men skönt har hon inte haft det.

I själva verket har hela dagen varit ett misslyckande, hela hennes utflykt i förflutenhetens landskap. Och under de ensamma timmarna i Christinas trädgård har Margareta tvingats medge för sig själv att hon redan på förhand visste att det skulle gå så.

Vissa upplevelser måste lämnas i fred, de är sköra som spindelväv och tål varken tankar eller ord. Man får nöja sig med att då och då låta dem glimma till i medvetandets utkant.

Så har det alltid varit med upplevelsen i Tanum: daggvåt och genomskinlig har den glittrat i utkanten av Margaretas medvetande och hon har rört sig mycket försiktigt i dess närhet. En enda gång har hon försökt klä upplevelsen i ord: det var när hon i den mjuka vilan efter en stunds älskog med Claes försökte förklara hur det kom sig att hon började studera fysik. Viskande och trevande hade hon beskrivit den unga Margaretas vandring över heden, hur gryningen strax före soluppgången antog samma blekrosa nyans som ljungen, hur himmel och jord flöt samman och hur Polstjärnan glimmade till innan den utplånades av morgonljuset.

"Just då gick jag uppför en kulle ... Och när jag kom upp på toppen och såg ut över heden så fick jag syn på tre jättelika vita skålar. Tre paraboler. Men det visste jag ju inte då, på den tiden var det nästan ingen som visste vad en parabol var. Jag hade aldrig sett något liknande, men jag antog att de hade med rymden att göra ... Och jag blev så glad! Jag blev så oerhört lycklig över att de var så stora och vackra och över att ... Ja, bara över att de fanns!"

Claes hade legat tyst i hennes famn medan hon berättade, men nu gjorde han sig fri, satte sig upp och lät sina nakna fötter daska mot sovrummets furugolv. Hans röst var full av spelad oro:

"Milda makter, Margareta! Har du sökt för det där?"

Och då skrattade hon naturligtvis tillbaka, reste sig upp på samma sätt som han och lät sina egna fotsulor daska mot golvet. Hon knuffade till honom med armbågen:

"Är det inte du som brukar säga att det är tillåtet att vara lite knäpp?"

Han log till svar:

"Jovisst. Men inte hur knäpp som helst!"

Efteråt hade hon varit missnöjd med sig själv. Varför hade hon låtit käken glappa? Det hade varit klokare att bita till om den där upplevelsen och acceptera att den inte gick att dela. Inte med någon, inte ens med en pålitlig vän och älskare. Det hade med tidsandan att göra, med denna tids fruktan för det eviga.

I och för sig fanns det nog ord att beskriva vad hon upplevt, men inga godtagbara ord, inga ord som Claes – denne samtidsman – skulle acceptera. Om hon hade sagt att hennes hjärta svällde när hon såg parabolerna, att de fick henne att tänka på skeppsbrott och öde öar, så skulle han ha blivit generad. Om hon dessutom hade tillagt att det faktiskt var en religiös upplevelse skulle han ha blivit direkt illa berörd. Förnuftiga människor har inte religiösa upplevelser. Inte nuförtiden.

Men så var det. Hennes hjärta hade bokstavligen svällt den morgonen och för första gången i sitt liv hade hon anat Gud. Parabolerna var mer väldiga och vördnadsbjudande än någon av de gamla katedraler och tempelruiner hon hade besökt under sina arkeologistudier. Och plötsligt hade hon känt sig som en Robinson Crusoe; en Robinson som efter ett helt livs väntan äntligen skymtade segel vid horisonten.

"Åh ja!" sa hon högt, men utan att egentligen förstå vad hon själv menade. "Åh ja!"

Hedens färger djupnade i soluppgången, hundratusen blommor i ljungen klädde av sig nattens anemiska nyans och mörknade till purpur, darrgräsets silversträngar förvandlades till guld och i de väldiga skålarna blixtrade för ett ögonblick alla prismans färger innan de smälte samman och vitnade på nytt. Och plötsligt såg hon att de vita skålarna inte alls var några segel. De var röster. Ett längtans rop mot universum: *Här är vi! Här är vi! Rädda oss!*

Och nu fanns ingenting av detta kvar. Inte ens minnet. I dag hade hon trasat sönder spindelnätet. Nu skulle hon aldrig mer minnas hur en ung kvinna sjönk ner på knä i ljungen med blicken fäst vid parabolerna utan att samtidigt minnas hur en medelålders kvinna parkerade sin bil vid vägkanten och klev ur. Hennes halvslutna ögonlock darrade av förväntan, det var som om hon ville förlänga njutningen genom att först vika undan med blicken; hon ville inte se på de tre vita skålarna förrän hon hade placerat sig i en noga uttänkt position vid dörren till passagerarsätet. Då slog hon äntligen upp ögonen, de var vidöppna och klara, beredda att låta sig fyllas ...

Men de fylldes inte. Margareta blinkade till och insåg att även om heden, ljungen och parabolerna var oförändrade – för dem är tjugofem år bara ett andetag långt – så hade hon själv blivit en annan. Och i denna nya Margaretas huvud drev tiotusen detaljkunskaper bort vördnaden. Hon såg på de vita skålarna och försökte förgäves mana fram minnet av katedraler och tempelruiner, skeppsbrott och vita segel, men utan att lyckas. Hon visste vad hon såg och därför fanns det inget utrymme för bilder: det där var inte alls något rop mot rymden, det var tre paraboler för enkel satellitmottagning. Möjligen skulle man kunna kalla dem för öron. Men Margareta var oförmögen att uppamma religiösa känslor inför öron. Ögon må vara eldar, men öron är och förblir tämligen triviala trattar. Viktiga och funktionella, men ungefär lika vördnadsbjudande som liktornar.

"Tönt!" sa hon högt för sig själv och sparkade till gruset vid dikesrenen. "Idiot! Knäppskalle! Flumhög!"

För ett ögonblick svindlade tanken: Vad hade det blivit av henne om hon inte hade gett sig ut på vandring den där natten? I så fall hade hon haft sin doktorsgrad sedan länge. Ingen arbetar mer än fyra–fem år på en avhandling i arkeologi, men en fysiker får hålla på i tio–femton år för att det ska bli något. Arkeologer åker dessutom till Grekland på seminarier och konferenser, dricker vin om kvällarna och har kärleksaffärer. Fysiker får sitta ensamma hela nätterna i något dragigt skjul i Norrland och läsa av instrument. Åtminstone halvtaskiga fysiker som Margareta, sådana som saknar den lätthet i tanken som utmärker de verkliga begåvningarna och för dem till Cern i Schweiz.

Jo, tänkte Margareta när hon hade satt sig i bilen igen och trampat gasen i botten, det är dags att jag inser att jag faktiskt är en halvtaskig begåvning ...

Hon famlade med handen över passagerarsätet på jakt efter sina cigarretter, hittade en och tände den. Röken från det första blosset sved till i hennes ögon och fick dem att tåras, hon blinkade till och ögat svämmade över. Men sikten klarnade inte. Ögat fylldes omedelbart med nya tårar.

Margareta snörvlade till och drog irriterat pekfingret under näsan. Satt hon verkligen och grät? Margareta Johansson – damen som gjort bitchigheten till en konst? Inte då: hon hade inte gråtit på femton år och hon tänkte inte börja nu. Det var för rökigt i bilen ... Hon vevade ner rutan. Fartvinden fick hennes hår att fladdra och ögonen att tåras på nytt.

Men okej. Visst. Nog kunde hon erkänna för sig själv att hon var lite deppig, att hon varit lite deppig ganska länge. Ända sedan hon insåg att allt i hennes liv hade blivit halvt: att hon var en halvgammal halvbegåvning med en halvfärdig avhandling, halvtaskig ekonomi och halvsystrar. Eller vad man nu skulle kalla dem. Större delen av året var hon dessutom damen utan underkropp: Claes bodde i Stockholm och hon själv i Kiruna. Dessutom hade Claes tidigt gjort klart att allt han kunde erbjuda var vänskap och kropparnas gemenskap. Ett halvt förhållande, alltså. Margareta fimpade och gjorde en grimas: kanske skulle hon kunna bli en attraktion på Kiviks marknad. Kom och se halva damen! Bara halva priset!

Några mil utanför Uddevalla hade hon skakat av sig sin självömkan. Hon stannade vid en vägkorsning och tittade på kartan. Jo, hon måste köra över Jönköping, trots att det var en omväg för den som skulle vidare till Stockholm. Men hon hade ju ytterligare en anhalt på sin färd längs Memory Lane.

Redan på förhand hade hon bestämt sig för att inte stanna i Vadstena, trots att hon kunde Christinas nya adress utantill. Hon skulle lugnt puttra förbi den där självbelåtna lilla staden med sin självbelåtna lilla doktor och fortsätta till Motala. Där skulle hon tända ett ljus på Tant Ellens grav och ta en diskret titt på det gamla huset innan hon fortsatte till Stockholm. Inte för att hon måste skynda sig – Claes skulle vara kvar i Sarajevo i ytterligare några dagar – utan för nöjet att för första gången få bo ensam i Claes lägenhet. Inte för att hon ville rota i hans hemligheter, men om nu en låda eller ett skåp bara råkade gå upp så ...

Hon stannade vid Gyllene Uttern för att äta lunch, satt i en halvtimme eller mer i den tomma cafeterian och stirrade ut över Vätterns blågrå vintervatten innan hon reste sig upp och gick ut till bilen. Några mil senare hände det: något rasslade till och plötsligt lät Claes gamla Fiat som ett helt pansarregemente. Margareta körde in på en avtagsväg och stannade, gick ut och tog ett varv runt bilen för att försöka se vad som var fel, men upptäckte ingenting. Men när hon startade bilen på nytt lät den ännu värre. Hon vågade inte köra ut på motorvägen igen, bilen fick rulla långsamt i den riktning nosen pekade.

Så kom det sig att hon trots allt hamnade i Vadstena, att hon tvingades köra i lusfart genom alla de trånga gatorna med en smällande och skrällande bil. Och naturligtvis visade det sig att verkstan, som hon så småningom hittade, inte kunde lova någon snabb reparation. Avgassystemet var för gammalt. Kunde möjligtvis hämtas från Linköping. Om hon hade tur.

"I morgon", sa verkmästaren på släpig östgötska. "I morgon eftermiddag kan du få den. Absolut inte förr."

Svettig av stress drog Margareta handen genom luggen.

"Blir det dyrt då?"

Han lyfte lätt på sin keps och tittade åt sidan.

"Kanske. Vet inte. Vi får se ..."

Och när hon kom ut på parkeringsplatsen satt ett brev under vindrutetorkaren.

Hon var darrande och uppjagad när hon väl kom fram till det som måste vara Christinas hus och hon blev än mer uppjagad när ingen öppnade. Hon sprang några varv runt huset, bankade på köksdörren och tryckte gång på gång på ringknappen vid dörren åt gatan, men insåg så småningom att hon bar sig hysteriskt åt. Huset kunde mycket väl vara just så tomt som det såg ut. Det fanns inget rimligt skäl att tro att Christina skulle sitta och kura någonstans bakom de svartblanka fönsterrutorna bara för att hon inte ville släppa in Margareta. Hon var inte inne. Så enkelt var det.

Andfådd men lättad av denna fläkt av förnuft slog sig Margareta till slut ner på kökstrappan och beredde sig att vänta. Till en början tummade hon på kuvertet, vred på det och strök med pekfingret över dess öppning, men efter en stund mjuknade hennes muskler och fylldes av en behaglig värme, händerna sjönk ner i knäet och lade sig i en halvcirkel runt brevet. Hon höll inte längre i det, det låg löst på hennes jeansklädda lår.

Det hade kunnat vara en stund att njuta av. Om inte en envis röst i hennes huvud gång på gång hade sjungit brevets sista rad: *Fy skam, fy skam för ingen ville ha'na.*

Vid ett tillfälle under sin långa väntan sträckte Margareta ut benet och lät kängan snudda vid trädgårdsgången. Hon kunde slå vad om att Christina varje vecka noggrant krattade sitt grus. Så skulle man göra, det hade Tant Ellen lärt dem. Varje lördag försågs flickorna med var sin kratta och förväntades göra sin plikt. Christina skulle ta gången mellan grinden och huset, Margareta den lilla gårdsplanen och Birgitta grusplätten på baksidan.

Om Margareta någon gång skulle komma på tanken att brodera sin samlade livsvisdom på en väggbonad, så skulle den handla om just dessa lördagar. *Så som du krattar så ska du också leva,* skulle det stå. För så var det. Så som de hade krattat, så hade de också levat.

Så fort Tant Ellen hade försvunnit slängde Birgitta sin kratta i gräset och kröp upp mot husväggen utom synhåll från köksfönstret. Där satt hon sedan och blängde under lugg medan hon bet så grundligt på sina redan nedbitna naglar att de började blöda.

Margareta föraktade hennes attityd. Hon ville inte smita. Tvärtom ville hon göra gårdsplanen riktigt vacker. Hon drog sin kratta i stora svep genom gruset, ritade blommor och cirkushästar och prinsessor, bara för att uppgivet brista i gråt när hon såg resultatet. Det syntes inte ens att hon hade ansträngt sig! Det såg okrattat ut!

Bara Christina krattade på riktigt, bakom henne randades gruset spikrakt och systematiskt. Hon tog sin egen sträcka först, sedan Margaretas och sist Birgittas. Hon klagade aldrig, tvärtom verkade hon rädd för att bli avslöjad, hon kastade ängsliga blickar mot köksfönstret och skyndade sig att göra färdigt sina systrars arbete.

Fast systrar och systrar ...

Margareta bytte ställning och krafsade i fickan efter sina cigarretter. Under de senaste åren hade Christina fällt ner visiret helt och hållet, hon hörde aldrig av sig och hade aldrig tid att träffas. Under adventsveckorna hade Margareta förhoppningsfullt lyft på luren varje gång det ringde – kanske skulle Christina ta sig samman och bjuda ner henne till jul som förr i världen – men allt som hände var att hon fick ett julkort med vadstenaspetsar. Från *familjen* Wulf. Det var det slutgiltiga beviset: Christina ville inte ha henne som sin syster. *Fy skam! Fy skam! För ingen ville ha'na!*

Och plötsligt kändes det alldeles orimligt att hon satt där hon satt. Hon tände sin cigarrett med darrande hand. Varför i herrans namn skulle hon egentligen tränga sig på någon som så uppenbart inte ville ha med henne att göra? I hela sitt liv hade Margareta valt att gå hellre än att bli lämnad, hon borde göra det igen, hon borde resa sig upp och leta upp ett litet hotell. Där kunde hon dunka sitt kontokort i bordet och äta en god middag – hon var faktiskt hungrig – ta ett glas vin och sedan krypa ner mellan nymanglade vita lakan ...

Om hon inte skulle hyra en bil och köra direkt till Stockholm? Fast å andra sidan kunde hon ju inte lämna Fiaten i Vadstena för alltid, Claes skulle bli vansinnig om den inte fanns på plats när han kom hem. Dessutom var det det här med brevet: på något sätt måste hon avbörda sig det satans brevet och Christina var – dessvärre – den enda som skulle begripa dess innebörd. Något var på gång. Men det kunde bara tre personer i världen veta och en av dem var skribenten själv. Och henne tänkte Margareta sannerligen inte springa och klaga hos. Det kunde rentav vara farligt: ingen vet vad som kan tänkas pågå i en så uppmjukad hjärna.

Fast ändå? Behövde hon egentligen bry sig? Kunde en sketen knarkare från Motala skada Margareta Johansson? Kunde hon inte bara ta det här brevet och de brev som förmodligen skulle komma under de närmaste veckorna och spola ner dem på muggen? Skulle hon låta sig skrämmas?

"Icke", sa hon högt för sig själv och började resa sig. Hon skulle strunta i hela tramset, leta upp närmaste hotell och hyra sig ett rum. Birgitta kunde ta sig i häcken. Liksom Christina för den delen ...

I samma ögonblick stannade en bil ute på gatan och Margareta frös mitt i rörelsen. Nu var det för sent att försvinna. Hon satt orörlig och lyssnade till sin systers lätta fotsteg när hon kom in i trädgården. Märkligt, hon stannade vid syrenen och började sparka i gruset ...

Margareta insåg att hon var osedd och det väckte hennes lust för det dramatiska. Hon sjönk tillbaka ner på trappan, drog ett djupt bloss på sin cigarrett och sa sedan med sin hesaste röst:

"Hej, Christina. Har du också fått brev i dag?"

Nu står de avvaktande en bit ifrån varandra, Christina med fötterna tätt ihop och händerna dygdigt knäppta framför skötet, Margareta bredbent och med händerna djupt nerkörda i jackfickorna. Plötsligt känner hon sig fullkomligt säker. Kvällsluften har tvättat hennes lungor och sköljt bort allt slagg ur hennes blod, hon känner sig stark och ren och nybadad.

"Synd att du fick vänta", säger Christina allvarligt och börjar gå mot köksdörren. "Men jag har skjutsat Erik till Stockholm i dag. Han ska till Texas och gästforska, det är ett alldeles nytt projekt, väldigt intressant faktiskt, det handlar om sena graviditeter och ..."

Hon döljer sitt obehag över den objudna gästen mycket väl. Hennes röst är ljus, vänlig och välmodulerad, helt annorlunda än den röst Margareta minns från barndomen. Under de första månaderna hos Tant Ellen viskade Christina, ibland lät det nästan som om hon väste. När hon så småningom började tala visade det sig att hon hade en högst besynnerlig dialekt, ett slags förvriden skånska. De flesta skåningar vänjer sig av med diftongerna, men behåller sina skorrande halsljud. Christina var inte ens född i Skåne, hon drillade med tungspetsen som alla andra, men kunde inte uttala en ren vokal. Först några år senare när den blåfingrade Astrid – häxan som var Christinas mor – kom för att kräva sin dotter tillbaka fick de förklaringen. Astrid talade likadant. Men vid det laget hade Christina övergått till bred östgötska och tänkte inte byta. Hon gömde sig bakom Tant Ellens stol och skrek gällt när Astrid närmade sig.

Christina sätter nyckeln i köksdörren och öppnar, glider in och tänder ljuset. Margareta följer tätt efter, hon drar av sig jackan medan hon ser sig om i köket. Logiskt, tänker hon. De har gömt atomkylskåpet och superfrysen bakom träluckor. Men racerspisen har de inte kunnat dölja. Det är väl därför det står en kopparbunke med eterneller på järnspisen. Så att man ska titta dit i stället ... Ja, jösses! Det är inte svårt att räkna ut vad det är för lek som pågår i det här huset.

"Tjahapp", säger hon och hänger sin fårskinnsjacka över en stolsrygg. "Nytt hus, alltså. Eller nygammalt."

Christina blir för ett ögonblick stående mitt på köksgolvet med fingrarna på capens översta knapp, det är som om hon inte vill klä av sig och blotta den förmodade sidenscarfen därunder. Med capen fortfarande knäppt går hon ut mot kapprummet och säger över axeln:

"Vi kan gå husesyn om du vill, jag ska bara hänga av mig kläderna..."

Men Margareta tänker inte vänta i köket, hon släntrar efter. När hon går genom hallen får hon en spegelglimt av Christinas brådska ute i kapprummet: hon sliter av sig scarfen som om den var en skamlig hemlighet och knölar ner den i en gammal byrå, samtidigt som hon drar handen genom håret. Handen fladdrar vidare ner till pärlhalsbandet som skymtar under kavajen. Tänker hon slita av sig halsbandet också? Men hon hinner inte. I samma ögonblick står Margareta i dörröppningen, hon lutar sig mot dörrposten och ler ett syrligt leende.

"Fina pärlor", säger hon. "Har du fått dom av professorn?"

Det tycks väcka Christinas gamla ungdomstrots, med en knyck på nacken signalerar hon att hon minsann inte tänker ta av sig några pärlor, oavsett vad Margareta tycker om dem.

"Jo", säger hon och stryker med handen över smycket. "De är fina.

Och gamla. De har gått i arv i Eriks släkt i många år, jag fick dem efter svärmor ..."

Margareta höjer ögonbrynen:

"Ängsliga Ingeborg? Är hon död?"

Christina nickar.

"Mmmm. Hon dog förra året."

Margareta tystnar och betraktar sin egen bild i spegeln bredvid Christinas. Plötsligt känner hon sig trött. Vad har hon för skäl att ironisera över Christinas scarf och pärlor? Ser hon inte själv ut som en standardmodell? Hon bär alla de attribut som konventionen kräver av en förmodat okonventionell kvinna i medelåldern. Svarta jeans och designad linnejacka, kantig pagefrisyr och målade ögon. Runt halsen hänger ett halsband, vars originalitet plötsligt tycks henne som en klen ursäkt för dess brist på skönhet, några stora keramikbitar i tunna läderremmar. Vad trodde hon sig kunna signalera med det?

Christina vänder sig om och ser på henne:

"Är du trött?"

Margareta nickar.

"Jag har inte sovit så bra på sistone ..."

"Varför det?"

Margareta rycker på axlarna.

"Vet inte ... Föraningar kanske."

Christina gör en liten läkargrimas, föraningar ingår inte i hennes världsbild. Men plötsligt minns hon:

"Du sa något om ett brev?"

Margareta drar kuvertet ur fickan och sträcker fram det, men Christina tar inte emot, hon sticker händerna i kavajens fickor medan hon böjer sig fram och granskar kuvertet.

De höjer blicken i samma ögonblick och ser varandra i ögonen. Margareta gör en grimas och tittar hastigt bort. Klumpen i halsen, den som hon försökt ignorera så länge, sväller och spricker som en slemmig såpbubbla. Hon får knipa ihop munnen hårt för att gråten inte ska tränga ut. Men Christina ser.

"Så", säger hon och klappar Margareta ängsligt på armen. "Ta det lugnt, Margareta... Vad är det hon skriver som gör dig så upprörd?"

Margareta sträcker än en gång fram brevet och den här gången tvingas Christina ta emot det. Hon hanterar det som om det vore besmittat, hennes fingrar formar en liten pincett som hon försiktigt sticker ner i kuvertet, hon drar upp ett skrynkligt papper och lägger det försiktigt på byrån. Sedan rättar hon till glasögonen och ger Margareta ett beslutsamt ögonkast innan hon börjar läsa med sin välmodulerade röst:

> *"Tre kvinnor födde barn.*
> *Aj, sa Astrid, aj, sa Ellen, aj, sa Gertrud.*
> *Ajajajaj.*
> *Barnmorskan vände ryggen till. Plupplupplupplupp!*
> *Fyra barn blev det.*
> *Ett hamnade på golvet. Vems var den fula ungen?*
> *Fy skam! Fy skam! För ingen ville ha'na!*
> *Fy skam! Fy skam! För ingen ville ha dig!"*

Det blir tyst en stund, de ser inte på varandra, Christina stryker med handen över brevet. Sedan tycks hon fatta ett beslut. Hon drar ut en låda i byrån och tar upp ett paket pappersnäsdukar.

"Snyt dig", säger hon. "Sedan ska vi äta ..."

Margareta gör som hon blir tillsagd, men mitt i snytningen, medan hon fortfarande har näsa och mun i näsduken säger hon grötigt:

"Jag skulle kunna slå ihjäl henne! Det är hennes fel, alltihop. Hela jävla livet är Birgittas fel!"

Våren var bara ett tomt löfte. Nu är det nästan natt och vintern har samlat sig till ett sista angrepp. Det har blåst upp och börjat snöa, redan ligger en liten driva av smältsnö längst ner på fönstret. Margareta ryser lite där hon sitter vid köksbordet. En buske utanför köksfönstret vispar fram och tillbaka, i ena sekunden stryker den sig kelet mot glaset, i nästa piskar den som en ilsken städkärring mot rutan.

Margareta har läst Christinas brev och frustat av indignation över det. Kanske överdrev hon en smula: egentligen var det ju bara obegripligt nonsens, men på något sätt kändes det som om ett antal lagom upprörda ord skulle kunna skyla över tårarna. Men nu har hon hunnit långt från gråten. Visserligen gömmer hon fortfarande en pappersnäsduk i handen, men klumpen i halsen är borta och ögonen är torra. Med fast blick följer hon Christinas rörelser borta vid diskbänken. Hon rör sig vant bland alla sina blänkande föremål, ändå ser hon ut som en inkräktare i sitt eget hus. Hon går mycket tyst, med armarna tätt tryckta intill kroppen, dämpar hastigt strålen när hon ska spola upp vatten så att det inte ska brusa för häftigt och hejdar kylskåpsdörren i sista sekunden när hon ska stänga den. Sedan drar hon efter andan – av allt att döma fullkomligt omedvetet – griper tag i dörren med båda händerna och stänger fullkomligt ljudlöst.

Ljuset i köket förstärker det hemlighetsfulla intrycket. Christina har bara tänt lampan över köksbordet – från Svenskt Tenn, tänker Margareta, kostar inte en spänn under tvåtusen! – och rör sig själv i halvmörker borta vid diskbänken. Men det hon sysslar med verkar löftesrikt: hon har öppnat en flaska vin och ställt den på luftning, nu tinar hon ett hembakt bröd i mikrovågsugnen, medan en djupfryst klump förvandlas till soppa på spisen.

"Ska jag hjälpa till med något?" säger Margareta.

Christina tittar upp och ser förvånad ut, det verkar nästan som om hon glömt att Margareta är där. Men hon finner sig snabbt.

"Nejnej", säger hon hastigt. "Det är nästan klart ... Sitt kvar du."

"Får jag röka?"

Christina rycker på axlarna. Margareta tänder en cigarrett och böjer sig fram över köksbordet med tändaren i beredskap.

"Ska jag tända stearinljuset också?"

"Visst", säger Christina likgiltigt. "Gör det ..."

Margareta känner igen ljusstaken. Den är från Peru. Hon har själv köpt den och minnet av den dagen fladdrar hastigt förbi: sent om kvällen satt hon på en strand i Lima. Några timmar tidigare hade hon för första gången sett det där barnet, en mager liten skrynkla till pojke med svarta ögon. Han låg med armarna över huvudet på spädbarns vis och stirrade på henne utan att blinka. Den blicken tystade henne för flera timmar, utan ett ord gick hon ner till stranden, satte sig i sanden och såg tigande ut över Stilla havet. Det är bara logiskt, tänkte hon den gången. Vi hittebarn är ett eget folk, vi måste ta hand om varandra ... På väg hem till hotellet log hon av moderslycka och när hon mötte en gatuförsäljare som sålde vackra handmålade ljusstakar köpte hon fem stycken i ett anfall av överdåd. En av dem stod länge på Tant Ellens nattygsbord på sjukhemmet, en annan har alltså hamnat på detta köksbord i Vadstena. Men var den vackraste är, den som hon satte på golvet bredvid pojkens säng, det vet bara gudarna ...

Christina sätter en tallrik rykande het soppa framför henne, hon känner igen dess syrliga doft.

"Är det Tant Ellens soppa?" säger hon hungrigt och griper efter skeden.

För första gången den kvällen ler Christina.

"Ja, hon gav mig massor av recept det sista året ... Kalopsen har jag. Och hallonkakan ... "

Margareta ler lystet över soppskeden:

"Åh, hallonkakan! Den vill jag ha receptet till ... Kommer du ihåg?"

Mer behöver hon inte säga, Christina skrattar lågt och kuttrande, det låter som ett eko av Tant Ellens skratt en gång. Hennes hand vibrerar i samma takt som skrattet när hon häller upp vinet.

"Tala om att bli upptäckt med fingrarna i syltburken. Då låg du illa till! Uppriktigt sagt var jag livrädd ..."

Margareta ler tillbaka.

"Ja, jäklar. Då gick åskan ett bra tag ..."

Christina sträcker fram brödkorgen, gesten är avspänd, isen mellan dem är nästan bruten.

"Har du varit vid graven på sistone?" säger Margareta och tar en skiva av det varma brödet. Hon behöver bara känna dess konsistens med fingrarna för att veta att också detta är bakat efter Tant Ellens recept.

Christina rycker på axlarna.

"Jag var där vid allhelgona. Smög mig dit. Jag tycker inte om att åka till Motala längre..."

Margareta hejdar sig förvånat med smörkniven i handen.

"Varför det? Har du stött på henne?"

"Nej, men ..."

Hon blir sittande med blicken fäst på väggen bakom Margaretas rygg.

"Ja", säger Margareta otåligt. "Men vadå?"

"Man känner sig iakttagen. Det är som om alla vet vem jag är. Efter den gången då hon stal mitt receptblock. Då var jag ju tvungen att gå till polisstationen flera gånger för förhören. Och sedan fick jag vittna i tingsrätten. Tidningarna skrev och lokalradion gjorde inslag, nej, det var inget vidare ..."

"Men de nämnde väl inte ditt namn?"

Christina ler ett snett litet leende.

"Det kvittar. Här vet alla allt om alla. Vet du vad som hände mig i våras? Jag var inne i Motala för att handla och så bestämde jag mig för att äta lunch på en ny liten restaurang vid torget, ett sådant där alldeles vanligt ställe med bricklunch. Och då dyker självaste ägarinnan upp och börjar plocka disk. Hon stryker runt mig och skramlar och väsnas så att jag bara måste titta upp. Och då säger människan: 'Förlåt men är det inte doktor Wulf från Vadstena?' Och det måste jag ju medge ... Då skrynklar hon ihop ansiktet i någon sorts tillgjort medlidsam min och säger: 'Ja, jag ville bara tala om att vi försökte anställa doktorns syster som diskerska här på restaurangen, man vill ju gärna göra en insats, men det gick ju inte ...'"

Margareta gör en grimas av obehag.

"Vad sa du då?"

"Ja, vad skulle jag säga? Skulle jag fråga vad det var som gick snett? Strippade hon framför lunchkön? Drog hon in sina kunder i diskrummet och idkade otukt? Sprutade hon amfetamin i potatisen? Nej tack. Jag reste mig bara upp och sa som det var. Att jag inte har någon syster!"

Det är en örfil. Men Christina tycks inte märka hur Margaretas kinder hettar till och rodnaden slår ut. I stället lyfter hon sitt glas och säger:

"Skål och välkommen då ..."

Men Margaretas händer ligger kvar på bordet, hon vägrar höja sitt glas.

"Tyvärr", säger hon och det förvånar henne att rösten är så stadig. "Jag glömde mig när du hällde upp. Jag kan inte dricka vin, jag ska köra tillbaka till Stockholm i natt..."

Och aldrig ska jag komma tillbaka, tänker hon. Aldrig, aldrig, aldrig! Det kan du lita på, din sketna lilla bracka!

Christina sänker glaset och ser förvånad ut.

"Men inte kan du köra i natt. Inte i det här vädret ... Och du har ju ingen bil."

Margareta slänger en blick mot köksfönstret. Det blåser och snöar där ute, men fortfarande är det långt till snöstorm.

"Jag hyr en", säger hon. "Jobbet, du vet. Jag ska på sammanträde på Fysikum i övermorgon. Måste förbereda mig ..."

"Men vi måste ju prata", säger Christina. Hon är allvarligare nu, kanske har hon börjat inse vad hon sagt.

"Vi hinner prata medan vi äter ..."

Christina slår ner blicken och drar ett djupt andetag:

"Men snälla Margareta ... Det var ju så länge sedan vi sågs. Om jag ber dig?"

Margareta ser stadigt på henne, men Christina tittar inte upp. Hennes vita pincettfingrar plockar nervöst med några smulor på duken.

"Snälla!" säger hon fortfarande med blicken sänkt och nu låter det nästan som om hon verkligen vädjar. Det blir tyst mellan dem. Margaretas tankar fladdrar. Egentligen vill hon inte alls åka sin väg redan i kväll, men lika lite vill hon stanna. Bådadera innebär förödmjukelse. Men plötsligt hittar hon en utväg:

"Tja", säger hon och griper om sitt glas. "Om jag sticker i morgon så går det väl ändå. Och då kan jag ju ta vägen över Motala och gå till graven. Eftersom det nu var så länge sedan någon var där och lämnade en blomma ..."

"Och Birgitta då?" säger Christina efter middagen, när de har suttit och tigit några minuter framför kakelugnen i vardagsrummet. "Vad ska vi göra med Birgitta?"

"Slå ihjäl henne", säger Margareta och tar en djup klunk ur sitt likörglas. Christina bjuder på Amaretto, den är mild och mandeldoftande mot gommen, men bränner sekunden senare som eld i hennes strupe. Hon mår bra nu. Christina har bjudit henne en bit av det goda livet, det som hon själv aldrig tar sig tid att leva. Det kräver omsorg om detaljer och Margareta har aldrig ansett sig ha tid med detaljer. Som tonåring gick hon ständigt med trosorna bara halvvägs uppdragna och underkjolen hopsnodd till ett klumpigt trassel över höfterna, eftersom hon inte tyckte sig kunna offra tjugo sekunder på att rätta till kläderna. Och så har det fortsatt. Som vuxen har hon börjat varje dag med en hastig kopp snabbkaffe vid diskbänken. Där har hon stått och bränt sig på tungan medan hon vagt har längtat efter riktig frukost vid dukat bord. Nästa morgon, har hon lovat sig själv varje dag, ska hon börja ett nytt och bättre liv. Då ska hon sluta röka och börja göra morgongymnastik, äta frukost och sätta upp köksgardiner ... Men inte i dag, för i dag har hon för mycket att göra och om hon inte gör det just nu, så kommer döden att hinna i fatt henne och det kommer aldrig någonsin att bli gjort.

Christina avstår själv från likören. Hon verkar lika rädd för alkohol nu som när hon var ung: under middagen tog hon bara ett par försiktiga klunkar ur sitt vinglas. Nu sitter hon rakryggad i sin öronlappsfåtölj med ena benet över det andra och håller kaffekoppen med båda händerna. Fingrarna är utspärrade och stela, det är som om koppen svävar mellan hennes fingertoppar. När hon dricker böjer hon sin styva nacke ner mot koppen och låter läpparna snudda mycket lätt vid dess kant.

"Jo", säger Margareta och lutar huvudet mot fåtöljens nackkudde. "Jag tror att vi tar och slår ihjäl henne ..."

Christina ler ett snett litet leende.

"Det är onekligen frestande. Men för sent ..."

Margareta blinkar till.

"Vadå för sent?"

Christina tar en liten klunk kaffe och låter sitt leende smalna:

"Vi borde ha slagit ihjäl henne redan efter det där med Tant Ellen. Då hade vi klarat oss utan att bli misstänkta. Men nu har vi polisanmält henne lite för ofta och lämnat uppgifter till hennes personundersökare ett par gånger för mycket ... Polisen vet vad vi tycker om henne. Vi skulle åka dit direkt. Åtminstone jag."

Margareta ler osäkert och sätter sig rakare upp i fåtöljen.

"Men jag bara skojade ..."

Christinas grå ögon är glasklara, hon ser stadigt på Margareta innan hon tar ännu en klunk kaffe. När hon har svalt, ler hon igen. Vanligt och vänligt.

"Jag också," säger hon. "Jag bara skojade, jag också ... Så vad ska vi göra?"

Margareta tänder en cigarrett och rycker på axlarna.

"Jag vet inte. Just nu är det väl inte mycket att göra. Förutom att försöka förutse nästa drag ..."

"Och vad tror du det bli?"

"Ingen aning ... Det är ju det som är det värsta. Det kan ju bli vad som helst. En död katt på hallmattan. Eller ett framträdande i något soffprogram på TV. *Förlåt mig*. Eller *Mänskligt*. Eller vad de nu heter."

Christina drar hastigt fötterna ur sina prydliga pumps och drar upp benen under kjolen.

"Usch!"

"Eller en påse bajs på ditt skrivbord på mottagningen ..."

"För sent. Det har hon redan gjort. Och hon brukar inte upprepa sig ..."

Margareta suckar och sluter ögonen men låter sig inte hejdas.

"Eller ett anonymt brev om dig till Vadstena Tidning ... Inget publicerbart, bara allmänt skitprat. Eller en liten eldsvåda ... Du har väl brandvarnare?"

Christina nickar stumt. Margareta tömmer sitt glas i ett enda svep, sätter det sedan på bordet med en smäll. Det blir tyst. Christina har kurat ihop sig till en boll i fåtöljen. Fötterna är dolda under kjolen, händerna gömmer hon i kavajens ärmar.

"Men det är ändå inte det värsta", säger hon till slut och ser ner i sitt knä.

Margareta svarar inte. Jag vet, tänker hon. Jag vet. Det värsta är att hon vet allt om våra svaga punkter. *Fy skam! Fy skam! För ingen ville ha dig!*

"Kan man få ett glas likör till?" säger hon utan att öppna ögonen.

En timme senare sitter hon håglöst på sängkanten i Christinas gästrum. Rummet är trångt och övermöblerat. Här har Christina verkligen tagit i så att byxorna spricker: gammal järnsäng, gammal byrå, gammal stol och gammalt skrivbord. Plus en kopia av en gammal tapet.

Margareta kan höra hur Christina borstar tänderna ute i badrummet. Förmodligen använder hon en antik tandborste. Handsnidad och från 1840 eller så. Och förmodligen borstar hon med Karlssons klister, så att hon ska hålla munnen ordentligt stängd under natten och inte låta några oavsiktliga spontaniteter trilla ut ...

Det blev inte mycket av deras samtal. Och vad hade hon egentligen väntat sig? Att Christina skulle ha en lösning på det olösliga? Eller att hon skulle erbjuda systerligt samarbete med någon som hon av allt att döma uppfattar som en besvärlig bekant. Det var idiotiskt att alls åka hit. Men i morgon ska hon ge sig av så tidigt som möjligt – hon kan gå på stan några timmar i väntan på bilen – och den här gången ska hon verkligen visa att hon har lärt sig läxan. Ingen kontakt. Vad som än händer ...

"Hallå", ropar Christina ute i hallen. "Margareta! Badrummet är ledigt nu ..."

Margareta famlar efter sin handduk och necessär, men just när hon ska resa sig ringer telefonen och hon hejdar sig mitt i rörelsen. I spegeln ovanför byrån kan hon se sitt eget ansikte: ögonen har smalnat, pannan är rynkad.

"Ja", säger Christina där ute. "Ja, men ..."

Det blir tyst en stund.

"Visserligen", säger Christina "Men ..."

Hon har blivit avbruten, den andra personen tycks tala oavbrutet.

"Hur illa är det?" säger Christina.

Mumlet i telefonluren stiger en oktav. En patient, tänker Margareta. Det är säkert en av hennes patienter.

"Jo. Jag vet. Jag är själv läkare", säger Christina till slut. "Jaja. Vi kommer väl då ... Jaja."

Hon lägger på luren utan tack och avskedsfraser. För ett ögonblick blir det alldeles tyst i huset, Margareta rör sig inte där hon står framför spegeln i gästrummet och Christina tycks stå lika orörlig ute i hallen.

"Margareta", säger Christina till slut. Hennes röst är dämpad. "Margareta?"

Margareta drar en djup suck och går ut genom dörren. Hon blir stående mitt i hallen med handduk och necessär i famnen.

"Var det hon?"

"Nej", säger Christina. "Det var från kvinnojouren i Motala ..."

"Vad ville dom?"

Christina suckar och drar handen genom håret. Plötsligt ser hon inte så ängsligt prydlig ut längre; hennes nattlinne är skrynkligt, håret är rufsigt och morgonrocken öppen.

"Dom sa att Birgitta har blivit misshandlad. Svårt misshandlad. Hon ligger på sjukhuset i Motala och dom tyckte att vi skulle åka dit ..."

"Varför det?"

Christina suckar uppgivet, men hennes röst är torr och saklig.

"För att hon håller på att dö. Dom sa att hon håller på att dö ..."

"FYLLKÄRRING!" SKRIKER NÅGON LÅNGT BORTA. "Spyr du i sängen din äckliga jävla sumphora ..."

Spyr? Säng?

Rösten försvinner i ett suddigt mumlande. Birgitta vet inte vem det var som skrek och orkar inte öppna ögonen. Skit samma. Men hon ligger visst i en säng någonstans... En säng med smutsiga lakan. Små svarta korn av något fett och flottigt fastnar på fingertopparna när hon stryker med handen över tyget. Hon har sett de där små kornen i så många sängar att hon inte behöver öppna ögonen för att känna igen dem. Så blir det bara när sängkläderna är så ingrodda att smutsen inte längre förmår tränga in mellan trådarna i väven. Dessutom känner hon igen lukten, den brunsöta doften av tobak blandad med syrlig ölspya.

Jo. Han hade rätt. Fyllkärringen har spytt i sängen. Och hon har visst lagt sig i sin egen spya. Den håller på att torka och det stramar lätt i kinden. Ändå orkar hon inte byta ställning, hennes kropp är för blodtung och varm. Allt hon kan göra är att oändligt långsamt lyfta händerna, föra dem samman och lägga dem under kinden. Gertrud sa en gång att hon såg ut som en bokmärkesängel när hon låg på det viset. En riktig liten ängel.

Nu är allt stilla igen, nu kan hon ägna sig åt det hon verkligen vill. Snobborna.

Tanken glider ut i ett välbekant landskap. Ett jaktlandskap. Hon har en kpist under armen och smyger tyst som ett rovdjur från kulle till kulle. Och där, en kulkärve i Margareta. Och där, en i Christina. Hon låter kulorna strila över knäna, magen, brösten och strupen. Ha! Det blir bara köttfärs av den där jävla apan ...

Birgitta tröttnar aldrig på att jaga snobbor. Hur darrig och abstinent hon än har varit, hur hög hon sedan än har blivit, hur djupt hon under de senaste åren än har dykt i sin fylla, så har leken alltid varit densamma. Den är hennes enda hemlighet; hon har aldrig hittat ord för att beskriva den vare sig för polare eller socialkärringar. Annars är hon bra på ord, hon kan tala med pundare på pundares vis och med socialkärringar på latin. I rätten kan hon till och med låta som ett protokoll. Men vad skulle hon säga om det här? Svaranden medger att hon vid åttatusensexhundrasjuttiotre tillfällen i tanken har gjort köttfärs av kärandena Margareta Johansson och Christina Wulf. Ja, vadå? Det är inte olaga hot. Hon har ju aldrig sagt eller gjort något.

Nu kommer smärtan och illamåendet igen, det är som om någon kör en potatisstöt i hennes inälvor, upp och ner, upp och ner. Tarmarna knyter sig, det bränner till i magsäcken. Men den här gången kommer det ingen riktig kräkning, det är bara något surt och vattnigt som rinner ut ur hennes mun. Fan. Hon tål ingenting längre. Förr kunde hon stå pall för två kabbar och en sjuttifemma på raken, ingenting hände, hon mådde bara fint. Numera får hon vara glad om hon kan behålla en enda liten öl.

Öl, ja. Om hon bara hade en öl.

Armen är tung som sten, ändå lyckas hon lyfta den och ta stöd mot sängen, hon stönar och det svirrar till i huvudet, det känns som om hjärnan låg lös som en tvättsvamp i ett gungande vatten. Magen vrider sig i kramp, men upp ska hon, om det så ska kosta henne livet ...

Nu sitter hon, men ännu har hon inte öppnat ögonen, ännu vet hon inte riktigt vad som är upp och ner. Hon viftar lite med tårna på försök, de snuddar vid ett kallt golv och ett stycke tyg. Hon öppnar ögonen och ser ner mellan sina skrevande ben. Det ligger en grönmönstrad skjorta mellan hennes fötter. Golvet är grått och det är ett brännmärke precis bakom hennes häl.

Hon lyfter långsamt på huvudet och ser sig omkring. Hon är inte hemma, hon är någon annanstans. Rummet är litet. Till vänster har hon tre svarta fönster, de fyller en hel vägg. Någon har försökt hänga en filt framför ett av dem, men den har fallit ner och hålls bara fast av en enda flik. Under elementet ligger en kullslagen bordslampa och lyser. Det måste vara natt. Eller tidig morgon.

Vems kvart är det här?

Den ser ut som alla andra kvartar, på en gång välbekant och anonym. Möbler från socialen: ett vingligt bord med brännmärken och fuktringar, en säng – den som hon själv sitter i – och två madrasser på golvet. Två pinnstolar, en stående, en kullvräkt.

Luften är tjock av rök och människolukter. Det måste ha varit en sjujävla fest: askfatet svämmar över av fimpar och bordet är fullt av flaskor, burkar och glas. Mycket försiktigt lutar Birgitta sig fram, skakar en burk och känner att den är nästan halvfull. Hon griper girigt om den med båda händerna och dricker, potatisstöten gör ett angrepp underifrån och försöker vända hennes mage ut och in, men hon håller emot, hon sitter rakryggad och blundande och bekämpar illamåendet. När de första kramperna har lagt sig fortsätter hon att dricka den avslagna ölen i små snabba klunkar. Först när burken är tom öppnar hon ögonen. Lampan på golvet tycks lysa starkare och alla konturer har skärpts. Nu ser hon att hon inte är ensam. Det ligger fyra – nej, fem – sovande kroppar längs väggarna. Ingen av dem är Roger. Men i hörnet längst bort sitter en vitblond ung flicka och stirrar med vidöppna ögon utan att se. Hon ser märkvärdig ut, som en teckning i en sagobok. Halsen är mycket smal och huvudet alldeles runt. Lilla prinsessan Rosenknopp har halkat ur sin saga ...

Birgitta tar stöd mot sängen och reser sig upp med ett stönande. Där är hon igen, den där gamla kvinnan som tar sig friheten att styra allt fler av hennes tankar och rörelser. Hon flinar lite åt sig själv. Så har det alltså gått med henne, hon som alltid sa att hon skulle dö ung och bli ett vackert lik.

Skit samma. Nu behöver hon gå på muggen. Med mjuka knän och gungande kliv tar hon sig bort mot dörren och hamnar i en liten hall. Dörren till toan står vidöppen, ljuset är tänt där inne och hennes egen spegelbild ser på henne med kisande ögon, grå läppar och stripigt hår.

En fyllkärring.

En fet fyllkärring. Så ful att ...

Skammen bränner till, men hon är van och kan parera. Hon sätter händerna för ansiktet, sjunker ner på toalettstolen och upphör för en stund att finnas till.

Hon vaknar av att någon tar tag i hennes hår och ruskar henne, det är ett hårt grepp, men smärtan är ren och klar och svidande. Nästan behaglig.

"Aj", säger hon ändå med grumlig nyvaken röst. "Vad fan gör du?"

"Flytta på dig, kärring. Jag ska pissa ..."

Det är en stor karl med skrovlig röst och dubbelhaka som står över henne. Han är stark och målmedveten. Han lyfter henne i håret och vräker ut henne i hallen. Hon studsar in i en hög kläder och hamnar på golvet.

"Jävla skithög!"skriker hon.

Han svarar inte. Han står bredbent framför toalettstolen och har tagit stöd mot väggen framför sig. Kanske hör han henne inte: han har den där stumma halvslutna blicken som bara den kan ha som susar fram i en alldeles egen världsrymd. Det förbryllar henne att hon inte känner igen honom. Han är alldeles uppenbart en gammal pundare, och hon trodde att hon kände alla gamla pundare i Motala. Men den här har hon aldrig sett förut ...

Nu börjar han tala till väggen där inne, utan att flytta blicken mumlar han en lång ramsa. Det är ett lågt och monotont läte och först hör hon inte vad han säger, men sedan höjer han rösten och några ord blir tydligare.

"... slå ihjäl alla äckliga jävla kärringar, slå knut på alla satans tjackhoror och låta dom kvävas i sina egna stinkande fittor ... Flaffittor, flaff-flaff-flaffittor..."

På en sekund blir Birgitta glasklar, hon har hört den sortens ramsor förr och vet precis vad som kommer efter. Hon fumlar i klädhögen efter sin täckjacka och hittar den nästan genast, drar den på sig till hälften medan hon kryper mot dörren. Han kommer ut i hallen i samma ögonblick, får syn på hennes brådska och hjälper henne på traven. I ett enda kliv är han framme vid dörren och vräker upp den, griper på nytt efter hennes hår och lyfter henne. Plötsligt hänger hon med hela sin tyngd i håret, det är som om huden lossnar från hjässan och hon blir blind, allt hon ser är den vitglödgade smärtan. Men det går fort, på en sekund är det över. Han släpper taget om håret och ger henne en spark i baken med sina nakna fötter. Inte hårt, bara tillräckligt för att hon ska falla ut på golvet i trapphuset.

"Sumphora", säger han i nästan normal samtalston. "Försvinn!"

Birgitta vet exakt hur mycket underkastelse han kräver för att inte slå. Hon ser ner i golvet och kravlar undan, så långt utom synhåll hon bara kan komma. Om det hade funnits en trappa så skulle hon ha halkat utför den lika snabb och osedd som en orm i högt gräs, men det finns ingen trappa ... Paniken fladdrar till inom henne: det finns ingen trappa! Sekunden senare får hon syn på hissen. Dit ska hon ta sig så fort han har stängt dörren.

Det är grå gryning när hon några minuter senare kliver ut på gården och låter porten gå i lås bakom sin rygg. Det har snöat lite under natten och fortfarande är det mycket kallt, Birgitta ryser till och drar jackan tätare om kroppen. Mitt i rörelsen får hon syn på sina egna fötter. De är klädda i ett par svarta pumps som hon aldrig har sett förut. Breda svarta pumps. Det ser ut som om hon har knyckt Mimmi Piggs skor.

Långsamt lyfter hon på huvudet och ser sig omkring. Gården omkring henne är fullkomligt främmande. Hon står utanför ett grått höghus som hon aldrig har sett förut och på andra sidan gräsplanen ligger några trevåningshus som är lika obekanta. De är nyrenoverade. Någon har försökt piffa upp den grå betongen genom att måla den blekrosa. Det ser inte klokt ut. Fjäskigt.

Birgitta skakar på huvudet och börjar gå, hon vinglar fram på sina smala klackar över en gräsmatta och en lekplats, ser sig hela tiden omkring och försöker hitta en ledtråd som kan tala om var hon är. Men här finns inga ledtrådar. Bara hus. Stora hus och små hus, grå hus och rosa hus. Och mellan dem några vintertrötta buskar och halvtomma parkeringsplatser, smutsiga snödrivor och håglös graffiti.

Var är hon?

Hon blir stående mitt på en parkeringsplats och snurrar långsamt runt. Allt är främmande, ingenting känner hon igen. Kallt är det också, kinderna svider och hon börjar förlora känseln i tårna. Inte så konstigt. Hon är ju alldeles blöt om fötterna! Plötsligt ser hon sig själv sitta i en rullstol med avskurna fötter; det är en bild som både lockar och förskräcker. Hon kan se de skuldmedvetna snobborna stå i dörren till sjuksalen. De har grova ytterkläder, men själv är hon klädd i en blekblå sjukhusrock med nattskjortans vita krage prydligt utvikt över halsringningen. Hennes hår är nytvättat och lika ljust och doftande som när hon var ung. Först ska hon inte märka snobborna, de ska få stå en lång stund i dörröppningen och kämpa med gråten, men sedan ska hon långsamt lyfta på huvudet och se på dem med stora, svarta ögon ...

Äsch. Hon skakar av sig drömbilden och snurrar runt ett varv till. Det här är ju inte klokt. Här står hon i en värld hon inte känner, klädd i någon annans skor och håller långsamt på att frysa ihjäl ... Om hon åtminstone hade haft en öl. Hon måste hem. Hennes kvart är full av gömställen och i något av dem måste det fortfarande finnas en öl.

Långt borta hör hon motorljud, en enda bil far genom gryningen.

Hon korsar armarna om sig själv och börjar gå i riktning mot ljudet, det är en evighetsvandring mellan ännu fler uppsminkade betongkåkar, gräsmattor och lekplatser, men nu är hon målmedveten, nu famnar hon sig själv för att hålla värmen och går med snabba steg. När hon kommer ut på gatan kommer hon att känna igen sig. Hon har bott i Motala i hela sitt liv och det finns inte en gata som hon inte känner igen, oavsett hur packad hon är ... Och när hon har konstaterat var hon är, ska hon ta sig hem och ta sig en öl. Och sova. På riktigt. I sin egen säng. För ett ögonblick blir tanken så levande att hon sluter ögonen och nästan somnar där hon går ...

Fan! Att hon aldrig kan bli kvitt de där förbannade kortfilmerna som ständigt rullar i hennes hjärna. De är farliga, de är magiska och förtrollade och förstör verkligheten. Ingenting blir någonsin som man drömt, därför gäller det att lägga allt det man hetast önskar sig i en liten svart säck längst bak i hjärnan och aldrig någonsin låta sig frestas att öppna den. Det lärde hon sig redan som barn. Tusen gånger såg hon sig själv flytta från Kärringen Ellen hem till Gertrud. Och vad hände? Gertrud dog. Och sedan, när hon blev äldre, fantiserade hon så intensivt om familjelycka med Doggen att hon numera minns drömmen bättre än det som verkligen hände. De skulle ha en modern lägenhet med tre rum och kök och volanger på köksgardinerna. Och vad blev det? Vedspis, kallvatten och utedass tills Doggen stack och ungen togs ifrån henne.

Alltså måste hon skärpa sig, hon får inte se sig själv i sin kvart, för om hon gör det kommer hon aldrig mera tillbaka dit. Och om hon tänker på sömn så kommer hon aldrig någonsin mer att få sova. *Tänk på det du gör*, sa Kärringen Ellen alltid. Och det var faktiskt vettigt. Det enda vettiga den huggormen fick ur sig under alla år ...

Nu närmar hon sig en gata. Det fladdrar till i hennes mage när hon inser att hon inte känner igen den heller. Den är bred, mycket bredare än någon gata i Motala, med dubbla filer och refuger i mitten. På andra sidan börjar ett nytt bostadsområde; höga grå hus med svarta fönster. Hon har aldrig sett dem förut.

Vad fan är detta? Var är hon?

Birgitta blundar och tar ett djupt andetag, öppnar sedan ögonen och försöker tänka på det hon gör. Birgitta Fredriksson står på en gräsmatta någonstans, klädd i någon annans våtkalla skor och sin egen täckjacka. Hon vet inte var hon är och hur hon har hamnat här, men hon vet att om hon drar igen blixtlåset på sin jacka, så kommer hon att frysa mindre. Å andra sidan är det ett oöverstigligt projekt: hennes fingrar är redan så stela av köld att det inte kommer att lyckas.

Rakt framför henne ligger en trottoar med fläckar av frusen snö i den svarta asfalten. Hon måste ta några steg över en snödriva för att komma upp på den. Den frusna snön frasar och spricker under henne, några små isklumpar trillar ner i de svarta pumpsen. Men nu har hon gjort det. Nu står hon på trottoaren. Och några meter längre bort står en kvinna och tittar på henne. Birgitta drar handen genom håret och gör ett försök att se ut som en vanlig fru Svensson på väg till jobbet. Hon sticker händerna i jackfickorna för att inte veva med armarna på pundarvis och går med små återhållsamma steg bort mot kvinnan. Nu ser hon. Det är en busshållplats.

"Ursäkta", säger hon och hör i samma ögonblick hur hes hennes röst är. Hon harklar sig och försöker hastigt intala sig att även en vanlig fru Svensson kan vara lite rosslig i rören på morgonkvisten. Ändå gör hon för säkerhets skull sin röst lite ljusare.

"Ursäkta, men jag har gått vilse ... Kan du säga mig var jag är någonstans?"

Kvinnan är utlänning, hon har svart kortklippt hår och en tunn kappa som stramar över rumpan. Hon stirrar på Birgitta med de bruna ögonen lätt uppspärrade och gör en liten gest som kan betyda mycket. Kanske: *Slå mig inte, feta jättekvinna!* Eller: *Talar inte svenska, låt mig vara i fred.* Eller: *Jag är inte här och det är inte du heller.*

"Hörru", säger Birgitta och försöker sig på ett leende, men minns i samma ögonblick att hennes mun är ett kastmärke. Ingen vanlig fru Svensson går omkring med svarta hål efter utslagna tänder. Varje gång hon ler visar hon vem hon verkligen är: en pundare som har omskolat sig till fyllkärring på äldre dar ... Hon slår igen käkarna med en smäll och låter leendet slockna.

I samma ögonblick kommer bussen. Det är något fel på den och det tar några sekunder innan Birgitta inser vad det är. Texten längst fram som talar om vart bussen är på väg.

Vrinnevi? Men det ligger ju i Norrköping ...

Och plötsligt vet Birgitta var hon är.

Busschauffören är obeveklig, han låter motorn morra otåligt på tomgång medan han envist upprepar samma replik. Den som inte kan betala biljetten får inte åka med. Inga undantag medges.

Birgitta klänger sig fast vid stången i dörröppningen och tigger:

"Jamen, var lite hygglig för fan! Det är ju kallt ute ... Och jag ska skicka pengarna efteråt, jag svär! Ge mig bara adressen så ska jag skicka pengarna till ditt jävla bussbolag så fort jag kommer hem... Snälla!

"Busschauffören stirrar rakt framför sig och svarar inte.

"Jamen", vädjar Birgitta igen. "För fan ... Var lite hygglig nu!"

"Kliv ner från fotsteget", säger chauffören, fortfarande med blicken framför sig. "Bussen ska gå nu och jag tänker stänga dörren."

Det pyser lite i dörren, men inget händer. Och Birgitta tänker inte ge sig så lätt.

"Var lite hygglig, va ... Det är någon jävel som har snott min plånbok, men jag har pengar hemma och jag lovar att jag ska skicka betalningen så fort jag kommer hem. Nu måste jag bara komma till polisen och anmäla ... Du! För fan!"

"Gå av! Jag stänger nu!"

Busschauffören låter dörren göra en hotfull liten rörelse, men vågar inte fullfölja den. Birgitta tar ett kliv upp på nästa trappsteg.

"Du! Jag ska inte ens sätta mig, jag ska bara stå i gången och hålla mig i en stolpe ... Och jag skickar pengar! Jag svär!"

"Ut!" säger busschauffören. Hans läppar har smalnat och ryggen raknat. Birgitta tar ytterligare ett steg in i bussen. Nu står hon alldeles intill honom.

"Hörru", säger hon och prövar ett leende med sluten mun. "Nog fan kan du väl kosta på dig att hjälpa en tjej för en gångs skull ..."

Tjej! Någon upprepar ordet och frustar till bakom hennes rygg. Hon snor runt. Längst fram i bussen sitter två tonårsflickor. Den ena har stoppat halsduken i munnen för att hejda fnittret, den andra håller båda händerna för munnen. Ingen av dem vågar titta upp. Birgitta ger dem en hastigt värderande blick och vänder ryggen åt dem. Fnittrande tonårstjejer är det värsta hon vet, de påminner henne mer än något annat om vad hon har blivit. En gång var det hon som hade makten att fnissa åt hela världen. Men nu har hon inte tid att våndas.

"Ut", säger chauffören igen.

"Men du", säger Birgitta. "Jag tror att jag har lite småpengar i fickorna. Allt fick han inte med sig, rånaren ... Så starta du bussen och kör, så ska du se att jag nog ska få ihop det ... Bara du kör, så fixar jag det! Titta, där hade jag en spänn. Och femtio öre ... Hur mycket var det du skulle ha?"

Men busschauffören stänger i stället av motorn och reser sig. Det skrämmer henne inte, han är lika ynklig och tunn som Roger. Typisk morsgris som känner sig viktig bara för att han har en hel buss att bestämma över.

"Du får ta nästa buss", säger han. "Ut!"

Birgitta trevar vidare i sina fickor:

"Kör du bara!"

"Hör du dåligt? Ut, sa jag!"

Tonårsflickorna frustar vidare bakom hennes rygg. Bakom dem talar plötsligt en man med dämpad, men tydlig röst.

"Släng av henne då. Bussen blir ju försenad."

"Just det", säger en annan. "Vi som har arbeten att sköta har inte tid att vänta hur länge som helst ..."

"Håll käften", säger Birgitta. "Bara håll käften och lägg er inte i det ni inte har med att göra ..."

I samma ögonblick sticker hon handen i bakfickan på sina jeans och känner något konstigt. En sedel? Ja, naturligtvis! När hon är på fyllan brukar hon ju lägga sina sista pengar just där. För en sekund glömmer hon att man måste akta sig för sina drömmar; mycket hastigt fladdrar bilden förbi, bilden av den triumf som ska komma när hon slänger sin hundralapp framför den lille sprätten till chaufför. Och denna korta bild räcker. När hon ser ner på det hon håller i handen inser hon att det har hänt igen. Drömmen har förstört verkligheten. Det är ingen hundralapp. Det är ett brev. Ett konstigt litet brev.

"Jävla Gestapo!" skriker hon när hon tumlar ut på trottoaren. Hon förlorar balansen för ett ögonblick, men faller inte, i stället snor hon runt för att försöka ta sig in i bussen igen. Men chauffören är snabbare. Dörren stängs med ett föraktfullt pysande och det finns inget att gripa i. Bussen börjar rulla och genom de varmgula fönstren följer passagerarna hennes vanmäktiga fäktande.

"Jävla Gestapo!", skriker hon igen och måttar en spark mot bakhjulen. "Jävla Hitlersvin! Jag ska anmäla dig för misshandel ..."

73

Men innan hon har slutat skrika är bussen redan långt borta och allt hon ser är de röda bakljusen som långsamt försvinner in i gryningen.

Först när hon har gått ett långt stycke märker hon att hon fortfarande håller det konstiga brevet i handen. Det stryker mot hennes kind när hon drar handen under näsan för att torka bort snoret. Både ögon och näsa rinner, men hon vet inte själv om det beror på kylan eller om hon verkligen gråter.

Hon stannar under en gatlykta och tittar närmare på brevet. Det är ett gammalt kuvert, redan använt. Någon har strukit över den gamla adressen och skrivit hennes egen bredvid. Frk Birgitta Fredriksson. Fröken! Vad är det för jävla tomte som kallar henne fröken?

Fingrarna är så stela att hon måste riva sönder hela kuvertet för att få ut brevet. En vanvettig förhoppning bränner till inom henne när hon ser att brevarket är litet och gult. Det är ett recept! Någon har skickat ett recept till henne: Sobril kanske, eller – åh Gud, ja! – Rohypnol. Händerna fumlar och darrar så att hon till slut måste ta munnen till hjälp för att kunna veckla ut det gula arket.

Det är verkligen en receptblankett. Det bär till och med hennes systers stämpel: Christina Wulf, leg. läkare. Men den välbekanta texten på arket är skriven med röd spritpenna och stora klumpiga bokstäver:

> *Ack, om jag vore i Birgittas kläder*
> *Då skulle jag sko min fitta med läder*
> *Och resa land och rike kring*
> *Och knulla för ingenting*

Och längst ner med mindre bokstäver:
> *Och hon gjorde det!*
> *Hon gjorde det!*
> *Hon gjorde det!*

En klo river till i hennes magsäck. Smärtan överraskar henne. Hon böjer sig fram och korsar händerna över mellangärdet.

Efteråt kan hon inte riktigt minnas vart hon är på väg. Hon har gått i en evighet på samma gata och den grå sextiotalsbetongen har försvunnit bakom henne, nu har hon hyreshus i gul femtiotalsrappning på sin högra sida och brackiga villor på sin vänstra. Det lyser i några få fönster i hyreshusen, men i villorna är det fortfarande mörkt.

Birgitta letar efter Kärringen Ellens hus, hon vet inte längre i vilken tid hon är, hon vet bara att brevet med den vedervärdiga gamla ramsan ligger nerknölat i hennes behå. Hon känner hur det skrynkliga papperet skaver mot huden, hur det rispar och gnider och göder hennes vrede.

De jävla asen! Ellen och snobborna! Nu ska hon slå ihjäl dom på riktigt, nu är det slut på fantiserandet, nu har hon tålt tillräckligt. Lögner och förtal. Polisanmälningar och illasinnade vittnesmål. Till och med när hon var på rätt väg, när hon hade samlat ihop sig och var på väg att rätta till sitt liv, till och med då förföljde de henne med sina beskyllningar och anmälningar. De har bara stjälpt, aldrig hjälpt. Och alltihop bara för att de är så inihelvete avundsjuka. Lika avundsjuka i dag som första gången de såg henne. För att hon hade Gertrud, en riktig mamma som älskade henne. Christina hade ju bara sin halvgalna Astrid, en morsa som faktiskt hade försökt tutta eld på sin egen unge! Och Margareta hade inte någon morsa alls. Upphittad i en tvättstuga. Vad fan är det för morsa som lägger sin nyfödda unge i en tvättstuga? Skitmorsor hade dom. Men själv hade hon Gertrud! Och det kunde varken snobborna eller Kärringen Ellen tåla. För Kärringen Ellen ville vara den enda, den största och den bästa. Svensk mästarinna i moderskap! Jo tack. Som om man inte visste hur det var med den saken ...

Birgitta snörvlar till och vacklar ner från trottoaren, det är halt och isigt däruppe, men nere på gatan har bilarna plöjt några svarta asfaltslinjer i snömodden som är så torra att till och med Mimmi Piggs blanka lädersulor får fäste. Hon sparkar en frusen klump is och grus framför sig. Den är stor och hård, till och med större och hårdare än Doggens knytnävar och han hade ändå de största nävar hon någonsin sett på en karl. Doggen, ja! Han var den andra orsaken till deras jävla avundsjuka. Aldrig att hon skulle glömma Margaretas min, den där kvällen. Hennes ansikte som skimrade innanför en bilruta, bokstavligen grönblekt av avund. Doggen hade valt henne! Varenda brud i hela Motala som var något att räkna med – alltså inte Christina och andra gråsuggor – hade varit där, och varenda en av dom hade önskat sig det som hände henne. Just det. Det hände inte någon annan. Det hände henne. Birgitta.

Hon stannar till mitt i vägbanan och låter det hända igen. Hon är i

Varamobaden, det är sextiotal och blekblå juniskymning. Hon och Margareta sitter med Lille-Lars och Loa i en bil och lyssnar på Cliff Richards senaste platta i en bärbar skivspelare, när Doggen sveper in på parkeringsplatsen med sin Chrysler. Den är röd med väldiga stjärtfenor och en hel ljusorgel där bak. Han blir sittande en minut bakom ratten och låter sig iakttas medan motorn muttrar på tomgång. Kanske vet han att han är vacker, kanske vet han att det svartblanka håret skimrar och att nylonskjortan under skinnjackan är lika bländande vit som hans panna.

Men det är inte hans skönhet som lockar mest. Det är vissheten om hans farlighet – bilstölder, ett par år på ungdomsvårdsskola, en sommar efteråt med ett kringresande tivoli – som sprider sig som kryddig parfym över parkeringsplatsen och får flickorna att sänka ögonlocken och fukta läpparna.

"Doggen", säger Lille-Lars med ett vasst vibrato i rösten och böjer sig fram för att vrida om startnyckeln på sin pappas nya Anglia. Lille-Lars liknar sin pappas bil. Han har vassa vinklar på oförmodade ställen.

"Nej", säger Birgitta. "Starta inte ..."

Lille-Lars har lärt sig lyda. I nitton år har han lytt sin far, i åtta år löd han dessutom läraren i skolan och under de senaste fyra åren har han också lytt en verkmästare på Luxor. Nu lyder han Birgitta, för första och sista gången.

Doggen glider ur sin bil, slår igen dörren och ser sig om. Det är tyst på parkeringsplatsen, allt som hörs är Cliff Richards röst. Allas blickar är riktade mot Doggen, flickornas drömmar fladdrar som fjärilar mot honom, pojkarnas vanmakt blir till tvär tystnad.

Birgitta vet att han är på väg till henne, redan innan han har börjat gå mot Lille-Lars Anglia vet hon att han är på väg just till henne. Lille-Lars vet det också. Små pärlor av svett bryter fram i hans panna, men han säger ingenting, han böjer sig bara fram, lyfter skivspelaren ur hennes knä och lägger den i sitt eget. I samma ögonblick rycker Doggen upp bildörren och griper om Birgittas handled.

"Du är min tjej nu", säger han. Inget mer. Bara det.

Som en film, tänker hon. Det är precis som i en film ... Och hon tycker sig höra körsång och stråkar när han drar ut henne ur bilen; körsång och stråkar som växer till ett jublande crescendo när han böjer henne över Anglians motorhuv och ger henne en första kyss. I ögonvrån ser hon hur Lille-Lars blundar inne i bilen, bakom honom skymtar Margaretas grönbleka ansikte. Hennes ögon har smalnat och hon blottar tänderna. Hon ser ut som ett djur, tänker Birgitta och sluter ögonen. Doggens tunga smakar bittert av öl, det är första gången hon känner dess doft och smak. Alla de andra hade bara smakat Toy och John Silver.

Han håller henne aldrig i handen, aldrig någonsin ska han hålla henne i handen, han griper i stället om hennes handled som en fångvaktare och hon trippar villigt efter honom bort mot den röda Chryslern. Medan hon sätter sig tillrätta, startar han motorn och trycker på en knapp. Taket öppnar sig och glider bort. Det är en cabriolet! Hon fylls av jubel. Hon sitter i en cabriolet med den tuffaste killen i Motala. Allt hon har lidit i denna stad blir plötsligt uthärdligt. Det fanns en mening med det. Och meningen var just detta ögonblick ...

Han måste köra över hela parkeringen för att vända. För Birgitta blir det en triumffärd. Hon är vald. Utvald. Varamobadens drottning låter sig betraktas av de icke valda. Men i samma ögonblick som bilen svänger ut från parkeringen hör hon en gäll pojkröst skräna i bakgrunden:

"Ack, om jag vore i Birgittas kläder ..."

Hånskrattet ska hon alltid minnas, även om hon aldrig någonsin ska bli riktigt säker på att hon verkligen hörde det. Men Doggens hastiga sidoblick är hon säker på. Och hans fråga:

"Vad fan var det?"

"Äh!" säger hon. "Ingenting ..."

Vad ska hon säga? Att de ropade en ramsa som hade förföljt henne sedan hon var tretton år? Att denna ramsa målats på toalettväggar och ristats i telefonkiosker? Att den skrikits på skolgården och nynnats bakom hennes rygg när hon började jobba på Luxor? Det kan hon ju inte säga, då skulle ju allt redan vara över. Och tids nog ska han ju ändå få veta ...

"Härlig bil", säger hon i stället och stryker med handen över galonsätet.

Och då ler han faktiskt mot henne.

Bromsar gnisslar till bakom henne, en motor morrar. Birgitta vänder sig om till hälften och gör en avvärjande gest: ta det lugnt. Men föraren trampar än en gång på gasen och låter motorn rusa. Birgitta bestämmer sig för att ignorera honom, hon vänder ryggen åt honom och går utstuderat långsamt på den svarta asfaltsremsan mitt i gatan och sparkar den stora isklumpen framför sig. Hon hör honom inte. Han kan tomgasa hur mycket som helst, hon tänker ändå inte höra honom.

På andra sidan gatan ligger en vit villa. Kärringen Ellens hus var också vitt. Det är kanske samma hus, även om det inte är sig riktigt likt. Ellen har kanske ändrat om, planterat nya buskar och flyttat om fönstren för att förvirra Birgitta. Det skulle vara likt henne. Någon tänder i köket och hon kan se en skugga röra sig därinne. Det är säkert hon. Hon vaggar väl mellan bordet och spisen, som vanligt, med sina slappa gamla bröst skvalpande under morgonrocken. Bröst som lovikkavantar ... Åh, fy fan, vad den kärringen är äcklig!

Kanske skulle hon ha vinglat vidare över gatan, bort mot det vita huset om inte föraren i bilen bakom henne just då hade lagt handen över signalhornet och tutat. Men det gör han, tre uppfordrande signaler. Birgitta tvärstannar mitt i steget och fryser till is.

"Håll käft!" skriker hon, som om bilen var en levande varelse och kunde höra henne. Men hon står med ryggen åt bilen och hennes skrik rullar i fel riktning.

"Håll käft! Låt mig vara i fred!"

Men bilen bakom henne tutar på nytt. Och då vänder sig Birgitta om. Hon vacklar till mitt i rörelsen, men återfår genast balansen och ser att tre bilar ligger på rad bakom henne och glor med vita strålkastare. Den första är fortfarande i rörelse: den rullar sakta fram mot henne, morrande och hotfull, medan föraren hissar ner fönstret vid förarplatsen och lutar sig ut.

"Vad håller du på med?" skriker han. "Upp med dig på trottoaren, människa!"

Med ett enda ögonkast avgör Birgitta vad det här är för typ. Blank bil och nyklippt hår. Glasögon, gäll röst, vit skjorta och slips. En snobb.

Birgitta avskyr snobbar. Därför böjer hon sig ner utan att tänka, därför griper hon efter den stora isklumpen och höjer den över sitt huvud, vräker den i en enda häftig rörelse rakt mot hans ansikte. Han skriker till och får motorstopp; hans hand tycks fastna på signalhornet.

Så spricker morgontystnaden i många ljud. Någon skriker till, ett signalhorn tjuter, två andra bilar bromsar in och deras dörrar öppnas, två män hoppar ut och smäller igen dörrarna efter sig, en hund skäller och sekunden senare slår en gråhårig gubbe upp ytterdörren på det vita huset. Han stapplar långsamt nerför trappan, med båda händerna om ledstången och tycks inte märka att han är barfota. Birgitta har styvnat och stillnat, hon står orörlig mitt i gatan och följer uppmärksamt varje rörelse i omgivningen. Men när barfotagubben sätter sin nakna fot på trädgårdsgången, kvicknar hon till och börjar backa. Hon vänder sig om och börjar springa. Hon är utom synhåll innan han ens har hunnit ut på trottoaren. Men han har sett henne. Han och de andra. Om de alls kan se, så har de sett henne.

Det finns inga gömställen. Villaträdgårdarna är för små och alla buskar står nakna och svartspretiga. Gården bakom hyreshusen på andra sidan gatan är stor och ödslig, där finns inte ens ett cykelskjul att kura i. Birgitta hör sina egna steg, sin egen flåsande andhämtning och sirener långt borta. Redan? Är det verkligen möjligt att snuten kommer redan?

Hon skakar vanmäktigt i ett par låsta portar, trycker den ena planlösa sifferkombinationen efter den andra på de små svarta dosorna intill, men ingenting händer mer än att en liten lampa blinkar rött. Sirenerna kommer närmare, hon måste springa, hon måste försvinna ...

De hittar henne i en källartrappa, hon har kanat nerför de ishala trappstegen, skrapat händerna och vrickat en fot. I flera minuter har hon vanmäktigt slitit i och sparkat på källardörren, till slut har hon tagit av sig en av Mimmi Piggs skor och försökt slå sönder dörrens glasruta med klacken. Det gick inte, det blev inte ens en spricka. Gediget råglas.

Hon resignerade när hon hörde sirenerna yla till och tystna på gatan utanför, satte sig tungt på den kalla cementen och drog jackan över huvudet. Så sitter hon fortfarande när en rödkindad ung polis böjer sig över räcket två meter upp.

"Här är hon", skriker han. "Jag har hittat henne ..."

Hans Norrköpingsdialekt har knubbiga vokaler och hans schäfer skäller triumferande.

Straffexpeditioner

"Jag är benandante eftersom jag fyra
gånger om året, det vill säga vid de fyra
tempora, nattligen beger mig iväg
tillsammans med de andra för att
osynligen kämpa med anden medan kroppen
stannar kvar ..."

Auktionsförrättaren Battista Moducco
inför inkvisitionen i Cividale
den 27 juni 1580

SÅ. BRA.

Äntligen har jag satt mina systrar i rörelse. Nu har jag dem precis där jag vill ha dem.

Christina sitter grå av trötthet i en bil utanför kvinnojouren i Motala och Margareta kommer just ut genom porten. Hon stänger noga och skakar dörren för att vara riktigt säker på att den gick i lås – trapphuset är fullt av varningar för adrenalinstinna hannar – stannar sedan för att tända ännu en av sina eviga cigarretter. Christina öppnar bildörren och gör en gest för att visa att hon är beredd att uthärda lukten, bara hon får veta vad som sagts.

"De har inte ringt", säger Margareta och skakar på huvudet, medan hon sätter sig tillrätta. "Det var bara tre tjejer där, en frivillig och två som hade sökt skydd. Ingen av dem hade ringt, det svor de på ..."

"Och du tror dem?"

"Absolut. Hon, den frivilliga, tog mig till och med åt sidan och berättade att Birgitta är portad. Hon har slagit sönder deras inredning ett par gånger ..."

"Herregud", säger Christina tonlöst och startar bilen. "Har hon till och med lyckats bli portförbjuden på kvinnojouren ... Det är skickligt, det må man säga."

"Och nu då?" säger Margareta.

"Frukost", säger Christina. "Jag börjar jobba om ett par timmar ..."

Birgitta svär. Och som hon svär! Inte en ängel i hela himlen lämnas obefläckad, inte en enda av helvetets alla jävlar lämnas utan åkallan. Nu har också färgerna övergivit henne: håret hänger i grådaskiga stripor, huden är blek och grovporig, läpparna bara en nyans mörkare.

Tja. Så kan det gå. Även för den som en gång var Motalas mjölkvita svar på Marilyn Monroe.

Den unge polisen är däremot vacker. En riktig affischarier: blond, blåögd och väldig, med pastellfärgad persikohy sträckt över järnmuskler och stålskelett. Sådana unga män fanns inte förr, de är postmoderna och hör till slutet av seklet. Mest känner man igen dem på deras käkar; de har välutvecklad halsmuskulatur och mycket breda hakor. Egentligen är det märkligt. I denna tid behöver ju de unga männen varken jättekäkar eller järnmuskler. Det hade varit mer logiskt om de hade vitnat och förtunnats, om de hade krympt till spröda liljekonvaljer i stället för att växa till kraftiga ekar.

Birgitta har också en väl utvecklad käkmuskulatur, men av helt andra skäl än den unge polisen. I över tjugo år har hennes kindtänder oupphörligen malt mot varandra i amfetaminets tandagnissel. Men nu är det tyst i hennes huvud. Hon har inte många tänder kvar att gnissla med och dessutom har hon övergått till andra kemikalier. Hon låtsas att det var ett val, att hon medvetet övergav amfetaminet för att hon sett allt för många av sina likar dö. Men i själva verket var det inte Birgitta som övergav amfetaminet, det var amfetaminet som övergav henne. Det slutade göra verkan och lämnade henne att trösta sig med alkohol. Det är därför Affischariens känsliga näsborrar vibrerar när han går nerför cementtrappan. Birgitta luktar nämligen. Och inte av rosor och jasmin.

Hon sitter fortfarande hopkurad med jackan uppdragen över huvudet och vägrar röra sig, trots att han gång på gång säger åt henne att resa sig. Först när han griper om hennes arm och släpar henne uppför trappan, kvicknar hon till och börjar svära. Hon spottar på hans arm, vrålar att han misshandlar en oskyldig kvinna och måttar en spark mot hans schäfer. Hunden blottar tänderna och gör sig beredd att hugga, men Affischariern hejdar honom med en grymtning. Det handlar om hans värdighet. Ingen ska säga att han behövde ta hunden till hjälp för att gripa en svärande fyllkärring. Sådana klarar han själv.

Birgitta har däremot aldrig förstått betydelsen av att hålla på sin värdighet. Hon har sökt sig till förnedringen som om hon törstade efter den. Det finns inte en affär i Motala där hon inte stulit och avslöjats som tjuv, inte en gata där hon inte gormande och fäktande har gripits av polisen, inte en vårdinrättning där hon inte ljugit och avslöjats som lögnare. Jag har sett henne kräkas i en papperskorg på torget – en lördagsförmiddag, naturligtvis, när torget var fullt av folk – och sedan stumt böja sig fram för att iaktta hur en stinkande diarré rann nerför benen.

Jag har sett henne sitta asfull och nerkissad i en snödriva en sen kväll medan ett gäng hånande tonåringar cirklade runt henne. Jag har sett henne sära på benen för den ene mannen efter den andre; även för män som Roger som har lagt sina handflator över hennes ansikte för att slippa se det. Och mitt i alltsammans har jag sett hennes högmod, hennes obegripliga stolthet över sitt förfall ...

Den skadade bilisten står mitt i en liten klunga på trottoaren. Han håller handen över sitt ena öga, en strimma blod skymtar som en tår på hans kind. De andra två bilisterna står som livvakter på var sin sida om honom; de vänder sina vita ansikten mot Birgitta och stirrar på henne med uppspärrade ögon. En äldre polisman står strax framför dem, han lyckas på något egendomligt sätt vara både närvarande och frånvarande. Kanske är han en ängel, en sliten skyddsängel som har sett så mycket att han numera inte ser något alls.

Barfotagubben har fått skor på fötterna. Han står med armen höjd bredvid den frånvarande polismannen när Affischariern ömsom knuffar, ömsom släpar Birgitta över gatan.

"Det är hon", ropar han och viftar med sin brunfläckiga hand. "Det var hon som gjorde det. Jag såg henne!"

"Håll käften, gubbjävel!" säger Birgitta rutinmässigt.

Det blir för mycket för Affischariern, som är fostrad till vördnad för ålderdomen av gammaldags föräldrar. Han slår henne hårt över nacken, så hårt att hon inte längre får fram ett ljud. Först då minns han att hon faktiskt också är rätt gammal.

Christina och Margareta har också tystnat, där de sitter i bilen på väg tillbaka till Vadstena. De är som kommunicerande kärl, mina systrar. När den ena är ilsken eller sur blir den andra ängslig, hon smickrar och vädjar och ler, bara för att bli tvär och argsint när den andra slutligen låter sig bevekas. Så har de alltid hållit på, åtminstone så länge Birgitta är utom synhåll. När hon dyker upp blir de andra två förödande eniga. Verkligt förödande.

Men nu, i det trötta gryningsljuset, har de uppnått något slags tyst jämvikt. Natten bakom dem har varit så full av ord att det inte finns några kvar. Oupphörligen har de talat, först i vördnadsfulla viskningar när de trodde att de var på väg till en dödsbädd, sedan i saklig men dämpad ton på akuten, en ton som strax blev vass och misstänksam när det visade sig att ingen Birgitta Fredriksson stod att finna bland nattens nyintagna patienter. Christina var den som blev mest upprörd, hennes reserverade yta vittrade hastigt bort och lämnade henne naken och oförbehållsam. Hennes klackar smattrade ilsket mot golvet när hon genomsökte hela sjukhuset, hon marscherade från avdelning till avdelning och hennes doktorsröst var så stram och auktoritativ att en av undersköterskorna neg för henne i rena förskräckelsen. Och när Christina förvandlades så förvandlades också Margareta. Hennes självsäkra yta krackelerade, hon fladdrade ängsligt efter Christina i sina mjuksulade modekängor och pladdrade nervöst.

"Hon är inte här, vi måste gå, kom nu ..."

Men Christina lät sig inte rubbas, hon undersökte systematiskt varje avdelning i det stora grå huset, från pediatrik till geriatrik. När de slutligen – efter mer än en timmes spring i korridorerna – gav upp och tog hissen ner till bottenvåningen, var hon vit av vrede. Nu hade hon fått fullkomligt nog. Nu skulle hon se till att Birgitta blev inlåst för gott och själv skulle hon åta sig att kasta bort nyckeln.

"Det finns hopplösa fall", sa hon och stötte upp ytterdörren. "Det är bara att inse. Somliga går det inte att göra något åt ... Det är genetiskt. Hon är precis som sin mamma. Hopplös!"

En kall nattvind rufsade Margaretas hår, där hon snubblade fram medan hon famlade i fickorna efter sina cigarretter.

"Herregud, Christina. Du om någon borde väl ta det försiktigt med genetiken ..."

Christina snodde runt och fixerade henne med svärta i blicken. Hon hade fått färg, till och med hennes tristblonda hår tycktes skimra i skenet från gatlyktorna.

"Astrid, menar du! Att jag skulle vara som Astrid! Pöh! Jag hade väl en pappa också."

Margareta kupade sin hand runt lågan medan hon tände cigarretten.

"Det hade väl hon också."

"Just det", sa Christina. "Något gammalt fyllo. Något annat hopplöst fall."

"Och vad vet du om din pappa?" sa Margareta. "Och jag då? Jag vet ju inte ens vem som var min mamma. Vad kan sådana som vi veta om våra gener?"

"Tillräckligt. Våra liv är beviset. Och är det något jag är trött på så är det din pisshumanism ... Först gnäller du och svär över henne, men sedan vågar du inte ta steget fullt ut. *Slå ihjäl henne*, säger du. Men när det kommer till kritan då blir det stackars Birgitta hit och stackars Birgitta dit. Jag har sett det förr. Kom ihåg det."

Margareta blåste en ilsken plym rök mot hennes ansikte.

"Så du menar att det bara är dina utomordentliga gener som har gett dig en rimlig tillvaro? Det har inte något som helst att göra med att du var Tant Ellens favorit?"

Christina fnös.

"Favorit? Jag? Det var ju du som var favoriten! Den charmiga och roliga. Jag var ju bara duktig och om jag inte var duktig så var jag ingenting. Fanns inte. Och Birgitta bodde också hos Tant Ellen, glöm inte det ... Ibland tyckte hon till och med bättre om Birgitta. Som när Birgitta började på Luxor. Det var fint det. Ett riktigt fabriksjobb. Oerhört mycket bättre än mina premier och betyg."

Margareta sträckte fram handen och lät den snudda vid Christinas cape, trevade efter hennes arm. Men Christina drog sig undan med en häftig rörelse. Först då förstod Margareta hur upprörd hon verkligen var. Det fick hennes röst att dämpas:

"Men förstår du inte? Du skrämde henne med alla dina framgångar. Det var främmande. Birgittas fabriksjobb var normalt, hon visste vad det var. Och det var ju allt hon önskade oss: en vanlig tillvaro. Ett vanligt jobb, en vanlig karl och några vanliga ungar ... Och du fick ju det. Du fick ju allt hon önskade dig, bara mycket mer och mycket bättre."

Men Christina vände ryggen åt henne och började gå mot parkeringsplatsen.

"Fimpa nu", sa hon. "Fimpa nu, så vi kommer i väg."

Margareta sög halvspringande på sin halvrökta cigarrett.

"Vart ska vi?"

"Till kvinnojouren, förstås. För nu ska det här redas ut, en gång för alla."

Ja, jösses. Som om något någonsin skulle låta sig redas ut.

"Frukost", kvittrar en undersköterska i dörren. Hon låter som en lycklig undulat. "Fil eller gröt, Desirée?"

Frågan är bara en formsak. Hon vet att jag vill ha fil. Inte för att det är gott, havregrynsgröt med äppelmos är godare, men när Kerstin Ett har morgonskiftet får jag inte äta gröt på egen hand. Jag spiller på lakanen, alltså måste jag bli matad. Och i valet mellan att dricka fil med sugrör och att utsättas för närkontakt med uppfostringspatrullen väljer jag fil. Alltid.

Jag vet inte vad den här flickan heter, jag har ännu inte hunnit lära mig namnen på alla dagskiftens systrar och flickor, men själv talar hon till mig som om vi varit vänner sedan barnsben. Det är Desirée hit och Desirée dit. Kerstin Ett inskärper ständigt i sina underhuggare att folk blir mer samarbetsvilliga om man använder deras förnamn. Hon är gift med en försäljare.

Den namnlösa ställer brickan på mitt nattygsbord och kvittrar vidare: "Låt mig skaka din kudde, Desirée. Och så ska vi höja här bak, så att du kommer upp ordentligt. Så du inte spiller. För du vill väl ha kaffe, va? Flickorna säger att du är en riktig liten kaffekärring! Hahaha ... Har du och doktor Hubertsson haft er lilla morgonsamling än, förresten? Eller ska jag lämna en kopp åt honom också?"

Bryt benet, tänker jag. Eller gå och häng dig.

För ett ögonblick föresvävar det mig att jag faktiskt skulle kunna ta mig in i hennes huvud och få henne att dratta ordentligt på ändan. Men det blir bara en tanke; jag har varken tid eller råd med riskabla straffexpeditioner numera.

Det har varit annorlunda. Under den första sommaren efter det att jag hade upptäckt mina möjligheter var jag visserligen så okunnig att jag tog vilka risker som helst, men samtidigt så girig efter upplevelser att jag inte brydde mig om de människor som omgav mig. Det enda jag såg var att de var möjliga bärare: sjukhuspastorn och arbetsterapeuten, vårdbiträden och läkare, tillfälliga besökare och sörjande anhöriga. Otålig och hetsande drev jag dem ut i sommaren, bara för att omedelbart överge dem när de stötte samman med andra, mycket bättre bärare. Det fanns så mycket jag aldrig hade varit och nu ville jag vara allt. Ständigt skiftade jag gestalt: om morgonen var jag en flicka med fötterna i högklackade sandaler och ljummen vind i nacken, vid middagstid en ung man som satt vid Vätterns strand och lät vit sand rinna mellan fingrarna, i skymningen en medelålders kvinna som böjde sig över kungsblå riddarsporrar och fyllde varje hålrum i sitt kranium med dofter.

Jag lärde mig mycket den sommaren: hur det är att kyssas och bli kysst, hur dans kan få också det torraste sköte att fuktas och hur det känns att låta näsa och mun glida över ett spädbarns duniga huvud ...

Bland annat.

Men framåt hösten, när dagarna blev korta och träden stod som svarta ristningar mot himlen, blev allt annorlunda. Jag lärde känna *benandanti*, lyssnade till deras varningar och upptäckte på egen hand att mina utflykter hade sitt pris. Efter varje gång jag hade varit borta blev jag tröttare och tröttare, ibland låg jag halvt medvetslös i flera timmar efteråt. Men vid det laget var jag tillräckligt mätt på upplevelser för att kunna ta det med ro. Jag började än en gång intressera mig för det som hände på avdelningen. Så kom det sig att jag började krypa in i mina vårdare. Och så kom det sig att jag fick lära mig att frukta de vänaste bland dem, de som log allra som mildast ovanför min huvudgärd.

Psykopater. Potentiella mördare. Hela bunten.

"Vad är det för liv?" viskade de till varandra i kafferum och korridorer. "Inte kan hon tala ordentligt och inte kan hon gå ..."

"Och så det där huvudet ..."

"Ja, herregud. Hon ser ju ut som en rymdvarelse ... Första gången blev jag faktiskt rädd."

"Och så liggsåren. I går såg jag höftbenet på henne ... Och Hubertsson dillar om linnelakan. Som om det skulle hjälpa."

"Hon måste ju lida ..."

"Visst. Det är omänskligt. Där har hon legat och ryckt i trettio år, ska hon ligga där och rycka i trettio år till? Eller ännu mer. Det vore bäst om hon fick sluta."

Olycksfallsfrekvensen på avdelningen steg hastigt den hösten. Någon snubblade nerför trappan och bröt foten. En annan skållade händerna i kokhett vatten. En tredje råkade droga sig själv med min epilepsimedicin. En fjärde skar av sig fingertoppen när hon skulle skiva bröd.

Och så vidare.

Visst gick jag hårt fram, ändå hävdar jag att mina domar var rättvisa. Jag straffade bara den konstlade medkänslan, den som har en mänsklig röst men saknar ett mänskligt hjärta. De tysta tanterna och de stillsamma flickorna lämnade jag i fred; jag fann mig till och med i deras trubbiga ömhetsbevis. De fick rufsa mitt hår och smeka mig på kinden utan att jag högg efter dem. Men förutsättningen var att de teg. Den verkliga godheten talar nämligen inte. Den har många handlingar, men inte ett enda ord.

Det är därför jag avskyr den där namnlösa som nu dukar fram frukost på mitt nattygsbord. Hon har munnen så full av ord att de rinner som dregel över hennes haka. Och ändå vet jag att när hon lämnar mitt rum ska hon säga som de andra: *Varför ska hon alls leva? Det är ju så meningslöst* ...

Förstå mig rätt: det är inte det att hon önskar mig död, det gör jag ju själv ibland. Det är hennes pretentioner jag inte kan tåla, detta att hon så självklart förutsätter att mitt liv är mer meningslöst än hennes. För vad är den dyrbara meningen med hennes eget liv? Att värpa fram några ungar? Eller att tillbringa årtionden av TV-kvällar bredvid en tjurig karl? Eller lyckan att då och då trippa ut på Vadstenas kullerstensgator och gå på shoppingtur?

Hon skulle bli stum om jag ställde frågan. Det vet jag. Alla de rörliga – till och med Hubertsson – har nämligen lätt för att tala om det meningslösa, men ytterligt svårt för att tala om motsatsen. Mening. Själva begreppet får dem att bete sig som frälsningssoldater på bordell: de blir så generade och ändå så lockade att de börjar rodna och flacka med blicken.

Det sägs att det är Isaac Newtons fel, att det är hans mekaniska världsbild som i trehundra år har gjort den västerländska människan främmande för begreppet mening. Och visst: om universum är ett newtonskt urverk och människan en slumpens mikrob så är begreppet mening ingenting annat än en pinsamhet. Och i ett sådant universum är en biologiskt ofullkomlig mikrob – en sådan som jag – fullkomligt försumbar. Urverket tickar vidare henne förutan. Det tickar kanske rentav bättre. Alltså är hennes tillvaro mer meningslös än de biologiskt fulländade mikrobernas.

Men numera vet vi att Newton bara snuddade vid verklighetens yta. Universum är inte en oföränderlig maskin, det är ett hjärta. Ett levande hjärta som vidgas och drar sig samman, som växer i det oändliga innan det krymper till en obegriplighet. Och som alla andra hjärtan är det fullt av hemligheter och mysterier, gåtor och äventyr, förändring och förvandling. Bara ett är oföränderligt: mängden massa och energi. Det som en gång har funnits ska finnas för evigt, om än i ny och annorlunda form.

Varje partikel i den ofullkomliga klump som är min kropp är alltså lika evig som världsalltet. Men det unika med just denna partikelanhopning är att den vet att den finns.

Jag har ett medvetande. Däri skiljer jag mig inte från någon av de människor som omger mig, de som kan gå och tala. Och det är min övertygelse att meningen ligger gömd just där, i medvetandet. Jag vet ingenting om dess form och ingenting om dess innehåll – om meningen är en ekvation eller en dikt, en sång eller en saga – men jag vet att den finns. Någonstans.

Därför vågar jag hävda att mitt liv är lika meningsfullt som den där namnlösa flickans, hon som just nu skär min smörgås i frimärksstora bitar. Ja, jag är så högmodig att jag till och med vågar påstå att mitt liv är mer meningsfullt än hennes. För hon kommer alltid att vara där hon är. Aldrig någon annanstans.

Men jag kan vara där jag inte är. Precis som elektronen innan den gör sitt kvantsprång. Och precis som elektronen lämnar jag spår efter mig. Även där jag inte varit.

Aprilhäxa, säger *benandanti*. Du är nästan som vi, men inte en av oss. Jag låter min bärare – en mås eller en skata, en kråka eller korp – fälla ut vingarna och göra en ironisk bugning. Jag vet. Jag är nästan som de, men inte en av dem.

Några av dem avundas mig. Jag har fler förmågor och kan röra mig över större ytor. Men det är bara rättvist. En *benandante* har alltid en fungerande kropp, de lever vanliga liv i den vanliga världen, och de flesta av dem lämnar bara sin kropp vid högtiderna fyra gånger om året. Några av dem vet inte ens vilka de är. När årstiderna skiftar och de vaknar om morgonen efter att ha vandrat hela natten i De Dödas Procession har de bara vaga minnen av bleka ansikten och grå skuggor. De intalar sig att de har drömt.

En aprilhäxa är annorlunda. Hon vet vad hon är. Och när hon väl har lärt känna sina förmågor kan hon se genom tiden och sväva i rummet, hon kan gömma sig i vattendroppar och insekter lika lätt som hon kan ta människor i besittning. Men hon har inget eget liv. Hennes kropp är alltid tunn, ofullkomlig och orörlig.

Vi är inte så många. Sanningen att säga har jag aldrig mött någon annan. Fyra gånger om året går jag troget till De Dödas Procession i hopp om att få möta en like, men hittills har det inte hänt. Torget i Vadstena fylls av allehanda skepnader, men någon annan aprilhäxa har jag aldrig funnit där. Jag har fått nöja mig med *benandanti*, dessa skuggvärldens ängsliga småborgare.

Dock, ibland kan också småborgare vara till nytta. Tack vare dem är jag numera försiktigare än under de första åren. *Benandanti* har lärt mig att om någon talar till den tomma kroppen medan man själv är borta, så kan man aldrig komma in i sig själv igen. Då blir man en konturlös skugga som bara får ta gestalt i De Dödas Procession.

I min egen lägenhet var jag trygg, där fick jag vara i fred tills jag själv bad om hjälp. Om jag såg ut att sova, så stängde assistenterna stilla dörren till mitt sovrum och lät mig sova vidare. Här är det annorlunda: när som helst under dagen kan vem som helst titta in. Och ingenting tycks provocera Kerstin Ett och hennes uppfostringspatrull så mycket som en patient som slumrar mitt på dagen. En sådan patient måste man tala till ...

Under dagarna måste jag alltså vakta min kropp, jag får nöja mig med att iaktta på avstånd utan att ingripa. Möjligen kan jag tillåta mig en snabb utflykt, att gripa en fågel i flykten och tvinga den att som hastigast bära ett brev till en viss adressat. Till exempel.

Men nätterna har jag. Så länge jag har ett eget rum, så kommer jag att ha mina nätter. Och de olika nattskiften. Ändå har jag lärt mig att vara försiktig också med dessa kvinnor. Tidigt om natten låter jag dem för det mesta vara i fred, för då har de mycket att göra och är svåra att styra. Jag ber dem aldrig om något medan jag är kvar i kroppen, jag låter dem bara natta mig och släcka ljuset, innan jag ger mig ut med en mås eller en skata. Måsarna är bäst: de har breda vingar och en svikt i flykten som skatorna saknar. Dessutom är de lite okänsliga, de tycks aldrig märka att ett annat medvetande flyter genom deras. Skatorna däremot blir ängsliga och skyggar för det som de plötsligt anar bakom sina ögon. Nästan som människor.

Jag vill alltså inte skrämma kvinnorna i nattskiftet. Därför tar jag dem inte ofta i besittning och för det mesta bara i den stilla timmen mellan klockan två och tre, då patienterna sover djupt och drömlöst och de själva kan slå sig ner i kafferummet och låta tankarna vandra. Jag är noga med att fördela mina gracer, sakta låter jag mitt medvetande flyta än genom den ena och än genom den andra. Jag viskar tröstande ord till de sorgsna, målar blommande drömmar åt de unga och sjunger små sånger om rofyllda vatten för de oroliga. Först när de alla vilar i det smala gränslandet mellan sömn och vaka, låter jag någon av dem tjäna mig.

En natt för flera veckor sedan lät jag således Agneta skriva ett brev med mycket små bokstäver på rosa silkespapper, bära det genom korridorerna till mitt rum och gömma det i mitt örngott. Natten därpå fick Marie-Louise skriva ett annat brev och göra samma vandring. Ytterligare några nätter senare fick den bleka Ylva leta rätt på ett gult receptblock och stämpla det med doktor Wulfs kvarglömda stämpel. Men när jag viskade Birgittas ramsa i hennes huvud blev hon full av vämjelse och släppte taget om pennan. Jag fick vidga mitt jag, så att det till slut fyllde hela hennes huvud, för att hennes hand skulle gripa om en röd spritpenna och klumpigt föra den över papperet efter min diktamen. När Hubertsson kom den morgonen var jag så utmattad att jag inte ens förmådde svara på tilltal. Men natten därpå orkade jag ändå låta den svartögda Tua göra i ordning tre begagnade kuvert och adressera dem. Och i går natt, när stenen redan var satt i rullning, drev jag tidigt på natten in Lena på sköterskeexpeditionen, förmådde henne att stänga dörren mycket tyst, slå ett telefonnummer och påstå att hon ringde från kvinnojouren i Motala ...

Och allt detta gjorde jag för Hubertssons skull, för att han så länge har önskat sig berättelsen om mina systrar.

Men hur viktig han än är för mig kan jag inte ge honom det han vill ha utan att samtidigt ge honom det han inte vill ha. Berättelsen om det liv som blev över åt mig.

Början på den berättelsen har jag själv fått i gåva av Hubertsson.

"Du är den sista hungerns sista offer", sa han en gång. Och kanske kan man se det så; berättelsen om vart och ett av våra liv är ju också berättelsen om dem som gick före oss.

Min historia börjar alltså drygt trettio år före min födelse. Det är en novemberdag i slutet av första världskriget och en liten flicka sitter i ett järnspisrum i Norrköping och gråter.

"Inte rovor, mamma ..." snörvlar hon med svullen strupe. "Inte rovor!"

Men modern svarar inte, hon böjer sig bara ner och stoppar ännu ett vedträ i spisen, hon hinner se hur det gnistrar till i björknävern innan hon stänger luckan och låter elden ta fart.

Allt i flickans ansikte är fuktigt och vädjande, hennes ögon, läppar och haka. Allt hos hennes mor är torrt och slutet, den sammanbitna munnen, de knutna händerna, den avvisande ryggen.

"Snälla mamma, inte rovor ... Inte i dag igen!"

Men modern har svalt sin medkänsla, hon minns inte längre varför flickans gråt plågar henne så. Flickan tar ny sats, hon öppnar munnen för att släppa ut ännu en vädjan, men i samma ögonblick vänder sig modern om och ser henne rakt i ögonen. Flickan tystnar tvärt, för trots att hon ännu inte har fyllt fyra år så vet hon vad hon ser i moderns ögon. Det kommer att bli värre.

"Rovor är vad vi har", säger modern. Flickan svarar inte, hon sitter tyst medan modern torkar bort tårarna ur hennes ansikte med sitt förkläde. Tyget är mjukt av många tvättar, men handen därunder har hårdnat i samma vatten.

Och sedan när hösten mognar till vinter och det verkligen blir värre gråter flickan inte mer, hon tystnar när hungern äter sig in i hennes kropp. Den knådar barnets mjuka skelett och formar om det, hennes ben kroknar och hon blir lätt hjulbent, rosenkransar slår ut i hennes revben, just där benet övergår i brosk, och hennes bäcken stöps i hemlighet om till en ny och annorlunda form.

Flickan bär sin trötthet som en puckel på sin rygg. Om morgnarna när modern har gått till fabriken och lämnat henne ensam med en eld i spisen, kryper hon upp i utdragssoffan och blir liggande där. Hon leker inte, hon minns inte längre havregrynsgrötens och mjölkens tid då hon kunde leka. Men minnet kommer tillbaka när hon en dag hittar några smulor i soffans botten: hon har stuckit ner sin hand bredvid madrassen och låtit pekfingret glida utmed träbottnen. Plötsligt känner hon något hårt. Knäckebrödssmulor. Någon gång för länge sedan har någon legat i den här soffan och ätit knäckebröd. Flickan fuktar sitt pekfinger och för det på nytt ner i soffdjupet, smulorna fastnar och hon för dem till sin mun. Hon känner igen smaken, trots att hon är så liten, den lätt nötaktiga smaken av vidbränt knäckebröd. I samma ögonblick börjar hon plötsligt och oförklarligt blöda näsblod.

I hela sitt liv ska denna flicka blöda. Hennes kärlväggar har blivit sköra som såpbubblor: det räcker att en vind snuddar vid dem för att de ska brista. Och det blir inte bättre med tiden. Hennes kropp tycks vägra tro på det som händer, att hungertiden tar slut, att hennes mor fyller bordet med potatis, fläsk och löksås, grovt bröd och doftande äpplen, att hon själv växer upp och lär sig baka vetebröd med mycket smör och göra en filbunke som dallrar av mättnad redan i skålen. Hon blöder ändå och hennes skelett är för evigt omformat.

I denna blödande kropp börjar jag min existens, där borrar jag mig in i livmoderns tjocka slemhinna och biter mig fast, där svävar jag i foster-livets evighet och hör henne sjunga och skrocka och skratta medan jag växer till mig.

Läkaren som undersöker henne före förlossningen vet ingenting om järnspisrum och hunger, alltså bryr han sig inte om att mäta konjugata i hennes bäcken. I trettio timmar knådas mitt mjuka huvud mot de miss-bildade benen, i trettio timmar pinas vi för att en gammal hunger stäng-er vägen ut i livet. Först när vi båda är redo att dö, söver man henne och snittar livmodern.

"Vad blev det?" viskar Ellen när hon vaknar.

Vad ska man svara henne? Vad finns det längre att säga?

Barnmorskan vänder ryggen till och tiger. Alla tiger.

Men själv sträcker jag min hand genom tiden och viskar:

Drivved. Det blev ett stycke drivved, mamma.

Men kanske skonar jag Hubertsson från just den historien. Han vet ju redan allt om Ellens sköra kärlväggar och tillknycklade skelett. Till skillnad från mig har han ju faktiskt både känt och vårdat henne.

Av mig vill han ha något helt annat: en fullbordad berättelse. Han vill se slutet på den historia som började en junidag för mer än trettio år sedan, då han hittade sin slagrörda hyresvärdinna på golvet.

Gång på gång har han berättat om de tre flickornas reaktion: om hur Christina stod fastfrusen i dörrvalvet med båda sina knutna händer pressade mot munnen, om hur Margareta satt på golvet bredvid Ellen och höll hennes hand, om hur Birgitta pressade sig mot väggen och gnällde med gäll röst:

"Inte mitt fel, inte mitt fel ..."

Han följde med Ellen i ambulansen. Och när han kom tillbaka sent om kvällen var huset tomt och det satt en lapp på dörren som talade om att flickorna tagits omhand av barnavårdsnämnden.

Sedan dess har han bara kunnat följa dem på avstånd. Christina är visserligen hans kollega, men en ytterligt distanserad kollega. Hon talar gärna om sitt arbete och bjuder till och med på middag då och då, men om han nämner Ellen och det som hände den gången så tystnar hon och tittar bort.

"Jag undrar", säger han ibland. "Jag undrar vad som hände innan jag kom hem ..."

Och en dag var jag dum nog att svara:

"Låt mig skriva den berättelsen åt dig."

Jag ångrade mig nästan genast.

Hubertsson tror att jag är rädd, att det är därför historien dröjer och jag ständigt börjar om på nytt. Men så är det inte. Jag fruktar inte mina systrar, jag vill bara inte komma dem för nära. Faktum är att jag inte vill komma någon för nära. Utom möjligen Hubertsson.

Det värsta med mina predikament – både det yttre och det inre – är att jag inte kan värja mig. I nästan femtio års tid har andra människor ständigt fingrat på min kropp: de har schamponerat mitt hår och smort in min hud med salvor, borstat mina tänder och petat mina naglar, bytt mina bajsiga blöjor och slängt mina blodiga bindor. Och allt detta – som var en njutning när jag var barn och som gick att uthärda när jag var ung – är numera en daglig pina. Det är som om varje hand lämnar ett hål på min kropp och genom dessa hål sipprar mitt jag. Snart är jag bara en påse skinn runt en skramlande benhög; resten har runnit ut på kommunens linoleumgolv och moppats upp av städarna.

Det borde vara på precis motsatt sätt med mina hemliga förmågor: en aprilhäxa bör kunna pressa sin bärares jag till en tunn hinna mot kraniets vita väggar och nyttja kroppen för sina egna syften. Men alldeles för ofta förlorar jag mig själv i andra människors huvud, jag flyter in och låter mig beblandas. Och plötsligt skrattar jag och gråter, älskar och hatar på deras villkor, inte på mina. Jag drunknar i mina bärare. Men jag vill inte ha det så. Det är inte så det ska vara.

Därför väljer jag numera att bara gå in i djur och likgiltiga främlingar. Där kan jag hålla mig flytande på ytan, där hotar aldrig drunkningsdöden. Och därför aktar jag mig särskilt noga för att krypa in i dem som på ont eller gott betyder något i mitt liv: aldrig i Kerstin Ett och aldrig i Hubertsson. Och aldrig någonsin i mina systrar.

Någon av de där tre lever det liv som var avsett för mig. Och lika hett som Hubertsson vill veta vad som hände den där dagen för länge sedan, så vill jag veta vem av dem det är.

Men jag vill bara veta. Jag vill inte uppleva. Jag vill se men inte beröras.

Dock. Jag har lovat Hubertsson ett svar på en gammal fråga och ett löfte är ett löfte. Därför befinner jag mig i detta ögonblick på flera olika platser. Jag halvsitter i min säng och famlar beslutsamt efter en bit smörgås med prickig korv samtidigt som jag svävar i taket på Birgittas fyllecell i Norrköpings polishus och står på trappan utanför Det Postindustriella Paradiset och ser Christina rota i sin handväska efter nycklarna. Margareta står strax bakom henne och biter sig i läppen.

"Jag ska bara duscha", säger hon. "Sedan sticker jag ..."

Christina är för trött efter den långa vaknatten för att låtsas vara gästfri. Hon rycker bara på axlarna. Margaretas röst låter vädjande:

"Kanske sover jag någon timme också. Om det är okej för din del? Jag skulle ju inte få hämta bilen förrän vid middagstid ..."

Christina rycker än en gång på axlarna och öppnar dörren. Hennes tystnad gör Margareta ännu mer ängslig.

"Men jag kan fixa frukost om du vill. Medan du duschar och gör dig i ordning."

Christina hänger ordentligt upp sin cape på en galge. Margareta slänger sin jacka på en gammal kista och höjer rösten:

"Jo, så gör vi. Jag fixar frukost medan du gör dig i ordning ... Vill du ha te eller kaffe?"

Äntligen svarar Christina.

"Kaffe", säger hon och granskar sitt grå ansikte i hallspegeln. "Svart kaffe ..."

Birgitta ligger med öppen mun på det sluttande golvet i fyllecellen. Hon sover, men drömmer inte, ända in i sömnen vet hon att man ska akta sig för drömmar.

Ingen har brytt sig om att förhöra henne. När hon vägrade uppge sitt namn hivade man helt enkelt in henne i cellen utan vidare formaliteter. Hon skrek inte, svor inte ens. Hon lade sig bara på sidan och placerade båda händerna under kinden. Som en ängel. En riktig liten ängel.

Ja, jösses. Och för detta övergav hon mig ...

Jo, så var det. Ellen övergav mig. Tre friska och behövande småflickor fick ett gott hem i det tidiga femtiotalets Motala, därför att en svårt CP-skadad, spastisk och epileptisk baby några år tidigare hade placerats på vanföreanstalt och glömts bort.

Från utilitaristisk synpunkt var det ett gott beslut; tre flickors lycka köptes till priset av den fjärdes olycka. Och Ellen levde i en utilitaristisk tid; en tid som hade svårt att tåla lidande och ofullkomlighet. I det tidiga folkhemmet skulle det vara rent i hörnen, därför placerades alla dårar och vanskapta på institution. Där doftade de vita läkarrockarna av vind och vatten, där skrubbades golven med såpa vareviga dag, och där var det så tyst i korridorerna att man kunde höra sköterskornas stärkta uniformer frasa på flera meters håll. Det var bara de övergivna barnen som störde perfektionen, dessa dreglande och blinda vattenskallar, dessa gnällande klumpfötter och kvidande puckelryggar, dessa skrikande och stammande epileptiker och spastiker.

Ellen var på många sätt ett barn av sin tid; som en av Sveriges allra första hemsystrar tillhörde hon hygienbrigaderna. I tonåren hade hon lärt sig frukta fabrikslivets tvång och instängdhet, och därför hade hon flytt till Motala undan Norrköpings textilindustri. Där kläddes hon i något som nästan liknade en riktig sjuksköterskeuniform, och varje dag genomkorsade hon staden på sin cykel; hon lagade mat till ensamma gamlingar, skrubbade och snöt alla sjuka mödrars barn och såg till att darriga, nyblivna mammor inte lät sig uppslukas av sina förlossningspsykoser utan mindes sina plikter.

Hon var en pärla. Det var det allmänna omdömet i både socialnämnden och barnavårdsnämnden. Glad och plikttrogen, renlig och skötsam, kompetent och pålitlig. Dessutom lagade hon god mat. Därför var det ingen som blev särskilt överraskad när Hugo Johansson, den förste byggjobbaren som någonsin hamnat i Motalas stadsfullmäktige, började uppvakta henne på sitt trubbiga sätt. De var som gjorda för varandra: rejäla och pålitliga, hederliga och arbetsamma. Det var bara bra att Hugo var tjugo år äldre och änkeman, nu hade han ju ett eget hus och ett färdigt hem att erbjuda sin unga hustru.

Någonstans i Hubertssons papper finns en bild av Hugo, ett retuscherat fyrtiotalsporträtt av en medelålders man med gamla ögon och slätt ansikte. Jag har svårt att föreställa mig att han verkligen var min far, hans ögon säger mig inget.

Kanske är det inte så konstigt. För Hugo blev aldrig mer än min mors spermadonator. När Ellen lades på förlossningsbordet låg Hugo redan i ett annan rum på sjukhuset och brottades med sin cancer.

Jag hejdar mig mitt i en smörgåstugga och lyssnar. Uppfostringspatrullens klackar smattrar i extra effektiva virvlar ute i korridoren, men deras röster har dämpats. Så låter de bara när någon av patienterna har blivit riktigt dålig.

Undrar vem det kan vara?

Jag känner inte särskilt många av de andra patienterna. Sanningen är att jag undviker dem. De flesta är gamla och deras närvaro plågar mig av flera skäl. Häromdagen såg jag en av dem – en gammal man – sitta ensam i matsalen när en av Kerstin Tvås flickor körde mig genom korridoren. Jag drog efter andan när jag skymtade honom genom den halvöppna matsalsdörren och flickan bakom min rygg hejdade sig mitt i steget. För ett ögonblick frös vi fast i varandras blickar, flickan, den gamle och jag.

Han satt, precis som jag, uppbunden i en rullstol. Men den övre remmen hade lossnat och hans överkropp hade fallit framåt så att vänstra kinden vilade direkt mot bordsytan. Hans löständer var på väg att tränga ut ur munnen. Båda armarna dinglade slappt under honom. Han förmådde inte lyfta dem för att ta stöd mot bordet och häva sig upp. Axlarna vilade tungt mot den vassa bordskanten. Det måste ha gjort ont.

Han sa ingenting, stönade inte ens, höjde bara långsamt på ögonbrynen. I samma stund startade tiden på nytt. Flickan släppte taget om min rullstol och förde båda händerna mot munnen.

"Åh Gud", sa hon. "Nej!"

Jag var tacksam över att hon lät det räcka med det, att det var en flicka ur Kerstin Tvås skift, en som inte lallade med honom som om han var ett spädbarn. Hon tog bara några raska steg över golvet och hjälpte honom upp.

"Vill du lägga dig, Folke?" frågade hon.

Han slöt ögonen och nickade. Plötsligt greps jag av en väldig längtan efter honom, jag ville resa mig upp ur min egen rullstol och gripa om honom med starka armar, bära honom bort från förnedringen till något annat ... Men det enda jag kunde göra var att vända bort blicken, när han rullades förbi mig, så som andra tusen gånger har vänt bort blicken från mig.

Kanske är det Folke som nu har bestämt sig för att dö.

Det är så de gör, de starkaste bland de gamla. De bestämmer sig för att dö. De kan naturligtvis inte bestämma vilka sjukdomar som ska drabba dem, men när de väl är drabbade så tycks de ha makt över sin egen död. De släpper taget helt enkelt: en dag öppnar de den hand som gripit om livlinan och låter sig falla.

Själv griper jag fortfarande hårt om min lina. Mest beror det på systrarna och Hubertsson, men också på att jag vet vad som väntar den som dör i förtid. Men Folke har ingenting att frukta. Hans liv är fullbordat, han kommer aldrig att behöva vandra i De Dödas Procession.

Det smäller till i dörren, flickan med undulatrösten öppnar den med höften.

"Är du färdig med frukosten, Desirée?"

Jag snappar efter munstycket och blåser.

"Ja. Och så vill jag duscha i dag. Går det?"

En tveksam min slår ut över hennes ansikte medan hon läser texten på skärmen. Hon rycker på axlarna.

"Jag vet inte. Jag ska fråga ..."

"Det är mer än en vecka sedan sist."

Hon försöker tiga ut mig. Jag kräver, alltså är jag bortskämd. Alla patienter som har haft assistenter och egen lägenhet anses bortskämda. Och jag är särskilt bortskämd eftersom jag har Hubertsson bakom ryggen. Sådana som jag tror att de ska få bestämma allt själva. Inklusive när och hur ofta de ska duscha. Utan någon som helst hänsyn till personalens arbetsbelastning och sjukvårdens besparingskrav.

Jag har inte släppt taget om munstycket:

"Jag måste få duscha i dag. Jag luktar illa. Dessutom får jag liggsår om jag inte får duscha ett par gånger i veckan. Det vet ni..."

Nu låter hon inte som en undulat längre, hennes röstläge har sjunkit en hel oktav när hon sveper ut genom dörren med brickan i handen:

"Ja, men jag ska ju fråga! Har jag ju sagt!"

Hon tänker rapportera direkt till Kerstin Ett. Men Kerstin Ett kommer att låta svaret dröja.

Jag småler en aning och bereder mig på att vänta.

Borta i Det Postindustriella Paradiset sätter sig Christina vid frukostbordet och kväver en suck. Så gick det alltså med hennes första ensamma frukost, den som hon drömt om så länge. Ingen whiskymarmelad, ingen cheddar och inga små vita bröd. Och definitivt inte lugn och ro.

Hennes ägg ser besynnerligt ut, till hälften kokt och till hälften förlorat. Skalet har tydligen gått sönder under kokningen, vitan har trängt ut och hänger som fradga på utsidan. Det ser ut som om ägget har rabies. Dessutom har Margareta rostat åtta skivor bröd i ett anfall av missriktad ambition: de ligger kalla och sotiga i brödkorgen.

"Jag föredrar nog att rosta mitt bröd direkt", säger Christina och ler försiktigt över bordet. Margareta rycker på axlarna, hon har surnat till medan hon lagade frukost och just nu skiter hon fullständigt i Christinas inlindade kritik mot hennes talanger i köket.

"Stannar du och sover några timmar?" undrar Christina, medan hon låter ett tunt lager smör sjunka in i sin färskrostade brödskiva. Smöret är fullt av svarta prickar. Margareta har just brett en av de sotiga skivorna. Båda iakttar stumt det prickiga smöret, innan Margareta till slut svarar:

"Ja. Om det går för sig. Men jag sticker vid lunchtid någon gång."

Christina nickar allvarligt:

"Då ska jag se till att du får en nyckel, så att du kan låsa efter dig. Du får lägga den i en av trumpetsnäckorna efteråt..."

Margareta gör en grimas.

"De som ligger vid köikstrappan?"

"Just det. Jag köpte dem när Erik och jag var på Bali häromåret... Det var inte lätt att få hem dem oskadda."

Margareta fnyser omärkligt:

"Så de är äkta?"

Christina tittar upp, uppriktigt chockerad över frågan.

"Det är klart att de är äkta."

Margareta flinar till och sträcker sig efter sina cigarretter. Hennes halvätna smörgås ligger kvar på assietten.

"Jaså du", säger hon och klickar på sin tändare. "Och jag som trodde att de var av plast ..."

Men just då, när det äntligen har blivit Christinas tur att surna till, ringer telefonen. Hon måste till sjukhemmet. Genast.

Kerstin Ett kommer fortare än jag hade väntat mig. Hon har mjuka sulor på sina vita sandaler, därför hör jag henne inte. En plötslig puff på dörren till mitt rum bara, sedan står hon där.

Det besynnerliga med vackra kvinnor är att de egentligen inte har några ansikten. Se bara hur de framställs i reklamen: den vackraste av de vackra har inga ansiktsdrag, hon har bara ett par fritt svävande ögon och en antydan till mun.

Det är samma sak med Kerstin Ett. Hon har visserligen både näsa, kinder och haka, men hennes blanka ögon och fulländat formade läppar dominerar ansiktet så totalt att det andra inte syns. Nu rynkar hon de vackert välvda ögonbrynen mot mig och fäster sin glänsande blick vid min eländighet.

"Har du fått nya liggsår?"

Jag snappar efter munstycket.

"Nej. Inte än."

"Men du sa ju till Ulrika att du hade fått liggsår."

"Vilken Ulrika?"

"Undersköterskan som gav dig frukost. Hon sa att du påstod att du hade fått liggsår ..."

"Det har jag inte sagt. Jag har sagt att jag kommer att få liggsår om jag inte får duscha."

"Vi har inte personal till någon duschning i dag."

"Men jag har inte fått duscha på en hel vecka!"

"Beklagar. Det är inte mitt fel att vi inte har några resurser nuförtiden. Men jag ska se till att du får komma upp och vara med ute i dagrummet. Rullstolen är den bästa hjälpen mot liggsår, det vet du. Dessutom ska vi ha Bild-Bingo i dag. Och så kommer det en kör och sjunger."

Mina spasmer tilltar, huvudet slänger så att jag har svårt att hålla kvar munstycket mellan läpparna. Men jag lyckas ändå blåsa en hackig protest:

"Jag vill inte spela Bild-Bingo. Och jag vill inte höra på någon kör. Jag vill duscha!"

Kerstin Ett väntar tålmodigt tills jag har blåst färdigt. Sedan ler hon.

"Du kommer att tycka att det är roligt bara du kommer dit. Vem vet, du kanske vinner apelsinen i dag? Och förresten behöver vi komma åt att röja i ditt rum. Du ska få lite luftombyte nämligen."

Munstycket halkar ur munnen på mig och glider åt sidan, jag får kämpa mot mina spasmer för att få fatt på det. Men Kerstin Ett gör sig ingen brådska, hon står vänligt leende vid min sängkant och iakttar hur jag gång på gång snappar i tomma luften. När jag till slut får grepp om munstycket orkar jag bara blåsa ett enda ord:

"Luftombyte?"

Kerstin Ett ler ännu bredare.

"Visst. Du ska få flytta in till en annan patient. Det blir väl roligt?"

Jag blåser en lång puff:

"Nej!"

Kerstin Etts röst djupnar när hon böjer sig fram och stoppar om mig.

"Vad synd, jag som trodde att du skulle tycka om att få lite folk omkring dig."

Hon rätar på ryggen och korsar händerna över bröstet.

"Det var verkligen synd, hördudu. Men det finns ingenting jag kan göra, vi måste flytta om bland patienterna för att Folke på tvåan ska få ett eget rum. Han är mycket dålig och hela hans familj är på väg hit. Han får ditt rum och så får du flytta in till lilla Maria."

Jag biter om munstycket nu, trots att jag fruktar att mina ryckningar ska slita sönder slangen. Då kommer jag att få vara utan röst ända tills Kerstin Två och hennes skift går på. Eller kanske ända till Hubertssons besök i morgon bitti. Tanken gör mig panikslagen, ändå förmår jag inte öppna käken och släppa taget. Jag blåser till:

"Till vem?"

Orden blinkar på skärmen, Kerstin Ett kastar ett öga dit upp medan hon börjar gå mot dörren. Hon stannar när hon har lagt den ena handen på handtaget och vinkar lite åt mig med den andra.

"Lilla Maria, vet du väl. Hon med Downs syndrom. Hon är jättegullig precis som alla andra mongolider! Dom är jordens salt, vet du. Alltid lika söta och rara. Hon har mycket att lära dig!"

Ett par vita blixtar skjuter fram över synfältet, en kramp som inte är spastisk rister min kropp. Jag sluter ögonen. Det är mörkt vid horisonten. Stormen är på väg och det enda jag kan göra är att överlämna mig åt dess krafter.

Pumptvilling

"... och du sa till dig själv i badrummet:
Jag är inte det mest älskade barnet.
Älskling, när det kommer
till kritan
och ljuset slocknar och dimman rullar in
och man sitter instängd i sin havererade kropp
under en filt eller en brinnande bil,
och röda lågor sipprar ur en
och tänder asfalten intill ens huvud,
eller golvet, eller kudden
är ingen av oss det;
eller också är vi det alla."

Margaret Atwood (Övers. Hans Nygren)

"SJUKHEMMET?" SÄGER MARGARETA. "Jag trodde du jobbade på vårdcentralen."

Christina fladdrar runt i köket på jakt efter sin nyckelknippa. Hon har redan capen på sig.

"Det gör jag. Men som husläkare har jag patienter på sjukhemmet också ..."

Hon hittar knippan på bänken bredvid spisen och börjar genast lirka loss nyckeln till köksingången. Men fingrarna vill inte lyda och hennes genomskinliga hy blir flammig av stress.

"Ta hit", säger Margareta som fortfarande sitter kvar vid frukostbordet. "Jag fixar det där ..."

Christina knäpper capen medan hon väntar på att Margareta ska lirka färdigt, det tar bara ett ögonblick:

"Så där!"

Margareta håller fram knippan, köksnyckeln ligger på bordet. För ett ögonblick ser båda på den och Tant Ellens röst ekar genom deras huvuden: *Inga nycklar på bordet! Det betyder otur!* Margareta griper om nyckeln och stoppar den småleende i jeansfickan.

"Ja", säger Christina och plötsligt verkar hon inte så jäktad längre. Snarare tveksam. "Ja. Då ska du ha det så bra. Vi hörs väl ..."

Margareta gör en liten grimas.

"Vi gör väl det. Ha det så bra själv."

"Åker du till graven?"

Margareta nickar.

"Om jag hinner innan det blir mörkt..."

"Och Birgitta?"

"Äh! Hon har nog lekt färdigt för den här gången ..."

Det blir tyst ett ögonblick innan Christina harklar sig:

"Ja, som sagt. Vi hörs. Men nu måste jag skynda mig ..."

Plötsligt ser det ut som om hon tänker ta ett steg framåt och röra vid Margareta. Men Margareta hejdar henne genom att blåsa ett moln av rök i hennes riktning.

"Erik", säger Christina högt för sig själv medan hon vrider om startnyckeln till bilen. Hon säger ofta hans namn när hon är ensam, inte för att hon längtar, men för att tanken på honom ger henne stadga. Och just nu behöver hon stadga. Det är som om det senaste dygnets händelser har dragit ett draperi åt sidan – ett stålgrått sammetsdraperi, en böljande järnridå – och blottat det förflutna. Detta hade hon glömt när hon önskade bort Erik, att han är hennes ridåhalare, den som hjälper henne att leva som om det gamla inte finns. I hans närhet är det förgångna dött, när han är utom räckhåll börjar det röra sig och andas.

Men den här gången tänker hon inte finna sig. Hon är varken barn eller tonåring mera och det förflutna är förflutet. Den Christina Wulf som lever i dag har ingenting med det gamla att göra. Hon föddes på Lunds universitet, precis i det ögonblick i slutet av sextiotalet då världshistorien hackade till och bytte kugghjul. Någon rullade in ett ägg i ett studentrum och efter några timmar började det spröda skalet spricka. Mitt i natten fullbordades kläckningen. Då föll äggskalet i två delar och ut ur dess innandöme klev en ung kvinna. Redan från första ögonblicket var hon det hon var avsedd att bli: en allvarlig och målmedveten person, som varje morgon satte sig vid skrivbordet och öppnade sina böcker prick klockan åtta. Bara någon gång hände det att hon lade böckerna åt sidan framåt eftermiddagen, plockade fram ett ljusblått brevpapper och skrev ett brev till en fostermor som hon mött i ett annat liv. Innehållet var alltid detsamma: allt är bra och jag sparar pengar så att jag kan komma och hälsa på dig till jul! Hon fick sällan något svar, men hon fick andra brev i sin låda. Ofta var de poststämplade i Norrköping. Sådana brev skrynklade hon ihop och kastade i papperskorgen utan att öppna dem. Hon kände ingen i Norrköping. Hon var nyfödd och bodde i Lund.

"Man kan välja sitt liv", tänkte hon ofta på den tiden. "Man behöver inte bara ta det man får."

Men nu är hon vuxen sedan länge, hon har gjort sitt val och bor i Vadstena, hon är en person med plikter och ansvar, en som inte har tid eller råd att rota i det som varit. Hon vrider om startnyckeln en gång till.

Motorn svarar med en halvhjärtad hostning. Två röda lampor blinkar till på instrumentpanelen. Oljelampan och batterilampan. Christina drar handen genom håret, hon svettas och glasögonen håller hastigt på att bli ogenomskinliga av imma.

"Ta det lugnt", säger hon högt till sig själv och tvingar sig att blunda. Hon vrider än en gång på startnyckeln. Och miraklet sker: motorn svarar med ett vänligt puttrande. Den är i gång. Hon kastar en hastig blick på sitt armbandsur. Det är sju minuter sedan telefonen ringde. Det tar ytterligare åtta att köra till sjukhemmet. Hon kommer att hinna.

Christina vet naturligtvis att Folke på sjukhemmet ska dö. Hon kan inte rädda honom. Den slutliga lunginflammationen har kommit, den som är alla senildementa patienters befriare. Fast Folke är egentligen inte senildement, bara utled på ålderdomen. När hans kropp började tömmas på kraft slöt han självmant sina sinnen, ville varken se, höra eller tala. Det finns ingenting Christina kan göra åt det. Mer än att önska honom lycklig resa.

Egentligen skulle hon inte ens behöva åka till sjukhemmet, hon hade kunnat nöja sig med att ordinera morfin per telefon och sedan avsluta sin frukost. Så gör de andra läkarna. Men Christina förmår inte, hon vet att hon i så fall skulle få ägna resten av dagen åt att hålla vakt mot sina egna skuldtyngda fantasier om Folkes plågsamma död. Därför är hon också rädd för att inte hinna i tid. Rädd för de anhörigas blickar och för den där blonda avdelningssköterskan som ringde. Kerstin Ett, kallar de henne. Hon gör Christina nervös, hon anar att den kvinnan känner på sig hur innerligt hon vantrivs med sitt yrke.

Jo, så är det. Hon vantrivs med sitt yrke. Hon har valt fel. Och det har hon vetat länge. Faktiskt ända sedan den dag då hon såg Erik för första gången.

Hon hade hamnat på hans föreläsning mer eller mindre ofrivilligt. Han var en fräknig doktorand, påfallande ovan vid att stå inför publik. I början hade han varit nervös, flackat med blicken och gjort många pauser, men efter hand hade hans fascination över ämnet besegrat hans tvekan. *Agenesia cordis!* Ett ytterst sällsynt tillstånd, bara ett fall på 35 000 graviditeter ...

Christina lyssnade bara med ett halvt öra, ingenting av det han hittills sagt hade fått henne att förmoda att detta var viktigt. Intressant, kanske, men inte nödvändigt för en nybakad allmänläkare. Dessutom kändes det ovant att sitta stilla; under de senaste månaderna hade hon oavbrutet sprungit från patient till patient, från jour till ordinarie tid, från sjukhusmottagning till vårdcentral, från sjukhem till ålderdoms-hem.

Hennes häpnad hade äntligen börjat lägga sig, det första årets häp-nad över att hon lyckats, att hon Christina Martinsson, faktiskt var le-gitimerad läkare. När hon fick syn på sin egen spegelbild i något svart-blankt vinterfönster – en grå liten kvinna med vit rock och stetoskop i fickan – blev hon inte längre överraskad, tvärtom kunde hon ge sig själv en lätt ironisk blinkning. Jo, minsann! Här kommer doktorn.

Men de korta ögonblicken av triumf blev allt färre. Hon hade börjat inse hur naiv hon hade varit. År efter år hade hon dykt djupt i böcker-na, het och lidelsefull i sin målmedvetenhet. Studierna hade följt henne långt in i sömnen och hon hade vaknat mitt i nätterna av uppskakande drömmar om mystiska patienter. Men det var som det skulle. Om morgnarna hade hon bara skakat drömmarna ur håret och tagit itu med den nya dagens nya kunskaper. En morgon, tänkte hon på den tiden, skulle hon vakna och vara läkare och då skulle allt bli annorlunda. Fram-för allt hon själv. Allt det glidande och flytande inom henne skulle tor-ka och stelna, hon skulle bli helgjuten och orubblig, stark som en pelare av betong.

Och morgonen kom, men miraklet uteblev. Tolv månaders morgnar hade därefter kommit och gått utan att förvandlingen inträtt. Och Christina hade börjat inse att hon först nu – efter elva års studier och praktik – stod inför sitt yrkesval. Hon hade varit tvungen att bli läkare, innan hon kunde avgöra om hon verkligen ville vara läkare.

Men varför? Varför hade det varit så viktigt?

På grund av Astrid, förstås. Och på grund av Ellen.

Hon hade blivit läkare för sina båda mödrars skull.

Chistina böjde ner huvudet och glömde den unge föreläsaren. Jo, så var det. Inte för att vare sig Astrid eller Ellen någonsin hade trott att en sådan framgång var möjlig. Ellen hade tvivlat och bävat i sin sjuksäng när Christina hade förklarat att hon tänkte läsa medicin, medan Astrid varit öppet hånfull. Hon fnös och mumlade att högmod går före fall redan när Christina första gången vågade nämna det. Trots det var Ast-rid en orsak. I hennes värld besatt läkare – alla läkare – mytisk makt, och inför dem förvandlades hon till en alldeles vanlig liten tant, en ängslig kvinna som log inställsamt och vaktade sin tunga. Och sådan ville Christina se henne. Aldrig annorlunda. Bara sådan.

Yrket var en flykt, ett försök att komma undan. Men Astrid släppte henne inte fri. Hon hade planterat ett litet frö inom Christina, ett litet frö av äckel som rotade sig i hemlighet under utbildningsåren och slog ut i full blom när hon hade fått sin första tjänst. Nu tvingades hon dagligen dölja sin vämjelse inför de kroppar som paraderade framför henne: håriga lår och degiga magar, dinglande kvinnobröst och skrynkliga gubbrumpor, stinkande gamla sår och illaluktande underliv.

Köttet är sitt eget straff. Men läkaren är befriad, ren och osmittad svävar hon över andras ofullkomlighet, så högt att förruttnelsen aldrig kan nå henne ...

Jo. Christina fäste än en gång blicken vid den unge föreläsaren. Hon skulle fortsätta att vara läkare. För svävandets skull. Och för Tant Ellens, för att hon hade lett sitt förvridna leende och med stor möda lagt båda sina händer om Christinas hand, när Christina för första gången stod vid hennes säng på sjukhemmet klädd i vit rock och med stetoskopet redo.

Den unge föreläsaren fumlade nervöst framme vid podiet, drog ner en filmduk och förberedde diaapparaten. Christina rätade på ryggen som en skuldmedveten skolflicka och försökte se uppmärksam ut. Ljusen i salen släcktes och det blev mörkt, den första diabilden slog mot filmduken. En placenta. Kärlträdet hade fyllts i med metylenblått och föreläsarens pekpinne fladdrade över bilden på jakt efter artären:

"Etiologin är fortfarande oklar, men det finns en teori om att det handlar om en kärlmissbildning i tidig graviditet, vilket leder till att den svagare tvillingen försörjs med använt blod via *umbulicalus* ... Men detta kärl når först den nedre kroppshalvan, varför denna kroppsdel – som vi ska se – är något mer utvecklad ..."

Han tryckte än en gång på sin knapp. Den nya bilden möttes av en stum rörelse i auditoriet. Christina tyckte först att hon inte kunde se vad den föreställde, hon blinkade till och rättade till glasögonen, slog sedan handen för munnen i en ytterligt oprofessionell gest. Hon tvingade ner handen i knät och vände blad i sitt kollegieblock, som om hon förberedde en viktig anteckning, men skrev ingenting.

Bilden föreställde en liten kropp med navelsträng och tunna ofullbordade utväxter till ben. Ett spädbarn utan huvud eller armar, ett liten köttklump med rosig hy. Det var alldeles uppenbart en människa. Men bara en halv människa. Den var alldeles slät upptill, slät och mjukt rundad där hals och huvud skulle ha suttit.

Föreläsaren stod tyst bredvid projektorn och lät bilden sjunka in, innan han fortsatte:

"Fenomenet har i litteraturen kallats för *The acardiac monster*, det hjärtlösa monstret, vilket i och för sig är riktigt, jag menar, det finns faktiskt inget hjärta här, men det är en beteckning som jag vill undvika eftersom den låter en smula – eeh – sensationsartad ..."

Han tryckte än en gång på sin knapp, en ny bild dök upp, samma varelse men ur en annan vinkel. Nu kunde man skönja ett dygdigt litet hudveck mellan de båda utväxter som skulle ha blivit ben. Pekpinnen fladdrade över vecket.

"Missbildningen och den friska tvillingen är alltid av samma kön. Oftast är det flickor, men anledningen till den övervikten är okänd. Mortaliteten hos pumptvillingen är hög, eftersom det ställs allt högre krav på blodförsörjningen i takt med att graviditeten fortskrider. Det kan leda till stora svårigheter för pumptvillingen ..."

Många år senare, när deras egna tvillingflickor redan hade börjat skolan, insåg Christina en natt att hon måste ha missförstått Erik. Hon sträckte impulsivt ut handen och skakade honom, trots att hans sömn hade varit helig under hela deras äktenskap.

"Erik!" viskade hon i sängkammarmörkret. "Erik!"

Det tog en stund innan han svarade, han grymtade och vred sig undan. Men Christina fortsatte att skaka hans axel.

"Du! Jag vill bara fråga en sak ..."

Han slog upp ögonen och vände sig sömnigt mot henne.

"Vad är det?"

"Minns du den där föreläsningen du höll när vi träffades? Om det hjärtlösa monstret? Minns du det?"

Han drog täcket över axeln och blundade på nytt.

"Mmmm. Vadå?"

"Du talade om *pumptvillingen*, eller hur? Men vilken tvilling menade du? Det friska barnet? Eller det där andra?"

Han dolde sin irritation bakom ett litet skratt.

"Herregud Christina, vilken fråga så här mitt i natten ... Jag menade det friska fostret, förstås. Det hörs ju: pumptvillingen pumpar blod in i missbildningen ..."

"Åh", sa Chrstina. "Jaså. Tack. Somna om nu ..."

Han sträckte fram handen och grep hennes, kramade den lätt.

"Varför undrade du?"

"Äh, jag kom bara att tänka på det. Själva ordet. Jag har alltid trott att det var den där andra som var pumptvillingen ..."

Han halvsov nu, men var fortfarande oföränderligt artig och intresserad.

"Varför det?"

Christina drog åt sig sin hand och kröp djupare ner under täcket, blundade hårt för att driva bort den gamla bilden.

"Äsch", sa hon. "Jag tyckte bara att den såg ut som en pumpa ..."

"Sov gott", sa han.

"Sov gott själv", sa hon.

Astrid retade sig på deras sätt att tala till varandra, detta att de sa *tack* och *varsågod, sov gott* och *ha det bra*. När hon oinbjuden kom på sitt första och sista besök i deras hem, gjorde hon klart vad hon tyckte.

"Ni gör er till", sa hon på sin deformerade skånska. "Ni låter som ena jävla högfärdsblåsor. Kan ni inte säga vad ni menar, rätt upp och ner, måste ni hålla på och fjanta er? Ni är väl gifta med varandra, då kan ni väl prata som folk?"

Christina hade väntat på det öppna angreppet, i månader och år hade hon förberett sitt svar. Repliken låg slipad och vass på hennes tunga, ändå sa hon först inte något alls. I stället snörpte hon munnen till ett litet minustecken och ryckte åt sig moderns kaffekopp, trots att den fortfarande var halvfull. Tigande och rakryggad bar hon bort den mot diskbänken.

"Hallå där, damen", hojtade Astrid bakom hennes rygg. "Jag var faktiskt inte färdig!"

Christina frös mitt i rörelsen, snodde sedan runt, fortfarande med koppen i handen och fixerade sin mor. Astrid gestikulerade med blåbleka händer.

"Nu är du så jävla snäll och sätter tillbaka koppen framför mig. Och så ett askfat, tack!"

"Du får inte röka här inne. Erik tycker inte om det ..."

"Åhå", sa Astrid och tände sin cigarrett. "Hans Majonnäs Honungen haver befallit ... Du, det går faktiskt att öppna fönstret."

De slappa brösten dinglade som halvfulla kulpåsar under henne när hon sträckte sig över köksbordet. Hon krånglade länge och demonstrativt med hakarna, innan hon slog upp fönstret på vid gavel, föll sedan klumpigt tillbaka på stolen med ett litet pustande. Hon drog ett djupt och belåtet bloss på sin cigarrett och knackade befallande i köksbordet på den punkt där kaffekoppen hade stått. Christina satte den halvfulla koppen framför henne med en liten smäll och drog ett djupt andetag. Rösten måste vara stadig när hon levererade Repliken.

"Det är inte ärligare att gorma åt folk än att tala vänligt till dem. Men du har alltid trott att det bara finns en enda äkta känsla. Ilska."

Men Christina hade underskattat sin motståndare. Astrid gav henne en blick som smulade Repliken till damm.

"Kyss mig långsamt!" sa hon. "Du låter som en jävla svensktoppslåt, vet du det? *Små små ord av kärlek! Och säääg det med ett leende!*"

Christina blev stående vid bordet, fortfarande rakryggad och stram, men med den gamla rädslan fladdrande i magen. Astrid böjde sig fram och slog reptilsnabbt sina blå fingrar om hennes handled, kramade till och vred om, men bara lite, bara så lite att det gjorde riktigt ont, men ändå inte syntes. Hon andades tyst och talade tydligt, men hennes röst var lägre än vanligt, nästan som en viskning.

"Och du ska inte sätta dig på några höga hästar mot mig, Christina lilla. Inte fan hade du varit doktor och fin fru om inte jag hade tillåtit det ..."

I samma ögonblick öppnade Erik ytterdörren och ropade en hälsning. Några galgar rasslade i hallen.

Han hänger upp sin jacka, tänkte Christina.

Astrids grepp hårdnade. Något dunsade mot golvet.

Nu tar han av sig skorna. Åh snälla, kom snart!

Det prasslade av papper, han tittade på posten. Astrid vred lite till, gned dotterns hud mot benen i hennes handled och iakttog uppmärksamt reaktionen. Blanka ögon. Men inget motstånd. Christina hade bara gjort motstånd en enda gång i sitt liv och det som hände då hade lärt henne att aldrig göra motstånd igen.

"Hallå", ropade Erik igen. "Hallå, är det någon hemma?"

Han började gå mot köket. Christina blinkade till och såg sin mor i ögonen, Astrid fnös föraktfullt, men hennes blick vek. Hon lossade sitt grepp och knuffade undan Christinas hand i en barnsligt ilsken gest.

"Hej", sa Erik. Han stod i köksdörren och log, han hade inte sett något.

Astrid fimpade hastigt sin cigarrett, drog handen över pannan och tittade bort. Christinas ögon fladdrade mellan dem båda, de smalnade i triumf när hon såg på Astrid, vidgades och glittrade när hon log mot Erik.

"Nämen hej", sa hon och gick mot honom med öppna armar. "Jag hörde inte att du kom ..."

Min man, tänkte hon och sjönk in i hans omfamning.

Jag har faktiskt en man.

Hon har aldrig talat om för honom att han är den ende man hon någonsin haft, ja, faktiskt den ende hon ens kysst. När han slog sig ner bredvid henne vid middagen på den där allra första konferensen blev hon stram och stel, och när han några veckor senare ringde och bjöd henne på teater var hon tvungen att gå ut och kräkas sedan hon tackat ja. Inte för att han var motbjudande, tvärtom, men för att det var så oerhört att alls bli sedd av en man.

Under den första vårens middagar, konserter och teaterbesök växte sig hennes mödomshinna allt tjockare och allt segare. Tio år tidigare skulle den ha varit acceptabel, fem år tidigare en smula komisk, nu var den en skamfläck. För nu hade en ny tid börjat, en tid då en kvinna ansågs defekt om hon vid nära trettio års ålder aldrig hade stått till förfogande för en man.

Kvällen före midsommarafton brast hon i gråt av ängslan medan hon packade sin nya läderväska med omsorgsfullt strukna sommarkläder. Vad hjälpte det att hennes finaste bomullsklänning doftade av vind och vatten? Vad hjälpte det att hennes polerade naglar glänste som pärlemor och att hon hade klippt håret i en ny och mycket klädsam frisyr? Det var ju nu det skulle hända, det visste hon, annars skulle Erik aldrig ha bjudit henne till midsommarfirande i sina föräldrars sommarvilla i S:t Annas skärgård. Mycket av det hon visste skulle komma var hon beredd att bära: högborgerlighetens nedlåtande vänlighet inför uppkomlingen, systrarnas inlindade frågor om hennes släkt och föräldrarnas höjda ögonbryn vid hennes kortfattade svar. Då skulle Erik stå vid hennes sida, det visste hon, han hade redan börjat skämta om sin mammas ängsliga frågor om det hon kallade "Christinas bekymmersamma bakgrund". Men skulle han kunna bära hennes oskuld? Eller skulle han skygga och rygga tillbaka? Eller vända sig från henne i förakt?

Efteråt kändes det som om det var hennes kropp som självständigt fattade beslutet. Höger arm sträcktes plötsligt ut, handen drog ner rullgardinen, fötterna förde henne bort till byrån, där högerhanden hämtade nackspegeln, medan vänsterhanden knäppte upp kjolen och lät den falla till golvet. Den ena handen sköt resväskan åt sidan, medan den andra skruvade av henne trosorna. Det högra benet lyfte sig av sig själv, foten placerade sig på sängkanten, medan högerhandens pekfinger, långfinger och ringfinger slöt sig till ett kirurgiskt instrument. Ögonen tillät henne att blunda.

Efteråt grep hon efter nackspegeln och speglade sig mellan benen. Det var som att undersöka en främmande kvinnas underliv och, jo, allt tydde på att detta var en kvinna med viss – om än inte särskilt omfattande – sexuell erfarenhet. Det blödde inte mycket. En hastig tvättning skulle avlägsna alla spår. Och efteråt skulle det som nyss hade hänt aldrig ha hänt.

På väg ut till badrummet fick hon syn på högra handens fingrar. Runt nagelbanden och i knogarnas veck låg blodet i tjocka röda linjer. Äcklet fick henne att svaja till och så när tappa balansen: hon tog stöd mot väggen under de sista stegen in i badrummet, stängde dörren men tände inte ljuset, trevade i mörkret efter kallvattenkranen och spolade, spolade och spolade tills fingrarna var så kalla att de inte längre hade någon känsel.

Och ändå, när Erik nästa morgon parkerade sin bil utanför hennes hus, sprang hon nerför trapporna på lätta fötter. Det var en fantastisk dag: himlen över Vadstena var lika blå som Jungfru Marias klädnad, björkarnas löv blänkte i solen, luften var lätt att andas.

"Vad du ser glad ut?" sa Erik misstänksamt när de möttes på trottoaren utanför. "Har det hänt något?"

Christina skyndade sig att dämpa sitt leende en aning.

"Inte alls", sa hon med sin vanliga reserverade röst. "Jag är bara på gott humör, helt enkelt ..."

För jag har en man, tänkte hon för första gången i sitt liv. Jag har betalat priset och nu har jag faktiskt en man!

Hemma hos Tant Ellen var det aldrig någon som väntade sig att Christina skulle få en man. Inte ens hon själv. I tonåren axlade hon sin kvinnlighet med lidande min och gjorde regelbundna försök att kasta den av sig. Det var Christina som bar illamåendet och smärtorna, det var hon som rullade runt på golvet en gång i månaden och som efteråt skakades av frossa och fick bäddas ner med dubbla filtar och varmvattensflaskor, alltmedan Margareta och Birgitta tuperade sina hövolmsfrisyrer och gjorde sig beredda att erövra världen på unga kvinnors vis.

Det var en eländig tid. Medan Christina i den ljumma sommarkvällen försökte värma sina iskalla händer på den raggsocksklädda saftflaska som Tant Ellen hade fyllt med hett vatten och stoppat ner i sängen, blundade hon och försökte minnas ljusare tider: examensdagen i första klass då hon fick sitt första premium, dungrå söndagsmorgnar i köket då smöret smälte på Tant Ellens varma frukostbullar, tysta sommarkvällars lekar i körsbärsträdet utanför.

Det var mycket enkelt att vara en liten flicka hemma hos Tant Ellen. Enkelt och rofyllt. Allt man behövde göra var att äta, lyda och låta sig bli omskött. I den ordningen. Ingetdera var något problem för Christina; all Tant Ellens mat smakade gott i hennes gom, lydnadskraven var begripliga, omvårdnaden en ren njutning. Medan Birgitta skrek i protest för att Tant Ellen envisades med att själv tvätta hennes smutsiga ansikte före middagen, lutade sig Christina njutningslystet mot Tant Ellens mage när det var hennes tur. Birgitta klagade över att Tant Ellen var för hårdhänt, men själv ansåg Christina att hårdhäntheten var behaglig. På barnhemmet hade det funnits en sköterska med ett mycket mjukt handlag. Christina hade skrikit hysteriskt varje gång den kvinnan närmade sig; hon skrek och skrek och skrek ända tills sköterskan tappade tålamodet och grep efter henne med hårda händer. Först då lät sig Christina tvättas. Men hon fortsatte skrika för säkerhets skull.

Annars mindes hon inte särskilt mycket från barnhemmet, bara ett stort rum med höga fönster och sängar stående på rad. Allt var vitt i hennes minne, väggarna, sängarna, ljuset som silade genom björkarnas grenverk ute i trädgården. Bara ibland blixtrade en sekundsnabb bild till i hennes huvud: en pojke kramade sin enbenta nalle, en flicka klädd i kappa och vinterskor vände sig om och såg på Christina medan hon gick ut genom dörren, en mycket liten flickas gråt när man hade tagit hennes snuttefilt: *Min filt, min filt, var är min lille filt!* Men minnena var poänglösa och obegripliga, de saknade namn och sammanhang och kunde aldrig berättas.

Likadant var det med sjukhuset. Allt hon kunde minnas var vyssjande viskningar och vita fingrar som tryckte ner kolven i sprutan. Jo, förresten, hon mindes en hel människa, en enda medpatient från den allmänna sal dit hon flyttades så småningom. Det var en tjock gammal kvinna som talade oavbrutet och ständigt befann sig i rörelse, hon gick från säng till säng, högljutt kommenterande de andra patienternas tillstånd och behandling. Den brännskadade femåringen intresserade henne särskilt.

Törsten var det värsta. Det fanns sprutor mot smärtorna, sprutor som fick Christina att sväva ovanför det onda, men det fanns ingen bot mot törsten. Droppet skulle hjälpa, sa de vitklädda varelserna i verklighetens utkant, men droppet hjälpte inte. Tungan tjocknade och täcktes av segt slem, läpparna sprack och strupen svällde så att varje andetag blev en väsning. Hennes törst blev till slut en pina också för dem som bara såg den, och det drev dem att sätta en vattenfylld skål vid hennes säng; en vattenfylld skål med små bitar av gasbinda. Det var meningen att Christina skulle stryka kompresserna över läpparna för att lindra plågan. Men gång på gång böjde sig de vitklädda varelserna över henne och förmanade: *Fukta läpparna, men sug inte. Vad du än gör så sug inte!*

Naturligtvis sög hon. Men hon sög mycket försiktigt så att ingen skulle se. Hon grep efter kompresserna med sin friska hand och strök dem över munnen så som sköterskorna sagt att hon skulle göra, men i hemlighet särade hon läpparna bakom gasbindan, tungspetsen letade sig fram och strök lystet över de glesa trådarna i väven. Och plötsligt var den en levande varelse, ett girigt litet djur med egen vilja som tvingade henne att suga varje droppe ur kompressen.

Sekunden senare vällde något gult och stinkande upp ur hennes innandöme, kroppen drogs samman i kramp, elden i hennes sår började flamma på nytt. Men när hon öppnade ögonen för att ge luft åt smärtan, stod den tjocka kvinnan med höjt pekfinger över hennes säng.

"Jag såg dig", sa hon. "Du sög. Det är ditt eget fel."

Christina slöt läpparna och svalde gråten.

"Jo, minsann", sa kvinnan igen. "Jag såg dig. Så jag *vet* att det är ditt eget fel."

Och djupt inne i Christinas huvud instämde en gäll röst:

"Där hör du, jävla unge! Det är ditt eget fel! Allt som händer är ditt eget fel!"

DEN SVARTA SMIDESGRINDEN GNISSLADE när syster Inga stängde den bakom dem.

"Kom", sa hon och sträckte fram handen mot Christina. Hon hade kornblå fingervantar i exakt samma nyans som kappan. Själv hade Christina en ljusbrun kappa och ärtgröna tumvantar. Hon kunde se att det var fult för under den långa tystnaden var det som om alla färger hade blivit hårda och vasskantade, de skavde som grus i hennes ögon. Om hon hade vetat hur man gjorde världen lika svart och vit och grå som på ett fotografi, så skulle hon ha gjort det.

"Kom nu. Var inte blyg", sa syster Inga och grep efter hennes hand. "Det är bara min svägerska. Och hon är så snäll ..."

Men Christinas hand föll slappt ur hennes, den var så mjuk och medgörlig att den inte gick att fånga. Flickan stod som fastfrusen på trädgårdsgången och verkade inte höra. För nu hade det hänt, nu hade hon äntligen stigit in i sitt fotografi. Den här trädgården liknade i varje nyans den svartvita värld hon hade skapat i sitt eget huvud. Allt stämde: halvdagern och det vita diset, fruktträdens svarta linjer mot den grå himlen, frostens smältande glasyr över gräsmattan. Detta var en trädgård för flickor som hon. En trädgård för vinterprinsessor.

Syster Inga fick grepp om handen och drog henne med sig.

"Men kom nu! Du behöver inte vara rädd ..."

Yttertrappan var väldig. Och av sten. Helt annorlunda än trätrappan utanför barnhemmets veranda. Den här trappan darrade inte när man satte foten på den, den låg orubblig och tung, som ett berg i väntan på att bestigas. Nysopad var den också: man kunde se spåren efter kvasten i den lilla snö som fanns kvar på de röda tegelplattorna.

Syster Inga ringde på dörrklockan samtidigt som hon öppnade dörren och föste Christina framför sig in i det lilla trapphuset. Också här var allt av sten: grå och blankskimrande på golvet, blekgrön och porös på väggarna. Det såg ut som ett sjukhus, ett litet stensjukhus.

Syster Inga drog hastigt av sig pampuscherna, de smidiga gummifodral som hade skyddat hennes högklackade finskor mot den tvehågsna vintern därute, och hjälpte lika hastigt Christina av med gummistövlarna. Sedan knackade hon hårt på den bruna innerdörren och öppnade: "Hallå", ropade hon in i lägenheten. "Hallå ... Är det någon hemma?"

Ljuden därinne drev en liten rysning över Christinas rygg. Radions tidssignal och något som fräste i en stekpanna. Det var ljud hon hade lärt sig avsky i barnhemmets kakelkök, orosljud och bråttomljud. Ljud som var lika mättade med vantrivsel som kornig torrmjölk i en rostfri barnhemsmugg.

Men här stängde någon genast av radion och lyfte stekpannan från spisen, här fanns det plats för människors röster.

"Hon äter nästan ingenting" sa syster Inga och strök en hårslinga ur Christinas ansikte, öppnade hennes hårspänne och fäste det på nytt. "Talar inte heller. Ger inte ett ljud ifrån sig utom när hon gråter ..."

Kvinnan på andra sidan bordet såg för en sekund rätt in i Christinas gråa ögon.

"Jaja", sa hon. "Det pratas väl tillräckligt här i världen ändå ..."

Flickan som satt bredvid henne lutade hastigt sin kind mot hennes överarm.

"Du pratar, Tant Ellen. Du pratar hela tiden ..."

Ellen grep om hennes näsa med fingertopparna.

"Oj", sa hon. "Nu är Margaretas näsa blöt igen!"

Flickan fnissade och tog en djup klunk ur sitt mjölkglas. Hon hade ätit elva köttbullar, Christina hade räknat dem. Elva! Och ändå låg det fortfarande ett berg av köttbullar i den stora karotten på diskbänken. Själv hade hon bara ätit en enda köttbulle, innan hon lika beslutsamt som alltid hade lagt gaffeln ifrån sig och berett sig att motstå syster Ingas övertalningsförsök. Hon hade bara gett vika på en punkt: hon hade tömt nästan hela mjölkglaset. Det här var ju riktig mjölk, det kändes, inte ett smuligt pulver som hade vispats ut i kranvatten.

"Jag hoppas att det inte gör något", sa syster Inga. "Att vi bara dök upp så här, menar jag. Men det var bara fyra ungar kvar över julen och då tyckte vi att vi lika gärna kunde stänga och ta med dem. Föreståndaren tog två och så tog Brita och jag var sin ... Annars hade vi ju inte fått någon riktig jul i år."

Hon hejdade sig och strök än en gång handen över Christinas panna.

"Och hon är så snäll, hon kommer inte att vara till besvär ..."

Ellen log lite grann där hon satt i sin blommiga städrock med de vita armarna tungt vilande mot bordet.

"Det är inget besvär", sa hon. "Inget besvär alls ..."

Senare den dagen satt Christina ensam i Tant Ellens vardagsrum. Det knottriga tyget på soffan skavde lite mot låret, hon hade inga yllebyxor som täckte glipan mellan trosorna och strumpan.

Det var alldeles tyst i huset. Syster Inga och Margareta hade åkt till torget för att köpa julgran, de hade tjatat på Christina att hon skulle följa med, men hon hade envist skakat på huvudet och gjort sig så slapp och motståndslös att syster Inga inte ens hade kunnat få på henne kappan.

"Hon kan stanna hos mig", hade Tant Ellen sagt till slut, och efter en ström av förebråelser och ursäkter hade syster Inga gett med sig.

Och nu satt hon alltså med rak rygg i soffan och såg sig omkring. Hon tyckte om det här rummet, det hade färger som förstod att hålla sams, som inte bråkade och skrek och försökte slå ihjäl varandra. Gardinens blekgula nyans strök sig vänligt mot soffans djupa grå, mattans mättade gyllentoner lekte med det bruna i ett lågt skåp som stod borta vid väggen. Ovanför skåpet hängde en stor tavla, en målning av en gyllene skog. Den frestade henne. Kanske skulle hon gå in i den tavlan och bli en höstprinsessa i stället för en vinterprinsessa ... Men nej, hon ville vara kvar i det här rummet, i det här huset, i denna tystnad som bara tycktes djupna av väggklockans bestämda tickande.

Så stod Tant Ellen plötsligt i det rundade dörrvalvet, fortfarande klädd i sin blommiga städrock. Ansiktet under det mörka håret var brett och fyrkantigt, de vita armarna korsades över bastanta bröst. Glasögonen hade halkat ner på näsan och i ena näsborren satt en vit bomullstuss.

"Karamell?" sa hon och kisade över bågen, medan hon drog upp en en påse ur fickan.

"Sidenkuddar", sa hon sedan, som om det skulle förklara något, och sjönk ner i fåtöljen bredvid soffan. Christina böjde sig försiktigt fram och såg ner i påsen. Karamellerna såg faktiskt ut som sidenkuddar: de skimrade och glänste i bleka sidentoner. Rosa, lila, ljusblå.

"Bara ta", sa Tant Ellen och skakade påsen.

Christina formade tumme och pekfinger till en pincett och stack försiktigt ner handen, sidenkuddarna klibbade lite och klistrade sig fast vid varandra, hon fick lirka för att få loss den vackraste. Den var ljust lila.

"Ta fler", sa Tant Ellen och skakade påsen på nytt. "Det är ju dan före dan ..."

Christina stack än en gång ner handen i påsen, den här gången fick hon upp en hel klump. Fyra klibbiga sidenkuddar. Hon höll andan och fäste blicken på Tant Ellen. Skulle hon börja skrika nu?

Men Tant Ellen skrek inte, hon såg inte ens på karamellklumpen, snodde bara ihop påsen och stoppade den tillbaka i fickan. Sedan lutade hon sig mot fåtöljens höga rygg och fäste blicken på tavlan i andra ändan av rummet, för ett ögonblick såg det ut som om också hon övervägde att gå in i höstprinsessans skog.

"Jaja", suckade hon sedan. "Det är inte så lätt alla gånger."

I samma ögonblick sprack det spröda skalet på sidenkudden i Christinas mun. En krämig sötma spred sig över tungan.

Javisst. Nu mindes hon. Så smakade choklad.

Utanför mörknade det, skymningen kröp in i huset. Det skulle inte bli någon vit jul, förmiddagens snödis hade nästan genast övergått i regn. Det gjorde ingenting, tids nog skulle det ändå bli julafton, och medan man väntade så kunde man lika gärna sitta stilla i vardagsrummet och stumt iaktta hur regndropparna tillrade över Tant Ellens svartblanka fönster.

Hon sa inget. Det var det som gjorde henne så ovanlig: aldrig förr hade Christina träffat en vuxen människa som kunde sitta stum en lång stund. Alla andra vuxna var så upptagna med att prata att de inte hade tid att tänka, men den här kvinnan bara satt där hon satt, med sin tilltäppta näsborre och sin halvöppna mun. Men hon sov inte: hennes grå ögon var vidöppna och klara.

Och sedan hördes plötsligt syster Ingas skratt och Margaretas prat ute i trapphuset, lägenhetsdörren slogs upp och in tumlade Margareta med raggsocksfötter och uppknäppt kappa. Tant Ellen satte händerna mot armstödet och hävde sig upp, sträckte armarna mot Margareta och drog av henne kappan, skrattade åt hennes prat och rufsade hennes hår.

Christina vände sig bort och såg mot fönstret, följde ännu en regndroppe med blicken medan den letade sig ner över den blanka ytan. En tanke fladdrade förbi och slog henne med häpnad; allt skulle ha varit annorlunda om jag hade kunnat tala.

Det var första gången. Så hade hon aldrig tänkt förut.

Men rösten kom inte omedelbart tillbaka bara för att hon ville det, lika lite som den en gång försvann för att hon ville det. Sådant bara händer.

Men Margareta tycktes inte märka att Christina inte talade: hon fyllde hela huset med sitt eget prat, orden trillade ur hennes mun som kvicksilverkulor, de rullade sekundsnabbt över golvet och försvann i hörnen.

När granen var klädd, drog hon Christina med sig. Nu skulle hon äntligen få se hela huset: mörkerkällaren med cementgrå tvättstuga och ljusgrönt badrum, stentrappan och hallen en trappa upp och den bruna dörren till hyreslägenheten där uppe. Och så vinden förstås, det viktigaste av allt. Christina drog ett djupt andetag när hon stack huvudet genom takluckan, det luktade gott här uppe. Damm, sågspån och virke.

"Det är i stället för en lekstuga", sa Margareta och gick bort till ett litet möblemang vid gavelfönstret. "Farbror Hugo skulle ha gjort en lekstuga, men han dog innan han ens hann börja ... Fast han hann göra möblerna."

Det var som om både Margareta och Christina plötsligt växte till jättar. Möblerna var för små för dem, skinkorna vällde över kanten på pinnstolarna, knäna fick inte plats under bordet.

"Han gjorde möblerna åt någon småunge", sa Margareta förklarande. "Men nu är dom mina ..."

En stund senare var de tillbaka nere i lägenheten. Tant Ellen hade fyra rum och Margareta hade ett namn på vart och ett av dem. Stora rummet, lilla rummet, matrummet och tomrummet.

Men tomrummet var egentligen inte tomt, det rymde både en säng och en byrå. Margareta gick inte in, hon öppnade bara den stängda dörren på glänt, utan att släppa handtaget.

"Det är egentligen mitt rum", sa hon. "Jag ska få det. Sedan. När jag börjar skolan ... Nu ligger jag hos Tant Ellen. Inne i lilla rummet."

Christina gjorde en grimas. Själv skulle hon inte vilja ligga i samma säng som någon vuxen.

"Inte i samma säng förstås", sa Margareta som om hon kunde läsa hennes tankar. "Det är en dubbelottoman, det finns en säng under sängen som vi drar fram på kvällarna..."

Men det fanns ingenting i lilla rummet som tydde på att Margareta bodde där. Ottoman och fåtölj, linneskåp och syskrin, men inte en enda leksak eller sagobok. På barnhemmet hade var och en ett eget litet skåp, där man kunde ha sina kläder och saker. Så var det inte här, Margaretas kläder hängde i Tant Ellens garderob ute i hallen. Hon hade själv sett det under Margaretas visning, stora och små klänningar på samma stång, i en enda röra.

Men Margareta tycktes inte bekymra sig över röran i garderoben eller sin osynlighet i lilla rummet, hon fladdrade vidare ut i köket och slog upp ännu en dörr.

"Städskåpet!" ropade hon. "Här har jag mina leksaker."

Christina tog ett försiktigt steg framåt och kikade in. Städskåpet var inte alls något skåp, det var en dockliten skrubb med en vit ljusglob i taket och en gammal trasmatta på golvet. Det doftade vasst därinne och Christina kände igen lukten. Så luktade det på barnhemmet de dagar då golven glänste. Bonvax.

En stund senare visste hon att hon tyckte om att vara i städskåpet, att sitta på golvet och bädda Margaretas docksäng medan de vuxna kvinnorna stökade ute i köket. Nu var Tant Ellen färdig med köttbullarna, i stället fräste något annat i den svarta gjutjärnspannan. Det luktade kål och ättika.

Maten var inte klar ens när det var dags att gå och lägga sig. Christina och Margareta fick var sin liten tallrik med prinskorvar och köttbullar vid köksbordet, medan Ellen rörde i gjutjärnsgrytan och syster Inga gjorde senap. Hon hade en skål i knäet och i dess botten låg en stor järnkula, som rullade tungt över senapsfröna och krossade dem. Ångorna fick hennes ögon att tåras.

"Det är faktiskt en riktig kanonkula", snörvlade hon förklarande till flickorna. "Kommer från min och Hugos farmor. Vi använder den bara dan före dan, det är tradition ..."

Tant Ellen log ett snett leende och sträckte fram en näsduk.

"Snyt dig", sa hon halvskrattande. "Du snorar ju i senapen ..."

Christina lystrade fascinerad till det där skrattet som ständigt sipprade ur Tant Ellen. Det lät som om en liten duva hade byggt bo i hennes strupe, en liten duva som kurrade av belåtenhet innan den lade sig på plats i redet. Hon var så upptagen av att föreställa sig den där duvan att hon glömde sig. Utan att tänka sig för åt hon upp allt som fanns på tallriken: tre prinskorvar, fyra köttbullar och nästan en hel ostsmörgås. Hon var mitt i den sista smörgåstuggan när illamåendet plötsligt vällde upp. Hon öppnade munnen och lät det halvtuggade brödet falla ner på tallriken. I samma ögonblick vaknade den främmande rösten i hennes huvud: *Ditt bortskämda yngel! Spottar du ut maten?*

Christina slöt ögonen och väntade på elden. Men den kom inte. För första gången flammade inte ärren upp i samma stund som hon hörde rösten. Hon väntade ytterligare en sekund, innan hon mycket försiktigt höjde ögonlocken en millimeter och kikade ut. Syster Inga torkade ögonen med näsduken, hon hade inte sett något. Margareta stirrade på Christina med öppen mun, men utan att säga något. Och Tant Ellen lade mycket försiktigt sin hand på Christinas huvud, strök henne hastigt över håret, medan den andra handen omärkligt smög ned den halvtuggade smörgåsbiten i städrockens ficka.

Syster Inga snöt sig och tittade upp.

"Kors i taket", sa hon. "Jag tror att Christina har ätit upp!"

Och så var det slut på den första dagen.

På julaftons eftermiddag började resten av släkten strömma in. Först kom Selma, Tant Ellens gamla mamma, en knotig kvinna klädd i en finklänning som var lika slät och svart som hennes ansikte var vitt och skrynkligt. Hon tog Margareta under hakan och granskade henne med torr blick, släppte sedan taget utan att säga något och vände sig mot Christina.

"En ny?"

Syster Inga knixade med knäna bakom Christinas rygg:

"Nej, nej. Hon kommer från barnhemmet där jag arbetar, vi är bara här över julen ..."

Selma ryckte på axlarna.

"Jaså. Jaha. Ja, jag tycker om barn. Men bara om de sköter sig. Annars kan de dra åt pepparn ..."

Syster Inga öppnade munnen som för att säga något, men i samma ögonblick började nya röster bullra ute i trapphuset. Nu kom de: huvudpersonerna. De allra viktigaste gästerna.

Stig ställde sig mitt i dörröppningen och slog ut med armarna, sekunden senare upprepade Gunnar rörelsen bakom hans rygg. Båda hade knäppt upp sina överrockar och blottade var sitt lätt gulnat skjortbröst i modern nylon. Deras röster var väldiga, de fyllde hela huset.

"Nu kommer vi!" dundrade Stig.

"God jul!" dånade Gunnar.

Bakom dem flockades deras familjer: var sin hustru – Bitte för Stig, Anita för Gunnar – och sammanlagt fem vattenkammade söner i olika storlekar. Alla bar de den nya tidens sladdriga namn: Bosse, Kjelle, Lasse, Olle och Ante.

"Välkomna", sa Tant Ellen.

Christinas blick fladdrade upp mot henne. Det var inte bara det att Tant Ellen hade bytt ut städrocken mot en grå finklänning med spetskrage, det var som om hon hade bytt till en röst i samma färg och modell. Också syster Inga hade förvandlats, men på ett annat sätt. Hon rodnade av iver när hon sträckte fram handen mot Stig:

"Brorsan! Roligt att se dig ..."

Stig skakade hastigt hennes hand och började sedan kränga av sig rocken.

"Skoj att se dig också. Hur är det?"

"Bara bra. Och själv då? Hur går det med det kommunala?"

Stig tog ett hastigt tag om kavajslagen och rättade till kostymen.

"Jag blev ordförande i barnavårdsnämnden i oktober. Har du inte hört det?"

Syster Inga lade handen över munnen, nu var förvandlingen fullbordad. Hon var inte en sträng barnhemsfröken mera, bara en liten flicka.

"Nähä! Det menar du inte. Vad roligt ..."

Stig lade armen om Gunnar och sköt fram honom mot systern.

"Och här ser du näste ordförande i fackklubben på Luxor. Nästa år ska han på tremånaderskurs på Runö och sedan blir han ombudsman illa kvickt, det kan du ge dig fan på ..."

"Äh", sa Gunnar och knuffade till sin bror med axeln. "Det lär nog dröja innan jag blir lika smord i truten som du ..."

"Inte fan", sa Stig. "Det går nog undan om jag känner dig rätt ..."

"Åh", sa syster Inga andlöst. "Vad synd att inte Hugo fick uppleva det här. Han skulle ha blivit så glad."

Aldrig skulle Christina glömma denna första julaftonskväll i Tant Ellens hus. Ändå hände det ingenting särskilt, ingenting som inte skulle komma att upprepas varje julafton och på varje annat släktkalas. Väldiga mängder mat trollades fram och slukades: sill och Janssons frestelse, revbensspjäll och syltor, köttbullar och prinskorvar, ostar och pastejer, skinka och rödkål. Svagdricka och pilsner skickades ur hand i hand längs vuxenbordet, medan en allt svettigare Stig – redan i skjortärmarna och med slipsen på sned – åtog sig att gå runt och servera snapsen. Men vid barnbordet skickades inga drycker: var och en hade fått en hel flaska julmust vid sin tallrik. Själv kunde Christina inte äta något, men under hela måltiden låg en köttbulle och en prinskorv som ett alibi på hennes tallrik. Inte för att det behövdes, under denna första fest i Tant Ellens hus var hon knappt synlig. Det passade henne fint. Nu kunde hon se utan att själv bli sedd och lyssna utan att själv höras.

Hon skulle för övrigt inte ha kunnat göra sig hörd, ens om hon hade kunnat tala. Hur skulle en liten flicka kunna överrösta det dån som steg ur struparna på denna högljudda släkt? Hon slöt ögonen och lyssnade. Borta vid vuxenbordet berättade Gunnar något med fuktig lördagsröst, Selma skrattade vasst och kacklande åt honom, Stig stämde in och dunkade sin näve i vuxenbordet medan han flämtande drog efter andan – *aaiih, aaiih, aaiih!* han lät som en jagad gris – alltmedan Bitte, Anita och Inga släppte loss silverskratt som steg som en flock svalor mot taket. Pojkarna vid barnbordet skrattade också, trots att ingen av dem kunde ha hört och förstått vad det var som var så roligt, och för en sekund skar Margaretas gälla röst genom larmet:

"Men vad var det? Berätta! Vad sa han?"

Det var bara Tant Ellens lilla duvskratt som saknades. Men hon var där: när Christina slog upp ögonen kunde hon se hur Tant Ellen stod i dörröppningen och granskade sina gäster. Ofrivilligt sökte sig Christinas blick till Inga, Anita och Bitte, till deras kulörta klänningar och skimrande hår, till deras glittrande ögon. Tant Ellen var annorlunda med sitt fyrkantiga ansikte och sin grå klänning.

Nu harklade hon sig och försökte göra sig hörd i larmet:

"Hallå allihopa! Hallå! Nu ska ni vara så goda och stiga in i stora rummet ..."

Efter mycket stimmande och många skratt reste sig Stig och Gunnar som de ledare de var och lade armarna om varandras axlar. Som en enda fyrbent – om än något vinglig – varelse gick de fram mot Ellen, särade sig utan ord och slöt in henne mellan sig. De stod som sammansvetsade, Hugos änka och hans yngre bröder. En enhet, en familj.

"Världens bästa mat", sa Stig. Gunnar nickade med berusat allvar.

"Absholut! Finns inget bättre ..."

Tant Ellen skrattade till:

"Jaja. Tack för det. Men gå nu ut och ta för er av kaffet och gottebordet ..."

Hon lät alldeles som vanligt, trygg, bestämd och vänlig, men den som iakttog henne noga kunde se att hennes överläpp darrade en aning. Det såg konstigt ut. Som om det var hon som var gäst i huset.

I HELA SITT VUXNA liv har Christina undrat hur själva förhandlingen gick till, den hemliga förhandling som måste ha ägt rum i Tant Ellens hus någon gång under den där första julhelgen. Den vanda frågan vaknar till liv när hon svänger in på sjukhemmets parkeringsplats. Vem av dem tog initiativet? Tant Ellen själv? Syster Inga? Eller Stig?

Hon skulle vilja att det var Tant Ellen, att Tant Ellen skulle ha viskat i sin svågers öra att detta barn ville hon ha, just den där stumma och magra flickan med det askfärgade håret. Men så var det nog inte. Tant Ellen aktade sig noga för att begära något av Hugos släktingar. Hon misstänkte att de tyckte att hon redan hade fått för mycket, att hennes äktenskap med Hugo egentligen var för kort för att berättiga henne till både hans hus och hans livförsäkring.

Och det var nog inte heller syster Inga. Hon var för ung den gången; alldeles för ung och blond och självupptagen för att på allvar intressera sig för andra. Hon var aldrig riktigt närvarande, halva hennes jag var hela tiden någon annanstans. Någon gång hände det att hon glömde sig fullständigt och tog några drömmande danssteg till valsmusik som bara hon kunde höra och lät barnsköterskeuniformens vida kjol svepa som en balklänning omkring sig.

Nej, det var nog Stig som tog initiativet till Christinas flyttning, så som han några år senare skulle ta initiativet till Birgittas.

"Stig med Gäddkäften", skrattar Birgitta någonstans i Christinas minne. Christina ler lite, medan hon mycket försiktigt lirkar in sin bil mellan två andra på personalparkeringen. Det förvånar henne att hon hade glömt Birgittas öknamn på Tant Ellens mest prominente svåger. Men nu minns hon, precis som hon minns Margaretas gälla skratt när Birgitta kläckte det nya namnet. Själv log hon bara den gången, ett slutet litet leende med slutna läppar. Christina vågade aldrig skratta högt när Birgitta började sätta öknamn på folk, hon anade på goda grunder att Birgitta någonstans i bakhuvudet gömde ett hånfullt namn också för henne.

Men gäddkäft eller inte, utan Stig och hans kommunala uppdrag skulle Christina ha hamnat någon annanstans. Förmodligen hos någon frireligiös familj i Småland. Eller på någon lerig bondgård ute på Östgötaslätten. Det var så det brukade gå för den som hade hamnat på barnhem under femtiotalet. Om man nu överhuvudtaget fick något fosterhem. En del av ungarna fick stanna kvar på barnhemmet i flera år innan de slutligen hämtades hem av sina nyss vildögda eller tuberkulösa föräldrar.

Astrid tillhörde de vildögda och om det inte hade varit för Stig, så skulle hon ha hämtat hem sin dotter redan när Christina var i tolvårsåldern. Och det – hon sluter käkarna hårt om sin förvissning – skulle ha kostat henne livet. För det var inte förrän hon kom till Tant Ellen som hennes sega livsvilja vaknade och utan en seg livsvilja överlevde ingen i Astrids närhet. Man skulle alltså kunna säga att Stig med Gäddkäften faktiskt räddade Christinas liv.

"Så något tålte han skrattas åt", säger hon högt för sig själv medan hon lossar säkerhetsbältet, "men mera att hedras ändå..."

Han blev lite mindre hedervärd med åren. Lite patetisk i sin ständiga strävan efter att bli ännu större, ännu mäktigare och ännu värdigare än sin döde bror. Han insåg aldrig att han själv var sin egen fiende. Han drack för mycket, pratade för mycket och var alldeles för begiven på storslagna gester för att någonsin likna Hugo.

Att ge Tant Ellen ett barn som tack för den goda julmaten var en gest som skulle ha passat honom precis. Änkor fick bara bli fostermödrar i undantagsfall, men som ordförande i barnavårdsnämnden behövde Stig med Gäddkäften bara knäppa med fingrarna för att det skulle hända. Det var inte många andra män i Motala som kunde göra detsamma. Och Stig med Gäddkäften var, trots allt sitt tal om kollektiv och solidaritet, svårt fallen för att göra sådant som andra män i Motala inte kunde göra om.

Någon gång i tonåren – när Ellen redan låg halvt förlamad på just detta sjukhem i Vadstena och hon själv hade förvisats till Astrids betonglägenhet i Norrköping – slog det för första gången Christina att det kanske var med henne själv som med Birgitta. Tant Ellen ville kanske aldrig ha henne, hon kanske bara kände sig tvungen att göra Stig till viljes. Det skulle kunna stämma: Tant Ellen suckade ofta över de beslut som Stig med Gäddkäften fattade, men hon opponerade sig aldrig öppet.

Tanken var så plötslig och så kväljande att hon inte hann hejda sig: utan att tänka sig för böjde hon sig fram och lät en halvtuggad bit falukorv ramla ut ur munnen och ner på tallriken. En liten sträng saliv hängde ögonblicket efter från hennes underläpp. Astrid lyfte på huvudet där hon satt på andra sidan köksbordet och bläddrade i en gammal Hemmets Journal.

"Fy fan", sa hon stilla och lyfte sina blå fingrar för att lossa cigarretten ur mungipan. "Du kan vara djävligt äcklig, vet du det?"

Christina skakar på huvudet för att driva bort bilden av Astrid. Men ridån är vidöppen nu och låter sig inte slutas, därför minns hon i stället hur Margareta stod på trappan, klädd i bara klänning och gummistövlar, när den svarta grinden än en gång gnisslade bakom Christinas rygg. Margareta frös utan sin kappa, det syntes, hon kramade sig själv med nakna armar och gungade med knäna där hon stod.

"Kom då, Christina! Kom! Vi ska få bo i tomrummet, Tant Ellen har gjort i ordning det, men jag får inte flytta in förrän du har kommit. Så kom! Skynda dig!"

Men Christina lyssnade inte och såg inte ens på henne. Hon tittade åt ett annat håll. Nu var det sen eftermiddag i februari och solen låg snett över trädgården. Den hade fått färg, trots att det ännu var långt till vår och lövsprickning. Den svartvita bilden hade blivit en akvarell där fjolårslöven låg som bruna sårskorpor i gräset. Syster Inga skrattade åt Margareta bakom Christinas rygg, hon hade redan börjat knäppa upp sin kappa.

"Vad du har bråttom då ..."

Margareta ignorerade henne.

"Men kom då, Christina! Kom!"

Några minuter senare kunde Christina konstatera att tomrummet verkligen var förvandlat. Nu stod det en säng vid varje vägg och ett litet bord framme vid fönstret. Byrån var borta, för ett ögonblick rös Christina till när hon tänkte på den röriga garderoben ute i hallen. Skulle hennes kläder pressas in där, mellan Margaretas och Tant Ellens klänningar?

"Får jag flytta in nu, Tant Ellen? Nu har ju Christina kommit, nu måste jag få flytta in ..."

Tant Ellen skrattade sitt låga duvskratt någonstans i bakgrunden.

"Hon har varit helt vild i flera dagar, hon kan inte bärga sig ..."

"Christina också", sa syster Inga och nickade. "Hon har också varit väldigt otålig."

Christina vred på huvudet och såg upp i hennes ansikte. Varför stod hon där och ljög?

Redan efter några dagar började Christinas kläder lukta annorlunda. Det var en trasslig doft med många trådar och när hon klädde på sig om morgnarna försökte hon skilja dem åt. Stark tvål. Stekos. Syrlig kroppsodör. Talkpulver av märket *Christel*. Tant Ellens dofter.

Hon visste inte hur det kom sig att hon hade hamnat hos Tant Ellen, inte heller hur länge hon skulle stanna här. Det enda hon visste var att syster Inga en dag hade tagit alla hennes kläder till tvätt och dagen därpå omsorgsfullt packat dem i en alldeles ny resväska. Sedan hade de suttit på tåget i en halvtimme, innan de kom fram till Motala. Och där hade de tagit bussen – en gråblå buss som passade väl i denna gråblå industristad – till det allra yttersta huset. Under julen hade Christina inte märkt att Tant Ellens hus låg i utkanten, men nu kunde hon se att detta var både land och stad. Det låg hus till vänster, åkrar till höger och skog på andra sidan vägen.

Vägen gick till Vadstena och var farlig. Man fick absolut inte gå ut på den utan att Tant Ellen var med, men i trädgården fick man göra vad man ville. Utom att bryta grenar från fruktträden förstås. Men det var tillåtet att klättra i körsbärsträdet, om man höll sig till de starkaste grenarna.

Men under den första tiden var det ingen som klättrade i träd i Tant Ellens trädgård. Christina vågade inte och Margareta ville inte. Efter den första veckan hade Margareta blivit som förvandlad: gnällig och snarstucken, ständigt gråtande över verkliga och inbillade oförrätter. Dessutom matvägrade hon.

"Vad har det tagit åt dig?" suckade Tant Ellen dag efter dag och lyfte upp henne i knäet, försökte mata henne som ett småbarn. "Ät nu, du brukar ju ha sådan aptit ..."

Men Margareta knep ihop läpparna och blundade, lutade sitt huvud mot Tant Ellens bröst och stängde ute hela världen. Hennes gnällighet fick den lilla duvan i Tant Ellens hals att flyga bort. Och det verkade bara vara Margareta som kunde locka den tillbaka, ingenting av det Christina gjorde räckte till. Tant Ellen berömde visserligen Christina när hon hade torkat disken och log när hon ryckte i dammtrasan för att visa att hon ville hjälpa till att städa, men hon skrattade aldrig det där kurrande skrattet.

Margaretas matvägran fick Christina att börja äta, trots att det fortfarande bjöd henne emot. Efter varje måltid bar hon dessutom sin tallrik och sitt mjölkglas till diskbänken och knixade artigt till tack för maten. Och allt detta gjorde hon med en skärva av kall beräkning i blicken. Hon visste att Margareta skulle börja yla än värre när hon själv fick beröm.

Med troskyldigt vidöppna ögon gick hon än en gång över köksgolvet, lade bestiken i handfatet och sköljde av sin barskrapade tallrik med hett vatten, innan hon vände sig om och gjorde en liten nigning mot Tant Ellen.

"Vad duktig du är", sa Tant Ellen med något trött i rösten. "Väldigt duktig, Christina."

Och se där. Det lyckades. Nu tjöt Margareta vilt och fäktade som ett småbarn i Tant Ellens famn.

"Att hon bara stod ut med oss de där första veckorna", tänker Christina. Hon drar åt handbromsen och kastar en hastig blick på sig själv i backspegeln. Hon är lite blek efter den långa vaknatten, men å andra sidan är det ju ingen som väntar sig att Christina Wulf ska vara särskilt rosig. Färglös är det ord som alltid har använts för att beskriva henne, det vet hon. Klassisk tapetblomma. För att nu inte nämna det namn som Birgitta till slut plockade fram ur sitt bakhuvud. Gråsuggan. Margareta skrattade den gången också.

"Men sådan är jag", säger hon till sin spegelbild. "Gråsuggan Christina Wulf, *take it or leave it!*"

Nu verkar hon inte ha bråttom längre. Hon går långsamt över parkeringsplatsen, som för att fördröja den oundvikliga entrén. Hon tycker inte om att gå in i sjukhemmet. Visserligen brukar hon brista ut i lågmälda trösteprotester varje gång en gammal människa börjar gråta och tala om Dödens Väntrum när Christina har ringt och bokat plats. Så ska man inte se det, säger hon. Absolut inte. Dörren till det huset går minsann både in och ut, där ägnar man sig i första hand åt rehabilitering. I själva verket vet hon naturligtvis lika väl som sina patienter att sanningen är en annan. Sjukhemmet är ett dödens väntrum och bara de som är födda med stor tur slipper någonsin ut med livet i behåll.

Men det är inte den där etiketten som får henne att tycka illa om sjukhemmet. Det är förfulningen där inne. Personalen har fått fria händer och personalen tycks frukta tomrum, på samma sätt som naturen fruktar vakuum. Följaktligen har det vackra fyrtiotalshuset, med sin blekgula rappning och sina behagliga proportioner, förvandlats till en jättelik gillestuga; en gillestuga som har pyntats med små furuhyllor och rosa plastblommor, billiga mässingsljusstakar och tavlor med gråtande barn. Plus ett antal färdigköpta och plastinramade tänkespråk om vardagslycka och moderskärlek. Och dessa ting får inte bara huset att krympa, de gör också människorna i det mindre än vad de egentligen är. Varför ska en man som Folke – en gammal trädgårdsmästare som i hela sitt liv har fått frön att gro och blommor att knoppas – behöva dö omgiven av plastpelargoner? Det hade varit bättre att bära ut honom i skogen eller att ställa hans säng i mittgången i en kyrka så att han i sin sista stund kunde få njuta av det som gör tillvaron uthärdlig: himlens färg och världens skönhet.

Förr brukade Erik och flickorna retas med henne för hennes känsliga ögons skull.

"Mamma är estet, flickor", brukade Erik säga och himla med ögonen. "Låt henne hållas."

Och visst. Så var det. Tiden hos Tant Ellen hade gjort henne till estet. Men när hon sa det till Erik log han bara snett och bytte samtalsämne. Hon anade vad han tänkte: att god smak kräver bildning och att Tant Ellen inte var det minsta bildad. Enkel, var det ord han brukade använda: "Christina växte upp hos en enkel kvinna ..."

Christina blev alltid lika förstummad av hans nedlåtenhet, av detta att han tycktes betrakta Tant Ellen som lite mindre människa än – till exempel – sin egen mor. Ängsliga Ingeborg växte upp i en prästgård på landet och inte i ett järnspisrum i Norrköping, hon gick i flickskola när Ellen arbetade som hembiträde, hon drack te ur engelskt porslin när Ellen drack kaffe ur en kopp från Gustavsberg, och allt detta gjorde henne i Eriks ögon till något sannare och djupare än Ellen. Men Ängsliga Ingeborg visste aldrig något om skönhet: hon ordnade bara de attribut som hade tilldelats henne på det sätt som förväntades av henne, på samma sätt som hon under hela sitt liv handlade, tänkte och kände på det sätt som förväntades av henne. En lydig människa.

Christina kunde naturligtvis se att Eriks förakt kom ur hans brist på kunskap, av detta att han visserligen hade mött men aldrig någonsin känt en enda människa vars liv hade formats av brist. Påminnelser om att tillvaron inte var lika enkel för alla gjorde honom bara irriterad. Folk med lite initiativförmåga klarade sig alltid och de andra fick man väl ta omhand på något sätt. Å andra sidan påminde Christina honom inte alltför ofta om den saken, orden fastnade alltid i hennes strupe och förstummade henne. Det fanns inga ord för vad Tant Ellen hade betytt för henne, åtminstone inga ord som Erik skulle godta. Dessutom blockerades vägen av hennes tacksamhet. Hur skulle hennes liv ha sett ut utan Erik och hans familj? Det var de som upphöjde henne till en riktig människa.

Därför hade hon aldrig berättat för Erik att det plågade henne att han ansåg att ordet enkel var synonymt med simpel. Hur skulle hon kunna få honom att förstå att ordet hade en helt annan innebörd för henne, att det handlade om den omsorg som präglade livet i Tant Ellens hus? Där hade varje ting sin skönhet och sin betydelse, de hårdmanglade linnedukarna som hon själv hade vävt, de prydligt märkta kökshanddukarna, en för glas och en för tallrikar, de tunna guldkantade kaffekopparna som var en bröllopspresent. Dessutom var Tant Ellen minimalist: när pelargonian blommade fick den stå ensam i köksfönstret för att komma till sin rätt. Och medan kvinnor som Bitte och Anita i slutet av femtiotalet började fylla sina hem med ständigt nya volangprydda gardiner och blommiga lampskärmar, höll sig Tant Ellen till det stramt enfärgade och vägrade bli konsument. Därför förblev hennes hus ett fruset stycke fyrtiotal i hela hennes evighet. Och i detta hus flöt dagarna in i varandra, varje dag var alla dagar, de slog som vågor mot en strand. Rytmen var lugnande, själva upprepningen dämpade all oro och stillade all vrede. Därför blev allt snart som det skulle vara: Margareta kravlade ner från Tant Ellens knä och började äta, Christina vande sig vid husets alla dofter och kunde inte längre känna dem. Tillsammans gick de in i städskåpet och började leka. De kom bara ut när det var dags att äta.

Ingenting var viktigare än att äta i Tant Ellens hus och inget arbete var viktigare än att laga mat. Varje måndag kom en bil från syfabriken med femtio halvfärdiga kavajer som Tant Ellen skulle pikera under veckan, men hellre satt hon uppe med sin sömnad om nätterna än att slarva ifrån sig med maten under dagarna. Och samma sak gällde allt annat arbete i huset. Det var viktigare att göra pepparrotssås till den kokta torsken än att skura trappan. Det var viktigare att förvälla vitkål till kåldolmarna än att städa vardagsrummet. Och det var viktigare att torka bröd i ugnen och mala det till skorpmjöl, så att fläskkotletterna skulle få en riktigt knaprig panering, än att ta hand om stryktvätten som låg och väntade i tvättstugan.

Tant Ellen var ständigt sysselsatt: arbetet rann som en flod mellan hennes trubbiga händer. Ändå verkade hon aldrig ha bråttom, hon gnolade ständigt och hade alltid tid att skratta sitt lilla duvskratt om det fanns något att skratta åt. Och nu var det inte bara Margareta hon skrattade åt. När Christina sög på en länk av sitt hår, skrockade Tant Ellen och drog undan den blöta testen:

"Det där kan väl inte vara gott, din tramsa..."

Tramsa var ett viktigt ord. Christina visste vad det betydde: att man hade gjort fel, men att det inte gjorde något. Det var inte farligt att göra fel i Tant Ellens hus, det hade hon förstått av Margaretas förtjusta fnitter när Tant Ellen skojmorrade åt hennes slarviga bäddning. Å andra sidan var hon inte riktigt säker på att den regeln gällde alla tramsor. Det var ju lite särskilt med Margareta, alltså var det säkrast att hon för egen del såg till att bädda sängen ordentligt.

En enda gång försökte Tant Ellen lyfta upp Christina i knäet, på samma sätt som hon ständigt lyfte upp Margareta, men när hon kände hur Christina styvnade släppte hon omedelbart taget. Men hon gick inte därifrån, hon stannade kvar en stund och knäppte upp Christinas hårspänne, fäste den där testen som alltid brukade komma loss, och gav henne en vänskaplig klapp i baken när det var färdigt. Efter den gången rörde hon bara vid Christina för att sköta om henne: hon tvättade hennes ansikte och händer, kammade hennes hår, hjälpte henne på med kappan trots att Christina egentligen var stor nog att klara allt det där själv. Men Christina protesterade inte, hon lät sig villigt förvandlas till ett mycket litet barn. Och nere i det kalla badrummet i källaren kunde hon till och med låta Tant Ellen stryka med pekfingret över ärren. De var helt läkta nu och gjorde sällan ont. Det var bara de stora fläckarna av tunn rosa hud som mindes, själv hade Christina glömt det mesta.

Tant Ellen verkade inte bry sig om att Christina inte kunde tala, hon skakade aldrig på huvudet och viskade med andra tanter om den saken på samma sätt som systrarna på barnhemmet. Hon bara lät det vara: fäste sina grå ögon på Christinas mun och såg om läpparna formade ett stumt ja eller nej. Det var allt. Och när det började komma små ljud bakom läpprörelserna kommenterade hon inte det heller.

På midsommarafton kom hela släkten för att äta sill och dricka snaps. Christina fick klippa gräslöken. Hon gjorde det med spelande tunga och stor omsorg, alla gräslöksbitarna skulle vara exakt lika långa. Syster Inga stod strax bakom och iakttog henne.

"Det är väldigt vad hon klipper fint", sa hon till slut.

"Tack", sa Christina och knixade till.

Syster Inga snodde runt och stirrade på Tant Ellen.

"Hörde du? Hon pratade! Hon kan prata!"

Tant Ellen tittade inte ens upp, där hon stod borta vid köksbordet och arrangerade sillfiléerna på ett glasfat.

"Det är klart hon kan prata", sa hon. "Hon ska ju börja skolan till hösten..."

"Den sommaren ...", tänker Christina medan hon halvspringer uppför trapporna på sjukhemmet. Den blev alla somrars sommar. Inte för att den var särskilt vacker. Tvärtom: i mitten av juni började det regna och sedan regnade det oupphörligen i sex veckor. Men det gjorde ingenting. Christina tyckte om regnet, det stod som en mur mellan Tant Ellens hus och världen. Om förmiddagarna blev det alldeles tyst i köket, Tant Ellen arbetade med sin pikering medan flickorna satt vid köksbordet och ritade. Det hände att Christina höjde på huvudet för att lyssna till denna stumma koncentration, men allt som hördes var regnets pickande mot rutan.

Men lite luft måste de ju ha, trots vädret. Varje eftermiddag plockade Tant Ellen fram flickornas regnrockar och gummistövlar och skickade ut dem i trädgården. Den första stunden stod de och kurade på trappan, men sedan störtade de ut och lät sig omfamnas av regnet. En dag byggde de ett snigelland bakom vinbärsbuskarna: Christina gick på jakt efter snäckorna, medan Margareta ritade vägar och hus i den fuktmjuka jorden. En annan dag for de på utflykt till Vadstena. Tant Ellens väska var tungt lastad med termosar – en för kaffet och en för mjölkchokladen – tolv smörgåsar, tre kanelbullar och sex äpplen. De åt upp nästan alltihop sittande på en fuktig parkbänk nere vid Vätterns strand och gick sedan skrattande mot det stora slottet. Men när en nunna cyklade förbi med det svarta doket fladdrande som korpvingar över öronen, tystnade de och bara glodde. Tant Ellen också.

Men för Christina blev aldrig Vadstena nunnornas stad, det var från första ögonblicket de bleka kvinnornas stad. Redan på väg från järnvägsstationen till Slottsvägen hade hon sett det och när de sedan gick längs Storgatan lutade hon huvudet bakåt och såg upp i alla ansikten de mötte. Jo. Det stämde. I Vadstena var alla kvinnor bleka. Christina tyckte om det; hon föreställde sig att kvinnor med bleka ansikten också måste ha viskande röster. Hon bestämde sig genast. När hon blev stor skulle hon bo i en stad där människor viskade till varandra ...

Tant Ellen hade en avsikt med resan. Hon skulle köpa ett nytt spetsmönster till sin knyppeldyna. Det var en grannlaga uppgift. Hon gick från affär till affär och granskade allvarligt de prov och pappremsor som visades för henne. När hon slutligen bestämde sig, gjorde hon det med en skuldmedveten suck. Det var dyrt med spetsmönster. Alldeles för dyrt för något som egentligen inte behövdes utan bara var ett nöje.

Knypplingen blev Christinas första triumf, hennes första seger över Margareta. Så fort Tant Ellen satte sig på knyppeldynan, dök Christina upp bakom hennes rygg och fäste blicken vid hennes händer. Först förstod hon ingenting: det såg ut som om trollsländor planlöst flög över knyppeldynan när Tant Ellen flyttade spolarna fram och tillbaka. Men snart lärde hon sig se mönstret i rörelsen och efter ytterligare en tid kunde hon sticka fram sin egen hand över Tant Ellens axel och peka på den spole som skulle flyttas härnäst. Då gick Tant Ellen upp på vinden och hämtade en gammal knyppeldyna åt henne och hjälpte henne att starta en egen spets. Under de mörka augustikvällarna satt de sedan mitt emot varandra vid det stora bordet ute i matrummet och lade den ena centimetern spets till den andra. Mamma trollslända och hennes stora dotter. Och ute i köket satt lillasyster trollslända och surade för att hon inte fick ta in sina vattenfärger i matrummet. Rätt åt henne.

Fast nu har hon inte tid att tänka på det, nu måste hon ta två steg i taget i trappan och se till att komma in och få på sig den vita rocken.

Det har gått sexton minuter sedan telefonen ringde. Bara Folke har hållit ut...

Kerstin Ett sitter vid sitt bord inne på sköterskeexpeditionen. Varje gång Christina ser den kvinnan får hon en liten chock. Hon är så skrämmande perfekt, så fulländad i allt från de snäckskalsvita naglarna till det guldblonda håret.

"Hej", säger Christina i överdrivet förtrolig ton i ett försök att visa sig vänligare stämd än hon är. "Nu är jag här. Är Folke kvar på tvåan?"

Kerstin Ett fäster sina stora blå ögon på Christina och dröjer en sekund för länge med svaret, bara för att markera att hon är en aning kritisk. Hon markerar alltid att hon är en aning kritisk mot alla sjukhemmets läkare. Det tycks vara en princip.

"Ja, än så länge", säger hon. "Men vi håller på att tömma ett annat rum, så att vi kan ta in honom dit. Det är lite fullt för dagen, men det ska nog ordna sig. Eller rättare sagt: jag vet att det ordnar sig. Somliga får maka på sig helt enkelt."

Christina nickar och nappar åt sig journalen som Kerstin Ett håller fram.

"Ny antibiotika?" frågar Kerstin Ett och höjer ögonbrynen.

Christina suckar, hon har redan prövat tre preparat och Folke har inte svarat på något. Ett fjärde kommer inte heller att hjälpa.

"Tror inte det", säger hon kort och vänder ryggen till.

Döden har dålig andedräkt. Christina känner den sura lukten redan ute i korridoren och överväldigas av den när hon stiger in på Folkes rum. Hon behöver bara kasta en blick på Folke för att veta att det är dags. Det syns på hans ansikte, underkäken hänger slappt och munnen har blivit ett svart hål, kindernas hud är tunn och spänd över den långa sjukdomens ödem. Det finns inget hon kan göra. För syns skull stoppar hon ändå stetoskopet i öronen och knackar på hans bröst. Det låter precis som hon visste att det skulle göra: dovt och dämpat. Andningsförmågan är nersatt och i den vänstra lungan rör sig ett litet rosslande. Men Folkes sega hjärta tickar vidare därinne, svagt och hackigt visserligen, men med en tung målmedvetenhet bakom varje slag. Hon hade inte behövt ha så bråttom. Folkes hjärta kommer att kämpa för det omöjliga i många timmar till.

På andra sidan sängen står en vithårig kvinna och håller Folkes svullna hand i sin. För ett ögonblick bävar Christina: ingenting är värre än att tala om för gråtande hustrur och blankögda vuxenbarn att det är dags att avbryta behandlingen.

"Vi går ut i korridoren", säger hon med dämpad röst. Men kvinnan svarar inte, hon bara blinkar så att ögat svämmar över och nya tårar rinner över hennes rynkiga kinder. Christina blir tveksam. Kanske har hon inte hört.

"Snälla", upprepar hon. "Kom så går vi ut i korridoren ..."

Men kvinnan bara skakar på huvudet.

"Jag vill inte gå ifrån honom ..."

"Jamen, det finns några saker som jag måste förklara."

"Det behövs inte. Jag vet."

Christina tystnar. Döendet har sin liturgi och alla de rituella fraserna ligger längst fram på hennes tunga –det finns inget mer vi kan göra, men vi ska åtminstone se till att han slipper lida – och när de inte får komma ut blir hon som förlamad. Hon blir stående vid Folkes sängkant, ser på hans gråtande hustru och suckar ofrivilligt: vilken dag den kvinnan har framför sig. I femton eller tjugo timmar ska hon sitta med Folkes hand i sin och se honom vandra genom döendets alla stadier. Törsten. Smärtorna. Andnöden och rosslingarna. Det borde finnas en lätt utgång ur livet, en öppen och välkomnande dörr ...

Och ändå är det inte bara medlidande hon känner, det är också ett slags avund över självklarheten i den gamla kvinnans sorg. Själv har hon aldrig kunnat gråta så, inte ens när Tant Ellen äntligen dog efter femton år på långvården. Men Margareta kunde. Hon böjde sig över Ellens döda kropp och omfamnade den, hon smutsade ner den vita sjukhusskjortan med sin uppblötta mascara och talade sluddrande meningslösa trösteord till den döda kroppen: "Det blir bra, lilla Ellen, det blir bra, allt kommer att blir bra till slut ..."

Det hade gjort Christina rasande. Det var som om Margareta stal hennes egen sorg när hon flödade över av tårar. Med smattrande klackar sprang hon ut ur rummet, genom korridoren och nerför trapporna, ut till den stora lönnen på gräsmattan utanför sjukhemmet. Det var vinter, men hon struntade i det, hon kämpade sig genom den knähöga snön trots att den trängde ner i hennes pumps och frös hennes fötter till is. Och när hon äntligen kom fram kastade hon sig mot trädet, sparkade på det och hamrade sina vita knytnävar mot barken.

"Jävlar", skrek hon och svor för första gången på många år. "Jävla förbannade fan i helvete!"

Senare den natten, när Tant Ellens kropp hade förts bort, hade hon och Margareta gått över parkeringsplatsen till vårdcentralen och satt sig i Christinas rum. Och medan de satt där, med sina kalla händer kupade om var sin mugg te, sa Christina efter en lång stunds tystnad:

"Tror du att man kan leva utan kärlek? Kan man överleva?"

Margareta snörvlade till och strök med handen under näsan.

"Det är klart man kan", sa hon. "Man är väl så illa tvungen."

Först då började Christina gråta. Men inte för att Tant Ellen var död, utan för att Margareta redan hade glömt så mycket.

Nu får hon äntligen fram några doktorsfraser till den gamla kvinnan och går ut i korridoren. Hon måste tala med Kerstin Ett om vätskebalansen och morfinet. Ibland har hon en känsla av att den där människan snålar med smärtlindringen när läkarna är utom synhåll. Hon har mött den sortens sköterskor förut, kvinnor som tycks gripas av en känsla av allmakt i dödens närhet. Som nybliven läkare såg hon en gång en religiös gammal översköterska böja sig över en kvidande gubbe och väsa: "Vill du verkligen stå inför Vår Herre med gift i kroppen?" Men Kers-tin Etts motiv måste vara ett annat, hon har aldrig verkat särskilt gudlig av sig.

Christina lutar sig mot dörrposten på sköterskeexpeditionen och harklar sig, Kerstin Ett tittar upp från sina papper. Men ingen av dem hinner börja tala förrän en undersköterska kommer springande.

"Kom fort", säger hon. "Anfall på sexan! Värre än vanligt!"

"Maria?" frågar Kerstin Ett.

"Nejnej, det är Desirée."

Kerstin Ett reser sig långsamt och drar med handen över de sittskrynklor som bildats på hennes vita tunika. De försvinner som genom ett trollslag, på en sekund ser hon alldeles nystruken ut. Christina iakttar henne fascinerat, innan hon inser att hon borde göra något. Hon vet inte vad det är för en patient som de talar om, hon har knappt satt namn och ansikte på alla sina egna patienter på sjukhemmet. Ändå säger hon:

"Behöver ni mig?"

"Skulle inte tro det", svarar Kerstin Ett.

EN SVAG KAFFEDOFT KITTLAR Christinas näsa när hon kommer in på vårdcentralen, och när hon tittar in i lunchrummet sitter Hubertsson där och läser Dagens Nyheter.

"Hej", säger hon. "Värst vad du var tidig i dag."

Han tittar inte ens upp från tidningen när han svarar:

"Jag är alltid tidig. Vet du inte det?"

Nej, det vet hon inte. Varför skulle hon veta det? Sanningen är ju att hon försöker undvika Hubertsson så mycket som möjligt. Det är inte ett avsiktligt beslut, bara en instinkt; en instinkt som gäller alla som sett en annan Christina än allmänläkaren på Vadstena vårdcentral. Och Hubertsson kom som hyresgäst till Tant Ellens hus redan när Christina var fjorton år gammal, han har alltså sett den läroverkselev hon en gång var. Hon som hade skotskrutig kjol och duffel, precis som alla andra läroverksflickor, men som ändå aldrig lyckades bli riktigt lik de andra. Hennes duffel hade träpinnar i stället för benbitar till knappar och rutorna på hennes kjol var mörkblå och inte röda som de borde vara. Tant Ellen hade sytt både duffeln och kjolen, men Christina kunde ändå inte skylla på henne, hon hade själv fått välja både kjoltyget och knapparna. Å andra sidan skulle det knappast ha gjort någon skillnad om hon hade gjort rätt val, hon skulle ändå ha fått stanna på sin plats i klassens hierarki: längst ner. Där befann hon sig tillsammans med två andra flickor, som också var så plattbröstade och ointressanta att de andra flickorna knappt orkade tala till dem. Och eftersom det var så, talade de inte heller med varandra. På väg hem från skolan brukade Christina harkla sig och harkla sig, så att det inte skulle märkas att hennes röst var rostig och oanvänd. Det lyckades inte alltid: hon kraxade fram sitt goddag när hon en eftermiddag kom hem och fann Tant Ellen med en ny hyresgäst i stora rummet. De hade druckit kaffe och Tant Ellen hade dukat med de finaste kopparna. Dessutom var hon fuktig av svett under näsan och bomullstussen i hennes näsborre hade blivit mörkröd. Hon fick alltid näsblod när hon var nervös.

"Han är doktor", viskade hon till Christina när hon en stund senare hade stängt dörren efter Hubertsson. Christina nickade allvarsamt. De stod kvar en stund och hörde hur han gick uppför trappan till hyreslägenheten, hur han låste upp och bar in sina väskor. Christina iakttog Tant Ellen. Hennes spänt uppmärksamma hållning berättade om en vördnad som Christina aldrig hade sett förut. Det förvånade henne. Tant Ellen brukade inte låta sig imponeras av akademisk utbildning, snarare glittrade ett litet förakt i hennes ögon när Christina med andakt i rösten berättade om adjunkterna och lektorerna på läroverket. Tant Ellen ansåg att det inte var nyttigt med alltför mycket läsande. Det kunde göra en tossig, och efter vad hon hade hört så var det just vad som hade hänt med somliga av lärarna på läroverket. Men läkare omfattades alltså inte av den regeln. Deras kunskaper var vördnadsbjudande, inte löjeväckande. Och trots att Hubertsson med tiden blev vän i huset så upphörde aldrig Tant Ellen att med möda kväva sina nigningar så fort han kom i närheten.

Han var nyskild, den gången. Det var därför han hade skaffat sig jobb i Vadstena och bostad i Motala, långt borta från sitt gamla liv som underläkare på ett sjukhus i Göteborg. Men det sa Tant Ellen ingenting om, det var – naturligtvis – Birgitta som snokade fram den upplysningen.

Han är lika frånskild än i dag, han har aldrig gift om sig. Det är synd, han skulle ha behövt en hustru. I synnerhet nu när han är gammal och sjuk.

"Finns det en kopp kaffe till mig också?" säger Christina.

"Visst", säger Hubertsson och vänder blad i tidningen. "Slå dig ner bara."

Men Christina går först fram till kylskåpet och börjar rota. Hon har en smörask och en ostbit därinne, kanske finns det en bit bröd också. Men nej.

"Får jag tigga en bit av ditt bröd?"

Hubertsson lägger tidningen på bordet.

"Visst. Roffa åt dig bara ..."

"Allvarligt talat?"

Han skrattar till.

"Det ligger en fralla längst in. Du kan ta den."

Han iakttar henne medan hon skär det smuliga brödet i två bitar.

"Och hur kommer det sig att du har rusat till jobbet med andan i halsen? Och utan frukost?"

"Sjukhemmet", säger Christina lakoniskt och slår sig ner vid bordet. "Och förresten har jag ätit frukost. Den var bara inte så lyckad."

"Jaså", säger Hubertsson. "Varför det då? Brände du vid flingorna?"

"Margareta", säger Christina och tar genast en tugga av sin smörgås för att slippa säga mer. Hubertsson lutar sig fram, han är påtagligt intresserad.

"Din syster? Är hon här?"

Christina tuggar ur munnen innan hon svarar.

"Min fostersyster."

Hubertsson ler lite snett.

"Javisst ja", säger han och plockar upp sin tidning igen. "Din fostersyster. Så var det."

Christina rynkar pannan, hon misstänker att han än en gång ska börja tjata om allt det gamla. Men Hubertsson säger inget mera, han bläddrar bara vidare i sin tidning. Frågan är om han kan läsa något annat än rubrikerna. Han borde vara halvblind vid det här laget med tanke på hur han har skött sin diabetes genom åren. Faktum är att Hubertsson är sjukare än de flesta av sina patienter. I dag ser han dessutom sämre ut än vanligt. Alldeles grå. Christina böjer sig fram och snuddar vid hans arm, han tittar upp.

"Hur är det egentligen?" säger hon. "Mår du bra?"

Hubertsson reser sig och går med hasande steg mot dörren.

"Jag mår bara fint", säger han över axeln. "Prima. Finfint. Alldeles utmärkt. Var det något mer? Eller kan man få gå och läsa sin tidning i fred nu?"

Christina gör en grimas efter honom. Surgubbe.

Framåt förmiddagen har arbetet fått henne att glömma både Hubertsson och sina systrar, och bara en egendomlig svaghet i armbågarna påminner om den långa vaknatten. I dag tycker hon om att arbeta, inte för att hon älskar sitt yrke mera nu än förr, men för att det finns en trygghet i rutinerna, i detta att än en gång upprepa ord och fraser som hon har sagt tusen gånger förr. Dessutom är det enkla och solklara fall hela morgonen: en liten gastrit, ett par små streptokocker, en prickig femåring som aldrig mer får äta apelsin. Det är ingen större risk att det ligger en tumör och lurar bakom sådana symtom. När nästa patient kommer in, känner hon sig ännu lugnare. Hon behöver bara kasta en blick på den här tonåringens springor till ögon för att se vad det handlar om. Ögoninflammation.

Ändå gör hon naturligtvis en ordentlig undersökning och släcker dessutom lampan i taket när han lägger sig på undersökningsbordet, så att det skarpa ljuset inte ska göra ont i hans ögon. Hon känner en smula ömhet för honom, han är lika smalaxlad och tunn som Erik och hans haka är täckt med kraftigt inflammerade finnar. Ingen hipp typ, precis. Inte ett dugg lik de testosteronstinna unghannar som Åsa och Tove brukade släpa hem under sin tonårstid.

"Jag skriver ut en liten salva", säger hon när undersökningen är klar. "Och så tycker jag att du ska stanna hemma från skolan ett par dagar ..."

I vanliga fall är Christina snål med att dela ut vila, hon vet att tjänstemännen på Försäkringskassan för statistik över varje läkares sjukskrivningsfrekvens och att den som är alltför generös riskerar att få snubbor. Men den här pojken är för ung för att hamna i någon statistik. Och dessutom vittnar hela hans sorgesamma gestalt om att han verkligen skulle behöva vila sig från världen några dagar.

Han reser sig men blir sittande på undersökningsbordet med benen dinglande. Christina hejdar sig, hon hade varit på väg att resa sig för att skriva ut receptet, men nu sjunker hon tillbaka ner på sin blänkande rostfria pall.

"Var det något mer?"

Han svarar inte först, böjer bara nacken och suckar.

"Du", säger Christina försiktigt. "Var det något mer du ville?"

Han tittar upp och ser på henne med sina röda strimmor till ögon. Ögonfransarna är klibbiga av var.

"Varför måste man leva?" säger han sedan med skrovlig röst.

Christinas händer sjunker ner i knäet, alldeles omedvetet vänder hon handflatorna uppåt. Inte vet jag, säger gesten. Men hennes mun är tyst.

"Vet du det, du som är doktor? Vet du varför man måste leva?"

Plötsligt väller nattens trötthet upp i henne, den får henne att tappa taget om alla yrkesfraser.

"Nej", säger hon med en suck. "Jag vet inte. Jag bara lever."

Han sitter kvar i samma ställning, fortfarande med benen dinglande, han har ett litet hål längst fram på sin vita tubsocka.

"Men om man inte vill leva då? Vad gör man då?"

"Vill du inte leva?"

"Nej."

"Varför det?"

"För att jag inte vill det bara."

Och då gör hon det hon egentligen inte får göra: hon sträcker fram handen och stryker honom över håret, hon vill så gärna trösta honom ... Men medan hon är mitt i rörelsen ringer telefonen och utan att tänka sig för reser hon sig för att svara. I nästa sekund inser hon att det är ett misstag och när hon lyfter luren är hon arg.

"Ja, det är Christina Wulf. Vad gäller det?"

Rösten i luren är tunn och ängslig. Undersköterskan i receptionen vet att man inte får ringa till läkarna när de har patienter.

"Snälla Christina, ursäkta, men de ringer från polisen och de tjatar så, de säger att det är viktigt och jag har inte kunnat bli av med dem ..."

Christina slänger en blick över rummet, pojken sitter kvar i samma ställning, men han har slutat dingla med fötterna.

"Okej. Koppla in dem då."

Det knäpper till i luren och så hörs en ny röst. En kvinna.

"Hallå. Är det doktor Wulf?"

"Ja."

"Ja, det är från polisen i Norrköping. Vi har en person här som har uppgett ert namn ..."

Christina ger ifrån sig ett otåligt litet ljud. Vem av Vadstenas få A-lagare är det som har tagit sig till Norrköping och hamnat i finkan? Och vad förväntas hon göra åt det?

"Hon heter Birgitta Fredriksson ..."

Christina avbryter:

"Är hon misshandlad?"

"Inte ett dugg. Snarare tvärtom ..."

"Vadå tvärtom?"

"Hon är misstänkt för misshandel. Vi tog in henne tidigt i morse. Men nu kan vi inte hålla henne längre, vi måste släppa henne. Men hon har inga pengar till bussbiljetten tillbaka till Motala och hon säger att ni kan gå i borgen för henne, så att säga. Så om vi lånar henne pengar till resan, alltså, så skulle ni garantera att vi får pengarna tillbaka. Går det? Skulle ni kunna ställa upp på ett sådant arrangemang? Ni är ju hennes syster."

Någonstans i bakgrunden hörs en välbekant röst.

"Jamen, se nu för fan till att hon ställer upp! Säg åt henne att det är hennes jävla skyldighet ..."

Christinas vrede är alldeles vit; vit hetta skimrar framför ögonen, vit hetta bränner i hennes strupe. Aldrig i livet!

"Hallå", ropar polisrösten. "Hallå, doktor Wulf. Är ni kvar?"

Christina drar efter andan och när hon talar på nytt är det med en röst av metall.

"Ja, jag är kvar. Men tyvärr kan jag inte hjälpa till. Alltihop är ett missförstånd. Jag har nämligen ingen syster."

"Jamen, hon säger det ..."

"Hon ljuger."

"Hon har ett recept med ert namn."

En liten oro klättrar uppför Christinas ryggrad.

"Ett läkemedelsrecept?"

"Nej, nej. Bara själva blanketten. Det står en ganska ful ramsa på den. Och så är den stämplad med ert namn. Christina Wulf, Vadstena vårdcentral ... Det är väl ni?"

Christina drar handen genom håret, hon anar vilken ramsa det är, den har ingen av dem någonsin kunnat glömma. Men hon tänker inte låta sig dras in i det här spelet. Aldrig.

"Det är inte så konstigt. Om ni kollar i era register så kommer ni att se att den där personen stal ett av mina receptblock häromåret. Hon är dömd för det."

Den kvinnliga polisen tvekar, man kan nästan höra hur hon kliar sig i huvudet.

"Jaså på det viset ... Ja, då vet jag inte vad vi ska göra."

"Ni får väl vända er till de sociala myndigheterna."

Det skramlar till i luren, polisen borta i Norrköping ger ifrån sig ett överraskat utrop, och plötsligt har Christina den välbekanta rösten så djupt i sitt öra att trumhinnan vibrerar:

"Hördu din jävla mara", ryter Birgitta. "Du har aldrig gjort annat än jävlats med mig i hela ditt liv, men nu får du fan i mig ställa upp. För det här trodde jag dig inte om. Anonyma brev, va! Fy fan, säger jag. Fy fan, så jävla taskigt, så jävla utstuderat elak du är ..."

Christina slänger på luren med en smäll och begraver sitt ansikte i händerna. Hela hennes inre har blivit vattensjukt och flytande, hon är sladdrig som en uppblåsbar leksak och kommer aldrig mer att kunna stå på benen. Så blir hon sittande en hel minut, hon kan höra sin egen armbandsklockas tickande då en försiktig rörelse i bakgrunden får henne att titta upp. Herregud! Pojken. Hon har ju glömt pojken.

Hon snurrar stolen ett helt varv och drar ett djupt andetag.

"Förlåt mig, sånt här ska egentligen inte hända. Var var vi nu?"

Pojken tittar på henne, inflammationen gör hans ögon till svarta streck.

"Du skulle skriva ut ett recept."

"Jamen ..."

Han glider ner från undersökningsbordet, plötsligt låter han som en vuxen man.

"Vid ögonsalvan", säger han. "Det var vid ögonsalvan vi var ..."

Hon blir kvar i halvdunklet när han går, hon förmår inte resa sig och tända ljuset. Nästa patient får vänta, hon måste få vara i fred en stund och låta sitt inre stelna. Hon snurrar skrivbordsstolen så att hon kan se ut genom fönstret och efter en stund ser hon pojken där han sneddar över parkeringsplatsen. Hans hållning oroar henne; skuldrorna sluttar, armarna dinglar slappt utefter sidorna, nacken är böjd. Han borde frysa där han halkar fram i snömodden, men jackan är uppknäppt och han har varken vantar eller halsduk på sig. En av medicinstudiernas eviga kontrollfraser fladdrar till i hennes minne. Föreligger suicidrisk? Ja. Här föreligger suicidrisk.

Och plötsligt får hon en hastig vision av hur hans liv hänger samman med hennes, hur svårt och komplicerat och omöjligt allting är om det är så att det faktum att hon en gång var ett misshandlat barn som placerades i fosterhem ska leda till att en främmande pojke fyrtio år senare går hem och tar livet av sig. Om ingen Birgitta hade funnits i Christinas liv så skulle telefonen stått tyst på hennes bord när han började öppna sig, och den skulle ha fortsatt att vara tyst medan han talade till punkt.

"Om inte om hade varit", hånar Astrid i hennes minne.

Astrid. Just det. Det är hennes fel, det är hon som har gjort Christinas liv till vad det är. Och så stor är hennes makt att hon långt efter sin egen död kan riva med smutsiga naglar i andra människors sår. Utan att tänka drar Christina ut den nedersta lådan i sitt skrivbord och drar fram ett kuvert. Det är brunt och småskrynkligt, det har legat i botten på hennes låda i många år.

Erik vet inte att hon har det här kuvertet, han vet inte att hon redan för mer än femton år sedan gjorde det han så ofta säger åt henne att göra. Hon beställde fram sin barndoms journaler. Och inte bara det, hon skaffade också fram brandkårens utryckningsrapport, polisens förundersökning och – med hjälp av sin läkarauktoritet och ett antal halvlögner – delar av Astrids journal från Birgittasjukhuset i Vadstena.

Hennes egen sjukhusjournal ligger överst. Hon lyfter det gulnade arket mot skrivbordslampan och börjar läsa de välbekanta orden. *"Fem-årig flicka. Inkom med ambulans 22.25. Medvetslös. Brännskador av grad 2–3 på buk, bröstkorg, vä överarm och hö handflata..."*

Hon kan inte tro det. Varje gång hon läser den här journalen blir hon lika tvivlande; det är inte möjligt, det kan inte vara möjligt. Och ändå vet hon naturligtvis att varje ord är sant, om inte annat för att ärren fortfarande finns kvar. Vissa delar av hennes hud kommer alltid att vara tunnare och blankare än andra: buk, bröstkorg, vänster överarm och höger handflata.

Dessutom har hon ju förundersökningen och makarna Petterssons vittnesmål. Dessa grannar som hon inte kan minnas, lika lite som hon kan minnas lägenheten där hon bodde med Astrid och huset på S:t Persgatan i Norrköping. Ändå tycker hon att hon kan höra fru Petterssons breda östgötska när hon bläddrar i förhörsprotokollet:

"Ja, en var ju van vid att höre den där ungen skrike, men för det meste hulke hon ju bare ... Fast den här gången vråle hon så de var hemskt att höre ..."

Sammanfattningen på förundersökningens första sida ger resten av detaljerna:

"Makarna Elsa och Oskar Pettersson uppger att de vid halv tiotiden på kvällen den 23 mars 1955 lade märke till en stickande röklukt. Fru Pettersson gick ut i trapphuset och konstaterade att lukten kom från lägenheten bredvid. Hon uppmanade därvid sin man att larma brandkåren och kände därefter på ytterdörren till grannlägenheten och konstaterade att den var olåst. Inne i lägenheten rusade hon först ut i köket och sedan in i stora rummet utan att

vare sig kunna lokalisera eldhärden eller lägenhetsinnehavaren fröken Ast-
rid Martinsson. När hon försökte ta sig in i det mindre rummet kunde hon
dock konstatera att denna dörr var låst, men att nyckeln satt kvar på utsi-
dan. Hon låste upp och tog sig in. Lågor slog upp från barnsängen. Fru Pet-
tersson kvävde elden med en matta. Medan hon var sysselsatt med detta dök
Astrid Martinsson upp och tillfogade henne två skärsår i ryggen med en köks-
kniv. Strax därefter inträdde herr Pettersson i rummet. Tumult uppstod då
denne försökte avväpna fröken Martinsson, varvid en fotogenlampa föll i
golvet. Elden tog därvid fart på nytt. Fru Pettersson kvävde emellertid ock-
så denna nya eldhärd med mattan, medan herr Pettersson övermannade frö-
ken Martinsson och höll fast henne ..."

Christina stoppar tillbaka papperen i kuvertet. Hon behöver egentli-
gen inte läsa dem: hon kan allt utantill. I synnerhet Astrids förhörsproto-
tokoll. I början hävdar hon att elden orsakades av att flickan vält foto-
genlampan. Hon blir våldsam när hon konfronteras med ambulans-
männens uppgift om att flickans armar och ben varit fastbundna vid
sängens spjälor så att man tvingats skära loss henne.

Och sedan Birgittasjukhusets diagnoser på Astrid, den ena efter den
andra, alla med ett tveksamt frågetecken i marginalen. Endogen psykos?
Paranoid schizofreni? Manodepressiv? Psykopat med psykosgenom-
brott? Osäkerheten tycks också ha präglat behandlingen. Under sina sju
år på Birgittasjukhuset fick Astrid pröva både på spännbälte och lång-
bad, Sulfazin och Isofen, elchocker och insulinkomabehandling innan
man slutligen satte in den tidens undermedel: Hibernal.

Allting vet Christina, ingenting kan hon minnas. Och det märkliga är
att hon visste allt utan att minnas redan som barn, redan den gången då
Astrid kom till Tant Ellens hus för att kräva sin dotter tillbaka.

Det var en kall dag i början av januari, en sådan dag då luften är så
vass av frost att man får rispor i lungorna och ljuset är så vitt att det skär
i ögonen. Men Tant Ellens kök var varmt och doftande, hon bakade
bullar. Christina och Margareta hade jullov, de hade varit ute och lekt i
snön hela förmiddagen, men nu satt de och hängde vid köksbordet i
väntan på att skidbyxorna skulle torka. En frusen gråsparv landade på
fågelbordet utanför fönstret, den pickade håglöst i sig de sista torra
brödsmulorna, burrade sedan upp sig och blev orörlig.

"Får vi ge fågeln en bulle?" sa Margareta.

Tant Ellen böjde sig för att ta ut en plåt ur ugnen, hon använde flikarna på sitt förkläde som grytlapp.

"Nja", sa hon. "Inte en nybakad. Men det finns två bullar från förra veckan i brödburken ... Ta dom."

Båda flickorna reste sig i samma ögonblick. Det såg ut som om Margareta skulle hinna först till brödburken, hon tog sats i två långa steg innan hon kanade på raggsockorna över korkmattan. Men Tant Ellen hejdade henne med utsträckt arm:

"Hördu, din tramsa. Gå ordentligt, det blir ju hål på sockorna om du åker kana hela tiden ..."

Det räckte för att ge Christina det försprång hon behövde. När Ellen släppte taget om Margareta hade Christina redan plockat upp de hårda bullarna ur brödburken, nu höll hon en i varje hand och log triumferande.

"Tant Ellen!" gnällde Margareta.

Ellen behövde inte ens titta för att veta vad saken gällde, hon kände sina pappenheimare. Med ryggen åt flickorna sa hon:

"En var. Och inget bråk."

I samma ögonblick knackade det på dörren.

I resten av sitt liv skulle Christina veta att tid är ett relativt begrepp, att ögonblick och evighet är detsamma. En hastig bild blixtrade till i hennes hjärna: en sten plumsade i mörkt vatten, vida ringar spred sig över ytan. Sådan var tiden. Stenen var nuet, ringarna var det som varit och det som skulle komma. Hon visste allt som hade hänt och allt som skulle komma att hända, ändå var hon lika oförmögen att minnas det förflutna som framtiden. Under ett enda andetag hann hon tänka tusen tankar: Vem är det som inte bryr sig om att ringa på dörrklockan där ute? Hur kom det sig att vi inte hörde ytterdörren stängas innan det knackade på innerdörren? Varför reser sig håret på mina armar?

Tant Ellen och Margareta betedde sig som om det var fullkomligt normalt att någon knackade på dörren. Margareta nappade åt sig en av de hårda bullarna och drog sig bort mot köksfönstret, Tant Ellen torkade händerna på förklädet och gick för att öppna dörren.

Rösten ute i hallen lät konstig, skånska som inte var riktig skånska studsade mot Tant Ellen och avbröt henne innan hon ens hunnit hälsa.

"Jag ska hämta henne", sa den främmande rösten.

Tant Ellens röst lät plötsligt gäll:

"Vem? Vad menar ni?"

"Hon är min. Jag ska hämta henne."

Något dunsade till, Christina slöt ögonen och visste att det var pallen under telefonhyllan som hade farit i golvet. Näsblod, tänkte hon. Nu får Tant Ellen näsblod igen. Och mycket riktigt, sekunden senare stod Tant Ellen på köksdörrens tröskel och höll en flik av förklädet mot sin högra näsborre. Hon gjorde en hastig gest mot Christina: undan!

Efteråt kunde hon tänka att hon borde ha gömt sig i städskåpet, men just då föll det henne aldrig in. Städskåpet hade förlorat sin betydelse under det sista året, Christina gick ju i fyran och Margareta i trean, de var för stora för att leka hela dagarna i en skrubb. Numera var städskåpet ingenting annat än ett städskåp, där stod dammsugaren och hinken med skurtrasan, där hängde dammtrasan på en krok bredvid den stinna väggfickan. Christina hade hjälpt Tant Ellen att brodera orden som prydde den. Det lät som en ramsa eller en sång: påsar, snören, kork och kvitton. Något hade hänt med hennes syn, det var som om hennes blick vässade alla konturer. Nu såg hon varje detalj i den annars så osynliga vardagligheten. Den bruna korkmattan. Mönstret på vaxduken. Den lilla gråsparven som satt kvar utanför fönstret. Jag fryser dig med min blick, tänkte Christina. Du kan inte röra dig utan mitt medgivande.

Men själv hade hon tydligen rört sig utan sitt eget medgivande, för med ens stod hon vid köksbordet. Hur hade hon kommit dit? Det kunde hon inte minnas. Inte heller kunde hon minnas att hon hade skjutit Tant Ellens stol åt sidan och ställt sig bakom den. Ändå stod hon faktiskt där, bakom Tant Ellens stol med ryggen tryckt mot väggen.

"Var är hon?" sade rösten i hallen.

Tant Ellen sänkte sin förklädesflik, en liten krans av blod låg som kronbladen på en blomma runt hennes näsborre. Hon vände sig mot hallen.

"Nu får det vara nog", sa hon med sin kärvaste röst. "Vad i herrans namn menar ni med att tränga er in på det här viset?"

Tant Ellen använde bara den där rösten i undantagsfall, men när hon gjorde det ställde sig hela världen i givakt, inte bara flickorna. Christina hade sett det hända med både specerihandlaren och hyresgästen en trappa upp. Men den här personen skulle inte låta sig rubbas, det visste hon. Och mycket riktigt, en arm sträcktes ut och föste Tant Ellen åt sidan. Och så stod hon där. Astrid.

Hon såg faktiskt ut som en häxa. Kanske berodde det på att hon var så lång och kutig, så mager och vassnäst. Om det nu inte var hennes konstiga kläder. Svart regnkappa och sydväst. I januari? Dessutom satt sydvästen bakfram: den längsta fliken låg som en skärm över pannan och skuggade hennes ögon.

"Chrissstiiina!"

Hon sög på stavelserna som om hon egentligen inte ville släppa namnet ifrån sig.

"Min tööös!"

Astrid slog ut med armarna och tog två steg framåt. Någon skrek till, kanske var det Christina själv, hon trodde det, trots att hon inte kunde känna hur det där gälla och entoniga lätet lämnade hennes strupe.

"Du ska inte tro dom", sa Astrid. "Det är lögn alltihop ..."

I ögonvrån kunde Christina se att Margareta gapade, där hon stod vid andra sidan bordet. Hon höll fortfarande den torra bullen i handen. Och borta vid köksdörren stod Tant Ellen som fastlåst. Hon skulle ha kunnat vara ett fotografi av sig själv om det inte hade varit för den lilla rännilen av mörkt blod som sakta ringlade ur hennes högra näsborre. Christina öppnade munnen igen, den här gången kunde hon känna hur det gälla skriket darrande vällde fram.

"Skrik inte", sa Astrid, nu talade hon snabbare, nästan andfått. "Du ska inte skrika för alltihop är bara lögn och påhitt. Alltihop har dom hittat på. Vi hade det bra, Christina ..."

Hennes ögon spelade under sydvästens skuggor, det var som om Christinas hud var så hal att hennes blick inte kunde finna fäste. Fortfarande höll hon armarna utsträckta, händerna darrade lätt, fingrarna var så vita att de stötte i blått.

Som medicinstudent skulle Christina lära sig att darrningar var Hibernalets första biverkan. Blodtrycksfall var det andra. Ljuskänslighet det tredje. Groteska grimaser det fjärde. Temperaturfall det femte. Medicinskt var det alltså lätt att förklara det som den gången tedde sig som häxeri och trolldom.

Men när det hände var det bara magiskt. En vitskimrande solstråle letade sig in genom köksfönstret, snuddade vid Astrid innan den vidgades och växte så att den också inneslöt Ellen där hon stod borta vid dörren. Hon blinkade till och den ofrivilliga rörelsen tycktes väcka henne, hon drog ett djupt andetag och i en enda rörelse gled hon över köksgolvet, girade runt Astrid, och ställde sig framför Christina med armarna utbredda till skydd. Astrid snurrade runt och försökte fånga henne, men det var för sent, hennes blå fingrar grep i tomma luften. En grimas sprängde sönder hennes ansikte: överläppen drogs upp och blottade tänder och tandkött, tungan trillade ut och svepte längs hakan, höger öga slöts och öppnades på nytt. I nästa ögonblick svajade hon till, knäna vek sig under henne och hon föll medvetslös till golvet.

Efteråt, när Tant Ellen hade ringt till Stig med Gäddkäften och några vårdare från Birgittasjukhuset hade hämtat Astrid från denna hennes första frigång, blev ingenting detsamma. Det var som om Astrid hade slagit sönder något när hon kom till Tant Ellens hus, en glasvägg eller en ismur eller en väldig såpbubbla. Alla ljud blev skarpare. Plötsligt vrålade bilarna på vägen utanför, vintervinden riste i tegelpannorna på taket, Hubertssons tyste föregångare en trappa upp började smälla med klackarna när han gick i trappan. På samma sätt var det med luften, med ens var det kallt och rått i hela huset, Christina frös och måste ständigt gå med kofta och dubbla raggsockor inomhus. Kölden gjorde hennes fingrar styva och stela, de ville inte lyda på samma sätt som förr. Otåligt slängde hon sitt handarbete åt sidan när hennes myrgång började likna Margaretas: vinglig och barnslig. Det kliade under huden, hon förmådde inte längre sitta hela kvällarna bredvid Tant Ellen och lyssna på radio, i stället drev hon håglöst runt i huset, störde Margareta som nästan alltid låg på sängen inne i tomrummet och läste böcker, eller gick från det ena fönstret till det andra, plockade torra blad från krukväxterna och speglade sig i de svartblanka fönstren. Ibland övade hon sig i att uthärda. Hur skulle det kännas om ett vitt och magert ansikte plötsligt pressades mot fönsterglaset? Hur skulle det kännas om Tant Ellen dog? Hur skulle det kännas om hon själv en dag måste lämna Tant Ellens hus?

Ett svart hål. Så skulle det kännas. Så kändes det.

Tant Ellen blev också annorlunda efter Astrids besök. Hon lyfte allt oftare blicken från sitt handarbete och följde Christina med blicken, men utan att le och utan att säga något. Dessutom ändrade hon vanor: flickorna fick inte längre svara när telefonen ringde och inte heller fick de kila ut till brevlådan och hämta posten. Det gjorde Tant Ellen själv.

Dessutom stannade hon och öppnade somliga brev redan ute i trädgården, trots att det fortfarande var vinter och kallt. Christina kunde se det från köksfönstret: med rynkad panna sprättade Tant Ellen upp ett kuvert, ögnade igenom brevet som hastigast och gick sedan direkt bort till soptunnan och slängde det.

Det var bara Margareta som var sig lik. Hon verkade inte märka att någonting hade förändrats och att det plötsligt fanns hemligheter i huset. Fortfarande strök hon sig som en kelen katt mot Tant Ellen så fort hon fick tillfälle och fortfarande tröttade hon Christina med att detaljerat återge intrigen i varenda bok hon läste. Hon verkade inte ens märka att Stig med Gäddkäften allt oftare kom på besök och att han alltid kom just när det var sängdags för flickorna.

Men Christina märkte det. Kväll efter kväll låg hon med vidöppna ögon i sin säng i tomrummet och lyssnade till hans malande röst utifrån köket. Han talade oavbrutet, men Tant Ellen sade nästan ingenting.

Övertalning. Jo, så måste det vara. Stig med Gäddkäften försökte övertala Tant Ellen att göra något som hon inte ville göra. Tanken drev en våg av illamående genom Christina och plötsligt var hon tvungen att göra något, vad som helst, för att få veta vad det handlade om. Mycket försiktigt satte hon sina nakna fötter på tomrummets golv, reste sig sedan upp och tassade ljudlöst ut i hallen.

"Vad vi behöver är en långsiktig lösning", sa Stig med Gäddkäften efter ett litet sörpel som avslöjade att Tant Ellen bjöd på kaffe. "Och barnhem är ingen långsiktig lösning. Inte i det här fallet."

Christina drog efter andan. Skulle hon skickas tillbaka? Plötsligt kände hon att hon var kissnödig, ja, mer än så. Hon höll på att kissa på sig. Trots att hon knep ihop kunde hon känna hur en liten rännil letade sig över vänster lår. Hon störtade mot toaletten, men hann inte stänga dörren efter sig.

Den stod fortfarande öppen när Tant Ellen och Stig med Gäddkäften minuten senare kom ut i hallen för att se efter vem det var som hade rört sig där ute. Christina blundade av skam. Hon ville inte att de skulle se henne där hon satt på toalettstolen med flanellnattlinnet uppdraget över knäna, ändå kunde hon inte resa sig upp och dra igen dörren. Då skulle hon skvätta ner hela golvet.

"Är du vaken?" sa Tant Ellen förvånat.

Och bakom henne skymtade Stigs leende ansikte:

"Hördu, Margareta", sa han. "Vad skulle du säga om att få en syster till?"

"Det där är faktiskt Christina", sa Tant Ellen.

REDAN DAGEN DÄRPÅ STOD Birgitta på Tant Ellens tröskel.

Christina kunde inte bestämma sig för om hon var söt eller ful, på något sätt var hon bådadera. Hennes hår var vitblont och lockigt, ögonen alldeles runda och den plutande munnen pryddes av en mycket distinkt amorbåge. Hon skulle ha sett ut som en docka om inte hennes kropp hade varit så klunsig. Men det var den. Benen var alldeles raka utan minsta lilla kurva vid vaderna, magen putade, händerna var breda och trubbiga. Huden på halsen hade en annan nyans än den i ansiktet. Gråare. Dessutom darrade en grön liten rännil under ena näsborren och fingertopparna ovanför de nerbitna naglarna var så röda och svullna att man riktigt kunde känna hur de ömmade.

"Jag vill till min mamma", sa Birgitta. Det var en barnslig replik, men hennes tonfall var inte en liten flickas. Det var tjockt och dovt, nästan manligt.

"Såså", sa tanten från barnavårdsnämnden som hade kommit med henne. "Du vet ju att mamma måste vila."

"Hon kan inte vila om inte jag är där. Det är ju jag som tar hand om henne..."

Barnavårdstanten log håglöst och böjde sig fram för att knäppa upp hennes jacka.

"Jaja, lilla stumpan, jag vet att du tror det. Men nu måste din mamma faktiskt få vila ut ordentligt, det är därför hon har bett oss ta hand om dig ett tag ..."

Birgitta gav henne ett misstänksamt ögonkast, snörvlade till och drog pekfingret under näsan. Rörelsen drev undan barnavårdstantens hand och i nästa sekund hade hon knäppt den knapp som barnavårdstanten just hade knäppt upp. För ett ögonblick blev det alldeles stilla i Tant Ellens hall. Alla stirrade på knappen, Margareta och Christina, barnavårdstanten och Tant Ellen. Birgitta såg på dem, en efter en, lät sina ögon vandra från det ena ansiktet till det andra. När granskningen var över blundade hon och andades ut, det lät som en djup suck. Fullkomligt ofrivilligt upprepade Christina och Margareta sucken: för ett ögonblick lät det som om en vind susade genom Tant Ellens hall.

Sekunden senare slog Birgitta upp ögonen igen. Något glimtade till i hennes blick, hon snodde runt och rusade mot dörren.

Det knackar på Christinas dörr, det är ett ängsligt litet tap-tap-tap som för ett ögonblick får henne att tro att den frusna gråsparven från Tant Ellens fågelbord har flugit genom tiden och landat i vårdcentralens korridor. Men hennes kropp är förnuftigare än så, den arrangerar omedelbart det alibi hon behöver. I en enda hastig rörelse skjuter hon undan skrivbordslampan och snurrar stolen i riktning mot datorn, så att det ska se ut som om hon gör noteringar i journalen.

"Ja", säger hon sedan med sitt mest slutna tonfall.

"Ursäkta, Christina", säger en tveksam röst. Det är Helena, en av sjuksköterskorna.

"Jag är strax klar för nästa patient", säger Christina, fortfarande med blicken fäst vid skärmen.

"Det är inte det", säger Helena. "Du är bara fem minuter försenad ..."

Christina snurrar stolen ett helt varv och ser bort mot dörren.

"Vad är det då?"

"Det är Hubertsson ..."

"Vad är det med honom?"

"Han verkar så konstig. Och så ringer de från sjukhemmet, det är visst någon av hans patienter som har fått ett ovanligt häftigt epilepsianfall ..."

"Ja?"

"Och Hubertsson ... Ja, det går liksom inte att få kontakt med honom."

Christina skjuter glasögonen på plats.

"Har han druckit?"

Helena riktigt vrider sig av obehag, hon är Hubertssons främsta försvarsadvokat på vårdcentralen, en hönsmamma utan kycklingar som är beredd att utstå Hubertssons alla nycker och lynneskast, bara för njutningen att få breda sina vita vingar över honom när han mår dåligt.

"Nej, jag tror inte det. Han är bara inte riktigt kontaktbar."

Christina reser sig upp och kör ner händerna i den vita rockens fickor. Hon är irriterad. Det är inte första gången Helena tycker att Hubertsson är konstig, ändå vägrar hon envist att ansluta sig till Christinas teori om att konstigheterna måste bero på att han har en whiskyflaska gömd någonstans. Om han nu inte är svårt allergisk mot sockerfria halstabletter: han brukar lukta starkt av alkoholblandad mentol när Helena tycker att han är som konstigast. I sådana lägen får Christina utöver sina egna patienter också ta hand om hans.

"Var är han?"

"På sitt rum."

På väg genom väntrummet gör Christina en hastig kalkyl: det sitter tre patienter där ute, en av dem måste vara hennes egen och de två andra Hubertssons. Hon kommer alltså inte att få någon lunch i dag.

Hubertssons dörr står halvöppen. Precis som Christina nyss har han släckt alla lampor och han sitter precis som hon satt nyss och ser ut genom fönstret. Men han tittar inte på parkeringsplatsen, han har fäst blicken på sjukhemmets gula fasad. Christina tar tag i ryggstödet på hans skrivbordsstol och snurrar honom ett helt varv innan hon böjer sig fram och ser honom i ögonen.

"Hur är det?"

Han är ännu gråare än i morse och hans panna är fuktig. Christina höjer rösten.

"Mår du bra?"

Han gör en avvärjande gest, men svarar inte.

"Har du druckit?"

Blicken svajar till, han skakar lite på huvudet. Hon lutar sig närmare, drar in en aning av hans utandningsluft i sin egen näsa. Den luktar inget alls: inte whisky eller mentol, inte ens gammal fylla.

"Har du ätit något i dag?"

Han svarar med ett litet ljud som kan betyda vad som helst. Christina lägger handen på hans panna. Den är inte bara fuktig, den är våt av svett.

"Och insulinet? Har du tagit det?"

Han grymtar något ohörbart, ögonlocken fladdrar till. Med ens är det alldeles självklart vad som har drabbat honom. Insulinkänning. Hon blir lite förvånad. Trots att han själv inte lever så som han predikar att hans diabetespatienter ska leva, så brukar Hubertsson vara skicklig på att parera känningarna. Han lämnar aldrig sin lägenhet utan en näve sockerbitar i byxfickan.

"Fort", säger Christina över axeln till Helena. "Jag tar en B-glukos. Förbered en glykosinjektion ..."

Hon kan riktigt känna Helenas lättnad. Så är det med nästan alla sjuksköterskor. Ingenting får dem att känna sig så trygga som detta att slippa fatta beslut och ändå få plocka fram en spruta. Christina tar själv blodprovet medan Helena förbereder injektionen. Hon lägger Hubertssons stora hand i sin och sticker till, innan hon pressar den lilla testremsan mot hans fingertopp. Svaret kommer omedelbart: blodsockerhalten är extremt låg.

Nu arbetar de tyst och koncentrerat utan att vare sig se eller tala till varandra. Helena böjer sig över Hubertsson och drar till hälften av honom den vita rocken, rullar upp hans högra skjortärm och fäster stasen strax över armbågen, Christina knäpper med fingertopparna mot armvecket så att kärlet ska komma fram ordentligt. Hubertsson andas ut när han känner att nålen är på plats. Och när Christina mycket långsamt trycker kolven i botten slår han upp ögonen och säger med alldeles klar stämma:

"Desirée."

"Birgitta, Margareta och Christina", sa barnavårdstanten och skrattade ett kacklande litet besökarskratt. "Nu fattas det bara en liten Desirée för att det ska bli precis som på Haga slott ..."

"Desirée diarré", sa Birgitta. Hon hade satt sig på köksgolvet så fort barnavårdstanten hade släpat in henne från yttertrappan och hon vägrade flytta sig. Ångslan fladdrade i Christinas mage: den där nya flickan borde inse att hon var alldeles för stor för att sitta på golvet. Dessutom borde hon sluta vräka ur sig fula ord som ett annat småbarn, hon borde resa sig upp och sätta sig vid köksbordet, hon borde dricka sin saft och äta sin bulle precis som Christina och Margareta.

"Desirée diarré", upprepade Birgitta. "Fröken Bajs och Fis, hertiginnan Diarré von Skitklump ..."

Margareta fnissade till, men Christinas blick fladdrade upp mot Tant Ellen. Det var värre än hon väntat: Tant Ellen var vit i ansiktet, pupillerna var stora och svarta. Rynkorna kring hennes ögon som annars knappt syntes tycktes ha djupnat, det var som om Tant Ellen hade fått ett svart spindelnät målat över varje öga. Hon satt alldeles orörlig och såg på Birgitta. Christina visste att den nya flickan måste känna hennes blick, allt annat var omöjligt, ändå såg hon inte upp, hon satt där hon satt med benen spretande över halva köksgolvet. Strumpan hade hål på knäet och hennes blågrå kofta var urvuxen, hon drog hela tiden i ärmarna som för att göra dem längre.

Barnavårdstanten gav Tant Ellen en blick, lade sedan handen på sin hals och sa:

"Nu slutar du med de där dumheterna, Birgitta."

"Grevinnan Diarré von Bajsprutt ..."

Än en gång fnissade Margareta, Birgitta höjde blicken från golvet och gav henne ett hastigt ögonkast, ett litet leende darrade för ett ögonblick i hennes mungipor. Barnavårdstanten reste sig upp och ställde sig beslutsamt framför henne.

"Nu reser du dig upp, Birgitta. Och så kommer du och sätter dig vid bordet och dricker din saft precis som de andra flickorna!"

Men Birgitta sänkte huvudet och såg ner i golvet igen.

"Jag dricker inte gul saft."

Barnavårdstanten tog ett steg bakåt, hennes händer föll slappt utefter sidorna, det såg ut som om hon inte visste vad hon skulle göra.

"Varför inte det?"

"För att gul saft smakar piss!"

Sedan hände allt på en sekund. Tant Ellen, som dittills hade suttit orörlig, reste sig upp, tog två bestämda steg fram till Birgitta och drog henne upp på fötter. Birgitta var alldeles slapp i benen, hon dinglade som en trasdocka i Tant Ellens armar.

"En sak ska du ha klart för dig", sa Tant Ellen med mycket låg röst. "De där orden som du just har hasplat ur dig, dom tycker jag väldigt illa om. Och här i huset är det jag som bestämmer! Bara så du vet."

Hon lyfte fram Birgitta och placerade henne på den tomma stolen vid bordets kortända, drog sedan i en hastig rörelse fram det glas som redan länge väntat på Birgitta och fyllde det med gul saft.

"Drick!" sa hon och korsade armarna över brösten.

Margareta skrattade högt, hon tycktes som vanligt inte ha fattat någonting.

"Det är apelsinsaft! Tant Ellen har själv gjort den på apelsinskal. Vi har sparat skal hela hösten ..."

Christina sa ingenting, men hon fäste sina grå ögon på den nya flickans ansikte samtidigt som hon lyfte sitt eget glas och tömde det med några djupa klunkar. Men Birgitta upprepade inte rörelsen, hon satt stum och orörlig och stirrade på den gula vätskan.

Tant Ellen böjde sig över henne, nu talade hon med låg men mycket tydlig röst.

"Drick", sa hon. "Se nu bara till och drick ..."

Köksklockan tickade i bakgrunden, dess röda lilla sekundvisare ryckte fram över urtavlan. I samma ögonblick som den nådde tolvan sträckte Birgitta fram handen och grep om glaset, när den hade nått sexan hade hon tömt det.

Och en ny tid hade börjat.

Hubertsson blinkar till och skakar på huvudet som en yrvaken björn, när Christina och Helena leder honom fram till hans eget undersökningsbord borta vid väggen.

"Nu ska du vila ett tag", säger Christina. "Vi tar ett nytt prov om en kvart och då får vi se om vi måste skicka dig till Motala ..."

Han muttrar något, det tar ett par sekunder innan Christina förstår vad han säger. *Sjukhemmet.* Visst ja, de hade ringt från sjukhemmet ... Hon vänder sig till Helena som just lägger en gul våffelfilt över Hubertsson och med överdriven smeksamhet stryker den slät över hans skuldror.

"Vem var det som ringde från sjukhemmet?"

"Kerstin Ett."

"Okej, då ringer jag henne."

Hon använder Hubertssons telefon och trummar sina prydligt filade naglar mot Hubertssons skrivbordsunderlägg medan signalerna går fram. Det dröjer innan Kerstin Ett svarar, men när hon äntligen gör det, är det med glasklar röst. Christina kan nästan höra hur den klirrar, trots att Kerstin Ett verkar fullkomligt avspänd.

"Ja, vi ringde egentligen bara därför att Hubertsson har sagt att vi alltid måste ringa när den här patienten får ett anfall", säger hon. "Den här gången var det två stycken och det ena var ovanligt långdraget. Först sju minuter, sedan en halvtimmes uppehåll och så ett nytt på nästan fyrtiofem minuter ..."

Christina biter sig i läppen. Ett anfall på fyrtiofem minuter ligger precis på gränsen till *status epilepticus*, ett anfall som aldrig upphör.

"Är det över nu?"

"Mmmm. Jag satte in fyra klysmor Stesolid på 10 milligram vardera."

Christina drar efter andan. Hur vågar hon? Den dosen skulle klubba en häst.

"Hur mycket väger patienten?"

"Cirka fyrtio kilo ..."

Christina knyter handen som i kramp. Människan måste vara galen!

"Är det en han eller hon?"

"En hon. Hubertssons favorit, du vet."

Nej, det vet hon inte.

"Är det Hubertsson som har ordinerat en så hög dos?"

Kerstin Ett ger ifrån sig en otålig liten suck.

"Nej, i vanliga fall brukar han komma över och sätta dropp när det är så här långdraget, men i dag fick jag ju inte tag på honom ... Men du behöver inte oroa dig, det här är en seg typ. Hon kan varken röra sig eller tala, hon är CP-skadad, epileptisk och spastisk, men dör det gör hon inte. Hon är över fyrtiofem år gammal och har levt hela sitt liv på sjukhus, men som sagt, dör det gör hon inte."

Christina har blivit torr i munnen.

"Jag kommer över."

Kerstin Ett suckar.

"Det behövs inte, hon har anfall varenda dag, ibland flera gånger om dagen. Vi brukar bara ringa till Hubertsson och sedan sover hon några timmar. Hon är för övrigt mycket förtjust i att sova, så hon klagar inte."

Christina harklar sig.

"Jag kommer över i alla fall."

Hon kan nästan höra hur Kerstin Ett rycker på axlarna.

"Tja, har du inte mer att göra mitt under mottagningstid, så varsågod."

Den här gången har hon bitit ihop och förberett sig på chocken, ändå måste hon dra efter andan när hon får syn på Kerstin Ett. Hon ser ut som en schampoannons, det glittrar som av tusen små stjärnor i hennes långa blonda hår, där hon leder en patient längs korridoren. Hennes byxdress är gnistrande vit, sockorna på hennes fötter verkar fluffiga och mjuka, de vita sandalerna ser ut som om de just har plockats upp ur sko-kartongen. Men all denna perfektion smickrar inte kvinnan vid hennes sida. Det är Maria, en av Christinas egna patienter. Hennes hår glittrar inte, det ligger tunt och glanslöst över skulten, hon är klädd i en urtvättad träningsoverall och hasar fram i ett par tofflor med nedtrampad bakkappa. Maria har Downs syndrom, grav epilepsi och ett leende som ser ut som en nådeansökan.

"Hej Maria", säger Christina, trots att hela hennes inre darrar av otålighet. Hon vet att Maria kan sörja i veckor över en utebliven hälsning. "Hur mår du i dag?"

"Inte så bra", säger Maria och skakar på huvudet. "Inte så bra alls ..."

Christina hejdar sig: Maria brukar aldrig klaga, hon brukar fyra av sitt leende och försäkra att allt är finfint ända tills hon blir medvetslös.

"Vad är det då?"

"Får inte vara hos änglarna", säger Maria och hänger med huvudet.

"Såså", säger Kerstin Ett och klappar Marias hand. "Du vet ju att det bara är tillfälligt ..."

Christina vet att Marias rum är en helgedom. Om resten av sjukhemmet är en gillestuga, så är Marias rum ett tempel. Ett naivitetens tempel. Hon har prytt det med änglar: knubbiga porslinskeruber trängs i fönsterkarmen, hemmagjorda serafer dinglar i trådar från taket, glittrande bokmärkesänglar och färgglada veckotidningsänglar täcker väggarna från golv till tak. Maria klistrar dem direkt på väggen och ibland använder hon Karlssons klister. Sjukhemsföreståndaren, som är en praktisk kvinna utan några drömmar om paradiset, brukar få något skärrat i blicken när Marias rum kommer på tal. Det sägs att hon drömmer mardrömmar om vad som ska hända när tjänstemännen från kommunen får veta hur det ser ut. Ändå har hon aldrig försökt beröva Maria hennes änglar. Hon vet att änglarummet är det enda som får Maria att vilja leva. När hon vaknar upp från ett av sina eviga anfall, ser hon sig alltid om med oro i blicken, men när hon har konstaterat att hon är kvar bland sina änglar blir hon lugn.

"Varför får inte Maria vara på sitt rum?" säger Christina, men utan att fästa blicken direkt på Kerstin Ett, en kliande liten rädsla driver henne att se på Maria i stället.

"Tyvärr. Vi har inget val", säger Kerstin Ett. "Folke behöver ett eget rum och honom kan vi ju inte lägga bland alla änglarna, alltså har vi fått flytta på Hubertssons lilla favorit. Och eftersom hon sover just nu och inte bör väckas på ett tag, så tyckte vi att det var bäst att Maria håller till i dagrummet några timmar ..."

Maria gör ett försök att le vädjande mot Christina, men det vill sig inte, hennes mungipor dras neråt i stället. Det får henne att se gråtmild ut. Christina drar handen genom luggen, hon börjar känna sig sladdrig och flytande igen. Vilken dag! Och klockan är inte ens tolv ...

"Går det inte att ordna på något annat sätt?" säger hon uppgivet.

"Nej", säger Kerstin Ett. "Det går inte. Och förresten är det Bild-Bingo i dag, så det blir bara roligt."

Något stryker över Christinas hjässa när hon tar det första steget in i Marias rum. Hon höjer instinktivt handen som för att värja sig mot en anfallande fågel och under ett andetag minns hon den döda fiskmåsen på sin trädgårdsgång. Men det är inte fågelvingar som stryker mot hennes hår, det är en ängels mjuka garnfötter. Marias senaste skapelse hänger i en tråd från taket precis innanför dörren: en halvmeterhög ängel med huvud i stanniol och lockar av guldtejp, svept i en gammal handduk med texten TILLHÖR LANDSTINGET. Samma text skymtar under den glesa fjäderskruden på pappvingarna. Marias lager av kartong och kulörta fastlagsfjädrar tycks vara på upphällningen, alltså har hon lyckats tjata sig till gammalt material från tiden innan sjukhemmet kommunaliserades.

De hundratals änglabilderna på väggarna suger åt sig allt ljus och gör rummet mörkare än det borde vara. Ute bland människorna må det vara förmiddag, men inne hos Maria och änglarna råder evig skymning. Ändå är rummet inte riktigt sig likt. Bordet, som brukar stå i ljuset framme vid fönstret, har skjutits åt sidan; saxar, fjädrar, tejprullar och sönderklippta veckotidningar har makats ihop till en liten hög på mitten.

Den andra patientens säng står borta vid fönsterväggen. Hennes tillhörigheter ser fattiga och främmande ut bland Marias överdåd: det ligger en pärm och några böcker på sängens fotända, en dator på stålstativ står vid huvudändan. En gul slang med munstycke hänger från datorn, och med ens minns Christina att hon har hört talas om den här patienten, just det, hon har hört att det har kommit en kvinna till sjukhemmet som talar via dator. Men just nu syns ingen text på skärmen: patienten är bortom alla ord och följaktligen också hennes dator. Men hennes skärmsläckare gör sig väl i Marias rum. Den föreställer en svart rymd med tusen stjärnor, när Christina ser på den drabbas hon av hastig yrsel, för ett ögonblick känns det som om hon med ljusets hastighet färdas genom universum. Hon blinkar till och sänker blicken mot journalen. Desirée Johansson, 491231-4082. CP-skadad, spastisk och gravt epileptisk sedan födseln.

Hon ser ut som en fågelunge, en naken liten fågelunge utan fjäderdräkt. Hon är så tunn att hon knappt tycks lämna något avtryck på madrassen och så mager att varje ben och sena kan skönjas under huden. Ena handens fingrar har krökts och stelnat till en klo. Hon ligger i en konstig ställning: på rygg med benen uppdragna och korsade i fosterställning. Ansiktet är hjärtformat, hakan vass och spetsig. Huden på ögonlocken är så tunn att man kan skönja blodkärlen som ett blått delta.

Så detta ska alltså vara Hubertssons favorit ...

Christinas händer darrar lite när hon sätter stetoskopet på plats och böjer sig över patienten. Hon slänger ännu en snabb blick i journalen: jo, den här kvinnan får uppenbarligen dagliga anfall och tydligen har de senaste årens anfall förvärrat hennes hjärnskador. Men just nu verkar hon vila lugnt: hjärtat tickar lika tryggt och rytmiskt som klockan i Tant Ellens vardagsrum, andningen är jämn och utan biljud. Hon stoppar stetoskopet i fickan och prövar tonus i armar och ben. Det verkar också vara som det ska: hon kan inte känna några kvardröjande småkramper. Slutligen öppnar hon mycket försiktigt patientens mun och lyser med sin lilla lampa in i gommen. Nej. Hon tycks varken ha bitit sig i tungan eller kinderna. Allt verkar vara i sin ordning, så mycket i ordning det nu kan vara för en människa i det här tillståndet. Christina släcker lampan och ser på den sovande patienten. En sån liten stackare ...

Kvinnan i sängen rycker till och slår upp ögonen, för en sekund ser Christina rakt in i hennes klarblå blick, innan ögonlocken mycket långsamt sänks på nytt. Christina tar ett steg tillbaka, hennes hjärta rusar. Men det är över på en sekund. Efter ett par andetag verkar patienten sova lugnt och Christinas hjärta återgår till sitt normala om än lätt stressade pickande.

Hon drar upp det randiga påslakanet över kvinnan i sängen och stoppar om henne, rörelsen får en av böckerna vid fotändan att falla ner på golvet. Christina böjer sig ner för att plocka upp den. Titeln får henne att höja ögonbrynen: *Einsteins drömmar.* Hon plockar lite bland de andra böckerna i sängen. *Kvarken och jaguaren* av Murray Gell-Mann. *Solens gyllene äpplen* av Ray Bradbury. *Benandanti – de goda häxmästarna* av Carlo Ginzburg. *Häxor och häxprocesser* av Bror Gadelius. Plus ett alldeles sönderläst exemplar av *Kosmos – en kort historik* av Stephen Hawking.

Christina rycker på axlarna. Det där med den nya fysiken är Margaretas avdelning, själv har hon aldrig riktigt orkat med att sätta sig in i den. Hon får bara huvudvärk när Margareta börjar lägga ut texten om materia och antimateria, Big Bang och universums expansion, kvarkar och strängar och allt vad det heter. Mycket luktar flum och det är en doft som Christina ogillar.

Hon lägger böckerna i en prydlig hög på nattygsbordet. Det är lite rörande att Stephen Hawkings bok är så sönderläst. För en kvinna som denna måste han framstå som gudarnas like. Frågan är vad hon avundas mest hos honom. Hans hjärna eller hans berömmelse? Eller rentav hans kärleksaffärer?

När hon en stund senare går över parkeringsplatsen upptäcker hon att hon plötsligt mår mycket bättre. Den svala luften piggar upp henne och hennes klackar smattrar muntert mot den fuktblanka asfalten. Alldeles omedvetet för hon handen bakom huvudet och lyfter lite på håret så att den friska Vättervinden ska få smeka nacken. Hon kväver en hastig impuls att slå ut med armarna och snurra runt, en allmänläkare vid sina sinnens fulla bruk kan rimligen inte ställa sig på en parkeringsplats och jubla bara för att hon har upptäckt att himlen är hög och djupblå, solen vit och gnistrande och att knopparna på kastanjen ute på gräsmattan tycks pulsera av svällande liv. Det är den nya luften som gör henne så glad. I morgon är det vårdagjämning.

Hemma hos Tant Ellen var årstidernas skiftning omgivna av många riter och ritualer. Till valborg plockades sommarkläderna ner från vinden, den femtonde september hängdes de upp igen, oavsett temperatur och väderlek. Om flickorna klagade över att det var för varmt eller för kallt svarade Tant Ellen med ett av sina eviga talesätt: man ska svettas in våren och frysa in hösten!

Christina småler lite. På många sätt var Tant Ellen lite lustig med sina gammaldags manér. Hon trodde till exempel fullt och fast att alla flickor hade förkläde i skolan ännu på femtiotalet, precis som hon hade haft på tjugotalet. Därför var Christina utstyrd i rutig bomullsklänning och broderat förkläde när hon gick till uppropet i första klass. Å andra sidan var Tant Ellen inte sen att anpassa sig. Hon iakttog andra små-flickor, där hon gick med Christinas hand i sin, och när hon såg hur de var klädda böjde hon sig helt enkelt över Christina, knöt av henne för-klädet och stoppade det i sin väska. Egentligen var det synd. Det var ett vackert förkläde med Christinas monogram broderat i korsstygn på bröstlappen och en liten bård av fåglar längst ner. Numera ligger det i en plastpåse i ett skåp hemma i Det Postindustriella Paradiset, tillsam-mans med andra handarbeten som Christina lyckades ropa in vid auk-tionen efter Tant Ellens död. När hon någon gång öppnar någon av dessa omsorgsfullt hoptejpade plastpåsar tycker hon att hon kan känna Tant Ellens doft: stark tvål och talkpuder av märket Christel. Men dof-ten blir svagare för varje gång, därför tar hon sällan fram dem.

Men hon tycker om att tänka på dem. Att veta att de finns där. Att de är hennes. Bara hennes.

Christina var den som fick maka mest på sig när Birgitta flyttade in i tomrummet. Margareta hade alltid gjort allt i sin säng – där läste och ritade hon, där lekte hon med dockor och gjorde sina läxor – medan Christina bara använde sängen till att sova i. När hon ritade och läste läxor satt hon vid bordet framme vid fönstret. Men nu fanns det inte längre plats, där skulle den nya sängen stå. Tant Ellen lyfte ut bordet och placerade det i hallen i stället. Men det fungerade inte, det var för mörkt. Och nu fick man inte heller sitta vid bordet i matrummet. Redan på tredje dagen hade Birgitta lyckats slå sönder en porslinsfigur där inne, och sedan dess var matrummet förbjudet område för alla tre flickorna. Återstod köksbordet. Men inte heller där var det som förr: när Marga-reta och Birgitta också satt vid köksbordet var det omöjligt att koncen-trera sig. De pladdrade oupphörligen, fnittrade och viskade hemlighe-ter till varandra.

Det blev aldrig riktigt lugnt i huset efter Birgittas ankomst. Hon var som elektrifierad: det sprakade om henne och den som kom för nära riskerade att få en stöt. När telefonen ringde slet hon luren från klykan och skrek *Hallå!* innan Tant Ellen ens hade hunnit vända sig om, och när det ringde på dörren störtade hon ut på stentrappan som en furie.

Hon ville aldrig sitta still och läsa som Margareta eller handarbeta som Tant Ellen och Christina. Hennes lekar var virvlande och bullersamma, och när hon inte lekte ställde hon till bråk. Hon drog sig inte ens för att bryta mot Tant Ellens regler: en dag öppnade hon den svarta smidesgrinden och vinglade ut på vägen på Tant Ellens cykel, en annan dag rymde hon och var borta i många timmar innan Tant Ellen hittade henne på hennes gamla gata mitt i stan, en tredje dag stal hon fyra enkronor ur hushållskassan. Och när Tant Ellen förklarade att hon skulle få stanna i tomrummet i två hela dagar som straff för stölden räckte hon ut tungan och skrek:

"Jävla kärring! Du är inte min mamma! Du bestämmer inte över mig!"

Christina slog händerna för öronen och knep ihop ögonen den gången. Men Tant Ellen märkte det inte genast, hon var fullt sysselsatt med att tvinga in den fäktande och skrikande Birgitta i tomrummet och låsa dörren. När hon kom tillbaka ut i köket var hon röd av blod under näsan. På väg till diskbänken slängde hon en hastig blick på Christina, som fortfarande satt som fastfrusen vid köksbordet, och fräste:

"Vad sitter du så där för? Så farligt var det väl inte!"

Men när Christina en stund senare låg på knä framför toalettstolen och kräktes var Tant Ellen sig själv igen. Hon höll sin ena hand på Christinas panna och strök henne med den andra över ryggen.

"Allt kommer att bli bra", viskade hon. "Allt kommer att bli bra igen ..."

Men den gången hade Tant Ellen fel. Ingenting blev riktigt bra igen. Under den första våren tröttade Birgitta ut dem alla, var och en på sitt sätt. Med Margareta i släptåg drog hon genom huset och trädgården och lade under sig kvadratmeter efter kvadratmeter. Margareta ömsom skrattade, ömsom hisnade, hela dagarna pendlade hon mellan förskräckelse och förtjusning. Ingenting var längre vad det hade varit; nu var vinden en häxas tillhåll, källaren en spökstad och trädgården en farlig djungel. När det var dags att gå och lägga sig brast hon i gråt som en annan småunge. Tant Ellen fick inte släcka ljuset. Och inte fick hon lämna flickorna ensamma i tomrummet heller, hon måste sitta på Margaretas sängkant och hålla henne i handen ända tills hon somnade.

Tant Ellen själv blödde näsblod dagarna i ända. När flickorna kom hem från skolan om eftermiddagarna hittade de henne allt oftare i vardagsrummet. Där satt hon med slutna ögon och gapande mun i den stora fåtöljen, med en mörkröd bomullstuss i varje näsborre. Hennes knyppeldyna låg oanvänd på bordet i matrummet och en dag serverade hon till och med en så föraktlig nymodighet som pulverpotatismos till middag. Ändå hann hon nästan inte med sin pikering den veckan. Natten innan fabriksbilen skulle komma satt hon uppe till klockan två.

Och ändå, det värsta var att Tant Ellen inte längre såg på Christina på samma sätt som förr. Hon log visserligen och tackade precis som vanligt när Christina hjälpte till med disken, hon förhörde henne på läxorna precis som förr och hjälpte henne alltid när rutorna i korsstygnsbroderiet måste räknas, ändå var det som om Christina blev osynlig så fort hon tog ett enda steg utanför Tant Ellens synfält. Tant Ellen följde henne inte längre med blicken. Men om hon hade tittat så hade det funnits ett och annat att se. Att Christinas rygg hade raknat, till exempel. För nu var Christina en flicka som ständigt måste vara på sin vakt.

Hon kunde inte begripa vad det var som hade fått Birgitta att utse just henne till sin fiende. Men så var det. Redan från första veckan smalnade Birgittas ögon när hon såg på Christina. Veckan därpå hittade Christina sin docka utan armar och ben, ytterligare en vecka senare var en sida i låneboken från biblioteket sönderriven. Snart lärde hon sig att akta sig särskilt för lekar i trädgården. Plötsligt kunde hon få en knuff i ryggen så att hon föll framstupa och gjorde hål på både knäet och strumpan. Det var värst om bara strumpan gick sönder, då blev Tant Ellen irriterad och höll arga förmaningstal om att strumpor minsann inte växte på träd. Christina vågade aldrig berätta om knuffarna, för i sådana stunder strök Birgitta alltid i utkanten av hennes synfält och hennes ögon var smalare än någonsin. Dessutom hade Tant Ellen sina principer, och en av dem var att hon inte tyckte om barn som skyllde ifrån sig. Hål på strumpan berodde nästan alltid på den som hade benet i strumpan. Det var bättre om också knäet hade gått sönder, då slapp man förebråelser och fick både plåster, en bulle och några tröstande ord.

Dock, allt blev lite lättare sedan Birgitta hade erövrat körsbärsträdet. Det hade stått där, mitt i Tant Ellens trädgård i alla år, och lockat med löften om vad som väntade den som först vågade klättra upp till de högsta grenarna. Christina och Margareta hade ofta låtit sig frestas, men ingen av dem hade någonsin samlat tillräckligt med mod för att klättra högre än till de allra nedersta grenarna. Men Birgitta vågade. Frustande och stänkande drog hon sin klumpiga kropp från gren till gren, allt högre och högre, utan att bry sig om att barken rispade långa röda streck på insidan av hennes lår. Margareta gjorde ett försök att klänga efter, men hon kom bara till mitten av trädet innan hon blev sittande med armarna om stammen. Christina själv kom inte längre än förut. Hon satte sig på en av de nedersta grenarna och stannade där, alltmedan hon nästan vred nacken ur led för att se upp mot Birgitta och Margareta.

"Akta er", ropade hon.

Men Birgitta aktade sig inte: hon skrattade sitt hesa skratt, tog tag i en gren ovanför sitt huvud med båda händerna och hävde sig upp i stående ställning. Christina slöt ögonen. Hon visste inte om hon hoppades eller fruktade att Birgitta skulle tappa taget. Jo, hon hoppades. Men när hon öppnade ögonen på nytt satt Birgitta än en gång på sin gren. Hon hade inte fallit.

Detta att Birgitta var så duktig på att klättra i träd var det som till slut fick Tant Ellen att acceptera henne. Under de första månaderna hade hon aldrig skrattat åt något som Birgitta sa eller gjorde, tvärtom hade hennes röst blivit sträv och befallande så fort Birgitta kom inom synhåll. Men när hon den där kvällen i juni kom ut i trädgården och fick se de tre flickorna sitta som frukter i körsbärsträdet sprack hennes ansikte upp i ett stort leende.

"Herrejösses", sa hon och kisade över glasögonbågarna. "Det var inte dåligt klättrat, Birgitta!"

Hon höll en bricka i handen, men nu satte hon ner den på gräsmattan, så hastigt att saftglasen klirrande slog mot varandra, och sa:

"Sitt kvar en stund, så ska jag hämta kameran."

Hon lyckades få med både trädet och alla tre flickorna på bilden. Det blev ett lyckat kort, så lyckat att Tant Ellen lät både förstora och handkolorera det. Men fotografen gjorde ett misstag vid färgläggningen: Birgitta fick en rosa klänning och Christina en grön, trots att det egentligen var tvärtom. Birgitta var mycket nöjd med förväxlingen: från den stund då det inramade fotografiet placerades på Tant Ellens linneskåp ansåg hon att den rosa färgen tillhörde henne.

"Från och med nu är allt som är skärt mitt", deklarerade hon när de hade gått och lagt sig i tomrummet den kvällen.

"Och allt som är gult är mitt", sa Margareta. "För jag har en gul klänning på kortet."

Christina snodde runt i sängen och vände sig mot väggen. Hon kunde höra på deras andning att de väntade sig att hon skulle säga något. Det var tyst i flera minuter, ända tills Margareta inte längre kunde uthärda spänningen.

"Och du då, Christina?" viskade hon. "Grönt eller blått? Eller rött?"

Christina svarade inte. Rosa var den enda färg hon någonsin hade tyckt om.

HELENA STÅR I VÅRDCENTRALENS dörr och väntar på Christina.

"Jag har bokat om en av Hubertssons patienter", säger hon. "Men den andre måste du ta. Och du är en halvtimme försenad med dina egna ..."

"Hur många har Hubertsson bokat in i eftermiddag?"

"Sex stycken. Men vi håller på att ringa runt och försöker boka om dem."

Christina glider in i omklädningsrummet och börjar dra av sig vinterstövlarna.

"Och Hubertsson?"

"Jag tog en test på honom alldeles nyss. Sockret är på väg upp. Just nu sover han."

"Okej. Då avvaktar vi en stund."

"Och så har din syster ringt."

Christina drar efter andan.

"Min syster?"

"Mmmm. Hon ville säga adjö innan hon gav sig av, men när jag förklarade hur du har det i dag så sa hon att hon skulle ringa när hon kom fram till Stockholm."

Christina andas ut. Under de sista timmarna har hon nästan glömt att hon lämnade Margareta kvar i Det Postindustriella Paradiset i morse.

"Och så ville hon att vi skulle hälsa till Hubertsson", säger Helena och ler. "Ni kände visst honom redan när ni var små."

Christina gör en liten grimas och rättar till den vita rocken. Margareta har pratat för mycket. Som vanligt.

"Jo", säger hon. "Det gjorde vi."

"Tänka sig", säger Helena. "Det hade jag ingen aning om."

Egentligen förvånar det inte Christina att Margareta har skickat en hälsning till Hubertsson. Hon har honom säkert i ljuvt minne bevarad. Han var ju hennes allra första förälskelse. Vid knappt fjorton års ålder slutade hon stryka sig som en kelen katt mot Tant Ellen och övergick till att burra upp sig av lystnad så fort Hubertsson kom i närheten, det vill säga vid middagstid varje dag. Efter bara ett halvår i Tant Ellens hyreslägenhet hade Hubertsson nämligen gett upp alla försök att hushålla åt sig själv.

"En konservburk till och jag får skörbjugg", sa han och erbjöd Tant Ellen en ganska rejäl summa per månad i utbyte mot ett lagat mål mat per dag. Om hon dessutom ville ta hand om hans tvätt och städning skulle hon få det dubbla.

Tant Ellen funderade bara ett ögonblick. Hon hade ju tid. Christina och Margareta gick i läroverket numera och hade långa skoldagar, Birgitta arbetade på Luxor och hade ännu längre dagar. Dessutom behövde hon pengarna. Huset hade fått en del skavanker på sistone och pikeringen lönade sig inte som förr. Dessutom hade flickorna blivit allt dyrare i drift. Hon behövde kassaförstärkning.

Å andra sidan krävde Hubertssons erbjudande en del investeringar. Man kunde ju inte begära att en riktig doktor skulle äta på en vanlig vaxduk från Konsum. Följaktligen tog Tant Ellen en dag tåget till Linköping för att handla: i Motala fanns det nämligen inga vaxdukar i Viola Gråstens design. Och Viola Gråsten skulle det vara, det tyckte alla de andra kvinnorna i Hemslöjdsföreningen, där Tant Ellen var en flitig om än något tillbakadragen medlem. I Linköping passade hon också på att köpa en burk Servalac till köksstolarna och tyg till både servetter och nya köksgardiner. Samt fem släta servettringar i furu.

Det där med servetterna var ett bekymmer. Under ett år på fyrtiotalet – strax innan hon blev hemsyster – hade Tant Ellen varit hembiträde i en arkitektfamilj och den tiden hade lärt henne ett och annat om servetters symbolvärde. Hemma hos arkitekten levde man modärnt, alltså fick Ellen sitta med vid bordet till vardags och precis som alla de andra fick hon en ren linneservett en gång i veckan. Skillnaden mellan herrskap och tjänstefolk markerades mycket subtilt: familjemedlemmarna hade var sin servettring, medan Ellens servett skulle vikas till en fyrkant och placeras direkt på tallriken.

I Tant Ellens eget hus förekom det inga servetter till vardags. Den som kladdade ner sig fick gå ut på toaletten och tvätta sig om nosen efter maten, annars var det bra som det var. Till jul och midsommar och andra släktkalas köpte Tant Ellen tunna små pappersservetter, men det var mest för syns skull. Men nu måste det alltså blir ändring, för Hubertsson var säkert van vid både servetter och servettringar. Och hur skulle det se ut om han ensam fick sitta vid köksbordet och vifta med sin servett?

Christina och Tant Ellen kämpade en hel helg med att ställa köket i ordning. De slipade köksstolarna och lackade dem, fållade servetterna och hängde upp gardinerna. Birgitta fnös åt deras möda, innan hon fällde upp kragen på sin mockajacka och gav sig ut på lördagsäventyr. Margareta hängde i köksdörren och hade synpunkter på det mesta, men var i övrigt inte till någon hjälp. Till slut tröttnade Tant Ellen på henne och satte henne att sno tåtar ullgarn i olika färger om servettringarna, så att man skulle kunna skilja dem åt. Hon fick själv välja färger. Naturligtvis valde hon rosa till Birgitta och gult till sig själv, medan Christina fick en vit ulltåt och Tant Ellen en ljusblå. Men runt Hubertssons servettring snodde hon ett smalt sidenband i rödaste rött och avslutade med en liten rosett.

Hennes kinder glödde lika röda när Hubertsson kom ner från sin lägenhet på söndagskvällen för att äta sin första middag i Tant Ellens kök.

"Du ska sitta på gaveln", sa Margareta djärvt och markerade därmed att hon inte längre var en liten flicka som måste niga och säga farbror. Hubertsson iakttog henne roat. Han var inte dummare än att han begrep vad som fick hennes ögon att glänsa i kapp med de nylackerade köksstolarna. Men han var faktiskt inte ett dugg intresserad av så färskt lammkött. Han ville bara ha slottsstek med mjölig potatis, ärter och morötter, syrlig gelé och inlagd gurka. Och över hela härligheten ville han hälla den mörka gräddsåsen, vars kryddiga doft av ättika och ansjovis, lagerblad och svartpeppar redan i en timme hade letat sig in i varje vrå av huset.

Så satt de där, alla fem med de nya servetterna i knäet, runt Tant Ellens köksbord och åt under tystnad. Birgitta med sin vita hövolmsfrisyr och sina svartmålade ögon, Margareta med hästsvans och rosenkinder, Christina med sina nya glasögon halvvägs ner på näsan, Hubertsson med en lock hängande i pannan och en spänd Tant Ellen med spisrosor på kinderna. Hon slappnade inte av förrän Hubertsson högg in på sin tredje portion.

"Ursäkta", sa han. "I vanliga fall äter jag inte så här mycket. Men det är så gott!"

Då skrattade alla. Till och med Birgitta.

Annars skrattade inte Birgitta särskilt ofta under de här åren. Visserligen var det som om hon hade gråtit bort hela sin barnsliga tjurighet när hennes mamma dog, men när den första tidens vilda sorg var över blev hon ändå inte som de andra. Hon varken skrek eller slogs längre, men hennes överläpp var ständigt krökt i en min av yttersta förakt.

När vårterminen i sjuan närmade sig sitt slut förvandlades hon till en fullkomlig stenstod av beslutsamhet. Kväll efter kväll satt hon vid Tant Ellens köksbord och upprepade samma mening: så fan om hon tänkte gå i åttan! Det var ju frivilligt, alltså kunde hon avstå om hon ville. Dessutom hade farbror Gunnar lovat att ordna ett jobb åt henne på Luxor om hon bara ville. Hon fnös när Tant Ellen försökte förklara att det inte var särskilt roligt att arbeta på fabrik. Roligt? Vem fan jobbade för att det var roligt? Man jobbade ju för att tjäna pengar. Och på Luxor kunde till och med fjortonåringar som hon tjäna bra.

Christina förvånades redan från början över den respekt Tant Ellen visade för Birgittas arbete. Nu var det viktigare att ställa i ordning Birgittas matdosa om kvällarna än att förhöra Christina och Margareta på läxorna. För trots att Christina var tre månader äldre och Margareta bara elva månader yngre än Birgitta, så tycktes Birgitta ha blivit vuxen, medan de själva fortfarande bara var flickor.

Tant Ellen protesterade inte ens mot Birgittas sätt att styra ut sig. Hon plockade villigt fram symaskinen när Birgitta ville sy in ännu ett par jeans eller en kjol. Till slut var flera av hennes kjolar så snäva att man kunde skönja venusberget genom tyget. Det passade henne precis, det kunde man se på hennes belåtna leende när hon granskade sig själv i hallspegeln. Just så ville hon ha det: svällande bröst, putande rumpa och en tvetydig trekant mitt på kjolen.

Hon ägnade mycket tid åt sitt hår, åt att tupera och spraya det, åt att prova nya frisyrer och kamningar. Men när hon skulle gå ut såg hon ändå alltid likadan ut: en väldig volm sockervadd på huvudet, vitmålade läppar och svartmålade ögon. En raggarbrud. En riktig raggarbrud, dessutom, inte en sådan där liten mes som inte vågade ta ut svängarna ordentligt.

Christina tyckte att Birgitta var äcklig. Det var motjudande med allt det där gungande vita hullet och de där evigt halvsänkta ögonlocken. För att inte tala om den syrliga doft som alltid omgav henne och som numera fyllde tomrummet också när Birgitta inte var där. Å andra sidan tyckte Christina att de flesta människor var lite äckliga nuförtiden. Hubertsson hade äckliga fingrar, Stig med Gäddkäften en äcklig mun. Ibland kunde Christina till och med tycka att Tant Ellen hade blivit lite äcklig. Om morgnarna, när hon lagade frukost klädd i bara nattlinne och morgonrock, spred hennes kropp en frän liten odör över hela köket. Den lukten fick Christina att ändra sina vanor. Numera var hon själv både tvättad, klädd och kammad när hon satte sig vid frukostbordet och när Tant Ellens lukt blev för stark lyfte hon helt enkelt sin nytvättade hand mot näsan och drog in doften av tvål. Den kittlade i näsan.

Det var egentligen bara Margareta som inte var äcklig. Hon blev inte äcklig ens när Birgitta försökte göra henne till sin avbild för hur hon än kämpade med tuperingskam och sprayburk, läppstift och mascara så lyckades hon aldrig förvandla Margareta för någon längre stund i taget. Efter bara en halvtimme såg Margareta ut som en halvdränkt tvättbjörn: tuperingen slokade, läppstiftet var bortslickat och mascaran hade gnuggats ut till svarta ringar runt ögonen. Tant Ellen skrattade åt henne och sa åt henne att gå och tvätta sig. *Tramsa!*

Ibland fick Margareta till och med följa med Birgitta ut på äventyr. Sådana lördagskvällar trängdes de framför hallspegeln medan Tant Ellen stod i köksdörren och granskade dem över glasögonbågarna. Hon sa sällan något, kom aldrig med förmaningar och sällan med kritik. Det verkade som om hon hade abdikerat, som om hon inte ansåg sig ha rätt att komma med synpunkter på detta nya och obegripliga som kallades tonårsliv.

Det var aldrig tal om att Christina skulle följa med ut i det där livet. Och det var Birgitta som ordlöst hade bestämt att det skulle vara så. Men hennes öppna fientlighet mot Christina hade numera svalnat till likgiltighet och förakt. Birgitta uteslöt helt enkelt Christina ur sitt medvetande, tilltalade henne aldrig utom för att leverera en eller annan hånfull kommentar och svarade sällan när Christina talade till henne. Dessutom hade hon utvecklat en speciell blick som bara var avsedd för Christina: ett hastigt ögonkast följt av en lika hastig blinkning. *Gråsugga*, sa den blicken. *Tro inte att jag ser dig!*

Ändå visste Christina i detalj vad Birgitta hade för sig. Margareta kunde helt enkelt inte hålla tyst: under den halvtimmeslånga promenaden till läroverket varje morgon anförtrodde hon Christina allt som Birgitta hade anförtrott henne. Till en början var hon full av fnitter: hennes ögon glittrade när hon viskade förnamnet på den pojke som först hade fått ta av Birgitta behån och öknamnet på den som samtidigt hade stuckit handen i hennes trosa. Men hennes leende blev allt mer ansträngt alleftersom månaderna gick. Det hade slocknat helt när hon en morgon öppnade dörren till en telefonkiosk och pekade på ramsan som hade klottrats på väggen därinne. Christina sköt glasögonen på plats och läste den första raden högt: *"Ack om jag vore i Birgittas kläder ..."*

"Tyst!" ropade Margareta och slog handen för munnen.

Christina stirrade på henne med vidöppna ögon: det var väl fullkomligt självklart att hon skulle tystna i samma sekund som hon insåg vad som stod på väggen. Hur kunde Margareta ens tro att hon hade tänkt ta de där vedervärdiga orden i sin mun?

Med darrande hand började hon rota i sin väska efter pennskrinet, fiskade upp sin finaste kulspetspenna – den som hon annars bara använde när hon skrev rent sina skrivningar – och drog det ena strecket efter det andra över klottret på väggen. Vad var det för idiot som hade skrivit den här ramsan, han kunde ju inte ens stava!

Margareta hade börjat gråta, hon lutade sig mot telefonkioskens vägg och hulkade uppgivet som ett småbarn medan hon långsamt sjönk ner mot golvet. Hennes röst var grötig, men nu kunde hon inte längre hålla emot, nu var hon tvungen att berätta det allra värsta.

"Och i skolan säger dom att hon låg med tre olika killar i lördags ... Men när jag frågade henne så sa hon att hon inte kom ihåg, att hon var för full för att komma i håg. Och så skrattade hon!"

Paniken fladdrade till i Christinas mage. Hon tryckte pennan hårdare mot väggen och drog ännu ett streck över klottret, trots att hon visste att det var meningslöst. Dessa ord skulle aldrig låta sig utplånas. Aldrig någonsin.

Vissheten sjönk som en sten genom hennes kropp. Alltid hade hon vetat att den någon gång skulle komma. Och nu hade den kommit.

Katastrofen.

Helena står på pass i korridoren när Christina släpper ut den fjärde patienten.

"Hur är det med Hubertsson?" säger Christina med dämpad röst.

"Ingen fara", svarar Helena lika dämpat. "Jag har just varit ute och köpt några smörgåsar åt honom. Jag tog en till dig också ... Kom!"

Christina kastar en blick på journalfacket utanför dörren. Det sitter tydligen två patienter ute i väntrummet.

"Hinner jag?"

"Det är klart du gör. Du måste ju äta ... Kom nu."

Hubertsson har satt sig vid skrivbordet, men han har snurrat stolen ut mot rummet och sitter med ryggen mot datorn. Aldrig förr har Christina lagt märke till hans skärmsläckare, men nu ser hon att den föreställer en svart rymd med tusen stjärnor. Hon höjer på ögonbrynen: Hubertsson skulle inte dela skärmsläckare med vem som helst. Kerstin Ett hade kanske rätt när hon kallade den där patienten för hans favorit.

"Jag har tittat till Desirée Johansson", säger hon på försök. Men Hubertsson reagerar inte: han är fullt upptagen med att rota i påsen som Helena håller fram. Skinksmörgåsen faller honom av allt att döma i smaken, men han gör en grimas åt mineralvattnet.

"Kunde du inte ha köpt en lättöl i stället", säger han. Helena ler överseende, som åt en trotsig liten pojke.

"Nej du, här ska det inte vara någon öl på ett tag."

"Kan man inte få lite kaffe åtminstone?"

"Skulle just hämta", säger Helena och glider lyckligt leende ut genom dörren.

Christina sätter tänderna i sin egen smörgås för att hejda en grimas. Tusen gånger under sitt yrkesliv har hon sett sjuksköterskor dalta med manliga läkare och varje gång har hon blivit lika vanmäktigt irriterad. Å andra sidan har hon mindre skäl att vara irriterad på Helena än på de flesta andra. Helena är inte den sortens sköterska som vägrar plocka fram journaler och provsvar åt kvinnliga läkare samtidigt som hon springer benen av sig för att tjäna de manliga. Men i förhållande till Hubertsson är hon direkt löjlig.

Hubertsson själv verkar finna Helenas tjänstvillighet fullkomligt självklar. Han ser belåten ut där han lutar sig tillbaka i sin skrivbordsstol och tar en klunk av mineralvattnet.

"Hur känns det nu?" säger Christina.

Han ler lite snett och ställer ifrån sig flaskan.

"Inga problem. Känner mig som en sjuttonåring."

Christina fnyser.

"En ganska härjad sjuttonåring i så fall ..."

Han flinar till och byter samtalsämne.

"Jag hörde att Margareta hade ringt och hälsat speciellt till mig. Hur länge är hon kvar i stan?"

Christina tar en klunk ur sin egen flaska för att slippa svara genast. Under de sista månaderna har han varit fullkomligt omöjlig, så fort han får en chans försöker han leda in samtalet på Margareta och Birgitta och Tant Ellen. Och han gör det med flit, han vet att det gör henne rasande.

"Hon är inte kvar", säger hon kort. "Hon var bara på genomresa. Förresten, som jag sa nyss, så var jag uppe och tittade till en av dina patienter på sjukhemmet, Desirée Johansson. Kerstin Ett hade tryckt i henne fyra klysmor Stesolid på 10 milligram vardera ..."

Men Hubertsson hör henne inte längre, han sitter alldeles orörlig och stirrar mot fönstret. Christina följer hans blick: det sitter en fågel på fönsterblecket. En fiskmås. Den stirrar intensivt på Hubertsson innan den med en sirlig rörelse sätter den ena gula foten framför den andra och sänker sin vita hjässa. Mycket långsamt vecklar den sedan ut sina vingar, de är grå och vita och väldiga och täcker nästan hela den nedre delen av fönstret. Det ser ut som en bugning. Nej, mer än så, som en reverens.

"Nej men...", säger Christina.

Hennes röst tycks tränga genom fönsterglaset, fågeln knycker till och lyfter. Christina reser sig ändå upp, hon går bort mot fönstret och följer fiskmåsen med blicken där den svävar över parkeringsplatsen.

"Vad konstigt", säger hon. "Och i går ... Är inte fiskmåsar flyttfåglar?"

"Inte alla", säger Helena och sätter kaffebrickan på Hubertssons skrivbord. "En del övervintrar. Hur så?"

Christina slänger en blick mot Hubertsson, han är inte orörlig längre, han har snurrat stolen ett halvt varv och sträcker sig efter kaffekoppen.

"Det satt en fiskmås här och bar sig konstigt åt. Och i går hittade vi en död fiskmås hemma i trädgården ..."

Hubertsson har varit på väg att höja koppen mot munnen, men nu hejdar han sig mitt i rörelsen.

"Gjorde ni?"

"Mmm. Den hade brutit nacken. Erik trodde att den hade flugit rakt in i väggen."

Helena skrattar till:

"Det går väl något smittsamt fiskmåsvansinne. Vi får larma fältbiologerna."

Hon ser inte att Hubertssons ansikte har stelnat i en misstrogen grimas. Men Christina ser. Det besynnerliga är att han liknar Tant Ellen. Just så såg hennes ansikte ut när Christina efter flera dagars tvekan äntligen berättade vad hon visste om Birgitta. Och just så grått var hennes ansikte när hon dagen därpå låg på golvet i vardagsrummet och inte längre kunde röra sig eller tala.

"Flickorna är omhändertagna av barnavårdsnämnden", skrev Stig med Gäddkäften på en lapp som han fäste med häftstift på Hubertssons dörr.

Alla tre stod bleka och stumma i Tant Ellens hall. Ute i köket stod kåldolmarna fortfarande kvar på spisen och spred sin doft, bordet var dukat och färdigt för middagen, men det hade inte fallit någon av dem in dem in att duka undan och ställa in kåldolmarna i kylskåpet.

"Har ni allt ni behöver?" sa Stig myndigt. "Tandborstar? Nattlinnen? Läxböcker?"

Ingen svarade, men Margareta nickade stumt.

Ute föll vinterns första snö, skymningen låg grå över trädgården och förvandlade den till ett svartvitt fotografi.

"Nu får ni följa med hem till mig", sa Stig och låste ytterdörren. "Åtmintone några dagar, tills vi vet om det blir långdraget eller ej."

Bitte hade bäddat åt dem i gillestugan, ett mörkt litet källarrum i den nybyggda villan. Stig hade tapetserat väggarna med gröna sjögrästapeter och Bitte hade pyntat dem med en rad blå minnestallrikar från Rörstrand. Hon tittade ängsligt på Birgitta, som drog av sig sin kofta med stora svepande rörelser, och sa:

"Samlartallrikar är faktiskt väldigt dyra. Så om ni är snälla och tänker på det ..."

Det blev trångt vid köksbordet när de skulle äta middag. Bittes pojkar – för det var hennes pojkar, nästan bara hennes – tog stor plats med sina väldiga tonårshänder och långa ben. Christina och Margareta fick samsas vid den ena bordsändan, Birgitta fick trängas med Bitte vid den andra. Det var bara Bitte och Stig som talade.

"Tog dom henne till Linköping?" sa Bitte och skakade på huvudet medan hon svalde en klunk mjölk. "Då måste hon vara ganska illa däran ..."

"Nja", sa Stig och slängde ett ögonkast på Christina. "Så behöver man ju inte se det. I Linköping finns dom bästa läkarna. Specialister. Dom kommer att få henne på fötter bra mycket fortare än doktorerna här i Motala."

Bitte skakade på huvudet.

"Men hjärnblödning ..."

Stig satte sitt mjölkglas i bordet med en liten smäll.

"Nu vet vi ju inte om det verkligen var hjärnblödning."

"Men sa inte Hubertsson ..."

"Hubertsson!" sa Stig föraktfullt och torkade munnen med handflatan.

En söndag tre veckor senare öppnade han dörren på sin nya Volvo Amazon och sade åt flickorna att skynda på. Christina makade sig tillrätta i baksätet och satte mycket försiktigt Tant Ellens stora hibiskus i sitt knä. Den hade varit torr och halvt avlövad när hon efter den första veckan hade gått hem till Tant Ellens hus för att städa och vattna blommorna, men nu hade den hämtat sig och fått tre stora knoppar. Hon ville att Tant Ellen skulle se dem slå ut, där hon låg i sin säng i Linköping. Margareta satte sig bredvid henne och tryckte det inramade fotografiet av flickorna i körsbärsträdet mot sin mage. Birgitta satte sig tomhänt i framsätet.

De talade inte med varandra. Under de veckor som gått hade de knappt bytt ett ord. Margareta teg till och med när hon och Christina gick till skolan om morgnarna och hon fortsatte att tiga under kvällarna. Hon läste inte ens som hon brukade. När hon pliktskyldigast hade skrivit ner de glosor och räknat de tal hon hade i läxa, lade hon sig på sin luftmadrass nere i gillestugan och stirrade i taket.

Christina var mer aktiv. Efter den första veckan åkte hon till Tant Ellens hus varje dag, hämtade in posten och sorterade den, vattnade blommor och dammade. Ibland dammsög hon, inte för att det behövdes, men för att ljudet från dammsugaren lugnade henne. Hon gick aldrig upp till Hubertsson, lade bara hans post på det nedersta trappsteget och stängde ytterdörren fullkomligt ljudlöst efter sig.

Birgitta såg hon knappt till. Hon gav sig i väg till sin fabrik tidigt om morgnarna och kom aldrig hem till middag om kvällarna. Men varje natt vaknade Christina när Birgitta med sina skavda skor i handen tassade nerför trappan till gillestugan. Kanske kände hon på sig att Bittes pojkar skämdes över att ha henne i huset. Deras flirtiga leenden och lystna blickar hade slocknat samma dag som en av Kjelles klasskamrater hade viskat den där ramsan. Den flög över hela Motala nu. Som en fågel på egna vingar.

Stig mönstrade dem när de klev ur bilen utanför länssjukhuset i Linköping.

"Klara då?" sa han militäriskt. Margareta nickade, Christina viskade ett ja. Men Birgitta tog pötsligt ett steg tillbaka.

"Jag vill inte", sa hon.

"Inga dumheter nu", sa Stig och slog igen bildörren.

Birgitta skakade på huvudet så att tuperingen darrade.

"Men jag vill inte!"

Stig grep tag om hennes överarm, hans röst hade mörknat:

"Nu slutar du tjafsa!"

I en enda rörelse slet sig Birgitta loss, en rörelse så häftig att hårspännet som höll hennes vita lugg på plats lossnade och föll i asfalten. Hon vände sig om och började springa, så fort hennes snäva kjol och högklackade skor tillät. Halvvägs över parkeringsplatsen vände hon sig om och skrek med gäll röst:

"Jag vill ju inte! Hör du inte det, gubbjävel!"

Stig ryckte på axlarna och stoppade bilnycklarna i fickan på sin söndagskavaj.

"Så får hon väl springa då. Den slynan."

"Du ser ut som en sjörövare", sa Margareta och skrattade mitt i gråten. Tant Ellen log sitt nya sneda leende och förde en darrande vänsterhand mot den svarta lappen som täckte hennes högra öga.

"Hon kan inte blinka", sa kvinnan i sängen intill. "Det är därför hon måste ha lapp. Så att inte ögat torkar ut."

För ett ögonblick fick Christina för sig att det var samma kvinna som tio år tidigare hade cirklat runt hennes egen sjuksäng. Hon vred på huvudet och gav henne ett så fientligt ögonkast att kvinnan genast reste sig upp från sin säng och började hasa mot dörren. Naturligtvis var det inte samma kvinna, det såg hon nu, ändå var det skönt att hon gick. Det räckte så väl med de stirrande blickarna från fyra andra patienter på salen.

Tant Ellen kunde fortfarande inte prata, det kom bara lite skummande saliv över hennes läppar när hon försökte. Ändå förstod både Christina och Margareta. Margareta satte sig på hennes sängkant, lyfte hennes hand och lade den mot sin kind. Christina sjönk på knä vid sängens huvudända och lade sitt huvud på kudden, tätt intill Tant Ellens.

Ingen av dem sa något. Det fanns inget mer att säga.

Den kvällen samlades de i Stigs vardagsrum. Själv stod han med uppkavlade skjortärmar borta vid matbordet, medan flickorna satte sig på rad i den nya blommiga soffan. Christina till vänster, Birgitta till höger, Margareta som en stötdämpare i mitten. Stig vågade inte se på dem, han höll blicken fäst på barnavårdsnämndens papper som låg i tre vita högar på bordet, medan han omständligt letade i sin bröstficka efter cigarretter och tändare. Det tog en evighet för honom att plocka upp en John Silver ur paketet och tända den.

"Ja", sa han sedan och blåste ut ett moln av rök. "Ni förstår väl själva. Nu när ni har sett henne."

Han gjorde en kort paus, fortfarande med blicken fäst på bordet.

"Så här blir det", sa han. "Nämnden har skaffat en liten enrummare åt Birgitta och en ny fosterfamilj åt Margareta. Och Christina får flytta hem till sin mamma i Norrköping."

NÅGRA TIMMAR SENARE, när den vita vårvintern där ute just har börjat svepa sig i eftermiddagens rosa siden, får Christina syn på Hubertsson. Han sneddar över parkeringsplatsen klädd i sin gamla ytterrock och med portföljen i hand. Alltså måste han vara på väg hem, han brukar aldrig ta på sig ytterkläder när han går över till sjukhemmet. Helena tycks ha tjatat omkull honom. Å andra sidan går han ju inte i riktning mot sin gamla Volvo ...

Christina kastar en blick på klockan, mottagningen är fortfarande ordentligt försenad, trots att hon har försökt skynda sig genom varje besök. Nästa patient är född 1958. Bra. Karlar i den åldern brukar inte vara särskilt långrandiga.

Just när hon ska resa sig för att gå ut i väntrummet och hämta honom, kastar hon en blick genom fönstret och ser att Hubertsson har hejdat sig. Han står vänd mot vårdcentralen och det syns att han talar med någon. Christina ler lite snett. Förmodligen har Helena bevakat honom genom fönstret och nu bannar hon honom för att han inte går direkt till bilen ...

Men Hubertsson tycker inte om att bli tillrättavisad, han rynkar sina buskiga ögonbryn och säger något, innan han ilsket vänder sig om och börjar gå i riktning mot sjukhemmet. Christina hör hur fönstret på sköterskeexpeditionen stängs med en smäll. Hubertsson hör det också. Han viftar en avfärdande hälsning med portföljen.

Hon har sett den gesten förr. En gång för trettio år sedan.

Det var i den stund på lördagseftermiddagen då alla svenska städer tystnar, då affärerna har stängt och människorna har dragit sig inomhus. En fuktig skymning låg tung över Norrköping, gula rutor hade just börjat glimma i de svarta husfasaderna och ute på gatorna började gatlyktorna få gloria.

Christina stannade när hon hade stängt lasarettsporten bakom sig, men stod kvar på trappan en liten stund och drog långsamt på sig vantarna. Hon hade inte bråttom. Hon hade aldrig bråttom när det var dags att gå hem från helgjobbet på lasarettet.

Det blev en liten glipa mellan duffelns ärm och vanten. Hon hade vuxit några centimeter under det år hon hade bott i Norrköping och de flesta av hennes kläder började bli trånga och slitna. Det var värst med underkläderna. När klassen bytte om till gymnastik försökte hon alltid dölja sig bakom en dörr för att ingen skulle se att hon hade stora hål på trosorna och att hennes enda behå hade blivit grå av ålder.

Det hade aldrig fallit henne in att be Astrid om pengar till nya kläder, men hon lade undan tjugo kronor av sin lön varje månad, två grå tiokronorssedlar som hon smusslade in bakom omslaget på sin mattebok. Det skulle dröja innan hon hade tillräckligt för att köpa en ny duffel, men det var kanske lika bra. Man kunde ju inte veta hur Astrid skulle reagera om hon plötsligt hittade ett nytt plagg i hallen. Till dess fick Christina försöka dra i skaftet på sina vantar eller stoppa händerna djupt i duffelns fickor. Men en behå skulle hon köpa redan nästa vecka. Och några nya trosor. Det skulle Astrid aldrig märka.

Hon fällde upp kapuschongen för att skydda håret mot det fina regnet och sneddade med sänkt huvud över gårdens blanka asfalt, hon såg inte upp förrän hon kom ut på Södra Promenaden. Där hejdade hon sig: en spårvagn stannade vid hållplatsen och för ett ögonblick övervägde hon om hon skulle kosta på sig en biljett. Men nej. Det skulle bli för dyrt och det skulle gå för fort. Om hon promenerade skulle det ta ytterligare en timme innan hon kom hem.

Det var då hon fick syn på honom. Det tog ett ögonblick innan hon insåg vad hon såg, och under det ögonblicket tycktes hela världen röra sig en aning i sidled som om den hade fått en knuff. I nästa ögonblick fylldes hennes kropp av jubel. Det var han! Det var verkligen han som just steg av spårvagnen utanför Norrköpings lasarett!

"Hubertsson", ropade hon "Hubertsson!"

Hans blick halkade över henne utan att först finna fäste, för en sekund såg det ut som om han trodde sig ha hört fel och tänkte gå vidare. Christina blev panikslagen, utan att tänka sig för rusade hon fram och högg honom i armen.

"Men känner du inte igen mig? Det är ju jag. Christina!"

Han tog ett steg tillbaka och såg på henne.

"Ja, minsann. Det är ju du."

Orden snubblade ur henne:

"Hur är det med Tant Ellen?"

Hubertsson gjorde en liten grimas.

"Ungefär som tidigare."

"Har hon fått mina brev?"

"Ja."

"Kommer hon att få vara kvar på ditt sjukhem?"

"Det är inte mitt sjukhem. Men jo, jag antar det."

"Får man hälsa på henne?"

"Det är klart man får. Hur har du det själv förresten?"

Christina ryckte på axlarna.

"Jaså", sa Hubertsson. "Jaha."

Det blev tyst ett ögonblick innan han harklade sig och otåligt skruvade på axlarna.

"Jag måste skynda mig, jag ska träffa en kollega ... Du får väl ha det så bra."

Christina nickade, allt jubel hade runnit av henne, hon stod alldeles stilla i en liten pöl av besvikelse. Det var som om Hubertsson med sin likgiltighet hade ryckt av den sista lilla silvertråd som förenade henne med det förflutna. Men kanske skulle det gå att knyta ihop den igen. Om hon avstod från nya underkläder. Tanken fick henne att höja rösten än en gång och ropa efter honom:

"Hubertsson!"

Han vände sig om utan att stanna, gick några baklängessteg medan hon ställde sin fråga.

"Vad kostar det att åka tåg till Vadstena?"

"Trettiotvå kronor!"

Han snodde runt och viftade en hälsning med portföljen.

Det var allt. Som om hon inte fanns.

Å andra sidan var det ju inget nytt. Ända sedan hon kom till Norrköping var det som om hon hade blivit en glasfigur, folk såg henne inte förrän de råkade stöta till henne. Utöver lärarna i skolan talade hon egentligen bara med tre personer. Astrid, Margareta och syster Elsie.

Syster Elsie verkade nästan tycka om henne. Under kafferasten på lördagsförmiddagarna hörde hon sig alltid för om hur det hade gått på den senaste provräkningen, och när Christina kunde redovisa ännu ett litet a, nickade hon så belåtet att dubbelhakorna dallrade.

Men hon var inte alltid lika nöjd. Ibland tog hon Christina om hakan och granskade hennes ansikte. Åt hon verkligen ordentligt? Sov hon tillräckligt? En frisk tonåring borde ha rosor på kind och inte svarta skuggor under ögonen. Det var visserligen väldigt duktigt av henne att både arbeta och gå i skolan och säkert var hon till stor hjälp för sin mor, men orkade hon verkligen? Borde hon inte ägna veckosluten åt att vila och vara ute i friska luften i stället?

Christina skämdes alltid när syster Elsie tog henne om hakan. Det var som om hennes vita ansikte ljög. Arbetet var ju hennes enda vila. På lasarettet behövde hon inte vara på sin vakt, här räckte det med att niga och vara artig och göra som man blev tillsagd. Men det kunde hon naturligtvis inte säga.

Lika lite skulle hon kunna säga att syster Elsie själv var en del av vilan, att hennes spända nackmuskler alltid mjuknade när hon hörde syster Elsies röst och kände den doft av tvål och rosenvatten som svävade runt hennes knubbiga lilla kropp. Hon var hårt korsetterad under den ljusblå sjuksköterskeuniformen, mjuk men sammanhållen, just som Christina själv skulle vilja vara. Men i själva verket blev hon för varje dag alltmer lik en långsamt stelnande isskulptur: frusen och hård på utsidan, sörjig och flytande inuti.

Ibland fantiserade hon om att syster Elsie skulle be henne flytta in i sin lägenhet. Den skulle ligga i något av de där radhusen i engelsk stil som kantade Södra Promenaden och där skulle Christina få ett eget rum med rosentapeter. Varje kväll skulle hon göra sina läxor vid ett brunt litet damskrivbord från 1800-talet medan syster Elsie förberedde kvällsteet ute i köket, och sedan skulle de sitta bredvid varandra i det lilla vardagsrummet och lyssna på radioteatern ... Men självfallet sa syster Elsie aldrig något sådant. Christina bodde ju hos sin mamma och skulle fortsätta att bo hos sin mamma, precis alla andra flickor på gymnasiet.

En gång hade Christina sett syster Elsie rysa av avsmak när några av de andra sköterskorna talade om Hageby, och efter den dagen kontrollerade hon alltid sina rågummiskor mycket noga innan hon gick in på sjukhusområdet. Det fick inte finnas någon avslöjande lera på kanterna. För det var på de leriga skorna man kände igen invånarna i Norrköpings nyaste bostadsområde. Drygt ett år efter det att de första hyresgästerna hade flyttat in var området fortfarande en lerig byggarbetsplats.

Astrid var en av dessa första hyresgäster. Hon hade stått i bostadskö i flera år, innan hon slutligen fick sin tvåa högst upp i ett betonggrått höghus. Ännu efter ett år prisade hon sin nya lägenhet varje dag och förbannade omständligt och vältaligt den rivningskåk hon hade lämnat bakom sig. Christina aktade sig noga för att säga något som kunde tolkas som kritik av lägenheten eller den leriga omgivningen, men när hon kom hemifrån aktade hon sig lika noga för att avslöja var hon bodde. Inte för att det var någon större risk att hon skulle bli avslöjad, hittills hade inte en enda människa frågat efter hennes adress.

Hon hade inga vänner i sin klass, men det var ju bara naturligt. Alla de andra kände varandra sedan många år tillbaka och Christina var en nykomling. Dessutom var hon på något sätt för trött för att försöka skaffa sig vänner. På rasterna brukade hon ta med sig en läxbok ut på skolgården och dra sig undan i något prång för att förbereda sig inför nästa lektion. Det stod andra bleka flickor i andra prång, men att prata med dem tycktes henne övermäktigt.

Margareta hade dykt upp redan efter det första jullovet. Hon hade kastat sig över Christina ute på skolgården, så hastigt att Christina inte ens hade hunnit bli överraskad innan hon översköljdes av Margaretas vanliga vattenfall av ord. Visste Christina att Tant Ellen hade flyttats till Hubertssons sjukhem i Vadstena? Margareta hade varit där och hälsat på veckan innan hon hade kommit till sitt nya fosterhem här i Norrköping. Nu var hon enda barnet. Hon hade fått ett eget rum och massor med nya kläder. Kunde inte Christina följa med henne hem någon dag och se hur hon hade det? Det ringde in innan Christina hann svara, och när hon fick syn på Margareta nästa gång stod hon redan i rökrutan och flirtade med en andraringare. Hon hade aldrig upprepat sin inbjudan och numera bytte de bara några korta ord när de stötte ihop i korridorerna. De hade inte mycket att säga varandra. Kanske berodde det på att Christina hade så mycket att tiga om, kanske på att Margareta verkade så uppslukad av plikten att förvandla sig till den fulländade tonåringen. Efter bara en månad såg hon ut som om man hade klippt henne direkt ur det senaste numret av Bild-Journalen. Det var svårt att föreställa sig att det var samma flicka som bara ett år tidigare hade låtit sig målas till raggarbrud. Nu låg hennes hår i en moderiktig page och hennes halsduk hängde ända ner till knäna. Hon var mods, ett riktigt mods. Själv var Christina ingenting. Utom plugghäst, förstås.

Under de första veckorna hos Astrid hade Christina fattat tre beslut. Ett: hon skulle ta studenten, kosta vad det kosta ville. Två: hon skulle inte tänka på det som varit. Tre: hon skulle inte gråta.

Det tredje beslutet var själva förutsättningen för de båda första. Därför var det också svårast. Ibland trodde hon att hon hade blivit som den där Pavlovska hunden som hon hade läst om i skolan. Hon kände sig ju inte särskilt ledsen, för det mesta kände hon ingenting alls, ändå fylldes hennes ögon med tårar varje eftermiddag när hon satte nyckeln i låset till Astrids lägenhet. Det var som om hon hade fått en gråtmaskin i kroppen. Hennes kropp började rista av snyftningar när hon stängde dörren, ögonen svämmade över, munnen öppnade sig av sig själv och släppte fram ett oartikulerat råmande. Det hjälpte inte att hon försökte förvilla sig själv genom att hänga upp duffeln ordentligt på en galge. Det var som om hon stod utanför sin egen kropp och såg sina egna händer fumla så att duffeln föll i golvet. Lugnt och disciplinerat böjde hon sig ner och lyfte upp den, alltmedan hennes mun fortfarande råmade och kved, ylade och brölade.

"Varför sa du något?" kved gråtmaskinen. "Varför kunde du inte hålla tyst?"

Vad kunde hon svara på det? Ingenting. Det som var gjort var gjort.

Gråten upphörde alltid lika plötsligt och oförklarligt som den hade börjat, maskinen hackade till och stannade. Christina drog snörvlande efter andan och såg på klockan. Gråtmaskinen var lika punktlig som vanligt. Astrid skulle komma hem om tjugo minuter. Hon sköljde ansiktet med kallt vatten och började skala potatis. Och medan den ena bruna klumpen efter den andra vitnade i hennes händer, svor hon än en gång inför sig själv att hon skulle sluta gråta. Det var alldeles nödvändigt, lika logiskt och nödvändigt som ett tal i matematiken. För om hon inte slutade gråta skulle hon inte hinna med att läsa sina läxor ordentligt, och om hon inte hann med sina läxor skulle betygen sjunka, och om betygen sjönk skulle Astrid tvinga henne att sluta skolan. Kanske skulle hon driva tvånget ännu längre, ända in på textilfabriken.

Vad som helst fick hända. Men inte det.

Under det första jullovet, bara en månad efter det att Christina hade kommit till Norrköping, hade Astrid ordnat in henne på YFA. Hon hade framställt det som en ynnest: tack vare att hon var så uppskattad av både förmän och arbetskamrater skulle hennes dotter få en av de eftertraktade ferieplatserna. I väveriet till och med.

Fabriken var Astrids universum. Varje dag när hon kom hem från arbetet satte hon sig tungt på en köksstol och gned sina svullna fötter medan hon i detalj redogjorde för det som förevarit. Vävlagarna, de jävla högfärdsblåsorna, krävde 25 öre mer än vävarna. En finsk idiot ute på garnlagret hade klämt benet i dörren, det var rätt åt den klumpedunsen. Birgit skulle bli mormor, fast hon bara var trettiofyra år gammal. Inte så konstigt, egentligen, för både hon och hennes dotter hade alltid varit ena riktiga schanor, det tyckte Maud och Monkan också...

Maud och Birgit, Monkan och Barbro; namnen flög förbi utan att Christina visste vilka de tillhörde. Ändå formade hennes hjärna ganska snart en bild av fabriken utifrån Astrids berättelser. Det var den modernaste textilfabriken i hela Sverige. Alltså borde den skimra av stål. Det var parkett på alla golv, för det krävde maskinerna. Alltså borde golven glänsa. Vävstolarna var helautomatiska. Alltså borde de väldiga vävsalarna nästan helt ha tömts på människor.

Verkligheten blev en örfil. När förmannen öppnade dörren till den vävsal där Christina skulle sopa sig igenom jullovet, kändes det bokstavligen som om någon hade slagit henne över öronen. Det var så mörkt där inne! Och så fult! Maskinerna var målade i en blekgrön gräshoppsnyans och parketten var så trasig och sårig att det såg ut som om den hade bombats. Men det var inte det värsta. Det värsta var att den dova morrning som hade lurat i bakgrunden ända sedan hon steg in genom fabriksporten växte till ett rytande när dörren till vävsalen slogs upp; det var ett vanvettigt vrål från en varelse som var kapabel till vad som helst, en galning som slog henne och riste hennes kropp. Grotte, hann hon tänka innan hon slutade tänka. Grotte ryter efter kött till sin kvarn ...

När sommarlovet närmade sig slog hon därför med darrande hand numret till lasarettets personalavdelning. Efter några korta frågor var saken klar. Hon var välkommen dagen efter skolavslutningen. Eller redan samma dag om hon ville. Det var brist på biträden.

Dessförinnan hade det rått ett slags vapenstillestånd mellan Astrid och Christina. Hon hade flyttat in en söndag och Astrid hade tagit emot henne med kaffe, wienerbröd och ett tveksamt leende, men redan efter några timmar blev hon stram i rösten. När det var dags att fälla upp bäddsoffan i vardagsrummet skyndade sig Christina att försäkra att hon kunde klara det själv, det var inga problem. Men hon började inte genast: när Astrid hade lämnat rummet gick hon först fram till balkongdörren och slog upp den på vid gavel. Hon blev stående ett ögonblick och drog ett djupt andetag, tvättade sina lungor rena från Astrids cigarrettrök. Ett tveksamt hopp rörde sig inom henne. Kanske skulle det inte bli så farligt, kanske hade Stig med Gäddkäften haft rätt när han hade rynkat pannan åt hennes tårögda ängslan och kallat henne fördomsfull. Han hade hållit ett långt förmaningstal innan hon lämnade Motala. Visste Christina inte att de psykiskt sjuka alldeles för länge hade förvisats till samhällets skuggsida? Men nu var den tiden förbi, sådana sjukdomar var inte obotliga och skamliga längre, de kunde botas med mediciner och förebyggas med socialpolitik. Christinas mamma var dessutom ett lysande exempel på vilka framsteg som gjorts. Hon var fullkomligt frisk numera, fullt kapabel att både ta hand om och försörja sin egen dotter. Christina behövde inte oroa sig. Det där som hände i Tant Ellens kök när hon var elva år var ett uttryck för en sjukdom som sedan länge var botad. Det skulle inte hända igen, det kunde Stig med Gäddkäften garantera.

Christina gick bort till bäddsoffan och fällde upp den. Det var en ovanligt ful möbel, brunmurrig och tung som en stridsvagn. Alla möbler i rummet var tunga och bruna. Dessutom tycktes Astrid ogilla hörn. Ingenstans kunde man se väggarna mötas, möblerna stod på sned och dolde hörnen som om de var en skamlig hemlighet. Och på teakhyllan vid balkongdörren låg ett tjockt lager damm ... Hon skulle ta ett varv med dammsugare och dammtrasa när hon kom hem från skolan i morgon, då skulle Astrid kanske bli lite mindre sträv i rösten.

När Christina började veckla ut underlakanet kunde hon höra hur Astrid steg ut från badrummet. En liten pust av den svala kvällsluften måste ha snuddat vid henne, för en sekund senare stod hon plötsligt i dörren till vardagsrummet, klädd i bara behå och underbyxor.

"Vad fan gör du?" sa hon och stirrade på Christina.

Christinas händer slöt sig hårt om underlakanet.

"Bäddar."

"Gör dig inte dum. Varför har du öppnat balkongdörren?"

"Jag tänkte vädra ..."

"Vadå vädra? Det är ju vinter för fan, du kyler ju ut hela lägenheten."

Astrid gick fram till balkongdörren och drog igen den med en smäll, fumlade med persiennerna, sänkte och slöt dem. När hon vände sig om igen var hennes ögonlock till hälften slutna och hennes röst dämpad.

"Är du en sån som tycker om att visa upp sig?"

Christina flackade med blicken, knäna ville vika sig under henne, men hon tvingade dem att hålla sig raka. Astrid flinade till.

"Ja, det är du, förstås. Du är en sån där typ som tycker om att klä av sig framför fönstret och visa pattarna för varenda jävla snuskgubbe som går förbi ..."

Christina öppnade munnen för att förklara att hon faktiskt fortfarande var fullt påklädd, att hon hade tänkt dra ner persiennerna så fort hon var klar med bäddningen och att ingen kunde se in i en lägenhet på tolfte våningen, men det kom inga ord ur hennes mun. Hennes kropp hade fattat beslutet. Ord skulle inte hjälpa.

"Stå inte där och glo", sa Astrid. "Gå och lägg dig. Och kom ihåg att några jävla horfasoner tolererar jag inte. Ska du bo hos mig så får du uppföra dig som folk."

Ändå verkade Astrid nästan normal, om än en smula oberäknelig, under de första månaderna. Hon gick upp om morgnarna när väckarklockan ringde och satte på kaffet, tvättade sig och borstade tänderna, väckte Christina och dukade fram frukost. På kvällarna satt hon framför TVn i vardagsrummet, medan Christina läste sina läxor ute i köket. Ibland ropade hon en kort order: hon ville ha kaffe eller ett fotbad eller ett nytt paket cigarretter och Christina skyndade sig att hämta TV-kannan, spola upp vatten i plastbaljan eller springa ner till kiosken. Men hon dröjde aldrig kvar i vardagsrummet efteråt. Så fort Astrids önskan var uppfylld mumlade hon något om läxor och skrivningar och drog sig tillbaka till köksbordet.

Det var lite riskabelt att tala för mycket med Astrid. Man visste aldrig riktigt vilka ord och samtalsämnen som skulle tända den där glimten i hennes ögon, den kalla lilla glimt som ofelbart fick Christina att slå ner blicken och tystna. Ordet *tokig* fick inte förekomma, inte ens om någon av de lärare som Astrid föraktade så innerligt hade gjort något riktigt tokigt. Inte heller fick man nämna Tant Ellen eller Motala eller ställa frågor om Astrids eget liv eller om den man som en gång måste ha gjort henne med barn. Dessutom rådde totalt förbud mot alla samtal som kunde ledas in på ämnen som mediciner, eldsvådor och småbarn.

Men att hålla tyst var inte så svårt, det var svårare att se till att Astrid inte kände sig kritiserad. Om Christina dammade och dammsög alltför flitigt eller tömde de överfulla askkopparna så att Astrid såg det, kunde Astrid få ett utbrott. En gång hällde hon ut fimpar och använd kaffesump på mattan i vardagsrummet, en annan gång gnuggade hon Christina i ansiktet med sina använda underbyxor som straff för att Christina hade haft fräckheten att plocka upp dem från golvet i hallen. Men det var undantag. För det mesta skällde hon bara. Mer behövdes inte, det räckte att hon höjde rösten och lät den bli en aning gäll för att Christina skulle blekna och släppa taget om dammtrasan eller dammsugarslangen. Vapenstilleståndet bröts när Christina efter flera veckors bävan äntligen vågade berätta att hon hade fått ett annat sommarjobb än det Astrid hade tänkt sig.

Redan den inledande utskällningen tog längre tid än vanligt. Det var som om Christina hade blottat ett förakt när hon valde lasarettet före fabriken, men Astrid kunde minsann förakta tillbaka. Hon gick fram och tillbaka över vardagsrumsgolvet, rökte den ena cigarretten efter den andra och talade utan uppehåll. Att jobba på sjukhus var ett jävla frökenjobb, men så var ju Christina också en jävla fröken ... Bortskämd och fisförnäm så att det stank om det. Men en sak skulle hon ha klart för sig, lilla damen, och det var att mat och husrum kostade lika mycket för fröknar som för vanligt folk. Alltså skulle hon vara så inihelvete vänlig och se till att betala precis lika mycket för mat och husrum under sommaren som hon hade gjort under jullovet, oavsett vad hon tjänade som pottkusk. Astrid hade minsann inte råd att bekosta några frökenfasoner, hon hade ju till skillnad från den där Ellen inte *betalt* för att ta hand om Christina. Och om inte galoscherna passade så var det bara att flytta: Astrid hade minsann försörjt sig själv och bott på inackorderingsrum från det hon var fjorton år. Christina hade ju redan fått ta realen, vilket var mer än Astrid någonsin hade fått, trots att hon hade varit bäst i klassen, ja, bäst i hela skolan. Det där med att ta studenten skulle förresten aldrig gå, det var bara en massa högfärdsgriller det också. Det var väl den där jävla Ellen som hade tutat i Christina det, precis som hon hade tutat i henne en massa lögner om Astrid. Var Christina så jävla dum att hon trodde att Astrid inte hade förstått det? Jo, det var hon, just det. Dum och lat, det var vad hon var. För det var ju fan så mycket bekvämare att sitta och gnida rumpan mot skolbänken som en annan överklassunge än att ta ett hederligt arbete och börja göra rätt för sig ...

Den violblå himlen utanför vardagsrumsfönstret tycktes djupna i skymningen. Det var som om Christina kunde sjunka in i den trots att hon egentligen satt med rak rygg och knäppta händer i Astrids vardagsrum. En flock med hundra svarta fåglar gled mot solnedgången, vände sedan i en sekundsnabb gemensam rörelse och bytte riktning. I nästa ögonblick fäste Christina blicken på Astrid, för första gången utan att skygga, och granskade henne. Den långa beniga kroppen liknade inte hennes egen, lika lite som den där långa hakan och den där lätt krökta näsan liknade hennes egen haka och näsa. En tanke fladdrade till i hennes huvud: det där är inte min mamma. Vi är inte ens släkt. Alltihop är ett löjligt missförstånd.

Astrid hade stelnat till:

"Vad glor du på? Hör du överhuvudtaget vad jag säger?"

Hennes händer darrade när hon lyfte dem och knöt nävarna framför Christinas ansikte. Lite saliv hade samlats i hennes vänstra mungipa.

"Har du hört ett enda jävla ord jag har sagt? Jag säger att jag inte har lust att försörja dig längre!"

Christina föste henne åt sidan och reste sig upp, plötsligt alldeles lugn.

"Hur mycket vill du ha?"

Astrids knutna händer öppnades och sjönk neråt.

"Va?"

"Hur mycket vill du ha?"

"Vad menar du?"

"Hur mycket vill du att jag ska betala hemma varje månad?"

Astrid gapade. Christina gjorde en hastig kalkyl, hon hade alltid varit bra på huvudräkning.

"Du fick hundratjugofem kronor för jullovet. Det var tre veckor. Alltså är priset för mat och husrum här i huset etthundrasextiosex kronor i månaden. Det kommer jag att kunna betala under sommarlovet också, jag får till och med tjugofem kronor över. Och till hösten får du ju studiebidrag för mig, det är på fyrahundratjugofem kronor per termin. Alltså blir jag skyldig dig tvåhundratrettionio kronor per termin eller femtionio kronor och – vad blir det? – sjuttiofem öre per månad. Jag ska se till att du får det."

Med rak rygg lämnade hon vardagsrummet och gick ut i köket, öppnade vattenkranen och hämtade ett glas ur skåpet. Vilken känsla! Hennes hjärna var lika klar och sval som vattnet som just rann ner i glaset. Men hon var törstig, åh Gud, vad hon var törstig ...

Hon hade just höjt glaset för att dricka när Astrid sparkade till henne. Det for ur hennes hand och landade på den grönrandiga plastmattan, men krossades inte, rullade bara över mattans kant ner på golvets linoleum, svajade till och rullade vidare in under köksbordet.

"En sak ska du veta", sa Astrid medan hon famlade med sina blå fingrar för att få ett riktigt stadigt tag om Christinas hår. "När någon sparkar mig i röven så sparkar jag tillbaka ..."

Christina slöt ögonen och tömde sig på tankar. Detta måste ha hänt förut. Varför skulle det annars redan smaka blod i hennes mun?

Christina släcker taklampan när hon har stängt dörren efter dagens sista patient och sjunker ner på sin stol. Hon måste få vila ögonen en stund, de är mycket trötta. Hela hon är trött: nu kommer den långa vaknatten rullande in över henne som en väldig våg ...

Hon lutar sig bakåt och sträcker ut sina händer framför sig, granskar sina spretande fingrar i eftermiddagsljuset från fönstret. De är raka och fina, ingenting i deras form visar att huden döljer fem självläkta frakturer, två på vänstra handens fingrar, tre på den högra handens. Faktiskt insåg hon inte att hon gick omkring med självläkta brott på fingrarna förrän hon kom till Lund. Under en lektion hade hon fått lägga sina händer under en röntgenapparat och när bilderna visades upp för kandidatgruppen gick ett sus av intresse genom lektionssalen. Hon lyckades inte värja sig mot bentäthetsprovet som docenten insisterade på, men när provet visade sig vara fullkomligt normalt förmådde hon ändå freda sig mot hans frågor. Hon hade ingen aning om när och hur de här frakturerna hade uppstått. Kanske hade hon halkat någon vinter och tagit emot sig med händerna. Jaså, man kunde se att skadorna hade uppstått vid olika tillfällen. Besynnerligt. Ont? Nej, hon kunde inte minnas att hon någonsin hade haft särskilt ont i fingrarna ...

Hennes ögon svider när hon minns smärtan. Fingrarna var alltid Astrids final. Vid det laget var hon tårögd av eufori och våt av saliv om läpparna. Hon knuffade ner Christina på golvet, placerade sitt knä på hennes bröstkorg och tvingade upp ett finger ur den krampaktigt knutna handen. Sekunden innan det hände var det alltid alldeles tyst i lägenheten: Astrid lyfte huvudet en aning och vädrade lätt i luften, Christina drog efter andan och försökte redan på förhand kväva skriket ...

Fast inte sista gången. Inte dagen före studentexamen, då skrek hon högt och gällt:

"Gör vad du vill! Jag tänker ändå bli läkare, jag tänker bli läkare vad du än gör!"

"Ditt satans högfärdiga stycke", viskade Astrid. "Din fisförnäma lilla skit! Du kan inte bli läkare, du kommer att hamna på dårhuset!"

Hennes grepp om Christinas ringfinger hårdnade, hon tvingade det allt längre bakåt. Smärtan var glödande vit, ändå förmådde Christina spotta ut orden:

"Tror du ja! Men det är inte ärftligt ..."

Nu skulle det hända. Snart. I nästa ögonblick. Hon pressade samman läpparna. Om hon gav så mycket som ett ljud ifrån sig skulle ännu mer i henne gå sönder.

Och Astrid skulle inte få rätt. Astrid skulle aldrig någonsin få rätt.

Christina sänker händerna. Det räcker nu, hon vill inte minnas mer.

"Jag längtar hem", säger hon halvhögt och ler samtidigt åt sig själv. Det är inte så långt till Det Postindustriella Paradiset att hon behöver längta. Det enda hon behöver göra är att resa sig upp och ta på sin cape. Hon kan lämna sin bil på parkeringsplatsen och i stället slentra genom Vadstena i den blå skymningen, och när hon kommer hem kan hon tända en brasa i sin kakelugn, sno en sjal om axlarna och slå sig ner i en fåtölj med en kopp te och en bok. Det kommer att vara så tyst omkring henne att hon kan låtsas att resten av världen är tom, att hon är så trygg som bara den sista människan på jorden kan vara ...

Så tänker hon. Men hon reser sig inte, hon hämtar inte sin cape, hon förblir bara sittande i sin skrivbordsstol.

Och så ska hon sitta ända tills telefonen ringer.

Det utvecklingsstörda leendet

"Det enda vi har är varandra
Varandra Varandra Varandra

Vi är ett dubbelskrik"
Lars Forssell

JAG VILL INTE VAKNA. Inte veta.

Mina anfall kostar mig allt oftare en förmåga eller två. Epilepsin är en storm om hösten och jag ett ensamt träd. Den rister och skakar mig så att blad efter blad faller till marken. Snart återstår bara de nakna grenarna.

I förra veckan förlorade jag känseln i höger fot. Jag vill inte veta vad jag har förlorat i dag.

Dessutom är det faktiskt inte höst. I morgon är det vårdagjämning. Vårens första dag och vinterns sista.

Benandanti känner det som en klåda i kroppen. De skruvar på sig, där de sitter på sina trista jobb i banker och butiker, de tänker på fänkål och durra i stället för på debet och kredit, de flackar med blicken och hör inte vad som sägs när de blir tilltalade. De längtar bort, de vet att redan nu flockas de som har dött i förtid någonstans och bereder sig för nattens procession.

Andra människor – sådana som Hubertsson och Christina, Margareta och Birgitta – vet ingenting om detta. De flesta minns inte ens att det är vårdagjämning och av dem som minns är det få som vet att man i andra tider har hållit helg denna dag. Varje år, ända sedan Tiamat och Marduk var Mesopotamiens gudar, har vintern och våren kämpat med varandra, hos inuiterna genom att en man född på vintern har fått brottas med en man född på sommaren, i det nyfödda Sverige genom en tornering mellan vinterns greve och sommarens, i Tyskland genom att man piskat män och djur med trädens knoppande grenar. Men den verkliga kampen har ägt rum i lönndom. I århundraden har *benandanti* mött häxorna i hemliga nattliga strider under vårdagjämningen, först i det medeltida Italien, så småningom långt upp i Norden. I söder beväpnade de sig med käppar av fänkål mot häxornas durrakäppar, i norr med knoppande trädgrenar mot häxornas grankvistar. Men överallt gällde striden detsamma: den kommande skörden. *Benandanti* skyddade människorna från hunger.

Jag bär häxornas hemliga tecken, deras *stigma diaboli*: jag kan inte gråta. Jag har aldrig kunnat gråta. Ändå ansluter jag mig till *benandanti* varje vårdagjämning som en annan desertör. Men det gör inget. I dessa dagar är det klent med andra häxor att anklaga mig. Det är klent med häxor överhuvudtaget. Därför har *benandantis* högtider ändrat karaktär. Numera är de mest försångare i De Dödas Procession fyra gånger om året. De märker knappt att en svart fågel svävar över dem och skriar om gamla tiders hunger. Det är inte så konstigt. *Benandanti* är människor som lever i sin tid och som alla andra människor i denna tid har de glömt hungern. De vet inte längre att den har långa fingrar, att den kan sträcka sig långt in i mättnadens tid och klösas.

Men jag vet. Det är därför jag skriar. Det är därför jag ska skria i natt.

Men ännu förmår jag inte lyfta. Kerstin Ett har pumpat mig så full med Stesolid att jag vilar tung som en gråsten i min egen kropp. Hjärtat bultar långsamt, varje slag driver en darrning genom bröstkorgen. Tankarna darrar i samma takt, snart kan jag inte hålla fast dem längre ...

I det här tillståndet kan jag bara se mina systrar på avstånd, jag kan inte längre knuffa dem hit och dit. Men det gör inget, vid det här laget är berättelsen sin egen maskin. Den rullar vidare min vilja och min avsikt förutan.

Margareta har just drabbats av en insikt och den skrämmer henne, därför står hon med hackande tänder framför spegeln i Det Postindustriella Paradisets badrum och försöker sno en badhandduk om sin nakna kropp. Det går inte så bra, hon fumlar och tappar taget, gång på gång får hon böja sig mot golvet, lyfta upp handduken och börja om på nytt. Hon har för bråttom, som alltid. Om hon tog sig tid att torka sig efter duschen skulle hon frysa mindre och det skulle vara lättare för henne att hålla handduken på plats. Men hon tar sig inte tid, i stället nyper hon ihop handduken över bysten och rusar ut i övre hallen, springer med fuktiga fötter nerför trappan utan att tänka på att hon lämnar spår efter sig. Christina kommer inte att bli glad, hon tycker inte om att ha spår efter fuktiga fötter på golvet. Faktum är att hon kommer att bli rädd. Visserligen kommer hon att försöka intala sig själv att fotspåren är

Margaretas, att de är en logisk följd av att hon har haft en slarvig gäst i huset, men hon kommer inte att lyckas. I flera veckor framöver kommer en liten röst inom henne att hota och varna: Passa dig! Du är kanske inte så ensam i huset som du tror, kanske gömmer sig någon eller något i ett prång, någon eller något som tycker om att att leka med tändstickor ... Stackars Christina! Hon kommer inte att sova lugnt om nätterna på flera veckor. Och hon som bara ville ha lite lugn och ro.

Birgitta är inte ett dugg intresserad av lugn och ro. Sedan man släppte ut henne ur fyllecellen har hon lyckats driva en kvinnlig aspirant från Polishögskolan till tårar, tjuvringt från en telefon på ett tomt kontorsrum, lurat sig in i personalrummet och upptäckts samt retat upp två unga polismän genom att klaga på kaffet som hon snodde åt sig därinne. Nu har man lyckats få ut henne ur arrestlokalerna. Men hon vägrar lämna byggnaden, hon har tagit sig till receptionen på nedre botten. Där står hon och fäktar med armarna, förklarar med hög röst för de trötta brottsoffer som väntar på sin tur att göra anmälan att hon för sin del anser att Norrköpings polishus är fullt i klass med vilken Gestapokällare som helst samt att hon tänker anmäla minst sju av husets tjänstemän för övergrepp i rättssak.

Ack ja. I dag är hon i form. Men kanske inte fullt så receptiv som hon borde vara. Hon inser inte att hennes val av auditorium är en aning misslyckat. Folk som just har fått sina fönster krossade, sina stereoapparater utburna och sina bilar tjuvkopplade är sällan benägna att sympatisera med högljudda medelålders damer vars ansikte och språkbruk vittnar om att de varit med om ett och annat. Inte heller ser hon att två unga polismän närmar sig henne bakifrån, två ytterst välstrukna unga polismän med en lysten glimt i blicken. Nu ska hon ut! Fyllkärringen.

Kerstin Ett klatschar hårt på min kind och tvingar mig att stirra in i hennes ögon. De skimrar som ädelstenar.

"Så", säger hon och drar av plasthandskarna. "Nu får vi ta och byta lakan, det är väldigt vått i sängen. Och så får vi sätta på henne ett torrt nattlinne ..."

"Inte uppekläder då?" säger Ulrika försiktigt.

"Nej, inte nu när hon har fått så mycket Stesolid. Hon kommer att sova i timmar ..."

Ännu vågar jag inte räkna mina förmågor, men jag rör på munnen för att visa att jag har något att säga och vill ha mitt munstycke. Kerstin Ett ser det, men låtsas inte om det. Kanske misstänker hon att jag än en gång kommer att begära att få duscha. I stället stryker hon mig över pannan med ena handen och skjuter datorställningen åt sidan med den andra. Nu dinglar munstycket och den gula slangen långt utom räckhåll. Jag kommer inte att få tala förrän någon tillåter mig att tala.

Det är först nu jag får syn på väggarna. Jag blinkar till. Det är inte sant. Det kan inte vara sant.

"Titta", säger Ulrika. "Nu fick hon syn på änglarna ..."

Kerstin Ett rynkar pannan och rättar henne.

"Man ska inte tala om patienterna. Man ska tala till dem. Hörseln brukar vara intakt in i det sista."

Min hörsel är perfekt och det vet hon. Ändå höjer hon själv rösten och halvskriker in i i mitt öra.

"Ser du änglarna, lilla gumman? Det är Marias änglar. Du är på Marias rum. Visst är det fint? Och Maria är så gullig, ni kommer säkert att komma bra överens ..."

Hon höjer på huvudet och ropar med samma skärande röst:

"Kom och hälsa på Desirée, Maria ..."

Jag ser det inte, men jag hör att Maria måste vara en lydig person. I samma ögonblick som Kerstin Ett ropar sin förklädda order, släpper hon taget om ett metallföremål och låter det falla i bordet, skrapar med en stol någonstans och hasar in i mitt synfält. För ett ögonblick tycker jag att jag känner igen henne, men inser genast att det är ett misstag. Denna Maria har grå ögon, hon saknar de gula och bruna strimmor som vilade som ett hot i Tiger-Marias ögon.

"Ska du inte hälsa på Desirée?" säger Kerstin Ett.

"Hej Desirée", säger Maria och ler sitt vädjande leende.

I många år levde jag bredvid ett sådant leende. Jag känner det väl. Det är de utvecklingsstördas enda sköld mot världen: ett botgörarleende, ett tiggarleende.

På slutet log Tiger-Maria varje vaken minut.

Själv vägrade jag redan tidigt att le, jag trodde att om jag inte log på det där sättet så skulle världen inse att jag inte var utvecklingsstörd, att jag bara såg utvecklingsstörd ut. Men det var ett fåfängt hopp. Redan från början hade överläkare Redelius en gång för alla slagit fast att jag var så gravt utvecklingsstörd att det inte ens var lönt att tala till mig. Och nu, när jag var nästan tolv, upprepade han sin diagnos varje gång det var min tur att inspekteras vid veckoronden på Vanföreanstalten. Det hjälpte inte att det låg en hög av böcker på mitt nattygsbord. Jag bläddrade bara i dem, hävdade han. Det var ett mekaniskt beteende, en härmning.

"Grünewald och de andra må inbilla sig att varenda idiot kan bli professor", sa han och gjorde en liten paus. "Men ibland måste man inse faktum. Ett barn av det här slaget måste matas tre gånger om dagen och tvättas två gånger om dagen, i övrigt finns det ingenting att göra."

Översköterskan vid hans sida nickade och låtsades göra en anteckning. Hon låtsades alltid anteckna allt han sa, och trots att alla kunde se att hon förde pennan ett par millimeter ovanför journalarket, så tycktes Redelius själv inte märka det. Tvärtom tycktes pennans rörelser smickra honom: då och då gjorde han en liten konstpaus för att hon skulle hinna med att anteckna allt.

"Som klinikchef", fortsatte han långsamt och tydligt, "har jag ett ansvar inte bara mot patienterna, utan också ..." Paus. "... mot våra uppdragsgivare, det vill säga skattebetalarna." Lång paus. "Man måste ändå inse att det är bättre att satsa allas våra skattepengar på barn och ungdomar som har en framtid ..." Paus. "... än på varelser som på sin höjd kan tränas till en schimpans nivå ..." Ny paus. "Som denna."

Därmed var jag avklarad. Han vände sig mot sängen intill, där Tiger-Maria låg i stram givakt. Hon var tretton år den gången och hade just börjat inse ett och annat om sig själv och om sin tillvaro. Denna dag var hon fastspänd i sängen. Redelius granskade remmen.

"Har Maria varit stygg?"

Översköterskan tryckte journalbunten mot sitt bröst.

"Hon försökte rymma."

Redelius skakade på huvudet som om han hade drabbats av en stor sorg:

"Maria, Maria, Maria! Vad har du gjort?"

Tiger-Maria brast i gråt: det var en högljudd, brölande barnagråt, som på ett ögonblick fuktade hela hennes ansikte, kinderna med tårar, pannan med svett, hakan med saliv. Mina spasmer tilltog, jag ville förklara att Tiger-Maria inte alls hade tänkt rymma, att hon bara hade tänkt halta i väg till kiosken. Hennes mamma hade skickat en hel femkronorssedel i ett kuvert till hennes födelsedag och Tiger-Maria hade tänkt köpa godis åt oss alla. Hon hade glömt att man inte fick gå utanför grindarna utan att fråga husmor, men var det inte mänskligt att glömma? I synnerhet om man var tretton år, hade Downs syndrom och ett närminne som tagit stryk av hundratals epileptiska anfall? Dessutom skulle Maria aldrig någonsin kunna rymma, hennes höftledsskada gjorde det omöjligt för henne att gå längre än ett par hundra meter i taget, visste de inte det? Mindes de inte det? Men det blev inga ord. Vid det här laget kunde jag bara hjälpligt göra mig förstådd om jag själv var alldeles lugn och om den som lyssnade tog god tid på sig. Och nu var det ingen som lyssnade. Allt jag fick ur mig var skummande saliv och några oartikulerade läten. Redelius märkte inte att mina spasmer hade blivit häftigare, han såg på Tiger-Maria och suckade djupt:

"När hände detta?"

Översköterskan sänkte sin penna och såg allvarligt på honom.

"I går."

"Och vad har syster och husmor bestämt?"

"Sängläge i tre dagar. Ingen utelek den fjärde och femte dagen."

Redelius nickade.

"Där hör du, Maria. Regler är till för att följas. Och nu hoppas jag att du lär dig något av den här erfarenheten."

"Ja-haa!" snyftade Tiger-Maria och log sitt tiggarleende bakom tårarna. "Jag lä-här mig, jag lo-hovar att jag lä-här mig ..."

Själv slöt jag ögonen, plötsligt alldeles rasande på Tiger-Maria.

Vi var fyra flickor på salen: Tiger-Maria och jag, Elsegerd och Agneta. Vi hade var sin säng, var sin byrå och ett gemensamt litet arbetsbord med två stolar. Utanför vårt fönster växte en jättelik ek, utanför vår dörr låg en lång korridor med åtta bruna dörrar. En trappa upp fanns en likadan korridor, en trappa ner likaså. I slutet av varje korridor fanns en liten sköterskeexpedition. Dit fick barnen inte gå in, den som ville något fick knacka och vänta tills syster öppnade dörren. Det gjorde ingenting. De flesta av oss skulle ändå inte ha kunnat ta sig över tröskeln. Alla var rörelsehindrade, mer eller mindre gravt.

Det som var speciellt med vårt rum var att vi alla fyra utöver våra andra handikapp hade epilepsi. Därför måste vi ha hjälm dygnet runt. Fast egentligen var det inga riktiga hjälmar; det var ett slags vadderade mössor som knäpptes under hakan. För Elsegerd och Agneta var mössorna ett avskytt kastmärke, medan jag och Tiger-Maria tog det hela med jämnmod. Vi var ju ändå kastlösa.

Det rådde nämligen strikt hierarki bland barnen på Vanföreanstalten: högst i rang stod den som var minst skadad, lägst i rang stod den som både hade rörelsehinder och en utvecklingsstörning. För de icke utvecklingsstörda var ingenting viktigare än att hålla rågången tydlig mot idioterna. Det var en ren försiktighetsåtgärd. Alla visste att utanför grindarna riskerade vi alla att bli betraktade som idioter och det var farligt, eftersom den som blir betraktad som idiot har en tendens att till slut leva upp till rollen. Och epilepsi måste ju vara en sorts utvecklingsstörning. Ingen som inte var idiot skulle ju kasta sig omkull på golvet med jämna mellanrum, tugga fradga och kissa på sig.

Elsegerd och Agneta skulle ha stått högt upp i hierarkin om det inte hade varit för epilepsin. Elsegerd hade klumpfot och behövde bara en enda käpp, Agneta hade ryggmärgsbråck och måste visserligen sitta i rullstol, men det kompenserades av att hon var så söt. Ur den vadderade hjälmen strömmade ett vattenfall av vita lockar, och när hennes lilla dockansikte sprack upp i ett vemodigt leende fick alla människor tårar i ögonen. Vid julfesterna fick hon alltid sjunga "Jag ska måla hela världen lilla mamma ...", och då hände det att till och med Redelius brast i stum, grimaserande gråt.

Agneta hade en mamma på riktigt. Och en ovanligt hängiven mamma. Vid minsta lilla skurlov dök hon upp på anstalten och drog med sig Agneta ut på promenader runt Stockholms alla affärer. På kvällen rullades hon in på salen med knäet täckt av påsar och paket. Ville vi se? En ny blus! Ett pussel! En tvål som luktade parfym! Vid alla längre lov fick hon dessutom åka hem till villan på Svartsjölandet eller sommarstugan på Singö, precis som om hon hade varit en riktig internatskoleelev.

Elsegerd och Tiger-Maria hade också mammor, men de hade det inte riktigt lika förspänt. Elsegerds föräldrar var missionärer i det svartaste Afrika och kom bara hem vart tredje år, Tiger-Marias mamma var änka med fyra barn i Vilhelmina. Hon kunde inte komma ens så ofta som missionärerna. Men varje vecka skickade hon ett kort till Tiger-Maria, ett kort som systrarna läste högt vid lunchen och som Tiger-Maria sedan sparade i en skokartong. När de andra flickorna läste läxor brukade Tiger-Maria dra fram en stol till min säng och bre ut alla sina vykort över mitt täcke. Vilket tyckte jag var vackrast? Vinterbilderna? Eller solnedgången över Malgomaj? Jag röstade alltid på vinterbilderna, men det var Tiger-Maria som fällde avgörandet och hon valde alltid solnedgången över Malgomaj.

Efter läxläsningen började min skola. Elsegerd var min lärare, Agneta min pennhållare, Tiger-Maria min beundrare. Jag behövde dem alla, Tiger-Maria inte minst.

Det började som en lek, en lek som Elsegerd ville leka för att hon redan i första klass hade bestämt sig för att hon skulle bli lärarinna när hon blev stor. Läxbordet var hennes kateder, de båda stolarna elevernas bänkar. Till en början försökte hon få Agneta och Tiger-Maria att vara elever men de tröttnade snabbt, Agneta därför att hon redan kunde det som Elsegerd hade att lära ut, Tiger-Maria för att hon inte kunde hänga med. De fnissade och pratade strunt, de ville leka andra lekar. Och när de hade försvunnit ut ur salen började Elsegerd i brist på bättre att undervisa mig. Jag blev så ivrig att jag började dregla. Ingenting ville jag hellre än att lära mig tyda de där små tecknen i böckerna. Det måste vara som att lyssna på radio med ögonen och att lyssna på radio var det roligaste jag visste.

"O", sa Elsegerd och viftade med sin läsebok. "O, mor en orm!"

"Öööh", svarade jag.

"Nejnej", sa Elsegerd. "Du måste försöka! O heter det. O!"

"Öhhh!"

"Jo! Du kan visst lära dig det här! O mor! Orm!"

"Ooöh!"

"Ja! Bra! Nu får du en stjärna i boken. Det här är M. Kan du säga M?"

"Ööömm!"

"Ja! Precis rätt! Du får en stjärna till, Desirée. Och nu är det slut för dagen, nu ska vi sjunga en psalm och be till Gud!"

"Öööm!"

"Det ska vi visst det, det är bara elaka flickor som inte vill be till Gud!"

Hon krånglade ihop mina motspänstiga händer, flätade mina fingrar om varandra och skyndade sig att i rasande takt rabbla Fader vår innan mina spasmer slet händerna åt sidan.

"Amen!" slutade hon andfått.

"Öhmn!" sa jag och fick Elsegerds bleka lilla ansikte att spricka upp i ett brett leende.

"Åh", sa hon. "Nu får du en stjärna till!"

Sådan var min grundutbildning: en väg beströdd med Elsegerds stjärnor. Efter en liten tid slog sig Agneta ner bredvid Elsegerd och hjälpte mig att hålla pennan när jag skrev, medan Tiger-Maria lade sig på sin säng och gapade av förundran över mina framsteg. När vi hade lämnat läseboken gick vi in i multiplikationens land, vi strövade vidare över naturlärans alla ängder och namngav fåglar och träd som jag aldrig hade sett, vi höll andan med Gustav Vasa när han gömde sig i hölasset och vi flög tillsammans över kartbokens alla landskap. Elsegerd var en lysande pedagog, ibland lite väl lysande. Hon berättade så levande om Valdemar Atterdag och Kristian Tyrann att Tiger-Maria utvecklade en fullkomlig fobi för danskar. Och när det visade sig att Redelius skulle åka på studieresa till Amerika i tre hela månader och ersättas med en dansk vikarie blev hon panikslagen.

Preben hette han. Han slog oss med häpnad genom att komma till vår sal alldeles ensam, utan Redelius vanliga hov av sköterskor och biträden, och genom att bete sig som en gäst. Han gick från Elsegerds säng till Agnetas och därefter till min, hälsade och tog i hand. Men när han kom till Tiger-Marias säng såg han förbryllad ut. Var var den fjärde ungen?

De andra flickorna formerade genast ett försvar: Elsegerd haltade fram till honom och neg upprepade gånger medan hon i vaga ordalag bad om ursäkt för Tiger-Maria, Agneta kopplade på charmen och glittrade med sina solskensögon medan hon berättade att Tiger-Maria faktiskt låg under sängen och var rädd.

"Er hon rädd for dogtorn?" sa Preben med sin grötiga brytning.

"Nej", sa Agneta. "Hon är rädd för danskar ..."

Preben såg häpen ut, men fann sig snabbt, lade sig på knä och kikade in under sängen.

"Hej", sa han försiktigt.

Tiger-Maria tjöt till och slog händerna för öronen.

"Hvorfor er du rädd for danskar?" sa Preben.

Tiger-Maria tjöt ännu högre, Elsegerd blev ängslig och skyndade sig att linka fram till dörren och stänga den. Preben blev ännu mer förvirrad.

"Hvorfor stänger du?"

Elsegerd blev rädd och kom sig inte för att svara, men Agneta lade huvudet på sned och log sitt älskligaste leende.

"Hon stänger för att husmor och syster inte ska höra hur Maria skriker ..."

"Åhå", sa Preben och satte sig i skräddarställning på golvet. "Og kan du nu vara så snäll och förklare hvorfor Maria är rädd för danskar."

"Valdemar Atterdag", sa Agneta.

"Kristian Tyrann", sa Elsegerd.

Preben skrockade till och reste sig upp, borstade av sin vita rock och satte sig på Tiger-Marias sängkant.

"Valdemar Atterdag", sa han. "Vet ni vad det namnet betyder?"

Det visste vi alla, till och med Tiger-Maria. Men det var Elsegerd som svarade medan hon långsamt sjönk ner på sin egen sängkant.

"Valdemar Åter Dag."

"Jo", sa Preben. "Just det. Och det namnet fick han för att han befriade Danmark ur nattens mörker ..."

Vi kände igen hans tonfall. Så lät tanterna på radion när de berättade sagor.

Han var till och med en bättre pedagog än Elsegerd. I en halvtimme satt han på Tiger-Marias säng och berättade om hur Valdemar Atterdag med en utsökt kombination av list och vapenmakt försvarade det Danmark som klämdes mellan Sveriges kung Magnus och holsteinarna. Det blev alldeles tyst i salen och efter bara en liten stund kunde jag se Tiger-Marias hand vila platt mot golvet. Hon höll inte för öronen längre, hon lyssnade lika intensivt som vi andra. Och när Preben några dagar senare kom tillbaka till vår sal för den ordinarie veckoronden – den här gången åtföljd av hela Redelius hov – stannade hon snällt kvar i sin säng och låg i stram givakt, precis som översköterskan hade sagt att man skulle göra. Han stannade vid hennes säng och log.

"Hej", sa han. "Vet du vem jag är?"

Maria slog ner blicken och log sitt botgörarleende.

"Du är dansken ..."

Översköterskan drog häftigt efter andan, hon skulle ha gett Tiger-Maria en omedelbar tillrättavisning om inte Preben hade hejdat henne med en rörelse.

"Men vet du vad jag heter?"

"Mmmm", sa Maria. "Du heter Valdemar Atterdag ..."

Maria hade rätt. Preben var vår Valdemar Atterdag. Han kom till oss med ljuset, han var den förste som fick oss att ana att allt inte måste vara som det alltid varit. Han såg till att Elsegerd fick komma till en yrkes-valslärare för studierådgivning, att Agneta fick sjukgymnastik för sina förtvinade benmuskler och att Tiger-Maria fick en ny söndagsklänning. Det behövdes. I åratal hade Tiger-Maria ständigt gått klädd i andra flickors urtvättade klänningar och avlagda blusar. Nu gled hon lysande som en fyrkantig liten brud uppför kapellets mittgång när det blev dags för söndagsmorgonens andakt, iförd en mörkblå kreation i vinterbomull med krage av äkta maskinbrodyr. Men det var ändå jag som fick den största gåvan. Jag fick en remiss till en talpedagog på Karolinska sjuk-huset.

Vid det laget var jag tretton år gammal och hade bott i Stockholm så länge jag kunde minnas, ändå hade jag aldrig sett staden. När de andra barnen fick åka på utflykt – och det hände minst en gång om året – fick sådana som jag och Tiger-Maria inte följa med. Det var ju meningslöst, vi skulle ju inte begripa vad vi såg.

Men nu fick jag alltså åka till Karolinska. Ensam. I taxi.

Jag glömmer det aldrig. Ett av vårdbiträdena klädde mig i en klän-ning som Agneta hade haft när hon var sju år gammal, bar mig nerför trapporna och satte mig i bilens baksäte. När vi kom fram till den röda tegelbyggnaden bar taxichauffören in mig till talpedagogen. Hon hette fru Nilsson och var en elegant liten kvinna med höga klackar och upp-fälld krage på skjortblusen. Hennes läppar skimrade av ceriserött läpp-stift, naglarna var täckta av ett lack i exakt samma nyans, håret var om-sorgsfullt kammat och tuperat i en mycket modern frisyr. Ändå var det hennes besynnerliga leende som fascinerade mig mest: i stället för att dra mungiporna åt sidan, snörpte hon läpparna till en liten cirkel så att det bildades tre sneda streck på var sin sida om strängen under näsan. Det såg ut som om hon hade morrhår, som om hon var en glad liten mus i en serietidning.

Men snart skulle jag lära mig att detta inte var någon vanlig mus. Det var ett lejon i förklädnad, ett lejon vars rytanden tvingade det ena omöj-liga ordet efter det andra över mina läppar. Rent skulle det vara, inget grufflande och stönande! Men när Redelius kom tillbaka från Amerika och än en gång ville spara skattepengar visade det sig att hon var sträng-are mot min överhet än mot mig. Först avgav hon en serie låga morranden och därefter ett rytande som fick honom att darrande ge vika. Jag skulle få fortsätta att åka till Karolinska en gång i veckan för talträning. Det kan ha haft ett visst samband med att fru Nilsson var gift med en av Karolinskas främsta neurokirurger: som alla auktoritära personer var Redelius innerst inne en hund. Han lade sig på rygg och blottade strupen så fort han vädrade en makt som var större än hans.

Ingenting annat var sig heller likt för Redelius. När han reste till Amerika var han fortfarande kung i eget rike, när han kom tillbaka var han en sjaskig diktator på fallrepet. Det var som om hans vikarie hade rivit upp ett hål i den mur som omgav anstalten och genom det hålet strömmade ljus och luft och nya tankar. Fast kanske var det där hålet inte bara Prebens förtjänst. Andra krafsade också i det. En radioreporter beskrev vår verklighet med mild stämma och fick hela nationen att börja tvivla på att det var alldeles självklart att det vi mest behövde var kadaverdisciplin och gudstjänster. Några modiga föräldrar vågade komma med rena invändningar: Var det verkligen nödvändigt att utbilda alla rörelsehindrade barn till korgmakare och bokbindare? Måste man ens sätta dem på anstalt för att gå i skola? Vore det inte både billigare och bättre att bygga rullstolsramper i de vanliga skolorna och låta dem bo kvar hos sina föräldrar? Och på sitt kontor i boaserad valnöt gned socialministern sin haka och tänkte högt: Var det inte dags, nu när folkhemmet var färdigbyggt, att också satsa en slant på de allra sista styvbarnen, de utvecklingsstörda?

Vi hade hunnit bli tonåringar alla fyra vid det laget och iakttog skadeglatt det moln som skuggade Redelius panna. Tre av oss visste dessutom molnets namn: Karl Grünewald och den kommande omsorgslagen. Till och med Tiger-Maria och jag skulle få rätt att gå i skola! Och det skulle bli förbjudet att binda fast barn i sängen och att sätta tvångströja på Tiger-Maria när hon längtade hem.

Vad vi njöt under dessa dagar! Väggarna i vår sal målades i gulaste gult och sköterskeexpeditionen byggdes om till dagrum. Föräldraföreningen begärde anslag till en TV och när apparaten väl var på plats förmådde man husmor att införa nya läggtider. Nu fick alla som var över tio år gamla vara uppe ända till nio varje kväll! Nere på bottenvåningen inrättades ett lekrum för de allra minsta med pedagogiska leksaker i gult och blått och grönt. På torsdagarna kom kladdtanten, och då fick sjuåringarna klä av sig i bara underbyxorna och tillbringa en timme i full frihet duschrummet med några stora burkar fingerfärg. När timmen var slut radade kladdtanten upp dem i duschen och spolade av dem. Svårare än så var det inte, förklarade hon när husmor ojade sig. Fingerfärgen var faktiskt vattenlöslig och ungarna skulle väl tvättas ändå. Och nog borde rullstolarna tåla en skvätt vatten!

För oss äldre var bokvagnen den stora nyheten. Bibliotekaren hette Barbro och hon skrattade med stora vita tänder när hon samlade oss till sagostund i dagrummet. Efteråt stannade hon alltid kvar en stund med de mest läslystna och log hemlighetsfullt medan hon delade ut veckans lånebok till var och en: *Pippi Långstrump* till Agneta, *Kulla-Gulla* till Elsegerd och – med en blinkning som visade att hon hade begripit vad jag var för en – *Herr Arnes penningar* och *Körkarlen* till mig.

Men det var svårt att få läsro numera. Plötsligt var det liv och rörelse i hela det stora huset. Föräldrar och syskon började dyka upp vid vilken tid på dagen som helst. Folk som bara några år tidigare hade nigit och bockat och skrapat med foten fnös nu bara föraktfullt när husmor och systrarna klagade över att besökstiderna inte respekterades. Hade en mor inte rätt att träffa sitt barn närhelst hon ville? Var det här ett fängelse kanske? Fanns det ingen på det här stället med ens elementära kunskaper om barns behov och barns utveckling?

Ljuset strömmade in i våra salar.

Ingen tänkte på att där det är som ljusast, där ruvar också de svartaste skuggorna.

Ett andetag. Så började det.

De andra tre flickorna hade redan sjunkit så djupt i sömn att deras andning inte längre hördes. Jag låg ensam vaken och stirrade ut i mörkret. Detta var dygnets bästa timma, den enda som var helt och hållet min. Nu kunde mina tankar flyga fritt, utan att studsa mot flickornas prat och sköterskornas rutiner.

Jag låg och tänkte på Stefan. Han var ett år äldre än jag och bodde i salen ovanför. Ja, faktiskt stod hans säng precis ovanför min. Det hade Agneta berättat. Till skillnad från mig hade hon varit en trappa upp. Jag hade aldrig sett vare sig hans rum eller hans korridor, men Stefan själv såg jag varje dag när vi rullades ut i parken. Han hade blont hår och pastellfärgad olivhy, det var som om hela pojken hade doppats i guld. Luggen var lång och rebellisk, men inte längre än att man också kunde skönja den fint tecknade svala som svävade över pannan: hans ögonbryn.

Stefan skrev dikter. Det visste alla, precis som alla visste att hans glödande förtvivlan en gång hade blossat upp och drivit honom att skrikande svepa en krycka över arbetsbänken i bokbindarverkstaden, så att tryckark, lim och trådrullar föll i en enda röra på golvet. Läraren och de mest rörliga eleverna tog till flykten, och när de väl hade försvunnit hade Stefan spärrat dörrhandtaget med en annan elevs käpp. I över en timme stod hans barrikad, inte ens när Redelius till slut inställde sig på andra sidan dörren och hotade med redan halvt glömda straff som tvångströja och läderremmar tog Stefan bort käppen. Vaktmästaren fick klättra in genom fönstret och rulla bort honom från dörren. Men vid det laget hade Stefan slutat skrika och dolt sitt ansikte i händerna.

Alla flickor på anstalten var kära i Stefan. Undantagslöst. Jag var inte dum nog att tro att han någonsin ens skulle tala till mig, men jag tyckte om att ha honom att tänka på. Ibland unnade jag mig en liten dröm: i den hade man ställt två rullstolar bredvid varandra under den stora eken, och där läste Stefan sin senaste dikt för Desirée, alltmedan hans hand sökte hennes och vinden susade i lövverket ovanför ...

Det var i en sådan stund det först hördes. Det främmande andetaget.

Jag hade inte hört dörren öppnas eller stängas, inga steg över korkmattan, inte ens det vaga, viskande ljud som uppstår när tyget i en skjortärm glider mot tyget i själva skjortan. Det var bara detta enda ljud: ett djupt andetag. Nästan som en suck.

Det var mörkt i salen, men inte mörkare än att man kunde skönja skuggor och konturer. Ändå dröjde det en stund innan jag fick syn på den nya skuggan borta vid dörren. Den var fullkomligt orörlig, ändå var det inget tvivel om att detta var konturen av en levande varelse. En mycket uppmärksam levande varelse.

Det var som om den kunde känna min blick. I samma ögonblick som jag fick syn på skuggan, visste den att jag var vaken. Men den skyggade inte och drog sig inte djupare in i mörkret, den tog ett steg framåt och lät sin andning höras på nytt. Tung var den. Flåsande.

Nu var jag inte längre ensam vaken. Jag kunde höra hur Elsegerd prasslade med lakanen och hur ett kvävt litet ljud kom från Agnetas säng. Bara Tiger-Maria sov vidare, men inte lika djupt som tidigare. Hon vred sig i sömnen och hennes andning avslöjade att hon var på väg att vakna.

Och skuggan ville ha oss vakna. Med viskande steg gled den från säng till säng, som om den ville försäkra sig om att vi alla var beredda att se och höra det som nu skulle hända för första gången och som sedan skulle hända varje natt i många månader framöver. Först stannade den vid kortändan på Elsegerds säng, därefter vid Agnetas och sedan vid min. Den lade handen mot sängavelns galler och riste försiktigt så att en darrning for genom hela bädden. Det var ett hot, en varning. Jag vågade inte röra mig, men jag kisade; jag gjorde mina ögon till smala små streck och försökte se så mycket jag kunde. Förgäves: det fanns inget ansikte att se. Det som stod framför mig var bara en skugga.

Men nu vände den ryggen åt mig och gick mot Tiger-Marias säng, stannade vid hennes sängkant och lyfte ena handen som till en välsignelse.

"Åh, Maria", viskade en röst ur mörkret. "Min ängel, min lilla tigerblomma! Min hora! Min slemmiga lilla fitta!"

Efteråt, när dörren hade stängts och de hasande stegen inte längre hördes ute i korridoren, låg vi tysta i en evighet och stirrade ut i mörkret. Bara ett enda ljud hördes, ett svagt kvidande som steg ur Agnetas säng. Det var ett vasst och gnisslande läte, som stack sönder mina trumhinnor och trängde som en nål genom mitt huvud. Till slut blev det outhärdligt. Jag försökte pressa händerna mot öronen, men mina spasmer slet dem åt sidan så att det ändå trängde in. Och plötsligt hörde jag att jag själv hade stämt in, att ur min egen hals steg samma gälla ljud som ur Agnetas.

Det var Elsegerd som till slut gjorde det oerhörda, det mest förbjudna. Hon tände ljuset, famlade efter sin krycka och reste sig ur sängen. Det var stränga straff på sådant. På nätterna fanns inga utomstående på anstalten och då gällde fortfarande den gamla tidens regler.

Jag glömmer henne aldrig där hon stod, vinglande och vacklande på sin krycka, och strök sin askblonda lugg ur pannan. Plötsligt var Elsegerd vacker; ansiktet vitt, ögonen svarta och djupa. Utan ett ord haltade hon fram till Tiger-Marias säng och tog tag i det skrynkliga överlakanet, slet upp det och skakade det, vände det sedan ut och in, slätade ut det över Tiger-Marias orörliga kropp och stoppade om henne.

Jag sträckte på halsen och såg på Tiger-Maria. Hon låg stel som en docka och stirrade leende upp i taket.

En dag många år senare, när jag redan hade flyttat från servicehuset och bodde i min egen lägenhet sedan i flera år, stod en främmande kvinna plötsligt i min dörr. Hon hade en kanelbrun kappa och jag minns att färgen förvånade mig. Jag hade aldrig kunnat föreställa mig att brunt kunde vara en glödande färg. Men den här kappan glödde så att jag inte kunde se vem som var i den.

"Hej Desirée", sa hon. "Känner du inte igen mig?"

Jag blinkade frågande mot henne. Elsegerd?

"Du minns väl mig", sa hon och tog några steg in i mitt vardagsrum. Hon haltade fortfarande, men numera inte värre än att hon kunde klara sig med en liten käpp.

"Vi var rumskamrater på Vanföreanstalten ..."

Jag häpnade. Det hade aldrig fallit mig in att jag någonsin skulle få se vare sig Elsegerd eller Agneta igen. När vi skildes åt var det för alltid, eftersom sådana som vi inte tilläts fatta våra egna beslut. Agneta försvann redan innan Tiger-Maria hade gått bort, Elsegerd omedelbart efteråt. Hon hann inte ens vara med på begravningen. Trots att hon egentligen var för ung skulle hon få börja på en riktig folkhögskola. Hon slängdes mellan gråt och skratt de sista dagarna; jublade i ena stunden över den frihet som skulle komma, sjönk ihop i sorg över Tiger-Maria i nästa.

Men nu satt hon i mitt vardagsrum, i den ljusa fåtölj som jag nyss hade köpt för att kunna bjuda mina gäster att sitta. I fem år hade jag bott i min lägenhet och fortfarande njöt jag av ordet min. Min lägenhet. Min fåtölj. Mina gäster.

"Åh", sa Elsegerd och såg sig omkring medan hon knäppte upp kappan. "Vad fint du har det. Så ljust och vackert!"

Det var en bländande vinterdag, en sådan dag då glittrande dammkorn lekte i solstrålarna över parketten och då jag kunde njuta mer än vanligt av färgerna i mina blommiga gardiner. Jag njöt ofta av mina blommiga gardiner på den tiden, faktum var att jag ibland misstänkte att jag höll på att bli gardinfetischist. Men resten av det som fanns i rummet var också vackert: det blonda björkbordet, den röda soffan, de överfulla bokhyllorna. Och den handvävda trasmattan, förstås, den som jag hade fått köpa billigt tack vare Hubertssons känningar i Hemslöjdsföreningen.

Jag var så upptagen av att yvas över mitt vackra vardagsrum att jag först inte såg det som blottades när Elsegerd tog av sig kappan. Men när jag fick syn på den drog jag efter andan: en vit rundkrage mot ett svart skjortbröst. Vid det laget kunde jag fortfarande gripa efter mitt munstycke med handen, jag stoppade det hastigt i munnen och blåste:

"Är du präst?"

Elsegerd slog ner blicken och strök med handen över kjolen i en mycket flickaktig gest.

"Mmmm. Jag prästvigdes förra året ... Det är därför jag är här i Vadstena. Ekumenisk konferens, du vet. Fast jag skolkar i dag. För din skull."

Jag sträckte ut min hand så gott jag kunde och snuddade vid hennes.

"Jag är glad att du kom."

Hon kastade en hastig blick på min bildskärm och log.

"Jag också. Jag tänkte att vi kunde fira din födelsedag så här i efterskott. Jag har köpt Napoleonbakelser ..."

Jag skrattade till och blåste:

"Så du mindes det? Att det var vad jag önskade mig varje år?"

"Mmm. Det var snällt av Agnetas mamma att ordna födelsedagskalas fyra gånger om året ..."

"Minns du när Tiger-Maria önskade sig en prinsesskrona?"

Elsegerds ögon blev blanka och hon tittade bort.

"Ska jag sätta på kaffet?" sa hon. "Eller klarar du det själv?"

Jag startade motorn på min rullstol och gled ut i köket.

Inte förrän flera timmar senare, när det hade blivit skymning, kunde Elsegerd tala om Tiger-Maria.

"Jag tänker på henne varje dag", sa hon och fingrade på sin kjol. "Att det var mitt fel ..."

Jag lät min skärm förbli mörk.

"Jag menar – du kunde ju inte göra något, du kunde ju inte berätta ... Och Agneta var för spröd, man kunde inte begära det av henne. Men jag borde ha gjort mer än vad jag gjorde. Jag var äldst och friskast, jag borde ha begripit att hon skulle dö ..."

Jag lät några trösteord fladdra över skärmen:

"Du försökte ju. Jag vet att du pratade med husmor fast du aldrig sa något till oss andra."

Elsegerd gjorde en grimas.

"Hon sa att jag hade snuskig fantasi. Kan du tänka dig det! Hon såg att Tiger-Maria först slutade prata och sedan slutade äta, att hon gick omkring och log det där ihåliga leendet dag efter dag ... Och så påstod hon att det var jag som hade snuskig fantasi!"

Jag suckade så djupt att mina ord hamnade längst ner på skärmen:

"Det är ju så det är. Fortfarande. Det är inte sådana som vi som bestämmer vad som är verkligt ..."

Elsegerd snörvlade till:

"Men jag borde ha gjort som den där Stefan, jag borde ha blockerat dörren så att den där varelsen inte kunde komma in. Och jag borde ha skrikit så att nattsköterskan hade varit tvungen att komma..."

"Det hade inte hjälpt. Hon var ju nere hos småbarnen för det mesta. Och även om hon hade hört oss så var hon för långt borta. Han hade hunnit undan och ingen hade trott oss."

Elsegerd lutade sig fram och grep efter min hand.

"Men du vet, inte sant? Du minns honom och vad han gjorde? Fast vi aldrig vågade prata om det? Fast vi bara teg och teg och teg?"

"Jag minns."

Elsegerd andades ut, hennes ansikte glänste vitt som silver i skymningen.

"Tack."

Jag drog åt mig min hand.

"Vad är det att tacka för?"

Elsegerd svarade inte och efter en stund suddade jag bort mina ord från skärmen. Nog visste jag vad hon tackade för.

Så satt vi länge tysta och mindes Tiger-Maria.

Han är på väg. Jag hör honom där han går i trappan och muttrar för sig själv. Men jag vill inte att han ska komma. Inte ännu. Inte innan jag har inventerat mina förmågor.

Och ändå, när jag hör honom knuffa till dörren och hasa in i rummet viker tröttheten undan, den drar sig ut till havs som vore det ebb och lämnar stranden fri. Jag slår upp ögonen.

"Var fan har du hamnat? I himmelrik?"

Hubertsson står mitt på golvet och sveper med handen över hjässan för att göra sig fri från en ängels vita handduksklädnad.

Jag rör på läpparna för att visa att jag vill tala. Hubertsson lufsar fram till sängen och drar fram min dator, sticker sedan munstycket i min mun medan han säger:

"Och hur kan du vara vaken? Du har fått fyra klysmor Stesolid, du borde vara utslagen för ett dygn framöver ..."

Det är tungt att blåsa ett svar:

"Du ser inte så pigg ut själv. Hur är det med dig?"

"Äh, jag hade en liten känning. Men det är ingen fara. Jag ska gå ut och äta en rejäl lunch bara, sedan går jag hem och vilar."

Var rädd om dig, vill jag säga. Akta dig. Drick inget vin till lunchen och kontrollera din blodsockerhalt varje timme! Men jag passar mig, jag minns den första paragrafen. Inga närgångenheter. Därför gör jag bara en kort puff: bra.

"Jag tänkte bara att jag skulle kolla upp dig lite. Efter Stesoliden..."

"Christina var här."

Hubertsson slänger en blick på skärmen och säger:

"Jo, jag vet det. Hon sa det. Fast hon trodde nog att du sov ..."

Jag säger inte att hennes tanke väckte mig: *En sån liten stackare* ... Det ska hon få betala för. Förr eller senare.

"Jag var halvvaken."

Hubertsson harklar sig och tittar bort:

"Ibland slumpar det sig ... Hon hade hittat en död fiskmås i går. I sin trädgård."

Jag svarar inte, ser bara på honom. Han vågar inte möta min blick, griper efter min handled i stället, ser på sin klocka och räknar mitt hjärtas slag. Det är ovanligt, han brukar låta sköterskorna ta pulsen. Greppet är fjärilslätt, hans fingertoppar varma.

"Hmmm", säger han sedan och släpper taget. "Du är trött eller hur?"

Kort puff. Ja.

"Jag får ta ett samtal med KåEtt. Det här har passerat gränsen ... Fyra klysmor Stesolid!"

Jag svarar inte. Orkar inte. Vattenmassorna är på väg mot stranden igen. Hubertsson ser sig omkring, letar efter en sittplats. Men i det här rummet kan han inte sitta i fönsternischen, min säng står i vägen. Därför blir han tvehågset stående vid min sängkant och far med blicken över väggarnas tusen änglar. Mina ögon följer hans och trots att jag på nytt håller på att dränkas av trötthet, inser jag att jag bara såg en bråkdel när jag sist slog upp ögonen. Marias änglar trängs och skuffas i flera lager över väggarna, nyfikna keruber kikar över serafernas axlar, väldiga vita mansvingar stöter mot mjukt rundade kvinnovingar, allt medan vingliga små *putti* flaxar runt och försöker få luft under sina glitterbeströdda små utväxter ...

"Det här är inte klokt", säger Hubertsson.

Han har rätt. Det är inte klokt. Och i nästa stund är jag ändå tacksam över Marias vanvett. För om inte väggarna vore täckta av hennes bokmärkesänglar skulle inte Hubertsson ha blivit överväldigad. Och om han inte hade blivit överväldigad skulle han aldrig ha lyft min hand för att skapa sig en sittplats på min sängkant. Och om han inte fortsatt att vara överväldigad skulle han inte sitta så som han sitter nu, fortfarande med min hand i sin.

Ett ägg i sitt rede. En pärla i sitt skal.

Min hand i hans. Där ska den alltid vara.

Bara de mycket okunniga tror numera som den helige Augustinus att tiden är en flod. Vi andra vet att den snarare är ett delta: att den grenar sig och söker sig nya vägar, att den återförenas med sig själv, innan den söker tusen nya lopp. Somliga stunder rusar som vattenfall, andra stannar till och blir små pölar, tidens vatten rinner förbi dem, men de står för alltid stilla ...

Detta är en sådan stund. En pöl. Jag sjunker ner i den. I detta vatten vill jag alltid vara.

Han har aldrig hållit min hand förut.

Jo. Kanske en gång. Fast jag vet inte om det verkligen hände, om det är ett minne eller en dröm.

Men om det verkligen hände så hände det för länge sedan, långt innan sjukhemmet renoverades och långt innan jag själv hade fått flytta till servicehuset. Kanske var det samma dag som han hade avslöjat hennes namn. Jag vet inte. Minns inte.

Men jag minns att han bar mig genom en smutsgul korridor. Plafonderna i taket svirrade förbi; de var bleka stjärnor som hade gett upp hoppet om att besegra mörkret. I Hubertssons famn kunde jag leka med dem så som jag alltid lekte med ljuset när jag var barn. Jag slöt ögonen och lät ljuset mörkna till rött, blinkade så hastigt att hela världen började skimra, blundade så hårt att ljusets minne skimrade grönt på mina ögonlock ...

Han var fortfarande frisk vid den tiden. Frisk och stark. Jag tycktes inte väga någonting i hans famn, han gick med raska kliv och svikt i stegen, ja, han nästan sprang uppför den smala trappa som skilde min avdelning från hennes. En enda människa mötte vi på vägen, ett ensamt biträde som log ett ängsligt leende mot Hubertsson. Han svarade med en hastig nick, men saktade inte stegen och gjorde inte någon ansats att förklara varför han bar en patient mellan avdelningarna. Hennes min gjorde mig skrattlysten och triumferande efteråt – så de måste ha undrat, hon och de där andra kvinnorna, så de måtte ha skvallrat och spekulerat resten av dagen! – men just då såg jag henne utan att se henne.

Efter en evighet stannade Hubertsson utanför en dörr.

"Jag vet att hon hör", sa han. "Och jag tror att hon ser. Så försök att vara tyst. Låt inte."

Plötsligt var jag rädd. Min vänstra hand grep om slaget på hans vita rock, den ryckte och slet, och mitt huvud for viljelöst åt sidan i allt kraftigare spasmer. Egentligen ville jag inte alls se henne! Vad skulle det göra för skillnad? Hon hade kastat bort mig som man kastar bort ett krossat glas, hon hade överlåtit mig åt Redelius och Vanföreanstalten, som i sin tur hade överlåtit mig till forskarna på neurologen. Ingenting av detta kunde göras ogjort, tiden har inga hål som vi kan smita genom för att förändra det som redan har skett ...

Allt detta försökte jag förklara för Hubertsson, men jag var för upprörd och han kunde inte tolka mina grymtningar.

"Schhh", sa han och öppnade dörren med armbågen.

Jag kände igen rummet: det kunde ha varit mitt. Grått morgonljus och blekgröna väggar. Orange syntetgardiner som en eftergift åt ett just förgånget mode. En sliten galonfåtölj med tunna sprickor i sitsen. Litet bord bredvid. Landstingets nattygsbord; det som tycks vara det enda oföränderliga på den här planeten. Randiga lakan och gul våffelfilt.

Jag blinkade till. Nej. Vid närmare granskning fanns det mycket i det här rummet som inte fanns i mitt. Det stod en knubbig ljusstake på bordet och i fönsterkarmen stod fotografierna på rad. Ett flygfoto av ett vitt tvåvåningshus med prunkande juniträdgård, två guldinramade flickor i studentmössor – en allvarlig, en leende – och en färglagd förstoring av något som av allt att döma var en svartvit bild från tidigt sextiotal. Tre flickor satt i ett körsbärsträd; deras ansikten var skuggade i en blekrosa nyans och deras klänningar var målade i rosa, gult och grönt, men bladverket omkring dem var lika grått och färglöst som på den ursprungliga bilden.

Hubertsson tog ytterligare några steg in i rummet, jag blundade och vände ansiktet mot hans bröst. Hans andedräkt var varm mot min kind när han viskade:

"Det är ingen fara. Hon sover ..."

Först såg jag hennes händer. Huden var för stor och så vit att den nästan stötte i blått, naglarna var filade till fulländade ovaler och hade polerats så att de glänste. Någon hade till och med gjort sig besväret att peta ner nagelbanden så djupt att de vita halvmånarna syntes. Det förvånade mig: min erfarenhet av sjukvårdens manikyr begränsade sig till tvärklippning. Hon fick alltså specialbehandling.

Nyfikenheten trängde undan rädslan och jag lyfte blicken mot hennes ansikte. Det var lika blekt som händerna, huden var egendomligt slät och på kinderna tecknade några brustna ådernät tunna violetta linjer. Håret var en gammal kvinnas änglahår: tunt, vitt och lockigt.

"Hjärnblödning", viskade Hubertsson. "Hon har legat här med en halvsidig förlamning i fjorton år. Nu har hon lunginflammation ..."

Hon låg med öppen mun, så som de gör som snart ska dö. Trots det kunde jag inte höra hennes andhämtning. Rummet var alldeles stilla: bara hennes bröstkorg hävde sig långsamt och sjönk sakta tillbaka igen.

Efteråt, när jag låg i min säng igen, nyss väckt eller återbördad av Hubertsson, tog han min hand och lade i sin egen. Den andra handen kupade han som ett äggskal ovanför. Först då vågade jag fråga det jag aldrig hade vågat fråga förr, det som jag knappt ens hade vågat tänka. Min röst var alldeles tydlig, varje ord trillade klart som en glaskula ur min mun:

"Varför övergav hon mig?"

Hubertsson svarade inte.

Men han skulle inte ha varit den han är om han hade lämnat en fråga obesvarad. Dagen därpå var han beredd, trots att jag vid det laget hade ändrat mig och sa att jag inte ville veta. Jag fräste åt honom och kallade det ett förbannat tjat och försökte demonstrativt – om än med klent resultat – slå händerna för öronen.

Först handlade hans föreläsning om tiden. Ellens tid.

"Varför, frågar du. Varför övergav hon mig? Jo, därför att man gjorde

så på femtiotalet. Avvikelser tolererades inte, i synnerhet inte av läkar-
kåren. När jag var underläkare i Göteborg fanns det fortfarande gott om
gamla stötar som tyckte att det var självklart att en missbildad kropp
alltid rymde en missbildad själ. På min klinik fanns det en överläkare
som alltid rådde föräldrarna att lämna bort och glömma ett missbildat
barn. Det kunde räcka med en klumpfot ..."

Han tystnade och rynkade pannan:

"Egentligen vet jag inte riktigt hur han tänkte, om han verkligen
trodde att alla barn med klumpfot var utvecklingsstörda eller om de bara
störde hans ordningssinne. Han var mycket för ordning och konformi-
tet, jag tror att han mest tyckte att det skulle vara stökigt och störande
om en massa halta och lytta skulle börja drälla omkring på gatorna.
Bättre då att ha dem undanstoppade på institutioner. Då brukade de ju
inte bli så gamla ..."

Han vände sig åt mitt håll och jag passade på att räcka ut tungan åt
honom. Det hedrar hans iakttagelseförmåga att han insåg att det var
avsiktligt, trots att mina spasmer vid det laget var mycket häftiga.

"Lipa du", sa han. "Men om du inte lär dig begripa den där tiden så
kommer du heller aldrig att begripa Ellen. Och tro inte att du vet hur
det var, du var för liten för att se hur det bockades och negs och krusa-
des uppåt i hierarkierna och hur det sparkades och spottades och förak-
tades neråt ... Och sjukvården var värst. Ibland tror jag tamejfan att jag
var värre i sjukvården än i det militära."

Han vände sig om och ställde sig vid kortändan på min säng, drog
upp ett papper ur journalbunten som han hade slängt på fotändan, slog
med fingertopparna mot det och höjde rösten.

"Din domare hette Zimmerman och var neurolog. Han undersökte
dig under din tredje levnadsvecka och visste genast allt. Det står i svart
på vitt här att du är så illa skadad att du inte kan ha någon inlärnings-
förmåga kvar ... Du kommer aldrig att kunna lära dig ens så elementära
saker som att tugga och fästa blicken. Man får förmoda att det också
innebar att han ansåg att du aldrig skulle utveckla något känsloliv."

Han släppte taget om papperet och lät det singla ner mot sängen,
harklade sig.

"Jag har inte pratat med Ellen om det här. Hon vet inte ens att jag
vet att du finns. Och nu är det för sent, hon är för sjuk. Så vitt jag för-
står har hon inte nämnt dig till en enda människa under alla år. Folk

visste förstås att hon och Hugo hade fått barn, men jag vet inte vad hon sa om saken, om hon påstod att du var död eller hur det var ... Man pratade inte så mycket om sådana saker på den tiden, det ansågs bäst att glömma och gå vidare."

Hans röst sjönk:

"Du måste komma ihåg att Hugo hade cancer och dog tre månader efter det att du föddes. Hon måste ha suttit hos honom hela tiden, det står i hennes journal att hon steg upp ur sängen redan andra dagen och smet i väg. Det var djärvt gjort. På den tiden skulle alla nyblivna mödrar ligga still och invänta blodproppen i minst en vecka. Och dig skickade de till Stockholm för epilepsin och CP-skadorna. Du behövde ju vård, det är ingen tvekan om det. Du låg på barnsjukhus de första två åren, vet du det?"

Han slängde en blick på mig, men utan att egentligen se. Det gjorde ingen skillnad. Jag tänkte inte avslöja att detta var ännu en bit i det pussel han tvingade på mig.

"Fan vet om hon ens fick se dig. Möjligen genom en glasruta. Fast det betvivlar jag förstås, dom var jävligt pigga på att hålla ungarna undan från deras föräldrar på den tiden ... I synnerhet om något hade gått snett."

Han vände sig mot fönstret igen och stirrade mot den grå himlen.

"Och om du undrar varför hon aldrig kom till dig så finns svaret i de brev Zimmerman skrev till henne. Det finns kopior i dina journaler. Vill du se dem?"

Jag frustade fram mitt svar:

"Nej!"

Hans sjönk ihop en smula:

"Nej. Jag förstår det. Det är inte mycket att läsa ... Det är bara några olika varianter av samma vals: den här ungen är ingenting att satsa på. Kan inte lära sig något. Inte att gå. Inte att tala. Inte att förstå."

Minnet av Redelius fladdrade genom min hjärna. Schimpans. *Hey hey, we're The Monkeys* ....

Hubertsson såg ut som om han stod och drömde, hans händer som nyss hade gestikulerat föll slappt utefter sidorna. En stund stod han orörlig, innan han blinkade till och fortsatte.

"Ja. I vilket fall som helst ... Ellens brev finns inte i journalen, men det verkar i alla fall som om hon skrev rätt ofta till Zimmerman. Han svarar att det var uteslutet att du kunde vårdas i hemmet. Och han av-råder från besök, det skulle vara för upprivande för henne. För din del skulle det dessutom vara fullkomligt betydelselöst. Du fick ju allt man kunde begära, mat var fjärde timme och rena blöjor dessemellan ... "

Hon hade ett ansvar ändå, ville jag säga. Ingen hade kunnat hindra henne från att komma. Hon borde ha insett att hon hade en plikt att fylla, hon borde ha kunnat minnas att jag var hennes barn och att jag dessutom var en människa bakom alla mina skador. Men jag orkade inte tala längre, jag slöt bara ögonen. Det var en vädjan om att Hubertsson skulle tiga. Men han teg inte: han fortsatte att tala medan han knacka-de en knoge mot fönsterbänkens marmor.

"Jo, du blev väl omhändertagen, tyckte Zimmerman. Ellen och *hen-nes make* borde se framåt i stället och skaffa sig ett nytt barn ..."

Han skrattade till:

"Den dumme djäveln hade glömt bort att hon var änka!"

Han tystnade en stund och hans hållning signalerade att det snart var dags för honom att gå.

"Ja", sa han till sist. "Det måste väl vara så det kom sig att Margareta kom som fosterbarn till huset ..."

Tröttheten är så djup att jag inte ens vet om min hand fortfarande vilar i Hubertssons. Det gör detsamma. Den har varit där.

Men jag är fortfarande i ett vatten. Det är grönt och klart som glas. Jag kan se långt. Ända till min syster Margareta.

Hon ler där hon sitter i Claes gamla bil och lyssnar till till hans röst i bilradion. Aldrig är Margareta så belåten som när hon är på väg från en punkt till en annan, när hon kör så fort att hon kan intala sig att ingen kan hinna i fatt henne. Och just nu är hon extra belåten; först för att hon lägger kilometer efter kilometer mellan sig och Christina – den knäpp-göken! – och därefter för att hon är på väg till Norrköping och Birgitta. Nu har hon minsann förstått hur saker och ting ligger till och nu är hon på väg mot dagens goda gärning. Hon är en riktig scout, min yngsta syster.

Birgitta har däremot inga planer på goda gärningar för tillfället, hon går längs Norra Promenaden i Norrköping med glappande pumps och försöker räkna ut hur hon ska kunna ta sig till Motala. Buss är uteslutet, men tåg skulle kunna gå. Hon har gömt sig på tågtoaletter förr och på betydligt längre sträckor ... Men dessförinnan vill hon ha ett bloss och hon har bara en och femtio i fickan. Hur ska hon kunna skaffa sig cigarretter utan pengar. Va? Är det någon som kan svara på det?

Deras cirklar snuddar vid varandra, de är långsamt på väg i samma riktning. Allt går som det ska. Jag kan sjunka djupare i mitt vatten.

Jag drunknar!

Vatten fyller min gom och min strupe, vatten rinner ur min öppna mun ner över halsen och bröstet. Jag hostar, men öppnar inte ögonen, all kraft går åt till detta enda. Att hosta, att flämta efter luft ... Hjälp mig, jag drunknar!

Någon fäller upp huvudändan på min säng så hastigt att mitt huvud faller framåt.

"Gode Gud!" säger en röst halvhögt. "Jag skulle ju bara ge henne lite saft, jag visste inte ..."

"Det är inte ditt fel", säger Kerstin Ett. "Hjälp till här nu, böj henne framåt!"

Mitt huvud dinglar, jag försöker inte ens styra det. För nu vet jag vad jag har förlorat, vad det sista anfallet kostade mig.

Jag kan inte svälja. Jag kommer aldrig mer att kunna svälja.

Körsbärsprinsessan

"Lägg din hand i min om du har lust
Jag är inte den som stannar kvar
att ur kärlek suga märg och must
Jag är en som kommer och som far

En förförisk vandringsmelodi
drev mig tidigt bort från hemmets kust
Jag är bara en som går förbi
Lägg din hand i min om du har lust"

Hjalmar Gullberg

MARGARETA FIMPAR I SAMMA ögonblick som dörren stängs bakom Christina, lutar sig bakåt i den gamla pinnstolen och sträcker på sig. Det är väl säkrast att duka av genast. Så att inte hennes nåd får hjärtslag av bestörtning om hon skulle komma hem för tidigt och finna frukostdisken kvar på bordet.

Det har alltid förvånat Margareta att Christina som så metodiskt har lärt sig resten av den bildade borgerlighetens riter och signaler inte har fattat att städning inte står särskilt högt i kurs. Det är annorlunda med kroppen och kläderna. Skrubbad kropp, rena kläder och skitig bostad är parollen. Att ha rent i hörnen tyder på småborgerlig småaktighet. Eller ännu värre: på proletära underlägsenhetskänslor. Bara den som har något att dölja behöver ha det riktigt rent omkring sig.

På den punkten har hon minsann själv varit duktigare än Christina på att anamma livsstilen i den samhällsklass de numera båda tillhör. Hennes lägenhet hemma i Kiruna befinner sig i ett tillstånd av konstant kaos. Men det gör inget, för de som till äventyrs kommer och hälsar på är fysiker som hon själv och förstår att skratta när hon ursäktar sig med sin standardfras:

"Entropin ökar. Särskilt hemma hos mig."

Ändå skulle hon väl egentligen inte ha något emot att ha det som Christina. Det är behagligt med morgonljus som silar genom kristallklara fönsterglas, med ett köksgolv vars breda gamla tiljor har skurats sammetsvita och en trasmatta som är så rentvättad att varje nyans i väven kan skönjas. Men vilket jobb! Dessutom är väl Erik – och i synnerhet hans ärvda pengar – en av förutsättningarna för att Christina ska kunna ha det som hon har det. Själv har Margareta alltid föredragit att ha sina karlar en smula på avstånd även om de har haft feta spargrisar. Det besvärliga med de flesta män är att de ser sig som huvudperson inte bara i sitt eget utan också i sin kvinnas liv, och Margareta vill inte gärna bli en bifigur i sin egen berättelse.

Nu ska hon i alla fall ta sig en titt på ett och annat i huset. I går kväll såg hon ett skåp ute i vardagsrummet som intresserar henne. Det såg ut som ett litet altare med vit duk, tennljusstakar och ett gammalt foto av en ung och rundkindad Ellen. Det finns skäl att misstänka att skåpet rymmer hemligheter. Intressanta hemligheter.

Margareta torkar av sina fuktiga händer på jeansen efter disken och skjuter upp den ena halvan av vardagsrummets dubbeldörr. Den knarrar en aning. Ute i köket skiner morgonsolen in, men här inne är det fortfarande grå gryning. Hon står en stund innanför dörren och ser sig omkring innan hon långsamt skakar på huvudet. Nu ser hon det hon inte såg i går. Christina har gjort sitt vardagsrum till en helgedom ägnad Sankta Ellen. Överallt finns hennes reliker för den som förstår att tyda tecknen: en liten duk med knypplade spetsar, den enkla fruktskålen av pressglas som brukade stå på bordet i hennes vardagsrum, de roströda böckerna från fyrtiotalet som rymmer Martin Andersen Nexøs samlade verk. För att inte tala om den silverinramade ikonen borta på altaret. Själva fotografiet.

Men Ellen behöver inget tempel. Hon var inget helgon, bara en kvinna med ovanlig talang för moderskap. Men hon kunde också snäsa av flickorna i en ton som fick mjölken att skära sig och flugorna att falla avsvimmade från köksfönstret. Dessutom var hon lite småsnål. Ritblock och kritor var nådegåvor som delades ut till jul och födelsedagar, resten av året fick man rita med blyertspenna på gamla påsar och omslagspapper. Men det gick väl an. Det var värre med hennes avund; den giftgröna lilla skärva som blänkte till i hennes blick ett par gånger. Den gällde bara en enda sak. Skolan.

Skärvan blev särskilt tydlig när Christina gick och väntade på läroverkets antagningsbesked, hon var tolv år och såg ut som om hon väntade på en dödsdom. Varje förmiddag hängde hon blek och sammanbiten precis innanför dörren när Tant Ellen gick ut för att hämta posten. Och medan dagarna gick blev hon allt mindre och allt tunnare. Det var som om den långa väntan sög all kraft ur henne, som om hon snart inte ens skulle orka gå upp ur sängen om morgonen om beskedet inte kom.

När brevet äntligen kom hade Tant Ellen sprättat upp kuvertet redan ute i trädgården, hon höll det i handen när hon steg in genom dörren.

"Hur gick det?" viskade Christina.

Tant Ellen såg allvarlig ut och fäste blicken på väggen ovanför hennes huvud.

"Tyvärr ... Du kom inte in."

Christina blev askgrå i ansiktet, det såg ut som om hon skulle svimma. Hon tog några steg bakåt och sjönk ner på pallen under telefonhyllan.

"Jag visste det!" sa hon.

Tant Ellen skrattade till och viftade med brevet:

"Jag bara skojade, förstår du väl. Det är klart du kom in. Med dina betyg."

Men Christina satt kvar på pallen och förmådde inte glädja sig.

Så här i efterhand kan Margareta förstå Tant Ellens skolavundsjuka, men hon kan inte acceptera den. För även om Tant Ellen sörjde att hon själv var född i en tid då det var omöjligt för en textilarbeterskas oäkting att ens snudda vid tanken på läroverk och småskollärarseminarium, så borde hon ha varit vuxen nog att unna sina flickor det hon själv inte hade fått.

Christina själv vägrar minnas den där episoden och när Margareta en gång påminde henne blev hennes röst i telefonen vass och gäll. Lögn och förtal! Om det fanns någon som hade unnat dem alla det bästa av allt så var det Tant Ellen! Därefter slängde hon på luren och bröt de diplomatiska förbindelserna. Margareta fick bocka och krusa i flera månader för att tas till nåder igen.

Margareta gör en grimas. Är det att förtala Tant Ellen att minnas henne som hon var? Är det att älska henne mindre? Icke. Tant Ellen var – med alla sina sidor – den bästa mammä Margareta någonsin haft. Även om konkurrensen inte varit direkt överväldigande ...

Tant Ellens altare är egentligen ett gammalt allmogeskåp från 1815, årtalet står målat på framsidan. Hon måste vrida om nyckeln tre varv för att få upp den klumpiga dörren och när den svänger upp blir hon först besviken. Skåpet är halvtomt: det rymmer bara några omsorgsfullt hoptejpade plastpåsar på den övre hyllan och en brun papperspåse i botten. Det är allt. Men det som ändå finns måste undersökas.

Hon sätter sig med korsade ben på golvet och sträcker sig efter plastpåsarna. Hon vet redan på förhand vad de innehåller. Tant Ellens handarbeten. Christina måste ha valt med omsorg på auktionen, detta är inte ens en hundradel av allt Tant Ellen åstadkom, men det lilla som finns är utsökt. Den första plastpåsen vågar hon inte ens öppna av rädsla för att skada innehållet: det är en fri knyppling med fågelmotiv monterad på blå sammet. Margareta ler. Tant Ellen kunde knappt dölja sin triumf när de andra tanterna i Hemslöjdsföreningen började tala om utställningar och museum när hon visade upp det arbetet. Och visst är det imponerande: rena ingenjörskonsten, resultatet av många månaders tålmodiga beräkningar. De små dukarna med hålsöm minns hon också: var och en av dem tog två månader att brodera. Men här är något okänt: ett rutigt litet flickförkläde med en bård av små fåglar och monogram i korsstygn. CM. Christina Martinsson, alltså. Konstigt. Hon kan inte minnas att hon någonsin sett Christina använda det. Och här – nämen titta! – en liten babyskjorta i mjukaste batist. Den måste ha varit hennes egen, hon var den enda som kom till Tant Ellen redan som baby ...

Mycket försiktigt lossar hon tejpen och lirkar fram den lilla skjortan. Framstycket är inte större än hennes hand. Var hon verkligen så liten när hon kom till Tant Ellen? Hur stor är egentligen en fyra månaders unge?

Margareta slätar ut plastpåsen på golvet och lägger försiktigt den lilla skjortan på plasten. Den är helt handsydd med efterstygn i sidsömmarna, dolda småstygn i fållen och vita broderier på den rynkade kragen. Så mycket arbete lägger man bara ner på ett mycket efterlängtat barns kläder. Där ser man. Någon ville faktiskt ha Margareta.

"Det var väl någon ängel som visste att jag kände mig ensam och ledsen", brukade Tant Ellen säga när Margareta ännu var liten och enda barnet i huset. "Och så tippade hon till molnet så att du ramlade av och föll ner till mig ..."

"Gick det hål i taket?" frågade Margareta.

"Inte då", sa Tant Ellen. "Du var klok nog att hamna i körsbärsträdet. Jag hittade dig när jag skulle plocka körsbär en dag."

"Hade jag ätit några?"

"Massor. Glupsk har du ju alltid varit. Det var alldeles fullt av av kärnor under trädet. Det blev ingen körsbärssaft det året, körsbären räckte inte till. Men det gjorde ingenting, jag fick ju dig i stället."

Margareta var fem år och inte dummare än att hon begrep att det var en saga. Ändå kröp hon djupare in i Tant Ellens famn och skrattade belåtet.

Med tungan spelande mellan läpparna viker hon ihop den lilla skjortan i de gamla strykvecken. Hon är glad att Christina har den: i hennes skåp kommer den att ligga skyddad i många år framöver och när hon dör en gång kommer säkert någon av hennes flickor att ta hand om den. Man gör så i den här familjen: sparar och vårdar och gömmer åt efterkommande. Och när den klump av diverse kända och okända partiklar som just nu utgör Margareta Johansson en dag har upplösts och uppgått i tusen andra partikelklumpar så kommer skjortan att ligga där som ett vittnesbörd om hennes existens. Hon kommer att få en gravsten i batist.

Äh! Sitter hon och blir sentimental? Det har hon inte tid med, hon måste koncentrera sig på att lägga tillbaka plastpåsarna i precis samma ordning som tidigare. Om Christina märker att Margareta har undersökt hennes skåp kommer hon att bli rasande på sitt iskalla och långsinta sätt. Och det vill inte Margareta: det räcker så bra med Christinas normala snörpighet.

Margareta sträcker sig leende efter påsen på den nedre hyllan, men hennes hand behöver bara snudda vid den för att leendet ska slockna. Hon öppnar den och kikar in. Jo. Handen hade rätt. I den här påsen ligger en studentmössa. Christinas studentmössa.

Aldrig någonsin hade hon trott att Christina ville spara den.

BJÖRKLÖVSPRYDDA BILAR. ROLIGA SKYLTAR. Skrammel och skrän.
Margareta stod mitt inne i trängseln på skolgården och och försökte
få en skymt av trappan och skolporten. Förgäves. Hon var för kort även
när hon stod på tå. Kanske skulle det ha lyckats om hon hade haft skor
med riktigt höga klackar, men å andra sidan skulle hon ju inte ha fått
lämna huset i ett par sådana skor. Margot höll noga reda på tonårsmo-
det och höga klackar var definitivt omodernt. Det var bara Dooorisar
som hade höga klackar numera. Och någon Doooris vill du väl inte vara,
Maggan lilla?

Nej. Hon ville inte inte vara någon Doris. Och hon tyckte för det
mesta om de kläder Margot köpte åt henne: korta kjolar och lågklacka-
de skor, vita kortstövlar och klänningar i op-mönster. Och om hon inte
gillade dem så klädde hon sig i dem ändå. Det var lugnast så, det hade
hon lärt sig.

I dag hade hon vita stövlar med öppen tåhätta och en alldeles rak
liten miniklänning i orange. Hon var guudomlig! Helt uunderbar! Kil-
larna skulle falla som asplöv för henne ... Margareta fnös till. Det irrite-
rade henne omåttligt att Margot hela tiden trasslade till sina metaforer,
att hon påstod att solen stod som spön i backen och att golvet var halt
som en orm.

Men strunt samma. Nu var hon fri i många timmar, Margot skulle
rentav bli besviken om hon kom hem för tidigt. Hon hade fått en hel
femtiolapp att köpa blommor för – köp till alla dina kompisar i student-
klasserna, Maggan lilla! Glöm inte en endaste liten pyttestudent! – och
Margot förväntade sig att denna investering skulle leda Margareta från
den ena studentmottagningen till den andra ända fram till midnatt.

I själva verket hade Margareta bestämt sig för att bara fira en enda
student. Christina. Det var ett slags botgöring: hon hade haft ont sam-
vete för sin syster länge nog. Inte en enda gång hade de träffats på friti-

den sedan de kom till Norrköping, de hade bara stannat till då och då i skolkorridoren och bytt några hastiga upplysningar om Tant Ellen. En gång hade Christina träffat Hubertsson utanför lasarettet och själv brukade Margareta ringa honom i smyg en gång i månaden. Det talade de om. Men om sig själva och om det som hade hänt med Birgitta talade de aldrig: det var en tyst överenskommelse.

Christina såg inte frisk ut. Hon hade inte sett frisk ut en enda dag under det senaste året. Blek som ett spöke och med svarta ringar under ögonen hade hon stått i sitt prång på skolgården och pluggat vareviga rast. Själv höll Margareta till i rökrutan, evigt skrattande och pratande och flirtande. Ibland slängde hon en hastig blick åt Christinas håll, men Christina tittade aldrig tillbaka. Det var som om hon inte märkte att det fanns en värld utanför böckerna, att hon inte visste att hon stod på en skolgård full av möjliga äventyr. Å andra sidan hade hon ju verkat leva i sin egen värld också hemma hos Tant Ellen. Hon lämnade aldrig trädgården och drog i väg till någon lekplats som Birgitta och Margareta, hon ville inte följa med till Varamon och bada om sommaren eller gå till biblioteket eller Unga Örnar med Margareta om vintern, och hon hade aldrig haft någon bästis som andra flickor. Hon bara satt där hon satt, som en mindre och blekare kopia av Tant Ellen, och ägnade sig åt sin knyppling och sina broderier. Tant Ellen måste ha blivit ganska trött på att ha henne hängande i hasorna år efter år ...

Men nu skulle Margareta i alla fall fira Christinas studentexamen. Hon hade köpt tre gula rosor som hon skulle hänga runt hennes hals och en bok med Karin Boyes samlade dikter som hon högtidligen skulle överlämna på mottagningen. Hon visste inte riktigt var Christina och hennes mamma bodde och hur hon skulle ta sig dit, men det kunde hon ju fråga när hon hängde på henne blommorna ...

Undrar var hennes mamma var? Margareta såg sig omkring. Det var ingen tvekan om att hon skulle känna igen den där häxan, hennes besök hemma hos Tant Ellen den där gången hade gjort ett outplånligt intryck. Men skolgården var så full av folk att hon inte gick att upptäcka.

Det gick en rörelse genom folkmassan: nu kommer dom! Långt borta hördes gälla röster sjunga studentsången, en ensam trumpet stämde in och hängde med i några takter innan sången övergick i jubelskrik. Studenterna störtade ut på skolgården, folkmassan delade sig och lät dem defilera.

Stämningar hade alltid slukat Margareta och nu stod hon plötsligt längst fram i hopen och hoppade jämfota av förtjusning. Vad dum hon hade varit som inte hade köpt blommor till fler! För där var ju Anders med de stora öronen, han måste i alla fall få en kram. Och där var Leif! Och Carina i den snyggaste studentdräkt någon överhuvudtaget hade sett! Puss, puss, hej, hej, grattis, grattis!

Hon var svettig och skär om kinderna när hon en stund senare gjorde sig fri från Anders magra men envisa armar och såg sig om. Var var Christina egentligen? Hade hon redan hunnit åka i väg i någon bil med björklöv på kofångaren?

Men nej, där var hon! För visst var det väl Christina som gick där med målmedvetna steg över skolgården? Hon var sammanbiten och blek som alltid, ändå såg hon inte riktigt ut som sig själv. Hon höll vänsterhanden höjd som en sköld framför ansiktet, satte handflatan i ryggen på vilt främmande människor och stötte dem åt sidan, pressade sig in mellan stolta mödrar och jublande studentsöner, tryckte armbågen i ryggen på en gammal kvinna och knuffade henne åt sidan.

Vad var det med henne? Var hon inte riktigt klok?

"Christina!" ropade Margareta och trängde sig fram mot henne. "Grattis, Christina! Grattis!"

Christina hejdade sig ett ögonblick och lät händerna sjunka, men fortsatte sedan att gå. Hon var nästan ute på trottoaren när Margareta äntligen hann i fatt henne.

"Vänta, Christina! Vänta!"

Christina snodde runt och stirrade på henne med oseende grå ögon, blinkade sedan till och blev sig själv igen. Margareta hängde sina blommor om hennes hals, de dinglade ensamma över en vit syntetblus av det slag man kunde köpa för 9:90 på Hennes. Den raka vita kjolen låg av allt att döma i samma prisklass. Skorna var ett par gamla pumps som tydligen hade målats vita dagen till ära. Det hade inte gått så bra: färgen hade spruckit i de gamla slitvecken och blottade lädret. Brunt. Christina följde hennes blick, för ett ögonblick stirrade de båda på sprickorna. Margareta blev generad.

"Gratulerar", sa hon och tittade upp. "Och lycka till."

"Tack", sa Christina.

"Var ska du ha din mottagning?"

Christina skrattade till, det lät som ett torrt harklande, men innan hon hann svara dök en knubbig liten kvinna upp bredvid dem.

"Christina! Där är du ju! Gratulerar, kära barn!"

Christinas kinder fick plötsligt färg, hon neg och böjde graciöst på huvudet så att kvinnan skulle kunna hänga en bukett om hennes hals. Liljekonvaljer.

"Var har du din mamma, lilla vän? Jag vill hälsa på henne. Hon måste vara stolt över dig en dag som denna ..."

Christina neg igen.

"Hon kunde inte komma, syster Elsie. Hon blev sjuk i natt."

Den knubbiga kvinnan slog handen för munnen.

"Nej, men vilken otur! Just i dag. Inget allvarligt hoppas jag?"

Christina neg igen, hon tycktes niga varje gång hon tilltalade den här kvinnan.

"Nej, jag tror inte det. Men hon hade mycket hög feber. 41,2 i går kväll. Så tyvärr har vi fått ställa in min mottagning..."

Syster Elsie rynkade pannan.

"41,2? Hmm. Om febern inte går ner måste du se till att hon kommer till läkare."

Christina neg än en gång.

"Det ska jag göra. Och tack så hemskt mycket för uppvaktningen."

Syster Elsie klappade henne på kinden:

"Inget att tacka för, lilla du. Det är så roligt att veta att det fortfarande finns ordentliga flickor."

Christina började gå i samma ögonblick som syster Elsie hade försvunnit utom synhåll. Margareta hastade efter.

"Vad synd att din mamma blev sjuk, Christina. Måste du hem eller ska vi gå och fika någonstans, jag har pengar så jag kan bjuda ..."

"Hon är inte sjuk."

"Va?"

"Astrid är inte sjuk, hon är på jobbet. Det var bara som jag sa."

"Ska du ha mottagning då?"

"Nej, det ska jag inte."

Hon gick med långa kliv, Margareta fick halvspringa för att hinna med.

"Ska vi gå och fika då? För att fira?"

"Nej. Det går inte."

"Varför det?"

"För att jag inte hinner. Jag har ett tåg att passa."

Hon svängde om hörnet och vek in på Drottninggatan. Margaretas tår höll på att tränga ut genom den öppna tåhättan på stövlarna, hon var tvungen att ta stöd mot en husvägg och tvinga fötterna tillbaka, innan hon kunde fortsätta. När hon själv vek om hörnet hade Christina redan hunnit ett halvt kvarter, hon blev tvungen att springa på riktigt för att hinna i fatt. Tårna trängde ut igen.

"Vänta", sa hon andfått. "Vilket tåg? Vart ska du åka?"

"Till Vadstena", sa Christina. "Jag har fått sommarjobb på Tant Ellens sjukhem."

Christina måste ha förberett allt samma morgon. Hennes resväska stod packad och klar i en förvaringsbox på stationen, biljetten låg i tryggt förvar i ett blixtlåsfack i hennes plånbok. Hon tycktes bli lugnare när hon hade plockat fram väskan, hon placerade den mellan sina fötter och kastade en blick på stationsklockan.

"Vi är tidiga", sa hon. "Tåget går inte förrän om en halvtimme."

Ändå ville hon genast gå ut på perrongen. Hon grimaserade när hon grep om resväskan, men vägrade låta Margareta bära den, hon bytte bara hand. De slog sig ner på en bänk och såg ut över de tomma spåren.

"Fri", sa Christina.

"Va?"

"Äh, det var inget ..."

"Var ska du bo? Ska du bo på sjukhemmet?"

Christina skrattade till:

"Nej, jag ska bo hos nunnorna, på deras gästhem. Det är jättebilligt. Och om man hjälper till i köket så får man rabatt på hyran ..."

Margareta tvekade:

"Har du blivit religiös?"

Christina skrattade igen, det var som om det hade blivit mer liv i henne sedan hon kom ut på perrongen.

"Nej, jag har inte blivit religiös. Men jag behöver lite lugn och ro. Och det borde man väl få i ett kloster."

"Vad säger din mamma då?"

"Astrid? Hon är inte informerad."

"Vet hon inte vart du ska? Men tänk om hon efterlyser dig, du är ju inte myndig?"

Christina ryckte på axlarna.

"Knappast. Då måste hon gå till polisen och det törs hon inte. Och förresten är hon nog ganska nöjd med att bli av med mig."

"Tror du det?"

"Ja", sa Christina. "Hon kanske skaffar sig en katt i stället. Och kör den i centrifugen."

Margaretas tankar började irra, hon böjde sig fram och såg på sina tår, de lyste grisskära mot stövlarnas vita läder. Det såg idiotiskt ut. Det var ett par idiotiska stövlar.

"Har det har varit så illa?" sa hon till slut.

"Ja", sa Christina. "Så illa har det varit."

Hon stannade kvar på perrongen ända tills tåget gick. Christina hängde genom fönstret i sin kupé med håret fladdrande och vinkade med studentmössan, med ens såg det ut som om hon hade druckit sig berusad på champagne. Margareta viftade halvhjärtat tillbaka. Orons insekter hade börjat krypa under hennes hud, steklar med vassa käkar grävde gångar i maggropen, feta flugor kilade upp och ner längs armarna, spindlar kröp från hela kroppen för att samla sig i struphuvudet. Det var tungt att andas.

När hon kom in i väntsalen gick hon fram till biljettkassan och växlade en krona till fyra tjugofemöringar. Hon fick vänta en stund innan telefonhytten blev ledig och när det blev hennes tur var så hon fumlig av spänning att hon knappt kunde få ner myntet i springan.

Det var en kvinna som svarade. En vuxen kvinna. Margareta lade sig till med sin barnsligaste röst:

"Goddag, mitt namn är Margareta Johansson. Jag går i RIIb. Skulle jag kunna få tala med adjunkt André?"

"Ett ögonblick!" Kvinnan lade handen över luren och ropade med hög röst: "Bertiiil! Telefon! En elev!"

Han kom nästan genast, rösten var en smula otålig.

"Hallå!"

"Det är jag."

Han drog efter andan och sänkte rösten:

"Är du galen! Varför ringer du hit?"

"Snälla", viskade Margareta och stirrade in i den perforerade masonitväggen framför sig, petade med lillfingret i ett redan trasigt hål så att det skulle bli ännu trasigare. "Bli inte arg! Jag bara längtar så ... Kan vi inte träffas i kväll?"

På vägen hem, strax efter midnatt, uppfann hon en kusin från Stockholm. Hon hade träffat honom hemma hos Anders, nej, det var bättre att hon hade träffat honom hemma hos Rasmus för Margot visste inte vem det var ... Kusinen hette Peter och var nästan för bra för att vara riktigt trovärdig. Blond typ med Beatleslugg. Blåögd och solbränd. Brukade spela tennis. Pappan hade en bilfirma och själv tänkte han bli advokat. Stjärntecken: skorpion. Älsklingsfärg: blå.

Margot köpte honom med hull och hår, där hon satt i sin svällande vardagsrumssoffa klädd i rosa morgonrock över korsetten och med en frottéhandduk i exakt samma nyans snodd till en turban om huvudet.

"Kysste han dig?" frågade hon och lade sin knubbiga lilla hand över Margaretas. Margareta behärskade sin impuls att dra åt sig handen.

"Nej. Han försökte förstås, men jag sa nej. Men han fick kyssa mig på kinden ..."

"Det var bra", sa Margot. "Man ska inte ge efter för lätt. Ska ni träffas igen?"

Margareta nickade och log.

"Mmm. Vi ska gå på bio i morgon kväll. Och så lovade jag att visa honom stan i morgon eftermiddag."

Margot drog upp axlarna och kuttrade av förtjusning.

"Härligt! Vad ska du ha på dig?"

Margareta suckade inombords, hon var trött och förvirrad och öm i underlivet, men vad hjälpte det. Mat och husrum måste ändå betalas.

"Jag vet inte", sa hon och lade huvudet på sned. "Jag tänkte att du kunde hjälpa mig att välja."

Margot fnissade till.

"Nu?"

Margareta nickade.

De tassade tyst uppför trappan, Margareta med sina vita stövlar i handen, Margot i rosa frottétofflor. Hur många frottétofflor hade hon egentligen? Ett par rosa, ett par ljusblå, ett par turkos, ett par röda ... Och till varje par en matchande morgonrock. Det var viktigt att matcha. Folk som inte förstod sig på att matcha saknade stil.

Margaretas rum var väl matchat. Ibland tänkte hon att hon själv bara var en accessoar, en detalj som gjorde inredningen fullkomlig. Ett flickrum behöver en flicka. Margot hade köpt tapeter, gardiner och överkast i London redan året innan Margareta kom till huset. Hon hade helt enkelt inte kunnat motstå dem! Tänka sig: samma rosor på väggen som på gardinen och överkastet. Något sådant kunde man bara hitta i London, aldrig någonsin i det här trista socialistlandet. I hela sitt liv hade Margot önskat sig en dotter, en gullig liten tonårsdotter som skulle bo i ett rum med blommiga tapeter, och när hon såg den där tapeten så hade hon insett att det var dags. Allt hade gått oerhört smidigt. Tjänstemannen från barnavårdsnämnden hade ju bara behövt kasta en enda blick omkring sig i villan för att inse att detta var ett idealiskt fosterhem. Rena drömmen för vilken flicka som helst. Men högre makter hade säkert också varit inblandade. Alla människor hade en skyddsängel och Margots var ovanligt aktiv. Han hette Astor, hade hon sagt det?

De hade hunnit upp i övre hallen. Det regelbundna brummande som hade hörts medan de gick uppför trappan tystnade plötsligt. Margot frös till is.

"Schhh!" sa hon och satte pekfingret för munnen. De stod alldeles stilla en sekund innan Henrys snarkningar hördes på nytt. Margot fnissade till.

"Jag trodde att han skulle vakna ... Och det vill vi ju inte."

Margareta log och skakade på huvudet.

"Ibland måste vi flickor få ha lite tid för oss själva", sa Margot och öppnade dörren till Margaretas rum.

"Nu ska vi se, lilla stumpan, vad vi hittar i din garderob ..."

Det tog en halvtimme och ändå lyckades det inte. Margareta drog på sig den ena klänningen efter den andra och svängde runt framför spegeln. Margot lutade huvudet i handen och såg alltmer bekymrad ut.

"Nej", sa hon. "Det här duger inte. Vi får gå upp tidigt i morgon och gå ut på stan ... Jag såg en jättesöt liten klänning i gult och grönt i den där nya boutiquen nere på Drottninggatan. Boutiquen? Boutiquen? Är det så det uttalas?"

Margareta nickade och log, det gällde att sockra sina invändningar.

"Men jag har ju skolan i morgon förmiddag ..."

"Äsch", sa Margot och gjorde en avfärdande gest. "Jag skriver ett intyg. Och det tar inte lång stund, du kommer att kunna vara med resten av dagen ..."

"Men det är ju bara halvdag. Det är ju lördag."

"Strunt samma. Du tar alldeles för allvarligt på det där, en flicka behöver egentligen inte ta studenten. Och tala inte om för Peter att du går på reallinjen, då blir han avskräckt. Pojkar tycker inte om alltför intelligenta flickor, det har jag ju talat om för dig."

Innan Margareta hann svara öppnades dörren, Henry stod ute i hallen klädd i randig gubbpyjamas. Byxorna putade, han hade ett kraftigt stånd.

"Kommer du, Margit?"

Margot reste sig irriterat.

"Margot heter jag. Margot inte Margit! Att du inte kan lära dig det ..."

Hon kastade en hastig blick på sig själv i spegeln, slickade sig om läpparna och beredde sig att lyda.

När Margareta skyndade tillbaka till sitt rum från badrummet efter en hastig tandborstning pressade hon händerna mot öronen. Det hjälpte inte: Henry hade högljudda älskogsvanor. Hans stönanden trängde in.

Numera visste hon att det inte räckte med att stoppa bomull i öronen, Henrys läten lät sig inte utestängas med mindre än att hon också vek upp örsnibbarna och höll dem fast med pekfingrarna. Men då gick det bra, då kunde hon krypa ner i sin säng och låtsas att ingenting särskilt pågick i huset.

Problemet var att hon inte kunde somna när hon låg så där. Hemma hos Tant Ellen hade hon alltid legat i kejsarställning: på rygg med ena armen över huvudet. Då hade hon somnat på ett par minuter, numera fick hon ligga vaken länge. Det var inte bra. Hon tyckte bättre om sina drömmar än om sina tankar, men när hon låg vaken kunde hon inte låta bli att tänka. Natt efter natt höll hon rättegång med sig själv. Vem är Margareta Johansson? Vad är hon? En människa med skamliga hemligheter. En dubbelspelare. En lögnare. En hycklare.

Ändå kunde hon inte se att hon hade något val; hon visste helt enkelt inte hur hon skulle överleva i det här huset utan att ljuga. Om hon började tala sanning skulle det gå med henne som med den där besvärliga pudeln som Margot hade låtit avliva förra året. Fast Margot skulle väl knappast ta henne till veterinären – det vore en lösning helt utan stil – men hon skulle garanterat skicka i väg henne. Och bara Gud visste vad nästa fosterhem skulle vara för ställe. För att inte tala om nästa skola.

Och egentligen tyckte hon ju inte illa om Margot. Ibland blev hon irriterad på henne, men för det mesta tyckte hon bara synd om henne. Hon var lite patetisk där hon rultade omkring i sina evigt matchande och ständigt lika illasittande kläder. Hon visade aldrig sitt eget hår, när hon inte bar någon av sina syntetperuker snodde hon en frottéhandduk om huvudet. Men hon verkade inte vara skallig, ibland stack det fram några tunna testar ur turbanen. Hon ville väl bara inte visa sitt hår, lika lite som hon ville visa sin kropp. Hon tog aldrig av sig korsetten, hon bar den till och med under badrocken när hon låtsades vara den mjuka lilla kvinnan som lojt sträckte ut sig i soffan efter skumbadet. Förra sommaren hade hon gått omkring med peruk, korsett och nylonstrumpor även när det var trettio grader varmt. Det var då Margareta förstod att hon skämdes. Annars skulle hon aldrig ha behövt dölja så mycket.

Tant Ellen dolde ingenting och brukade aldrig ha strumpor om sommaren. Hon satte sig i trädgården och sträckte ut sina ben i solen, utan att bry sig om att ådrorna tecknade blå linjer i den vita huden. Men det fick Margareta inte tänka på, hon fick aldrig tänka på Tant Ellen när hon var ensam. I skolan gick det an eller när hon satt på något fik med några av de andra tjejerna i klassen, men aldrig någonsin när hon var ensam. För vems var felet? Varför hade det gått som det hade gått? Det fick hon inte heller tänka på.

Margot tyckte inte om att hon talade om Tant Ellen. För det mesta fick Margareta inte ens låtsas om att hon var fosterbarn, Margot ville leka att de var mor och dotter på riktigt. I början ville hon att Margareta skulle kalla henne "mamsen", men det slutade hon begära när hon märkte hur stelt och onaturligt det lät i Margaretas mun. Margot dög bra. Många moderna föräldrar lät sina barn kalla dem vid förnamn, det hade hon läst i Vecko-Revyn. Eller om det nu var i Femina. Eller i Damernas Värld.

Veckotidningarna var Margots enda väninnor. Det var i deras sällskap hon tillbringade dagarna när Margareta hade gått till skolan och Henry till Firman. Vid middagen kunde man höra på hennes ordval vilken tidning som hade kommit ut just den dagen. Om det var Svensk Damtidning så var det mesta förtjusande, om det var Damernas Värld så var allting mycket chict. När Margareta kom till huset började hon också prenumerera på Bild-Journalen och Vecko-Revyn, följaktligen var tillvaron ömsom jättetuff, ömsom urgullig i flera månader efteråt.

Henry verkade tycka att det var helt i sin ordning att hans hustru levde i en drömvärld. Ibland skakade han på huvudet och sa att hon var tokig, men för det mesta lät han henne hållas. När hon avkrävde honom några hundralappar – vilket hon gjorde nästan varje dag – öppnade han sin plånbok och muttrade roat om fruntimmer och deras galenskaper. Margareta misstänkte att Henry ansåg att hon själv var en av Margots galenskaper: en dyrbar liten fånighet i stil med en ny päls eller en äkta matta, något för lilla frun att intressera sig för så att hon inte blev för bångstyrig. Själv var han inte ett dugg intresserad, inte ens för en sekund hade han varit fosterpappa åt Margareta, han hälsade knappt. Han hade ju Firman att tänka på, det företag som han hade arbetat upp från ett enkelt snickeri till en möbelfabrik med mer än trehundra anställda. Nog hade han råd både med en tokig fru och ett bortskämt fosterbarn, men han hade sannerligen inte tid att öda något intresse på dem. Utom nattetid, förstås, då Margit – eller Margot som knasbollen kallade sig numera – förväntades göra det enda kvinnor är bra på.

Nej. I det här huset fanns ingen utväg utom lögnen. Margot krävde förtroenden i hyra, men hon ville bara ha rätt sorts förtroenden. Margaretas uppgift var att göra veckotidningsvärlden verklig, och därför var hon tvungen att ljuga ihop idealiska pojkvänner och halvkyska kärleksaffärer. Och visst låg det något slags gudomlig rättvisa i detta, det var ett logiskt straff. Glappkäften hade fått lära sig att tiga, hon kunde inte längre låta varje tanke slinka över tungan.

Hon började lära sig ett och annat om världen, sådant som hon aldrig hade förstått förut. Som detta att allting har sitt pris, att ingen får någonting för ingenting. Därför måste hon finna sig i att vara leksak och påklädningsdocka i minst ett år till, ända fram till studentexamen. Om hon nu klarade av att ta studenten; hennes betyg var inte mycket att skryta med numera. Margot oroade sig i onödan, Margaretas studieframgångar skulle inte skrämma några friare på flykten.

Men i själva verket ville hon ju inte ha några friare. Hon ville inte ens ha pojkvänner. Det stod en unken dunst av kött och kättja kring varenda pojke på skolgården och den doften skrämde henne. Ändå kunde hon inte motstå dem mer än till hälften. Hon flirtade flitigt när hon stod i rökrutan om rasterna, hon slängde glittrande ögonkast och rappa repliker omkring sig, men när någon pojke grep efter henne gled hon skickligt ur hans händer. Hon ville ha något annat. En man. En väldig man, så stor att han skymde halva himlen ...

Försiktigt lossade hon ena pekfingret från örsnibben. Var det över? Ja. Nu snarkade Henry igen, nu kunde hon vända sig på rygg och lägga armen över huvudet.

Rörelsen påminde henne om att hon var öm i underlivet. Hon suckade: ingen får någonting för ingenting. Och detta var vad en man kostade. En väldig man, så stor att han skymde halva himlen.

André. Så kallade hon honom, trots att det egentligen var hans efternamn. Men hon kunde inte förmå sig att kalla honom Bertil, det var ett namn som gick an på plugghästar och bankkamrerare, men som var fullkomligt orimligt på en älskare.

Och han var hennes älskare. Hon var sjutton år gammal och hade en riktig älskare.

Hon visste inte riktigt om hon skämdes eller yvdes över det. När hon satt och skvallrade med sina väninnor på något fik någonstans kunde tanken på honom plötsligt få henne att bli tårögd av förödmjukelse – En gubbe! Herregud, hon hade faktiskt ihop det med en gubbe! – men när hon mötte honom i skolkorridoren rusade blodet till hennes kinder och hon var tvungen att dölja sin triumf. Där går min älskare! Han vet det och jag vet det, men ingen annan i hela världen vet det.

Ändå var det skönt att han undervisade i andra salar än i hennes. Bara en enda gång – strax efter det att hon hade kommit till Norrköping – hade han hoppat in som vikarie i hennes klass. Det var då det började, just i det ögonblick då han slog sin slitna gamla portfölj i katedern och sa:

"Hej på er, skitungar. Sitt ner och håll tyst."

Stolarna skrapade mot golvet, stämningen i salen var plötsligt leende och förväntansfull. André. Det visste man ju hur han var.

"En ny elev?" sa han och granskade klasslistan. "Margareta Johansson. Var är du?"

Hon vinkade lite lätt med handen, han reste sig och släntrade ner mellan bänkraderna med händerna djupt nerkörda i flanellbyxans fickor. Han var lång och kraftig, håret var mörkt och tjockt. Han var lite lik den där amerikanske skådespelaren, vad han nu hette ... Dean Martin. Javisst. Hubertsson hade också varit lite lik Dean Martin.

"Från Motala? Kan man någon geografi i Motala?"

Klassen fnissade. Margareta tyckte om det, det var ett vänligt och intresserat fniss. Hon log:

"Jodå. Ganska mycket."

Han satte sig på kanten på hennes bänk, hans lår låg bara någon centimeter från hennes hand.

"Säger du det. Då kan du väl räkna upp Hallands floder."

Klassen skrattade. Margareta drog åt sig handen och rabblade hastigt den gamla småskoleramsan i sitt huvud. Laga vi, äta ni.

"Lagan, Viskan. Ätran, Niskan..."

Skrattet var ett dån. Margareta blinkade till och blev osäker. Så roligt var det väl inte? André satt småleende kvar på hennes bänk ända tills det sista eftersläntrande lilla fnittret hade tystnat.

"Mycket bra", sa han och reste sig upp. "I synnerhet Niskan."

"Åh!" sa Margareta och slog handen för munnen.

Efter den dagen log han alltid när han såg henne skymta förbi i korridoren. Och Margareta log tillbaka, men hastigare och skyggare för varje gång. Den där glimten i hans öga ... Hon pressade sina böcker hårdare mot bröstet och skyndade sig utom synhåll.

"Vad rodnar du för?" sa hennes bänkkamrat när hon kom in i klassrummet.

"Rodnar? Jag?"

"Åh! Gör dig inte till ..."

Hon fantiserade om honom under hela sommarlovet, hon fantiserade så intensivt att hon till slut också började drömma om honom om nätterna. Men drömmarna var konstiga. Natt efter natt brottades de ute på skolgården, pustande och flämtande, stånkande och stönande.

Men hon ville ju inte brottas med André. Hon ville bara att han skulle kyssa henne.

Han var vakt på höstterminens första skoldans. Hon var förtroendevald i elevrådet. Det var bara naturligt att de pratade med varandra flera gånger under kvällen, ja, till och med att han sträckte ut handen och grep om hennes handled när hon var på väg någon annanstans. Och när han

bjöd upp henne så var det väl att anse som ett slags artighet mot elevrå-
det: en dans med en av värdinnorna. Om det nu inte var ett skämt, ett av
Andrés vanliga små gags. För när han grep om hennes midja spred sig ett
leende över hela gymnastiksalen: Titta! André dansar med Margareta!

Han höll henne lite på avstånd, tryckte inte och klämde som pojkar-
na, men förde henne med fast hand över dansgolvet, hela tiden med
blicken fäst vid hennes. Hans ögon smalnade när hennes mage råkade
snudda vid hans underliv, han särade på läpparna och lät för ett ögon-
blick sina tänder skymta. Margareta tyckte om att han såg på henne, att
han höll henne fast med blicken, men egentligen var hon mer upptagen
av hans händer, den vänstra som flätades om hennes egen hand, den
högra som spärrades ut över hennes rygg. De var verkligen väldiga: det
var som om hon skulle rymmas hel och hållen i hans handflata, som om
hon skulle kunna kura ihop sig och sova där. Hon önskade att han ville
lyfta henne, bära henne i sina stora händer, trycka henne hårt intill sig
och snurra runt.

Han tackade för dansen genom att helt hastigt låta sin kind snudda
vid hennes, beröringen ilade till och fick henne att tappa koncentratio-
nen så att hon inte hörde vad han viskade.

"Förlåt", sa hon, men utan att se på honom, hon stirrade i stället på
sin arm. Håren hade rest sig. Som om hon frös.

Han lutade sig över henne och upprepade:

"Du är en liten satunge. Eller hur?"

När sista dansen hade spelats tog han på sig rocken och betedde sig som
om han skulle gå, ändå dröjde han kvar i nästan en timme medan Mar-
gareta och de andra elevrådsrepresentanterna städade upp. Till slut stod
han borta vid dörren och höll upp den, så att den ena eleven efter den
andra fick huka under hans arm när de gick.

Till slut var det bara Margareta kvar. Hon stod mitt på gymnastik-
salens golv med händerna knäppta över skötet. Hon hoppades att hon
var söt, för första gången i sitt liv önskade hon medvetet att hon var till-
räckligt söt.

Han lutade sig mot dörren och såg på henne.

"Kom hit", sa han.

Nu händer det, tänkte hon och satte den ena foten framför den and-
ra. Det händer nu. Detta är verkligt.

Han ropade till Gud när han kom in i henne.

Efteråt gick de tillsammans över skolgården, han före med stora steg, hon snubblande och halvspringande efter. I bilen tände han en cigarrett innan han vred om startnyckeln, ljuset från tändaren fick svarta skuggor att spela över hans ansikte.

"Varför sa du inte att du var oskuld?"

Hon ryckte på axlarna och sträckte sig efter hans cigarrettpaket.

"Gjorde det ont?"

Hon skakade på huvudet. Det hade inte gjort ont. Det hade varit skönt. Men inte på samma sätt som för honom: inte för en sekund hade hon känt sig frestad att ropa och tala i tungor. Och nu ville hon vara kvar i sin tystnad. Så länge hon inte talade var hon fortfarande omsluten, omfamnad, innesluten. Det som hade hänt hade hänt på en plats utanför alla ord, och bara så länge hon teg kunde hon fortfarande känna hans hud mot sin, bara så länge hennes läppar var slutna kunde hon bevara hans smak i sin mun.

"Men svara då! Gjorde jag dig illa?"

Hon lade sin hand på hans, plötsligt önskade hon att hon kunde tala teckenspråk som de döva. Men hon hade ingen aning om vad hennes fingrar i så fall skulle säga.

"DEN SKITEN!"

Tårögd stoppar Margareta tillbaka studentmössan i papperspåsen och knölar in den i skåpet. Hon kan fortfarande inte tänka på André utan att bli förbannad. Hade hon honom här skulle hon smocka till honom! Fast vad är det att smocka till numera? Ett lik. Eller en darrig gubbe på något ålderdomshem någonstans. Men hon kan åtminstone unna sig att önska att han har gikt. Eller någon annan ålderskrämpa som gör riktigt ont.

Han utnyttjade henne. Visst rusade hon villigt i hans famn, visst smet hon in i kollegierummets kapprum ibland och lade små brevlappar i hans rockficka, visst stod hon och hängde utanför skolgården eftermiddag efter eftermiddag och väntade på honom. Men ändå: hon var sexton år på det sjuttonde när det började och hur gammal var han? Fyrtio. Eller fyrtiofem. Han var far till tre barn och lärare i hennes skola, han visste att hon var föräldralös och fosterbarn, att hon bet på naglarna och hade magkatarr ibland. Han borde ha begripit att det enda hon behövde var att bli sedd. Men vad gav han henne? En snabbutbildning till Lolita.

Fast det begrep hon inte förrän hon var över fyrtio år. I över tjugo års tid gick hon i stället omkring och kände sig usel för att hennes sexualitet inte var som andra kvinnors, för att den var kryptisk och hemlighetsfull, för att den irrade omkring på baksidan av andra människors äktenskap, för att den byggde på svek och lögn och förställning. Vad hjälpte det att hon grinade upp sig och skämtade med sin spegelbild om att dåliga flickor inte är det sämsta? Innerst inne var hon ju ändå övertygad om att hon var värdelös. Och det var André som förstörde henne, det var han som fick henne att tro att hon var tvungen att sära på benen som ersättning för varje vänligt ord. Ömhet betalas med sex. Intresse betalas med sex. Rätten att existera för sådana som Margareta Johansson betalas med sex.

Om André hade låtit henne vara i fred så hade hon kanske träffat en jämnårig pojke, någon liten glasögonorm med finnig haka och svettiga händer. Då hade allt blivit annorlunda. De hade kunnat älska varandra i stället för att bara älska med varandra. De hade kunnat gräla och försonas, sova i varandras armar, lita på varandra.

Hon slår igen skåpsdörren med en smäll. Vad var det Moa Martinson sa? "Lita på en karl? Man skulle ha stryk." Nu ska hon gömma nyckeln och gå och duscha. Och glömma att hon faktiskt älskade honom, att hon faktiskt aldrig någonsin har älskat en man utan att minnas André.

Den skiten.

Telefonen ringer medan hon är på väg uppför trappan, hon blir tveksamt stående mitt i steget och vet inte om hon ska svara där uppe eller där nere. Men när hon har bestämt sig är det för sent, Christinas formella röst ljuder redan från telefonsvararen nere i hallen. Margareta börjar gå nerför trappan, kanske är det Christina själv som ringer, då måste hon kunna stänga av apparaten och svara.

Och visst är det hennes syster, det hör hon redan på den första stavelsen. Men inte rätt syster. Fel syster.

"Din förbannade högfärdsblåsa", sluddrar Birgitta. "Hur kan man vara så inihelvete jävla taskig att man nekar folk pengar till en enkel bussbiljett? Och hur kan man skriva något sånt som du skrev i det där brevet? Va? Hur går det till? Hur är man funtad i huvudet? Men passa dig du, jag ska nog ..."

Automatiskt lyfter Margareta luren, varenda cell i hennes kropp vet att hon kommer att få ångra sig, ändå gör hon det.

"Hallå", säger hon. "Birgitta?"

Det blir tyst en sekund.

"Margareta?" säger Birgitta sedan. "Är det Margareta?"

"Ja."

"Herregud. Jag trodde du var uppe i lapphelvetet. Eller i Afrika."

"Afrika?"

"Ja. Du jobbade ju i Afrika ett tag..."

"Nej, nej. Det var i Latinamerika. Och jag var bara där i tre månader. Det är många år sedan."

"Skit samma. Vad gör du hemma hos gråsuggan?"

Det borde väl du veta, tänker Margareta. Men hon säger inget. Med ens känner hon sig lite rädd. *Fy skam, fy skam för ingen ville ha dig!*

"Jag är bara på genomresa", säger hon stramt, trots att hon egentligen vill säga något helt annat: Tack för brevet och vaknatten, kära syster. Men glöm inte att vi sitter i samma båt: ingen ville ha dig heller. Inte ens din dyrkade lilla mamsi-mams.

"Har du bil?"

"Ja men ..."

"Fan vad bra. Snälla, kan du inte komma och hämta mig, jag är helt strandad."

Det kan du inbilla dig, tänker Margareta, samtidigt som hon hör sig själv säga:

"Vänta nu. Var är du?"

"I Norrköping."

"I Norrköping? Vad gör du där?"

"Ja du, det är en lång historia. Den tar vi senare. Hur lång tid tar det att köra till Norrköping. En timme? Du, jag väntar utanför polishuset om en timme..."

"Vänta!" ropar Margareta, men det är för sent. Birgitta har redan lagt på luren.

Vad gör man? Margareta skrattar uppgivet åt sin spegelbild inne i badrummet. Vad gör en väluppfostrad kvinna när hennes syster är i nöd? Skiter i det. Det är vad hon gör.

Tanken får henne att känna sig lite skyldig. Men Birgitta är faktiskt en vuxen människa, hon borde ha lärt sig att hon inte bara kan beordra folk hit och dit. Och har hon lyckats ta sig till Norrköping, så kan hon säkert också ta sig därifrån.

Birgitta måste ha utvidgat sitt revir på sistone. De har hållit sporadisk kontakt genom åren och under det senaste decenniet har det verkat som om hon för det mesta har hållit sig på plats i Motala. Fast å andra sidan kan det ju vara ett led i den vanliga föreställningen. Birgitta vet ju inte att Margareta vet att hon har gjort en del små utflykter. Till Vadstena, till exempel, för att lägga en påse bajs på Christinas skrivbord och knycka ett receptblock. Och till Hinseberg för några månader. Men när hon ska till behandlingshem brukar hon alltid ringa till Margareta och meddela den glada nyheten. För nu är det definitivt slutsupet och slutknarkat. Kolossalt definitivt.

Under de första åren efter Tant Ellens hjärnblödning åkte Birgitta ofta till Norrköping, det hade Margareta förstått redan på den tiden. Hon såg henne själv i Saltängen en kväll när hon och André åkte runt och letade efter en avskild parkeringsplats.

"Stanna!" sa hon och lade sin hand på hans. Han bromsade av pur överraskning, men tryckte sedan lätt på gasen igen.

"Inte här. Vet du inte var vi är?"

Jodå. Det visste hon. De var i Norrköpings sista slum, kanske den sista slummen i Sverige. Här hade folk fortfarande dass på gården och bara kallvatten i kranarna, här bodde de icke erkända styvbarnen, de som aldrig hade fått flytta in i folkhemmet. Om kvällarna rullade blanka bilar sakta genom Saltängens gator och män på flykt från alltför välordnade liv spejade med vassa ögon genom rutorna.

Birgitta stod i en klassisk pose under en gatlykta. För visst var det väl hon? Jo. Definitivt. Margareta kände till och med igen hennes gamla mockajacka. Hon bar den öppen över en vit blus som stramade över bysten. Birgitta hade vuxit. Hon också.

"Vänta", sa Margareta igen. "Jag känner henne ..."

"Vem?" sa André och bromsade igen. "Hon under gatlyktan?"

"Det är min syster."

"Du har väl ingen syster."

"Jo. På sätt och vis. Backa lite, jag vill prata med henne."

"Absolut inte", sa André. "Det är ju en hora."

Vattnet i duschen är för varmt, det är skönt, men det gör henne lealös av trötthet och får hennes tankar att bli genomskinliga och pladdriga. Hon orkar inte ens tvåla in sig, hon blir bara stående med uppåtvänt ansikte. Kanske borde hon sova en timme eller två av trafiksäkerhetsskäl innan hon hämtar bilen och ger sig av till Stockholm. Undrar vad avgassystemet kommer att kosta? Och hur mycket hon har kvar på lönen? Förmodligen inte så mycket. Hon har tillämpat samma ekonomiska princip den här månaden som alla andra månader: att det är säkrast att sätta sprätt på pengarna innan de tar slut.

Hon vänder på sig, lyfter upp håret och låter vattnet spola nacken. Inte för att det där med pengarna bekymrar henne. På detta enda område har hon alltid känt sig trygg. Hon är som silkesmasken: om tråden tar slut behöver hon bara spinna lite mera. Hon kan rafsa ihop en artikel om norrsken eller solstormar till någon kvällstidnings söndagsbilaga (under pseudonym, förstås), det har hon gjort förut, eller hoppa in som lärarvikarie på gymnasiet några timmar. Det ordnar sig alltid. Dessutom ska hon klämma Claes på halva kostnaden för avgassystemet. Det är inte mer än rimligt. Han kommer att ha mer glädje av det än hon. Undrar om han har ringt från Sarajevo, om telefonsvararen står och blinkar på den avlutade byrån i hans lägenhet på Söder? Hon hoppas det. Hon tycker om att höra hans röst på telefonsvararen ...

Plötsligt exploderar en tung tanke under alla de lätta: Hur kunde Birgitta veta att Margareta skulle dyka upp i Vadstena i går? Det visste hon ju inte ens själv. Hur kunde hon veta till vilken verkstad Margareta tänkte åka? Hur kunde hon hålla sig gömd på rätt plats vid rätt tid för att lämna det där brevet under den korta stund då Margareta var inne och pratade med verkmästaren?

Det är obegripligt. Ett mysterium. Varför har hon inte tänkt på det förut?

Vattnet har plötsligt blivit iskallt. Margareta slår armarna om sig själv. Hon fryser.

MARGARETA TYCKER INTE OM MYSTERIER. Men hon har fått lära sig att leva med dem.

Man hittade henne i en tvättstuga i Motala, en högst vanlig tvättstuga för den tiden. Den låg på gaveln i ett hyreshus från fyrtiotalet, en cementtrappa ledde ner från gården till dess vitmålade dörr och mitt i dörren satt en ruta av skrovligt råglas. Inne i tvättstugan stod ett gammaldags bykkar vid ena väggen och en cylindermaskin i rostfritt stål vid den andra. Golvet var kakelklätt, en röd slang ringlade som en räfflad orm från en kran på väggen till avloppsbrunnen. Allt detta vet hon, allt detta kan hon minnas. För veckan efter sin studentexamen ljög hon sig loss från Margot och åkte dit.

Det var tidigt om sommaren, men redan mycket varmt. Dörren till tvättstugan stod på vid gavel, ute på gården vajade vita lakan stilla på en lina och i sandlådan en bit bort lekte några barn. Margareta gick långsamt nerför trappan, ställde sig i dörröppningen och tittade in. Ångorna låg som dimma där inne, först såg hon ingenting mer än sin egen skugga mot golvets vita kakel.

"Vad gäller saken?"

En kvinna dök upp ur dimmorna. Hon var klädd i städrock och gummistövlar, om håret hade hon svept en scarf men inte som turban utan som klut. Hon var stor och tjock, svetten pärlade i hennes panna. Margareta sträckte fram handen och neg för säkerhets skull. Kvinnan stirrade på henne ett ögonblick innan hon torkade av sin egen hand mot städrocken och sträckte fram den.

"Vad gäller saken?" upprepade hon.

Margareta blev plötsligt stum. Hur skulle hon förklara?

"Jag vill titta", sa hon till slut.

"Titta? På vadå?"

"På tvättstugan."

Kvinnan rynkade pannan och satte händerna i sidorna.

"Titta på tvättstugan? Vad är det för dumheter? Ge dig i väg!"

"Men ..."

Kvinnan vevade med armarna:

"Så! Schas med dig, ge dig i väg bara!"

Margareta snubblade baklänges, stötte till trappan och föll. I sista stund hann hon gripa efter ledstången, ändå slog hon svanskotan i trappan. Det gjorde så ont att hon inte kunde behärska sig: tårarna steg henne i ögonen och hon började gråta, högt och klagande som ett småbarn. Och när hon väl hade börjat kunde hon inte hejda sig, plötsligt grät hon över allt och alla, över Tant Ellens hjärnblödning, över André som inte kunde älska henne, över Christinas rädslor och Birgittas synder, över Margot, den stackaren, och alla hennes matchande kläder. Men mest grät hon över sig själv: över att hon var alldeles ensam i världen och inte ens fick gå in i en tvättstuga.

Kvinnan såg rädd ut:

"Gjorde du dig illa?"

Margareta vände sitt ansikte mot henne och snörvlade:

"Jag vi-hille ju bara titta. På tvättstugan. För att det var där dom hittade mig ..."

"Hittade dig? Är det du? Hittebarnet?"

Hon hette Gunhild och var sextio år fyllda. Nu var hon änka, men hon bodde fortfarande kvar i tvårummaren som hon och Eskil hade flyttat in i efter kriget. Hon vaggade från diskbänken till köksbordet och dukade fram kaffe, bullar och sju sorters kakor. Nu skulle Margareta vara så snäll och ta för sig av det lilla huset förmådde. Det var så roligt att ha henne här, hon hade ofta undrat hur det hade gått för henne.

Det var inte Gunhild själv som hade hittat henne, det var Svensson, vaktmästaren, men han var död för länge sedan. Ändå hade Margareta faktiskt legat på dyschan där inne i rummet, Svensson hade burit upp henne hit, eftersom Gunhild och Eskil var de enda i hela huset som hade telefon. Men det var ingen lång stund. Polisen kom på en kvart och redan efter en timme dök det upp en människa från barnavårdsnämnden. Hon hade med sig nappflaska och rena blöjor och det var tur, för Margareta skrek förskräckligt.

"Hur var jag klädd?"

Gunhild gjorde en eftertänksam grimas.

"Egentligen var du väl inte klädd alls. Hon hade snott in dig i en trasa, en av mina gamla handdukar förresten som jag hade lämnat kvar i tvättstugan. Navelsträngen var kvar, det såg väldigt konstigt ut ... Men hon hade tvättat dig, du var inte ett dugg blodig eller kletig eller så."

Margareta doppade den tredje kakan i kaffet och tog sats inför den viktigaste frågan:

"Vet du vem hon var?"

Gertrud sjönk tillbaka i sin stol och korsade armarna över sitt svällande mellangärde. Köket låg i skugga, luften var svalare inne än ute, ändå pärlade fortfarande några svettdroppar över hennes vita panna.

"Nej du, det vet jag inte. Faktiskt inte."

Margareta såg ner i sin kopp, det simmade några smulor i kaffet.

"Men vad trodde du? Fanns det någon här i huset som du misstänkte?"

"Nej", sa Gunhild. "Det skvallrades ju, det ska jag inte förneka, men inte om någon här i huset ..."

"Ärligt talat?"

Gunhild tycktes förstå allvaret i frågan, hon fäste sin blick i Margaretas och lade båda sina händer fullt synliga på köksbordet:

"Ja", sa hon. "Ärligt talat."

Det blev tyst en stund. Kranen borta vid diskbänken stod och droppade: det lät som hjärtslag, som om någon stod och lyssnade på dem i hemlighet och höll andan, någon som ändå inte kunde dölja sitt hjärtas slag. Margareta rörde runt i kaffekoppen med skeden, skrapade den mot koppens botten för att slippa höra det rytmiska dunkandet.

"Födde hon mig i tvättstugan?"

Gunhild såg plågad ut.

"Jag vet inte, det var det ingen som visste ... Hon kan ju ha gjort det och spolat av efter sig. Det måste i alla fall ha varit blött på golvet, för det blev stora märken efter Svenssons skor i stora rummet. Jag fick bona golvet efteråt."

Med ens såg Margareta honom framför sig: en spenslig liten karl i blåställ som stod mitt på golvet i Gunhilds vardagsrum. Hur kunde hon veta att han var spenslig? Jo. Det visste hon. Men annat visste hon inte, hon kunde inte minnas från vilket håll solen hade legat på, mot köket eller mot rummet.

"Hur dags var det?"

"Det var på morgonen. Eskil hade precis hunnit i väg till jobbet."

"Hur hade hon kommit in i tvättstugan?"

Gunhild tvekade med en kaka halvvägs in i munnen, lade den sedan ifrån sig på den blommiga assietten:

"Ja, det vet jag ju inte heller. Men det kanske stod i någon tidning ... Vad dum jag är, jag glömmer ju klippboken! Ta en kaka till så ska jag hämta den."

Margareta blev ensam i det skuggiga köket, fönstret stod på glänt ut mot gården och de lekande barnen. Deras röster var svala mitt i hettan, svala och blixtrande vita. Kranen droppade.

"Här!"

Gunhild vaggade in i köket igen med klippboken i famnen, strök undan några smulor från vaxduken med sin runda arm och makade sin stol närmare Margaretas innan hon satte sig.

"Nu ska vi se", sa hon och öppnade det stora bruna albumet. "Det var Eskils klippbok det här, så det mesta handlar ju om fotboll. Han var skolkamrat med Gösta Löfgren."

Margareta nickade. Hon hade ju vuxit upp i Motala och hade inte kunnat undgå att lära sig vem Gösta Löfgren var. Till och med Tant Ellen hade känt till honom. Gunhild bläddrade sig hastigt igenom berättelsen om hans väg mot landslaget.

"Här", sa hon till slut och satte ett knubbigt pekfinger på en rubrik: NYFÖDD FLICKA FUNNEN I TVÄTTSTUGA.

Det hade aldrig fallit Margareta in att tidningarna måste ha skrivit om henne, men nu såg hon att hon faktiskt hade varit en stor nyhet, om än inte riktigt lika stor som Motala AIFs framgångar i allsvenskan. Expressen hade den första bilden av henne: ett allvarligt spädbarn som stirrade in i kameran. Rubriken löd: MAMMA VAR ÄR DU? Kvälls-Posten gick på i samma stil. Margareta gjorde en skamsen grimas och flyttade blicken. Östgöta-Correspondenten, Motala Tidning och Dagens Nyheter var mindre kletiga och känslosamma, även om de också hade skrivit metervis.

Hon bläddrade håglöst i klippboken en stund, skummade rubrikerna, men läste egentligen inget. Plötsligt ångrade hon att hon kommit. Det fanns inga svar i Gunhilds klippbok och inga i hennes tvättstuga. Till sist böjde hon sig ändå närsynt över en bild. Vaktmästaren Vilhelm

Svensson var mycket riktigt en liten och spenslig man. För ett ögonblick kittlade hans doft hennes näsborrar. Tobak och sommarsvett.

Med dröjande rörelser hällde Gunhild upp påtår, med ens verkade också hon trött. Kanske hade detta återseende inte heller för henne blivit vad hon föreställt sig.

"Du får försöka förlåta", sa hon. "Hon hade nog inget val. Det är annat nu, men på den tiden var det en skam att få barn om man inte var gift. En stor skam."

Hon rörde med skeden i sin kopp och iakttog kaffets cirkelrörelse ett ögonblick innan hon upprepade:

"En mycket stor skam ..."

Margareta blev lite åksjuk när hon fortsatte sin resa, Gunhilds alla kakor svällde i hennes mage, hettan låg tung över slätten, bussens avgaser letade sig in genom de öppna fönstren och kväljde henne.

Tant Ellen blev överraskad när hon kom. Hon sträckte fram sin friska hand och log sitt sneda leende. Hon kunde tala numera, om än långsamt och sluddrande, men hon sa inte mycket, visade i stället med kropp och gester vad hon ville. Nu strök hon sig över pannan. Värmen plågade henne.

Att promenera med Tant Ellen genom Vadstena var en ny erfarenhet. Under sin tid hos Margot hade Margareta bara ett par gånger lyckats ljuga till sig biljettpengar och en ledig söndag och vid båda tillfällena hade det varit snö. Men nu gled rullstolen lätt på trottoaren, de kunde gå långt, mycket längre än Margareta ursprungligen hade tänkt. Långsamt strosade de genom gatorna. Margareta stannade med jämna mellanrum vid handarbetsaffärernas skyltfönster, Tant Ellen lutade sig fram och betraktade spetsarna, suckade sedan lätt och gjorde en uppgiven gest med sin rörliga hand. Staden vilade tyst omkring dem, så tyst att Margareta oavsiktligt sänkte rösten och talade i dämpad ton, som om Tant Ellen satt och sov i rullstolen och inte borde väckas. Ändå talade de bara om ytliga saker, om värmen, om Hubertsson och om att Christina var på väg till Vadstena igen. Hon hade fått sommarjobb på sjukhemmet i år också och skulle komma från Lund om en vecka.

Hamnparken var nästan tom, än hade turisterna inte kommit. Skuggorna under de höga träden var milda och gröna, enstaka solfläckar glimmade i det nyklippta gräset och slottet ruvade som en skugga i parkens utkant. Margareta slog till bromsen på Tant Ellens rullstol och satte sig på en parkbänk. De satt tysta en lång stund och såg ut över Vättern, drog in doften av nyklippt gräs och lyssnade tigande till fiskmåsarnas skrän.

"Jag var i Motala i dag", sa Margareta till slut. "I den där tvättstugan."

Tant Ellen vred på huvudet och såg på henne, men Margareta höll fortfarande blicken fäst på vattnet. Hennes tanke kilade i väg i en annan riktning, som alltid när hon hade något viktigt att berätta. Jag har alltid trott att det var myt att vattnet kunde vara blått, tänkte hon. För det mesta är det ju grått. Men i dag är det faktiskt blått. Bläckblått.

"Det är så konstigt", fortsatte hon. "När vi bodde i Motala ville jag aldrig gå dit. Jag visste ju vilken gata och vilket hus det var, men jag trodde liksom inte på det. Det var inte verkligt. Det var nästan lättare att tro att du verkligen hade hittat mig i körsbärsträdet ..."

Tant Ellen log ett hastigt leende, Margareta slog ner blicken och såg på sina händer.

"Men vet du vad jag egentligen trodde när jag var liten? Jag trodde att du var min riktiga mamma, att du bara höll det hemligt."

Tant Ellen sträckte fram sin hand, Margareta grep den.

"Det kändes så. Och då behövde jag ju aldrig tänka på henne, den andra, hon fanns ju inte. Det var inte förrän jag kom till Norrköping som jag började tänka på henne, det var inte förrän då som jag insåg att det faktiskt var sant det du hade berättat. Att jag är hittebarn och föräldralös."

Tant Ellen kramade till om hennes hand, men Margareta gjorde sig fri och började rota i sin handväska. Hon satte en cigarrett mellan läpparna, lutade sig en aning framåt och tände den innan hon kastade en hastig blick över axeln.

"Margot skulle dö om hon såg mig", sa hon och blåste ut röken. "Fina flickor röker inte utomhus ... "

Tant Ellen ryckte på axlarna och vände sig mot Vättern, följde en fiskmås med blicken när den dök i det glittrande vattnet och sekunden senare vände mot himlen med en fisk skimrande som ett silversmycke i näbben.

"Varför övergav hon mig?" sa Margareta plötsligt och slängde ifrån sig den halvrökta cigarretten. "Vet du det? Vet du hur man kan ge sig till att överge ett nyfött barn?"

Tant Ellen svarade inte, hon satt orörlig i sin rullstol och stirrade efter fågeln.

"Nej", sa Margareta och suckade. "Det kan du naturligtvis inte veta."

Fysiken blev en tröst. En mycket bättre tröst än arkeologin.

Detta är det mänskligaste av predikament, tänkte hon under de första årens fysikstudier. Vi vet ingenting om vårt ursprung. Gud lämnade oss i en tvättstuga och stack.

Hon var inte dum nog att säga det högt. Mycket snart insåg hon att den naturvetenskapliga konventionen krävde en viss avmätthet i förhållande till såväl mikro- som till makrokosmos. Man fick inte ge sig hän åt de existentiella sidorna av denna vetenskapernas vetenskap förrän man hade geniförklarats, av vanliga små dussinfysiker krävdes måttfullhet i tanke, ord och handling. Annars riskerade man att hänvisas till filosofiska fakulteten eller – hemska tanke! – till den teologiska. Och den regeln gäller än. En medelmåttig fysikdoktorand i världens utkant får inte tänka på Gud, det är förbehållet sådana som Albert Einstein och Stephen Hawking. Och knappt ens dem. Hawking är alldeles för fåfäng och självsmickrande i sitt förhållande till Gud för att väcka riktig respekt bland sina kollegor, och Albert Einstein framstår i vissa stycken som ett varnande exempel.

"Gud spelar inte tärning", sa han. Men det gör han visst. Om Gud finns så är han en notorisk tärningskastare: det har kvantfysiken bevisat. Materien befinner sig i ett ständigt tillstånd av tvekan, den kan inte bestämma sig för om den består av vågor eller partiklar, det avgörs först i betraktarens öga. Vissa partiklar har dessutom förmågan att befinna sig på flera ställen samtidigt, vilket i sin tur kan tyda på att fleruniversateorin faktiskt stämmer. Den innebär – något förenklat – att partiklarnas förmåga att befinna sig på flera ställen samtidigt är ett indicium på att verkligheten hela tiden klyvs, på att universum förökar sig genom delning.

Gud driver med oss, tänker Margareta ibland. Han leker och retas med oss. Men vi är honom på spåren, det hjälper inte att han slänger nya mystifikationer i vår väg. Vi ska peta sönder hans skapelse in i minsta detalj, vi ska leta upp den försvunna delen av anti-materian intill minsta lilla positron, vi ska räkna ut neutrinons exakta tyngd, för det är bara för att håna våra försök att beräkna universums vikt som han låtsas att den saknar massa, vi ska fånga Higgspartiklarna i en plåtburk och hånskratta medan vi skramlar med den. Oss lurar han inte.

Men sådana tankar brukar hon hålla för sig själv: om dagarna stirrar hon snällt in i sin dator och ägnar sig åt sina magnetstormar. Den delen av verkligheten kan hon omfatta med både känsla och förstånd. Det där andra – mysterierna – talar hon inte om.

Ändå undrar hon i tysthet om andra fysiker kan uppbåda tankekraft nog för att begripa och inte bara beräkna verkligheten. Den fjärde naturkraften, till exempel. Gravitationen. Margareta vet som alla andra hur den ska beskrivas och beräknas, men hon vet inte vad den egentligen är. Men det är hon ju å andra sidan inte ensam om. Ingen tycks egentligen veta vad gravitation är. Ändå verkar hon vara den enda som grubblar över det. Ibland ser hon sig omkring i lunchmatsalen på Institutet för rymdfysik i Kiruna och tänker: Nu gör jag det, nu reser jag mig upp och frågar. Hon kan se scenen framför sig, hur de andra släpper sina bestick och slutar äta, hur det blir alldeles tyst i matsalen.

"Jo", ska hon säga. "Ursäkta att jag stör mitt i maten, men är det fler än jag som tror att gravitationen är Gud? Eller åtminstone Guds händer?"

Jotack. Hon kan se vad som händer efteråt; hur en trött kollega tar tag i hennes bluskrage och byxbak och hivar ut henne i en snödriva. Exit Margareta Johansson. Där blir det ingen fast forskartjänst efter disputationen. Om det nu ens blir någon disputation. Snarare ilfärd till psykakuten.

Så Margareta sitter snällt kvar på sin stol i lunchmatsalen, dricker sin lättmjölk och tuggar sin oxjärpe. Bara ibland sluter hon ögonen för en sekund och betraktar sin längtan. Hon skulle vilja ha någon. En vän. Ett barn. En syster. Någon som kunde dela hennes undran.

HON TAR SIG INTE tid att leta efter en badrock, med bara ett badlakan snott om kroppen skyndar hon huttrande nerför trappan och ut i kapprummet, rotar med fuktiga händer i sin jackficka. Kvittot har blivit skrynkligt, men det är inte värre än att hon fortfarande kan läsa telefonnumret. Hon hackar tänder medan hon slår numret, men lyckas ändå göra sin röst stadig.

"Hallå", säger hon. "Jag lämnade in en Fiat i går. Är den klar? Utmärkt. Jag kommer om tio minuter."

Var finns telefonkatalogen? Hon drar ut lådorna i den gamla byrån och rotar runt. Fan. Här finns tusen sidenscarfar och kashmirhalsdukar, men inte en enda telefonkatalog. Hon får ringa nummerupplysningen. Två nummer vill hon ha. Till taxi. Och till Christinas vårdcentral.

Efteråt springer hon uppför trappan i tre långa kliv, hon vill få på sig kläderna så fort det bara går och komma ut ur det här dårhuset.

Christina är lika tokig som sin mamma. Inte tu tal om saken.

När hon har rafsat ihop sina saker och dragit igen väskans blixtlås drar hon efter andan. Rösten måste vara lugn och likgiltig när hon talar med Christina, hon måste säga tack och adjö på ett fullkomligt avspänt sätt, som om hon fortfarande inte hade anat och förstått ett dugg.

"Kan jag få tala med doktor Wulf?"

"Inte inne", säger en trött röst. "Jag kopplar till sköterskan."

Inte inne? Tänk om hon är på väg hem?

"Syster Helena!"

Klämkäck typ.

"Jag skulle vilja tala med Christina Wulf. Men hon är tydligen inte inne."

"Tyvärr. Är det något jag kan hjälpa till med? Vill du beställa tid?"

"Nej, inte alls. Jag är hennes syster, jag har varit och hälsat på och jag ville bara säga tack och adjö innan jag ger mig av."

Syster Helenas tonläge sjunker en aning och blir förtroligare.

"Jaså. Ja, då var det ju synd att Christina inte var inne ... Hon har kilat över till sjukhemmet, förstår du."

"Du kan kanske hälsa att jag har ringt? Och säga att jag hör av mig när jag kommer fram till Stockholm."

"Det ska jag göra."

Margareta är nästan på väg att avsluta samtalet när hon minns:

"Hubertsson jobbar väl också på vårdcentralen? Är han där?"

Syster Helena harklar sig en aning.

"Jodå, men tyvärr kan inte han heller tala i telefon just nu."

"Men du kan väl vara snäll och hälsa honom också! Vi har inte träffats på många år, men jag tror att han kommer ihåg mig. Margareta. Christinas lillasyster."

Helena blir påtagligt intresserad.

"Så du och Christina kände Hubertsson förr i världen?"

Margareta småler. Typiskt att varken Christina eller Hubertsson har låtit de andra på vårdcentralen förstå hur väl de egentligen känner varandra. Men kan hon sticka hål på deras futtiga lilla hemlighet så gör hon det så gärna.

"Javisst. Han var inneboende hos oss under några år ..."

"Tänka sig", säger Helena drömmande.

Margareta gömmer pliktskyldigast nyckeln till köksingången i Christinas trumpetsnäcka och går ut på trottoaren. Hon föredrar att vänta på sin taxi utomhus för den händelse värdinnan plötsligt skulle få för sig att dyka upp.

Helgalen. Totalknäpp. Fullständigt vriden.

Förmodligen har Birgitta aldrig lagt något bajs på hennes skrivbord. Kanske har hon inte ens stulit Christinas receptblock ... Och hon har definitivt inte tillräckligt med pengar, disciplin och målmedvetenhet för att genomföra en så komplicerad operation som den Margareta just har blivit utsatt för. Men det har Christina.

Hon måste ha lagt ner massor av tid på den här lilla leken. Först måste hon ha informerat sig om Margaretas resa till Göteborg, sedan måste hon ha åkt dit bara för att följa och bevaka henne. Och när Margareta stannade för att dricka kaffe och titta på utsikten vid Gyllene

Uttern så måste hon ha krupit in under bilen och tricksat med avgas-systemet ...

Tanken får henne att hejda sig och frusta till av återhållet skratt. Det är ju löjligt! Inte kan Christina, klädd i lodencape och en omsorgsfullt struken sidenscarf från Hermés, ha ställt sin lilla handväska ifrån sig på parkeringsplatsens asfalt, inte kan hon ha lagt sig på mage och kravlat in under bilen, inte kan hon mödosamt ha vänt sig på rygg och börjat plocka sönder underredet ...

Det är ju sanslöst. Så kan det inte ha gått till. Om inte annat för att Christina i så fall skulle ha blivit smutsig om händerna. Och Christina står inte ut med att bli smutsig om händerna. Det gör henne sjuk. Bok-stavligen. Får henne att kräkas.

Kanske är det hon själv som håller på att bli galen.

Strunt samma. Hon vill i väg i alla fall. Så fort det bara går.

Tillit. Förtroende. Förtröstan. Förlitan. Säkerhet. Skydd. Trygghet. Ord.

Kanske betyder de något i ett annat universum.

Om hon hade varit en förståndigare sextonåring – eller en förstån-digare människa på det hela taget – så skulle det aldrig ha blivit så här. Om hon hade förstått att hejda och kontrollera sin oro, om hon hade förstått att tiga, om hon aldrig hade öppnat dörren till den där telefon-kiosken så skulle allt ha blivit så som det var meningen att det skulle bli.

Tant Ellen skulle än i denna dag ha bott kvar i sitt hus i Motala. Kanske skulle hon ha behövt några timmars hemtjänst varje vecka och vem skulle ha kommit då om inte Birgitta. För Birgitta skulle naturligt-vis ha lugnat ner sig: någonstans i övre tonåren skulle hon ha träffat en Bill eller en Leif eller en Kenneth som var en rejäl verkstadsarbetare el-ler bilmekaniker eller byggjobbare. Och när hon hade fått två barn med honom – pojkar förstås, något annat var inte möjligt i Birgittas fall – skulle hon inte ha gått tillbaka till fabriken. Hon skulle ha stannat hem-ma i sin trerumslägenhet under några år, snutit barn och kokat gröt, sörjt sin mor och sina illusioner, vilat sig och samlat krafter, medan Bill eller Leif eller Kenneth jobbade övertid så ofta han kunde för att skrapa ihop pengar till insatsen till det där lilla huset de drömde om. Och när huset väl var köpt skulle Birgitta ha börjat i hemtjänsten – på deltid för-stås – för att hjälpa till med räntan och amorteringarna. Hennes rygg skulle ha raknat och all hennes gamla skam skulle ha släppt, avspänd och leende skulle hon ha cyklat genom Motalas gator som Tant Ellen en gång. Här kommer Birgitta Fredriksson (eller vad hon nu skulle heta) med vinande cykelhjul! En hederlig hustru till en hederlig arbetare. En alldeles vanlig människa.

Och om Tant Ellen någon gång kände sig krasslig – hon skulle ju i alla fall ha varit över åttio år vid det här laget – så skulle Birgitta ha ringt sin äldre syster Christina. Läkaren. Och Christina skulle ha satt sig i sin lilla bil när arbetsdagen var över och åkt hem till Tant Ellen, mätt hennes blodtryck, kontrollerat hennes mediciner och förmanat henne att ta det lugnt. Men när hon gått skulle Tant Ellen naturligtvis ha ringt till Margareta och morrat en smula upproriskt: hon tänkte visst gå till pensionärsföreningens årsmöte vad Christina än sa! Och Margareta skulle ha skrattat och glatt anslutit sig till denna subversiva åsikt.

När det blev jul skulle de alla samlas i Tant Ellens hus. Birgitta skulle komma med sin Bill eller Leif eller Kenneth och deras söner, två väldiga unga män med händer som dasslock och skratt i ögonen. De skulle lägga armarna om sin knubbiga mamma och krama henne lätt, de skulle kalla Tant Ellen för mormor och förbrylla henne genom att berätta besynnerliga tekniska detaljer från den verkstad där de hade sina oändligt trygga jobb. För Birgittas pojkar skulle vara trygga, de skulle vara vaccinerade mot tidens arbetslöshet genom utbildning, deras företag skulle helt enkelt inte klara sig utan dem.

Precis som förr i världen skulle de vara tvungna att duka ett litet extrabord för ungdomarna i Tant Ellens matrum, och vid det bordet skulle Birgittas pojkar sitta på den ena sidan och Christinas flickor – Åsa och Tove, naturligtvis, för även om Christinas professor har sina sidor så skulle Margareta aldrig någonsin önska bort honom och hans barn ur Christinas liv – på den andra. Och på gaveln skulle det finnas plats för det femte barnet. Hennes eget.

Det skulle vara den där pojken hon hade sett på barnhemmet i Lima. Genom Margareta och hennes son skulle Tant Ellen ha blivit anmoder i en oändlig ätt av föräldralösa barn; barn som i generation efter generation skulle ha sträckt ut handen och tagit till sig andra borttappade barn. Men själv skulle han vid det här laget minsann inte vara det minsta borttappad. Han skulle sitta där – kopparfärgad och indiansk, skön och gåtfull som en saga från Anderna – vid Tant Ellens julbord och betrakta sina kusiner med smala, svarta ögon, ständigt med ett litet leende på lur bakom det yttre allvaret. Och mitt i middagen skulle han fånga Margaretas blick, lyfta sin julmust till en skål och säga:

"Por la vida, morsan!"

Och Margareta skulle le medan hon höjde sitt eget glas och skålade tillbaka. *Por la vida!* För livet, för tilliten och den förtröstan som bodde i Tant Ellens hus.

Taxin dröjer, Margareta sjunker ner på Det Postindustriella Paradisets yttertrappa och lutar hakan i händerna. Vad är det för fel på mig, tänker hon. Vad är det för fel på oss alla tre? Varför är vi alltid beredda att tro det allra värsta om varandra? Hur kunde vi bli så satans lömska och misstänksamma?

Det borde ha blivit annorlunda. Vi växte ju upp i trygghetens tid, i den tid då varje soluppgång var en seger över gårdagen. Allt ont hade redan hade hänt, det förflutna var genomlidet, uthärdat och överståndet och nu återstod bara en oändlig rad av ljusnande morgondagar ... Det visste man ju. Det visste ju alla.

Men kanske är förtröstan aldrig något annat än naivitet, och kanske har de rätt, de cyniker som numera äger världen, när de hävdar att naiviteten är enfaldig till sin natur. För även om Margareta var en naiv flicka som kände sig hemma i en naiv tid, så räcker det inte för att beskriva henne i det ögonblick då hon öppnade dörren till telefonkiosken för Christina. Hon var dessutom enfaldig. Korkad. Närmast debil.

Men nej, hon var inte enbart naiv. Nog visste hon redan då att världen var full av skuggor. Några skymtade till i tillvarons utkant och försvann, som hennes egen mamma och Birgittas, andra bidade hotfullt sin tid som Christinas. Ibland fanns det skuggor till och med i Tant Ellens ansikte. När hon trodde att ingen såg henne sjönk hon ner vid köksbordet och lutade ansiktet i händerna och när hon blottade det på nytt var det strimmigt av näsblod och tårar.

Och det var inte bara hemma hos Tant Ellen som det fanns skuggor. En flicka i klassen berättade med ett skärrat blänk i blicken om en plats som hette Auschwitz, där hennes mamma hade legat utanför en gaskammare i två dygn och väntat på döden innan någon räddade henne in i en vit buss. Och Susanne, en annan klasskamrat, hade en eftermiddag öppnat familjens linneskåp och visat Margareta den hemlighet som låg gömd under en trave vita örngott. Det var en bild. Ett fotografi av en liten flicka med slutna ögon och rosa angorajumper.

"Det är min syster", viskade Susanne. "Hon heter Daisy."

Margareta iakttog flickan på bilden ett ögonblick innan hon viskade tillbaka:

"Varför blundar hon?"

"Hon är blind."

Margareta hisnade och sökte efter tröst.

"Hon är söt i alla fall. Jättesöt."

"Förr. Inte nu", viskade Susanne och stoppade tillbaka bilden under örngotten. "Hon har vattenskalle."

"Vad är det?"

"Huvudet bara växer och växer, det är fullt med vatten ... Vi var och hälsade på henne för tre år sedan och då hade det blivit jättestort ... Som en ballong. Hon kunde inte sitta upp, huvudet var för tungt."

"Får hon aldrig komma hem?"

Susanne stängde dörren till linneskåpet och låste. Plötsligt talade hon i vanlig samtalston, det var som om det inte fanns skäl att viska när skåpet väl var stängt. De var ju ensamma, Susannes mamma och pappa var ute och det fanns inga syskon i huset.

"Nej. Det går inte. Vi hälsar inte ens på henne längre."

"Varför då?"

"För att hon skriker så. Hon skriker i flera dagar när vi har åkt."

Efteråt hade Margareta cyklat direkt hem och slängt sin cykel i gruset på trädgårdsgången innan hon rusade in. Tant Ellen grälade på henne, men när Margareta berättade om Daisy tystnade hon och vände ryggen till.

Skuggor fick man inte tala om. Och förresten skulle de snart försvinna. De skulle vara borta när framtiden kom.

Först som vuxen har hon förstått att Christina och Birgitta aldrig delade hennes förhoppningar, att de aldrig anslöt sig till tidens framtidstro på samma sätt som hon. Kanske berodde det på att deras barndomsskuggor var mörkare än hennes. Insikten drabbade henne den dag för några år sedan då hon ringde upp Christina för att höra vilken dom Birgitta hade fått för stölden av ett visst receptblock och därmed åtföljande bedrägerier. Christina lät sammanbitet belåten när hon meddelade att Birgitta redan hade skickats till Hinseberg. Margareta blev besviken. Hon hade hoppats på skyddstillsyn och behandlingshem.

"Folkhemmet vittrar sönder", sa hon.

"Som om det skulle vara någon förlust", svarade Christina.

Tonfallet räckte för att en bild skulle blixtra till i Margaretas ögon. Ett höghus. Ett betonggrått höghus på en leråker. Det var folkhemmet för Christina. Och hon misstänkte att det tedde sig lika grått i Birgittas huvud. För henne var folkhemmet förmodligen bara ett trist litet kontor på socialen. Men i Margaretas egna ögon skulle folkhemmet alltid vara något annat. Ett vitt hus i en grönskande trädgård. Ett hus där också borttappade barn kunde få växa upp i trygghet.

Det industriella paradiset.

"Ska du med eller?"

Taxichauffören är irriterad: han sträcker sig över det tomma passagerarsätet och vevar ner rutan, tydligen har han kört hela Sånggatan fram, vänt och placerat bilens nos i rätt riktning utan att Margareta har märkt honom.

Hon fyrar av ett leende:

"Ursäkta. Jag satt visst och drömde ..."

För tio år sedan skulle ett sådant leende och en sådan replik ha fått honom att smälta, han skulle ha stängt av motorn och gått ur bilen, hjälpt henne med väskan och öppnat dörren vid förarsätet så att han kunde vara riktigt säker på att få ha henne tätt intill sig. Nu stirrar han bara otåligt på henne genom det halvöppna bilfönstret och låter henne själv släpa sin väska över trottoaren. Han protesterar inte ens när hon sätter sig i baksätet. Margareta ler lite, inte för att hon någonsin har spelat i samma division som Birgitta, men i årtionden har hon ändå tyckt sig vandra genom täta snår av manliga blickar och händer. Det är rätt skönt att det är över, att landskapet äntligen har öppnat sig, att hon kan gå omkring helt fritt utan att riskera att kjolen ska fastna i något snår, även om det innebär att hon får släpa sina väskor själv och blir avsnäst av sura taxichaufförer. Numera behöver hon inte längre vara på sin vakt, hon kan sitta, stå och gå precis som hon vill, utan att riskera att väcka några testosteronfontäner till liv. Men kanske har det inte varit lika enkelt och smärtfritt för Birgitta ...

I samma ögonblick som tanken snuddar vid Birgitta bestämmer hon sig. Ja. Hon ska åka till Norrköping, trots allt. Hon ska till och med köra Birgitta tillbaka till Motala.

För Margareta rädes varken fan eller trollen. Eller någon av sina systrar.

Hon slänger en blick på instrumentpanelens klocka när hon kör ut från verkstaden: om hon står på gasen kommer hon bara att bli en halvtimme försenad.

En dag som denna är det härligt att ha bråttom, att köra för fort på den smala och glest trafikerade vägen till Motala, att veva ner vindrutan så att den soliga fartvinden rufsar håret. Himlen ovan henne är hög och klar, jorden under henne är fuktig och väntande.

Margaretas högra hand trevar efter bilradion och när hon har vridit om knappen skrattar hon till av överraskning. Det är ju Claes röst som fyller bilen, hon sitter i Claes gamla bil och lyssnar till hans röst! Han rapporterar i samma stackato som alltid: den speciella språkmelodi som tycks vara gemensam för världens alla utrikeskorrespondenter. Det tar ett tag innan hon verkligen hör vad han säger. Ännu en massgrav har hittats i Bosniens berg: fyrtiofyra kroppar, förmodligen män och unga pojkar ...

Hon saktar farten och famlar med händerna efter sina cigarretter. Fyrtiofyra kroppar. Hon kan se deras tomma ögonhålor och nakna dödskallegrin framför sig. Och så Claes, stående med tunga kängor i deras grav med mikrofonen alldeles under näsan.

Han kommer hem till helgen, hon har lovat att hämta honom på Arlanda på lördag kväll. Efteråt ska de gå ut och äta middag, han har som alltid bokat bord på kvartersrestaurangen redan innan han reste. Där kommer han att plocka med besticken medan han berättar utan att egentligen berätta något. Claes berättar aldrig något. Han fyller tomrummet mellan dem med ord, men han säger ingenting. Ingenting som verkligen är viktigt. Ingenting som verkligen är sant.

Och själv säger hon inte heller något, åtminstone ingenting verkligt viktigt och ingenting verkligt sant. Hon vet ju inte hur han skulle reagera. Lika lite som han vet hur hon skulle reagera.

De tröstar varandra. Men de litar inte på varandra. Inte för ett ögonblick.

När Margareta började på rymdforskningsinstitutet nåddes hon av en viskning om att en av de andra forskarna var lite kyrksam av sig. Inte för att det märktes. Han svor och bullrade värre än de andra och när han en gång i halvåret skulle åka till Svalbard för att kontrollera sina instrument var han noga med se till att alla fick veta att han tänkte ha en flaska whisky nedtryckt i ryggsäcken.

Han hette Viking. Till råga på allt.

Till en början hade Margareta betraktat honom med en viss ängslan. Det är ju med de kyrksamma som med trubadurer och diktläsare, man vet aldrig riktigt när de tänker bli pinsamma. Men hennes ängslan var inte entydig, hon var också en smula frestad att göra sig närmare bekant med honom. Fördelen med de förmodat pinsamma är ju att man kan sänka garden i deras sällskap och själv bli en smula pinsam.

Hon föll för frestelsen en kväll då någon fyllde femtio år och det hölls överraskningskalas på institutet. Det dukades långbord i matsalen och senare på kvällen blev det dans. Margareta drog sig undan när det första bandet började snurra i bandspelaren, hon skyndade sig uppför trappan till sitt arbetsrum som om hon plötsligt hade kommit att tänka på något mycket viktigt och oavslutat. Men egentligen tänkte hon bara hämta sin kappa. Hon hade som så ofta förr blivit trött av de många människorna på festen, nu ville hon vara ensam en stund och njuta av ett bloss och lite eftertanke ute på laboratoriets tak.

Uppe på sitt rum snodde hon täckkappan om kroppen, men drog inte upp blixtlåset och tog inte på sig stövlarna. Hon tyckte om att se sina fötter i de smala festpumpsen, de gjorde det lätt att föreställa sig att hon var någon annan, någon som bara var yta och fasad och som levde ett helt annat och mycket mer fulländat liv än hon själv.

Det var enkelt att komma ut på taket. Man gick uppför en liten trappa och ut genom en vanlig dörr, det var allt. Taket måste vara tillgängligt eftersom det täcktes av plastbubblor, stora fula bubblor som skyddade de kameror och instrument som ständigt var riktade mot himlen.

I samma ögonblick som hon slog upp dörren såg hon norrskenet. Det var väldigt, så stort att det fyllde halva himlen och det hade en färg som hon dittills bara hade hört talas om. I vanliga fall var norrskenet vitt eller blått, men i kväll rusade djupt violetta vågor över himlen, böljande linjer uppstod och upplöstes, stora sjok av purpur fladdrade som lakan på tork i en blåsig dröm. Och himlen speglade sig i jorden. Snön nere på marken var plötsligt syrenfärgad.

"Åh", sa Margareta högt för sig själv, på en gång betagen och besviken. Ännu efter ett par år i Kiruna hade hon inte kommit över sin irrationella längtan efter att norrskenet skulle höras, att rymden skulle fyllas med musik när solens elektroner började dansa i atmosfären, att stråkar skulle följa norrskensdraperiets linjer, att pukor och trumpeter skulle dåna när en korona riktade sina strålar mot henne, att en stilla flöjt skulle ljuda som en silversång över himlen när skådespelet avtog.

Men naturligtvis kunde ett norrsken inte höras, inte ens ett violett norrsken som detta. Färgen berodde på att elektroner med hög hastighet hade trängt ovanligt djupt i atmosfären. Men ändå, djupdykande elektroner eller inte, detta violetta sidendraperi var ett mirakel, och den som blir vittne till ett mirakel måste dra efter andan, lägga handen mot sitt bröst och vända ansiktet mot himlen. Hon må jubla i sitt inre, men hon måste vara tyst, det är förbjudet att ge ens det minsta lilla ljud ifrån sig ...

Asch. Hon tog handen från bröstet och fumlade i fickan efter cigarretterna. Om man var tvungen att vara tyst i närvaro av ett mirakel så borde det vara knäpptyst på hela planeten. För vad är denna julgranskula i evigheten om inte ett mirakel? Ett bortglömt mirakel, dock, bullrigt och skräpigt, fyllt av förfalskningar och trivialiteter, av trasiga plastankor och inaktuella almanackor, av masklupna strumpbyxor och noppiga akryltröjor, av flottig skräpmat och illaluktande disktrasor. Och kanske bör vi vara tacksamma mot det distraherande skräpet, tänkte Margareta, för om vi människor ständigt hade kommit ihåg att vi lever i ett mirakel skulle vi kanske skrida omkring som new age-feer i en Disneyfilm, gravallvarliga, rakryggade och mantelbehängda, evigt *ah*-ande och *oh*-ande av förundran inför minsta lilla björklöv och grässtrå. Och hur roligt vore det? Hon bara undrade.

Margareta böjde sig fram för att tända sin cigarrett, dörren bakom hennes rygg puffades till och fick henne att snubbla några steg framåt. Viking stack ut sitt fyrkantiga ansikte genom dörröppningen.

"Hoppsan", sa han. "Ursäkta."

Margareta återfick balansen.

"Ingen fara. Kom ut bara, det är stor show i kväll."

"Jag ser det", sa Viking och drog handen över ansiktet. "Magnifikt."

Han var bara klädd i skjorta. Dessutom hade han rullat upp ärmarna till hälften.

"Fryser du inte?" sa Margareta.

"Nej. Jag behöver svalka mig. Det är ganska varmt där nere, folk börjar komma i form ..."

"Du kommer att få lunginflammation."

Viking flinade till och gav henne ett snett ögonkast:

"Det gör inget. Jag tror ju på ett liv efter detta."

Margareta fnissade generat och slog armarna om sig själv, stampade några gånger med finpumpsen för att få liv i tårna.

"Själv har jag kappa på mig som du ser ..."

"Jo. Men du har inga stövlar."

"Nej. Somliga av oss blir aldrig helt övertygade. Inte ens om temperaturen."

Det blev tyst en stund. Norrskenet kråmade sig över deras huvuden.

"Är det skönt att tro?" sa Margareta. "Gör det livet enklare?"

Viking suckade lätt och korsade armarna över bröstet.

"Det korrekta svaret är nej. Tron är inget njutningsmedel och inget hjälpmedel i jakten på ett enkelt liv."

Margareta väntade på en fortsättning, men han sa inget mer. Hon fick själv knuffa till honom:

"Och det sanna svaret då? Det icke-korrekta?"

"Det sanna svaret är ja. Det är skönt att tro. Det gör livet enklare. Man får tillgång till ett annat språk."

Han vände sig mot henne, kisade mot hennes ögon:

"Har jag uppfattat saken rätt när jag har förmodat att du är en vilsegången humanist?"

Margareta skrattade till.

"Jo. Du har nog det. Fast mer vilsegången än humanist. Om du förstår vad jag menar ..."

"Nej. Hur kom det sig att du blev fysiker?"

Margareta drog ett djupt bloss. Skulle hon berätta? Nej. Hon skulle kunna tänka sig att ligga med Viking om det blev nödvändigt, men hon skulle definitivt inte kunna berätta för honom om parabolerna i Tanum. Det finns gränser.

"Äh", sa hon. "Du vet hur det var på sjuttiotalet. Nästan ingen ville läsa fysik, alla skulle ju bli sociologer. De naturvetenskapliga institutionerna tog in alla som råkade gå förbi ... Och jag är väl en sådan, en som gick förbi. Egentligen hade jag tänkt bli arkeolog."

Hon tog stöd mot väggen och fimpade sin cigarrett mot skosulan, för ett ögonblick vilade askan som en svart punkt mot det ljusa lädret, sedan föll sotflagorna mot snön.

"Gravitation", fnissade Margareta. "Ständigt denna gravitation ..."

Viking höjde frågande på ögonbrynen, men sa ingenting. Margareta rätade på ryggen och stack händerna i kappans fickor, kurade ner hals och haka under kragen.

"Har jag för min del rätt när jag förmodar att du har gjort en resa?" sa hon. "En klassresa."

Han log hastigt:

"Jo. Farsan var skogsarbetare. Och du?"

"Självklart. Mamma var hemsyster. Innan hon blev hemmafru."

"Aha", sa Viking. "Nå, har du sett och lärt dig något under resans gång?"

"Ett och annat", sa Margareta med ett snett leende. "Både om det som vi fått och det vi inte fått."

Viking tog sig en hastig åkarbrasa, hans utandning stod som en vit plym ur näsborrarna.

"Självsäkerheten, menar du? Den där allmänna utstrålningen av att man själv är normen och alla andra undantag? Den saknar vi. Liksom de där föreställningarna om att den som föds till välstånd förtjänar det, medan andra förtjänar det armod de föds till."

Margareta gjorde en grimas.

"Du glömmer fördelarna. Friheten. Vi har en frihet som de aldrig får."

Viking stoppade händerna i armhålorna. Han frös och hade glömt norrskenet.

"Kanske det."

"Det märks särskilt på kvinnorna", sa Margareta. "Det är sorgligt att se ..."

Viking började hoppa upp och ner på stället, fortfarande med händerna i armhålorna.

"Hur då?"

"De är så fruktansvärt väluppfostrade. Höjer aldrig rösten. Skrattar aldrig med öppen mun. Springer inte. Klättrar inte. Fantiserar inte. Sitter bara där med knäna tätt ihop och hoppas att de inte stör. Som om de vore halvdöda."

Viking vände blicken inåt, men utan att sluta hoppa.

"Jo", sa han. "Du har nog rätt. Det gäller nog männen också. Borgarklassen kräver konformitet. Men det gör ju arbetarklassen också."

Margareta anslöt sig till hans hoppande, hon frös också, men hon ville inte gå in. Det var skönt att för en gångs skull få föra ett ärligt samtal med en ärlig människa. Deras fötter dunkade rytmiskt mot taket.

"Men vi klassresenärer är fria", sa hon. "Vi är annorlunda överallt. Det är en tillgång."

Vikings suck stod som ett moln ur hans mun:

"Jag vet inte det. Ibland måste det vara skönt att höra till så där självklart och oreflekterat."

Margareta blundade och tänkte efter under några hopp.

"Nej", sa hon till slut. "Det är skönt att slippa höra till."

"Så du ser inga nackdelar. Bara frihet?"

Margareta slutade hoppa och slog armarna hårt om sig själv. Viking hejdade sig också, hans andhämtning hade blivit tung.

"Jo", sa Margareta. "Jag ser en nackdel. Men jag är inte människa till att räkna ut om det är ett privatpsykologiskt problem eller om det beror på klassresan. Jag har ingen tillit. Jag litar inte på någon."

Viking stirrade på henne ett ögonblick innan också han slog armarna om sig själv.

"Tillit?", sa han. "Det finns väl ingen anledning att ha tillit."

"Litar du inte heller på någon?"

Viking öppnade dörren och gjorde en gest som för att fösa in henne i värmen.

"Jag litar på Gud", sa han. "Men människor? Det finns väl ingen anledning att lita på människor. De är ju kapabla till vad som helst."

NORRKÖPINGS POLISHUS STÅR SOM ett utropstecken vid Norra Promenaden. Margareta ser det redan på avstånd, men när hon väl kommer fram får hon snurra två varv i en rondell innan hon begriper var hon ska ta av för att hitta en parkeringsplats.

Norrköping är sig likt. Ljuset från himlen har fortfarande en ton av mässing, spårvagnar skramlar ännu längs gatorna och Norrköpingsborna verkar ha lika bråttom nu som för trettio år sedan. Hon gillar den här staden. Här finns ingenting av den magsura självrättfärdighet som ibland kan driva henne till vansinne hemma i Kiruna. Kanske borde hon slänga sin avhandling i papperstuggen och flytta hit, utnyttja sin gamla lärarutbildning, bli adjunkt på något gymnasium och skaffa sig en älskare. En bonde, kanske, med sträva kinder och djupa rötter i Östgötamyllan. Det vore något. Om hon inte skulle göra som Hubertsson och gå till den tämligen brackiga dansen på Standard Hotell varje torsdag. Då kunde hon gå omkring och se ut som Cheshirekatten varje fredag. Precis som han gjorde.

Men tyvärr. Det går inte. Den som har fostrats av Tant Ellen kan inte slänga sin avhandling i papperstuggen, hon är tvungen att slutföra det hon påbörjat. Det är med Margaretas avhandling som med de där dukarna hon broderade en gång; även om hon redan tidigt kunde se att resultatet skulle bli eländigt så måste projektet fullföljas. Det har Tant Ellen bestämt. Eller Gud. Eller Högskoleverket.

Hon smäller igen bildörren, låser och ser sig om. Det är tomt framför polishusets entré, kanske väntar Birgitta innanför dörrarna. Hon plockar upp en borste ur sin handväska och drar den hastigt genom håret, rättar sedan till jackan och låter tungan glida över framtänderna. Det gäller att se prydlig ut när man går in i ett polishus, i synnerhet om man därinne kommer att förknippas med en person som Birgitta. Margareta är lite rädd för myndigheter. Hon tycker i och för sig att det är självklart att det ska finnas polisstationer och socialkontor lite varstans till hjälp för medborgare i nöd, men själv passar hon sig noga för att ha med dem att göra. Hon misstänker att både poliser och socialarbetare är som mytens grävlingar, att de hugger och inte släpper taget förrän de hör hur det krasar i skelettet.

Det är tomt också inne i entrén, ingen Birgitta står och hänger innanför dörrarna. Margareta kastar en blick på sin klocka; hon har kört fortare än hon trodde, hon är bara tjugo minuter försenad. Birgitta borde ha haft vett att vänta. Kanske sitter hon inne i receptionen ...

Det är mycket folk därinne. Trötta medborgare står, sitter och hänger överallt, alla med kölappar i händerna som på ett annat postkontor. Margareta tar en lapp och kväver ett stönande. Hon har fått nummer 73 och just nu står nummer 51 böjd över receptionsdisken och mumlar fram sitt ärende. Hon kommer att få vänta halva dagen

Hon låter blicken glida över lokalen: det är några år sedan hon sist träffade Birgitta, kanske skulle hon inte omedelbart känna igen henne. Men nej. Det finns ingen här som har ens en avlägsen likhet med Birgitta. De flesta är tysta och väluppfostrade, bara en enda person muttrar halvhögt för sig själv och svär. Det skulle kunna vara Birgitta om det inte varit så uppenbart att personen i fråga är karl: han har både skäggstubb och tatuering. Margareta är beredd att tro det mesta om sin syster, men inte att hon har bytt kön. Birgitta har alltid varit mycket förtjust i att vara kvinna.

Plötsligt förstår hon.

Jaha. Det har alltså hänt igen. Två gånger på ett dygn har hon blivit lurad att ge sig i väg till platser där Birgitta inte finns. Men den här gången är det mer besynnerligt än i går. Christina kunde mycket väl ha ljugit om det där telefonsamtalet om hon av någon obegriplig anledning fann det tillfredsställande att kuta mellan avdelningarna på Motala sjukhus halva natten, men i dag talade Margareta själv med Birgitta. Och det var Birgittas röst hon hade hört. Absolut. Christina skulle aldrig kunna imitera den så väl.

Skit samma. Nu är hon ändå färdig med den här leken, vem det än är som leker den så får hon leka utan Margareta i fortsättningen. Hon skrynklar ihop sin nummerlapp och kastar den i en papperskorg. Hon ska ge sig i väg till Stockholm. Omedelbart.

Hon vänder sig om så hastigt att hon stöter till en polisman som just sneddar genom lokalen, och innan hon hinner hejda sin impuls upptäcker hon att hon har lagt sin hand på hans skuldra. När han vänder sig om ser hon att han är mycket ung. Huden är lika slät som skjortan, det är som om någon har dragit ett ångstrykjärn över hela hans person.

"Ursäkta", säger Margareta, "jag har bara en hastig fråga ..."

"Ja?"

Hon väljer sina ord med omsorg, formulerar sig som hon tror att en övervakare eller socialsekreterare skulle formulera sig.

"Jag skulle hämta en person från Motala här. En person som ska ha suttit anhållen nu på morgonen. Birgitta Fredriksson."

"Ja?"

"Men jag kan inte hitta henne. Det var sagt att hon skulle vänta utanför, men hon finns inte där."

Den nystrukne rynkar pannan.

"Hur ser hon ut?"

Margareta tvekar. Hur ser Birgitta egentligen ut nuförtiden?

"I femtioårsåldern. Ganska kraftig. Lite högljudd av sig."

Polismannen ler lite snett.

"Jag tror jag vet vem du menar. Vi fick lyfta ut henne för en stund sedan."

Margareta blir mjuk i knäna av lättnad. Birgitta har varit här, hon har alltså inte blivit lurad. Hon höjer ögonbrynen och ser frågande på den nystrukne:

"Lyfta ut?"

Han stramar upp sig:

"Hon ställde till oväsen här inne så vi beordrade henne att lämna lokalen. Jag och en kollega följde henne ut."

Margareta drar handen över pannan, det är lätt att föreställa sig hur det gick till. Muntert.

"Såg du vart hon tog vägen?"

"Hon gick ner mot Norra Promenaden. Mot järnvägsstationen."

Hon måste vänta ut två rödljus innan hon kommer över på rätt trottoar. Det gör henne otålig, plötsligt har hon bråttom, plötsligt är det obegripligt viktigt att hitta Birgitta och se till att hon kommer tillbaka till Motala.

Hon tar järnvägsstationen först, kontrollerar den systematiskt. Ingen Birgitta i väntsalen. Ingen Birgitta i biljettkön. Ingen Birgitta ute på perrongen. Inte heller kan hon ha åkt för det har inte gått något tåg till Motala under de senaste två timmarna. Och låsen på väntsalens toaletter visar på grönt, alltså är hon inte där heller. Å andra sidan har hon svårt att föreställa sig att Birgitta någonsin skulle betala fem kronor för att komma in på en toalett. Bäst att kontrollera saken.

En tonårsflicka i decimeterhöga platåskor betraktar henne misstänksamt när hon går från den ena dörren till den andra, stoppar en femkrona i varje lås och öppnar dörren bara för att omedelbart stänga den igen. Ingen Birgitta. Bara de vanliga sjoken av toalettpapper på golvet.

När hon kommer ut på järnvägsstationens trappa blir hon stående och ser sig omkring. Kanske borde hon gå över till parken på andra sidan Norra Promenaden, den var ett tillhåll förr i världen. Och om det inte ger något ska hon gå tillbaka till sin bil och köra bort till Saltängen. Inte för att hon vet om Saltängen fortfarande är vad det en gång var, men hon känner Birgitta tillräckligt väl för att veta att hon gärna vandrar i sina egna fotspår.

Hon kastar en blick över gatan när hon kommer in i parken och hejdar sig mitt i steget: Standard Hotell är inte Standard Hotell längre, hon kommer aldrig att kunna gå dit i samma ärende som Hubertsson och komma ut lika slutet belåten han. Strunt samma. Hon sparkar till gruset på gången framför sig och släntrar vidare i riktning mot Karl-Johansparken. Det ser ut att sitta några A-lagare på en bänk därborta. Hon kisar närsynt: det verkar enbart vara män, men å andra sidan har livet lärt henne att unga män och gamla kvinnor är förvillande lika på avstånd.

Men detta är ett helt igenom manligt gäng, det ser hon när hon kommer närmare. Tre sjaskiga medelålders män, som låter en ensam ölstackare vandra ur hand i hand. Kanske har de sett Birgitta, kanske vet de var hon är ... Men nej. Margareta tänker inte fråga dem. Inte för att hon är rädd, utan för att hon inte vet hur hon ska göra sig kvitt dem när hon en gång har tilltalat dem. I stället gör hon en stor lov omkring dem och vandrar vidare.

Några minuter senare sätter hon sig på ett av de breda trappstegen på den terrasserade strandkanten bakom gamla Restaurang Strand, Norrköpings första nattklubb, och ser ut över Motala ström. Hon känner sig hemma här, hon och hennes tjejkompisar satt ofta på de här trappstegen och såg ut mot vattnet. Och en gång var hon på studentfest på Strand. André var också där. Med sin fru.

Margareta gör en grimas och öppnar handväskan på jakt efter cigarretter. Vilken skit han var! Det var som om han fick en kick av att ha dem båda i samma rum, av att föra Margareta över dansgolvet, medan hans fru blick satt ensam vid ett bord och ömsom öppnade, ömsom knäppte låset på sin aftonväska. Och vilken liten idiot hon själv var. Leende och lycklig, fuktig och beredd så fort han överhuvudtaget riktade blicken mot henne.

Det blåser, hon får hålla undan håret med handen för att det inte ska fladdra in i cigarrettändarens låga, men då kan hon å andra sidan inte skydda lågan från vinden, den flämtar bara till en tiondels sekund innan den slocknar. Men håret är viktigare: hon böjer hakan mot bröstet och klickar och klickar och klickar på sin tändare.

"Jaså, du kom i alla fall", säger en röst bakom henne. "Det var som fan. Kan du bjuda på en cigarrett också?"

Att vara Birgittas lillasyster är att också vara hennes trasdocka, att kastas hit och dit med slutna ögon och aldrig riktigt veta var man befinner sig när man öppnar dem på nytt. Så var det alltid hemma i Tant Ellens trädgård; en vanlig lek kunde plötsligt bli något helt annat, vinbärsbuskarna som nyss hade varit väggar i en mjölkaffär smälte bort och återuppstod som hyllor i ett apotek. Margareta lutade sig mot trädgårdsstolen som fungerade som disk och log vänligt mot den sjuka kunden som kom haltande över gräset med högerhanden dold innanför koftan.

"Nu var jag egentligen en professor", sa Birgitta. "En som inte var riktigt klok. Och så frågade jag dig om ni hade ormgift på apoteket ..."

"Ormgift?"

"Ja. Och då sa du att det hade ni inte."

Margareta lade huvudet på sned och neg:

"Tyvärr. Något ormgift har vi inte."

Birgittas ansikte förvreds till en skräckinjagande grimas, hon slet fram den hand som hon hade gömt innanför koftan och skakade en liten glasburk framför Margaretas ögon:

"Haha! Då ska ni få det nu. För jag har ormungar i min burk som ni kan få köpa!"

Margareta backade, ett lätt illamående började stiga i hennes strupe.

Hon kunde inte se vad som fanns i burken, men tanken på något slingrigt och grått innanför det blanka glaset räckte.

"Nej!"

Birgitta skrattade och kastade huvudet bakåt, nu var hon verkligen en galen professor:

"Ja. Då sa du nej och då blev jag arg. Ni ska köpa mina ormar! Ni ska betala tusen kronor annars släpper jag ut dom!"

Margareta lyfte armarna för att värja sig för sin egen rädsla.

"Nej!"

"Ja, du sa nej. Och då blev jag så arg att jag skruvade av locket och släppte ut ormarna!"

Margareta skrek. Det var ett gällt litet ljud som skrämde upp några fåglar i körsbärsträdet, de steg som en skugga mot himlen. Hon kunde se hur ormarna föll som en gråspräcklig klump ur burken, hur de snodde och slingrade sig om sig själva när de hamnade på disken, hur några av dem föll ner på golvet, hur de ringlade och krälade mot henne, hur en av dem tog sig upp på hennes fot och snodde sig om hennes vrist ... Hon böjde sig ner och fäktade med armarna över benet, men utan att våga nudda vid det.

"Nej!" skrek hon. "Sluta! Nej! Nej!"

"Tjut inte", sa Birgitta. "Ska vi se vem som kan klättra högst i körsbärsträdet?" Glasburken stod på trädgårdsstolen. Den var tom. Den hade varit tom hela tiden.

Margareta slår armarna om knäna och iakttar Birgitta medan hon tänder cigarretten, Birgitta svarar med ett hastigt ögonkast. Det ligger en varning på lur där inne. Jag vet mycket väl hur jag ser ut. Men säg ett ord om saken och det blir en smäll och en duns!

Hennes dubbelhaka har förvandlats till en sladdrig påse. Hon har blå skuggor under ögonen. Läpparna är nariga och spruckna, håret är matt och krusigt av en gammal permanent, det hänger som ett halvslutet draperi över ansiktet. Hennes lår är så tjocka att jeansen har blivit trådslitna på insidan. Täckjackan är trasig; vit syntetfyllning tittar fram ur ett hål vid den ena fickan och ur en reva på ärmen. Det röda tyget är överdraget av ett jämnt lager smuts, det ser ut som om någon har sprayat en gråbrun färgton över hela jackan.

"Fan, vad du tog lång tid på dig", säger Birgitta. "Jag väntade och väntade, men till slut gick jag."

"Bilen var på verkstad", säger Margareta. "Det tog en stund att hämta den."

Men Birgitta hör henne inte.

"Snutarna i den här stan är tamejfan inte kloka ..."

"Jaså."

"Det verkar som om det inte ens är tillåtet att gå rätt upp och ner på en gata här ... Jag var inte ens full, men dom sög in mig i alla fall. Jag hade inte gjort ett skit."

"Men vad gör du i Norrköping? Hur kom det sig att du hamnade här?"

Birgitta drar ett djupt bloss och fladdrar med ögonlocken.

"Det var någon fest. Jag vet inte riktigt, jag var ganska trött i går ... Men jag var på något partaj."

Minnesluckor, tänker Margareta. Snart är din hjärna hålig som en schweizerost, kära syster. Och det vet du.

"Du minns inte?"

Birgitta ger henne hastig snedblick och försöker karska upp sig.

"Fan. Du vet. Det var ett jävla häftigt partaj om jag säger så...."

Hon försöker dra mungiporna åt sidan, men det högmodiga leendet orkar inte fram. Hon vänder på huvudet och ser ut mot vattnet, blinkar hastigt några gånger.

Margareta lägger armen om henne och drar henne till sig, låter hennes huvud vila mot sin axel.

En enda gång svarade Margareta i telefon trots att man egentligen inte fick. Det var en sen kväll om vintern, året efter det att Birgitta hade kommit till huset. En torsdagskväll.

Hemma hos Tant Ellen var torsdagskvällarna badkvällar, då klädde sig flickorna i sina frottérockar och tågade på rad efter henne ner i källaren. Och medan Tant Ellen skrubbade en av dem satt de andra två på golvets trätrall och väntade på sin tur.

Men just den här torsdagskvällen hade Margareta inte fått följa med, hon hade feber och då var det farligt att bada. Hon satt med korsade ben på sin säng inne i tomrummet och läste en Fem-bok när telefonen ringde.

Hon lystrade. Tant Ellen brukade bli arg när Birgitta trotsade telefonsvararförbudet, ändå slängde sig Birgitta ständigt i telefonens riktning så fort den drog efter andan för att ge en signal ifrån sig. Om Tant

Ellen höll på att diska eller var kladdig om händerna så var det alltid Birgitta som hann först och då blev det bannor efteråt.

Nu tvekade Margareta. Skulle hon svara? Gällde förbudet också när Tant Ellen inte var inne? Nej. Om det ringer i telefonen så måste någon svara och just nu var hon den enda någon som var tillgänglig. Hon skyndade sig att dra upp sina nedhasade raggsockor – det var dödsstraff på att gå barfota när man hade feber – och tassade ut i hallen.

"Hallå", sa hon och lyfte den svarta luren. Den var så stor att hon måste hålla den med båda händerna.

"Lilla älschkling", snyftade en röst i hennes öra. "Vilken tur att det var du som svarade... Jag var så rädd att det skulle vara den där elaka människan som skäller på mig hela tiden ..."

"Hallå", sa Margareta igen. "Vem är det?"

Kvinnan i luren snyftade till:

"Jamen, hör du inte det, lilla gumman? Känner du inte ens igen min röst? Det är ju din lilla mamsi-mams, ditt lilla mammagull. Men jag ringer för sista gången ..."

Rösten steg till ett ylande:

"Ja, nu är det schista gången mamma ringer, gumman, för nu ska mamma dö! Allt är klart. Det står en stor burk sömntabletter här på bordet framför mig och bredvid den ligger en kniv ... Jag ska ta alla tabletterna om en liten stund och sedan ska jag skära mig i handleden, förstår du! Jag ska döö! Döö för att jag inte får ha min lilla flicka hos mig! Då får dom se, minsann, dom som skilde oss åt, dom som inte ens låter dig komma hit och hjälpa din mamma med minsta lilla! Då får dom ångra sig!"

Febern fick golvet att gunga till, Margareta måste ta stöd mot väggen för att inte falla.

"Vem är det?" sa hon igen. "Hallå! Vem är det?"

Snyftningarna övergick på en sekund till ett ilsket fräsande:

"Gör dig inte till, Birgitta! Du vet mycket väl vem det är!"

"Jamen ... Det är inte Birgitta. Det är Margareta."

Den främmande rösten blev plötsligt nykter och distinkt.

"Jaså i så fall ... Jaha."

Det knäppte till i luren. Birgittas mamma hade lagt på.

"Nej för fan", säger Birgitta efter ett ögonblick, rätar på sig och gör sig fri från Margaretas arm. "Här kan man ju inte sitta, man förfryser ju röven..."

Javisst ja. Margareta reser sig upp, vrider på överkroppen och försöker se om fårskinnsjackan har blivit fuktig där bak.

"Har du ätit lunch?", säger hon och rätar på sig.

Birgitta flinar till:

"Lunch? Nej, jag brukar inte äta lunch. Jag brukar inte äta *supé* heller. Och i dag har jag inte ätit en bit."

Ska vi gå och äta något då?"

Birgitta gör en äcklad grimas.

"Nej, jag är inte hungrig ..."

"Men det är jag. Vi kan väl ta en pizza, bara. Eller något?"

Birgitta rycker på axlarna och fumlar med tjocka fingrar i ett paket Blend, det tar en sekund innan Margareta inser att det är hennes eget. Birgitta har lagt beslag på det med stor självklarhet, hela hennes kroppsspråk visar att det nu tillhör henne och att hon kan tänka sig att uppbåda ett visst mått av förtrytsamhet om någon annan skulle göra anspråk på det. Margareta blir irriterad på sin egen feghet. Varför står hon där bara som ett fån utan att våga kräva sina cigarretter tillbaka? Hon vänder ryggen till, kör händerna i fickorna och börjar gå bort mot Drottninggatan. Birgitta skyndar efter, men vinglar till när hon kommer jämsides med Margareta.

"Fan", säger hon. "De här skorna är inte så stadiga."

Margareta följer hennes blick: Birgitta har ett par svarta gamla pumps på fötterna. De är snedgångna, uttrampade och alldeles uppenbart för stora. Hon vickar på sina egna tår: de är tryggt förpackade i ett par varma och lagom moderiktiga kängor och ändå har de blivit en smula stela. Det är fortfarande vinter.

"Fast visst kan vi gå och äta", säger Birgitta. "Men du får betala. Jag har inte en spänn."

Birgitta rynkar på näsan åt pastarestaurangen på Drottninggatan. Hon tycker inte om spaghetti, det är kladdigt och äckligt. Men hon godkänner det kombinerade pizza- och grillhaket, ser till och med belåten ut när hon kommer in.

"Schyst!", säger hon och låter ögonen spela över sprithyllorna bakom disken.

Margareta känner hur det snörper till i överläppen. Det har ändå dröjt ovanligt länge. Det brukar räcka med att hon tillbringar en kvart i Birgittas sällskap för att hon ska börja snörpa på munnen som en annan

Christina. Och nu har det gått nästan en halvtimme.

"Vi ska bara äta. Inget annat."

Birgitta lyfter avvärjande händerna:

"Har jag sagt något? Ursäkta i så fall. Ursäkta för all del."

Det är halvtomt i restaurangen, ändå dröjer det innan kyparen kommer med menyn till deras fönsterbord. Birgitta ger honom en uppskattande blick, han är ung och mörk och klädd i en bländande vit skjorta. Han svarar med ett nedlåtande ögonkast innan han lägger båda händerna på ryggen och riktar blicken ut mot gatan.

"Ja?" säger han sedan i uppfordrande ton.

Margareta tar till sin snorkigaste frökenröst:

"Vi vill titta på menyn först. Så om du kan vara så vänlig och komma tillbaka om några minuter."

"Fast ta in ett par starköl så länge", säger Birgitta. "Så att vi har något att dricka medan vi bestämmer oss."

Margareta lägger menyn åt sidan och suckar.

HON BORDE HA LÄRT SIG. Hon har haft tillräckligt många anfall av akut filantropi under årens lopp för att begripa att Birgitta inte ostraffat låter sig hjälpas. Egentligen borde hon ha insett det redan första gången. Men då sökte hon ju inte upp Birgitta för att hjälpa utan för att själv bli hjälpt.

Margot hade tappat intresset för henne några veckor efter studentexamen. Hon hade fått korn på en förfallen herrgård ute vid Bråviken – Fjorton rum! Takmålningar! Egen tennisbana! – och när Margareta inte omedelbart gick med på att ge upp sina planer på att läsa arkeologi i Göteborg för att i stället låta sig förvandlas till bleklagd herrgårdsfröken, så upphörde Margot från den ena dagen till den andra att tala till henne. Visserligen dukade hon fortfarande middagsbordet för tre, men hennes rörelser blev stela och ryckiga när hon skickade mjölken eller saltet i Margaretas riktning. Nu var hon helt koncentrerad på Henry. Hennes längtan efter herrgården var en laserstråle riktad rakt mot hans panna.

Henry var inte missnöjd, det märktes, trots att han höll långa och skrockande utläggningar om fruntimmers allmänna oförmåga att begripa sig på affärer. Å andra sidan, förklarade han, kunde också en blind höna hitta ett korn och det där kråkslottet var kanske inte en alldeles oäven investering förutsatt att Margit höll sig i skinnet under renoveringen. Han skulle sköta kontakterna med byggfirman själv, Margit kunde på sin höjd få bestämma färgen på tapeterna, i övrigt skulle hon hålla käft. Margot nickade ivrigt. Visst! Men kunde hon inte få boka en resa till London åt dem i augusti? Då kunde hon gå till den där underbara tapetaffären på Oxford Street medan Henry satt på sin favoritpub i Soho. Henry nickade nådigt och Margot slog ihop sina knubbiga händer av förtjusning. Härligt!

Så kom det sig att Margareta var ensam i huset när hon packade sina saker för att resa till Göteborg. Hennes tvekan gjorde henne långsam, hon visste inte riktigt hur hon skulle förhålla sig till alla de gåvor hon hade fått av Margot och Henry. Tre julaftnar, två födelsedagar och en studentexamen hade fått hennes smyckeskrin att bli tungt som en skattkista. Men var de där smyckena verkligen hennes, kunde hon göra med dem vad hon ville? Och vad skulle hon packa i? Hon hade ju bara en enda liten väska när hon kom till huset och nu skulle den bara rymma en tredjedel av hennes garderob. Och vad skulle hon leva på när hon kom fram till Göteborg? Det skulle ju dröja veckor innan hon fick ut sitt studielån.

Maten tog slut på den tredje dagen. Margareta betraktade den sista lilla limpsmörgåsen i sin hand och beslöt sig för att anse smyckena som sina. Hon hade läst tillräckligt många romaner för att veta vad en pantbank var, och hon visste dessutom att det fortfarande fanns en sådan inrättning i Norrköping. Hon hade sett skylten en eftermiddag i våras då hon förmodades ha en träff med någon drömprins men i stället hade strukit omkring på smågatorna bakom Rådhuset.

Att stiga in på pantbanken var som att stiga in i en roman, plötsligt var det tiotal i stället för sextiotal och själv var hon en lätt tuberkulös hjältinna med knäppkängor och sladdrig klänning i stället för minikjol och träskor. Mannen bakom disken var alldeles uppenbart en figur från samma tid: hans krokiga lilla kropp var innesluten i en trådsliten svart kostym och hans fingrar var så vita att det såg ut som om han aldrig någonsin hade lämnat denna brunmurriga lokal och sett ett annat ljus än det från den smutsgula lampan. Han undersökte tigande den guldklocka, de pärlörhängen och det halsband som hon hade bestämt sig för att offra och gav sitt pris: trehundratjugofem kronor. En liten förmögenhet. Margareta nickade stumt och sträckte sig ivrigt efter pennan för att skriva under kvittot. Den inbillade tuberkulosen hade gått över, hon kunde känna hur hjärtat bultade i en ung och alldeles frisk kropp, en kropp som snart skulle göra världen till sin.

Hon köpte två nya resväskor på Domus och tog spårvagnen hem, håret fladdrade i fartvinden som strömmade in genom de öppna fönstren. Hon hoppade av spårvagnen med ett skutt och sprang den sista biten hem till Margots och Henrys mexitegelvilla, tog trappan upp till övervåningen i tre långa steg och slängde väskorna på sängen. Yes! Nu var hon fri. Äntligen.

När de nya väskorna var packade unnade hon sig en eftergift åt det förflutna: hon ringde upp André, trots att hon visste att han hade åkt på semester med fru och barn. En lång stund stod hon alldeles stilla med luren tätt tryckt mot örat och sladden snodd om pekfingret och lyssnade till hur signalerna gick fram, föreställde sig hur de ekade mellan väggarna i det tomma huset. Sedan lade hon långsamt på luren och grep efter sina väskor.

Hon skulle åka till järnvägsstationen genast, trots att hon inte hade kontrollerat tidtabellen. Förr eller senare skulle det komma ett tåg.

Under höstterminen skrev hon till Margot och Henry ett par gånger, men fick inget svar. Tystnaden gjorde henne ängslig, därför blev det andra brevet mer pladdrigt och inställsamt än det första. Hon tackade för sin tid i deras hem och berättade entusiastiskt om sitt nya liv: hon hade inte fått något studentrum, men hon hade hittat ett litet inackorderingsrum mitt i centrala stan, inte långt från Heden. Göteborg var en trevlig stad, även om det ofta blåste och regnade. Studierna gick bra. Hon räknade med att klara sin första tenta lagom till jul. Naturligtvis var hon också tvungen att flika in en liten lögn: hon hade fått många nya vänner. I synnerhet pojkvänner.

Hon skrev andra brev också, kortare och mer sanningsenliga, men aldrig helt uppriktiga. Hon nämnde aldrig hålet i sin maggrop, hon hade inget namn på det. I stället skrev hon till André om kärlek och till Tant Ellen om kvällarnas ensamhet, till Christina om studierna och till Birgitta om hur hon ömsom fruktade, ömsom längtade efter en familj. Det gick flera månader utan att hon fick ett enda svar, men en eftermiddag i december stod ett litet vykort lutat mot hallbyråns lampa när hon kom hem från en sen föreläsning. Hyresvärdinnan log när hon såg med vilken iver Margareta kastade sig över det och förmådde inte dölja att hon redan hade läst det. Det gjorde ingenting, Margareta ögnade igenom de få raderna och log lättat tillbaka. Hon skulle inte behöva fira jul på sitt inackorderingsrum: Christina tänkte åka till Vadstena över julen. Ville Margareta dela rum med henne på nunnornas gästhem? Och fira julafton med tant Ellen på sjukhemmet?

Sista veckan i advent gick hon till pantbanken med en ring med vita stenar och – efter en viss tvekan – sitt näst sista guldarmband. Ringen var värdefullare än hon hade väntat sig. Hon stoppade pengarna i fickan på kaninpälsen, som Margot hade köpt åt henne förra vintern, och gick ut på stan, strövade upp och ner längs Avenyn i flera timmar innan hon fann de perfekta julklapparna. En handvävd sjal från Hemslöjden till Tant Ellen. Fårskinnsfodrade handskar till Christina. En rosa tröja i mjukaste lammull till Birgitta.

Först när hon satt på tåget slog det henne att Birgitta naturligtvis inte skulle fira jul med dem.

Ändå blev julen en försoningshelg. En annan Christina än den hon hade skilts från på Norrköpings järnvägsstation för några år sedan mötte henne på stationen. Hon var fortfarande blek och mager, men hon såg inte sjuk ut, snarare – Margareta letade efter ordet – försilvrad. Numera skulle Christina matcha Margots herrgård. Kanske skulle hon tipsa dem båda, då skulle Christina kunna sommarjobba som herrgårdsfröken ute vid Bråviken, hon skulle kunna sitta med sitt broderi vid ett franskt fönster hela sommaren och se allmänt själfull ut.

Deras rum på gästhemmet var precis så klosterlikt som man kunde begära: skum taklampa, två smala sängar med svajiga resårer och ett krucifix på väggen. Utanför det höga fönstret rådde redan dov skymning, trots att det var tidigt på eftermiddagen, snön virvlade i ljuset från en ensam gatlykta på Strandpromenaden och i bakgrunden skymtade Vätterns svarta vatten. Margareta ville plötsligt gråta: hon lutade pannan mot fönsterglaset och försökte blinka bort tårarna. Det lyckades inte, hon fick stå kvar i samma ställning en lång stund innan hon mycket diskret kunde stryka ett pekfinger över kinden och vända sig om. Christina märkte inget. Hon var fullt upptagen med att packa upp Margaretas kläder och hänga dem på garderobens ståltrådshängare. Som en mamma. Eller en riktig storasyster.

"Egentligen hade jag tänkt att vi skulle ta hem henne", sa hon och strök med handen över en vit blus. "Att vi skulle fira jul hemma i Motala, precis som förr. Hon kunde ju ha fått permission några dagar, det är ju inget ovanligt ... Men Stig med Gäddkäften har hyrt ut huset och låtit magasinera alla hennes möbler. Han är ju hennes god man."

"Men tänk om hon blir frisk då? Var ska hon då bo?"

Christina vände sig om och såg på henne:

"Tant Ellen kan inte bli frisk. Har du inte förstått det?"

Margareta gjorde en grimas:

"Mirakel har väl hänt förr ..."

"Nej", sa Christina. "Det har aldrig hänt några mirakel."

Christina hade planerat allt in i minsta detalj. Hon hade talat med sjukhemmets husmor redan tidigt i advent och fått löfte om att servera en egen julmiddag på Tant Ellens rum och hon hade förmått nunnorna att låta henne hållas i gästhemmets kök sent om kvällarna. Kvällen före julafton hade hon inte kommit i säng förrän fyra på morgonen, ändå verkade hon inte ett dugg trött när hon öppnade dörren till kylskåpet och med en min av triumf visade vad hon hade åstadkommit: Janssons frestelse och glasmästarsill, skinka och köttbullar, rödkål och revbensspjäll, sylta, mandelmusslor och pepparkakor. Plus allt det färdigköpta: osten och leverpastejen, prinskorvarna och vörtbrödet. Allt förpackat och förvarat i ytterligt små formar och smörpapperspaket.

"Åh", skrattade Margareta. "Tant Ellens julbord. I miniatyr ..."

Christina skrattade tillbaka:

"Just det. Jag tänkte att vi skulle ha en dockskåpsjul i år."

Tant Ellen skrattade också när de kom med sina matkorgar: hon började likna sitt gamla jag, i ena stunden nöp hon Margareta i kinden och kallade henne tramsa, i andra rynkade hon pannan åt Christina och sa åt henne att äta ordentligt så att hon äntligen kunde få lite kött på benen. Biträdena hade hjälpt henne att julpynta rummet, några grankvistar med små julgranskulor stod i en konformad landstingsvas på bordet och i fönsterkarmen brann ett trearmat ljus från terapin. Men när det blev dags att dela ut julklappar blev hon generad och började sluddra:

"Om jag bara hade kunnat använda händerna som förr", sa hon grötigt när Margareta vecklade upp sitt paket. "Då hade jag kunnat göra något fint åt dig ..."

Margareta betraktade det lilla halsbandet i paketet, några trävita stavar och kulor bildade ett rytmiskt mönster.

"Men det är fint", sa hon och drog halsbandet över huvudet. "Jättefint!"

Christina nickade och klämde på sitt eget paket:

"Det passar jättebra till den där klänningen. Och till svart blir det helt perfekt."

Hon vecklade upp julklappspappret: ett par virkade grytlappar.

"Jag har lärt mig virka i höst", sa Tant Ellen och log sitt sneda leende. "Det kan jag göra med bara en hand. Så nästa år blir det överkast ..."

Margareta skrattade:

"Jag vill ha ett gult!"

Något glimmade till i Christinas ögon:
"Och jag vill ha ett rosa!"

Tant Ellen höll ut länge, men när klockan närmade sig tio blev hon trött. Hon fann sig utan protester i att Christina och Margareta lirkade av henne finklänningen och tog på henne nattlinnet och hon verkade rentav tycka om att de sedan satte sig på var sin sida om hennes säng. När hon hade somnat sköt de försiktigt stolarna åt sidan och tassade genom korridoren ut till personalens pentry. Christina spolade vatten i diskhon, medan Margareta letade upp en kökshandduk.

"Vad tror du Birgitta gör en sådan här kväll?" sa hon.

Christina ryckte på axlarna:

"Vet inte. Samma som vanligt, förmodar jag."

Margareta ställde försiktigt ifrån sig den första torkade tallriken:

"Men inte en sådan här kväll ... Väl?"

Christinas röst var fortfarande dämpad, men tonfallet var skarpt:

"Vem vet vad sådana där typer sysslar med om julen? Vem vet vad de sysslar med överhuvudtaget? Jag vill inte tala om det. Det är äckligt!"

Det snöade fortfarande när de kom ut, kylan nöp Margareta i glipan mellan kaninpälsen och stövlarna. Christina var förstås förståndigare klädd; hennes kappa gick nästan ända ner till knäna och dessutom hade hon dragit på sig ett par yllebyxor innan de gick ut. Margareta tvekade ett ögonblick innan hon vågade ställa den fråga hon hade funderat på under den sista timmen.

"Ska vi gå till midnattsmässan?"

Christina stirrade överraskat på henne medan hon drog på sig sina nya handskar. De passade perfekt i både färg och storlek.

"Nej", sa hon. "Varför skulle vi göra det?"

Därför att jag skulle behöva det, tänkte Margareta en stund senare när hon låg i den svajiga sängen på klostrets gästhem. För att mina ögon behöver vila på helgonbilder och levande ljus, för att jag är alldeles ihålig och behöver fyllas med orgelbrus och psalmsång, för att jag behöver förlåta och förlåtas ...

Hon knep ihop ögonen, ville inte minnas. Hon skulle sudda bort alltihop ur sitt huvud och när hon några år senare tänkte tillbaka på den här hösten så skulle hon ha glömt allt utom studierna och den trevliga hyresvärdinnan. Inte ens om hon ansträngde sig skulle hon kunna erinra sig att hon hade drabbats av ett slags skam när hon kom till universitetet och att skammen var så tung att den hade förlamat henne, att hon – den högljudda, skrattande och ständigt flirtande Margareta – knappt ens vågade tilltala sina kurskamrater och att hon i stället för att gå på deras nationsfester och knytkalas hade strukit ensam längs gatorna om kvällarna med sin knutna högerhand hårt tryckt mot mellangärdet, att hon hade vänt sig om och sett främmande män i ögonen när de hade tilltalat henne. Och att hon vid tre tillfällen hade följt med dem och stumt gjort dem till viljes.

Skulle hon kunna viska genom mörkret till Christina om detta? Skulle hon kunna berätta om hur hon hade stått på en bakgård med trosorna nedhasade till hälften och lutat sin kind mot en främmande mans? Att hon hade särat på benen för ett par grova fingrar på en biograf? Att hon tigande hade följt en namnlös man till ett sjaskigt inackorderingsrum? Att hon hade känt ett slags lättnad medan det pågick, men att hon hade gurglat av ångest efteråt, att hon hade slagit sig själv i ansiktet till straff för utebliven frid och förlösning, till straff för att ingen önskade henne mer än för stunden?

Nej. Det skulle hon inte kunna berätta. Inte för Christina. Men kanske för Birgitta.

Jag sjunker, tänkte hon. Hjälp mig någon att inte sjunka!

Christina var tvungen att åka tillbaka till Lund redan på tredjedag jul, hon skulle tenta så fort vårterminen började. Margareta följde henne till stationen, de tog farväl med en hastig omfamning och lovade varandra att bli bättre på att hålla kontakten.

Margareta gick till sjukhemmet efteråt, julsnön hade regnat bort och Tant Ellen nickade ivrigt när hon föreslog en promenad. Det blev många promenader de närmaste dagarna, Tant Ellen längtade ut i friska luften och hade inget emot duggregn och snålblåst. Hon började bli sig lik; på eftermiddagarna bjöd hon på konditori vid Stora torget och då måste Margareta stå tyst bakom rullstolen medan Tant Ellen småpratade med tanterna bakom disken och förhörde sig om ingredienserna i alla bullar och bakelser. Dagen förenyårsafton beställde hon en väldig tårta och trots att det regnade småspik på nyårsaftons förmiddag insisterade hon på att själv följa med och hämta den. Och det var bråttom! Personalen brukade dricka kaffe klockan fyra på eftermiddagen och då måste tårtan vara på plats. Hon satt kurande och huttrande i rullstolen på vägen tillbaka och tjatade på Margareta att ta det försiktigt över kullerstenarna, så att inte tårtan blev alldeles mosad i kartongen. Margareta skrattade. Hennes fingrar hade stelnat av köld och kaninpälsen hade blivit tovig och tung av regnet, men Tant Ellens välbekanta tjat värmde henne.

Men till slut blev det ändå vardag och hon måste åka. Tant Ellen strök henne över kinden när hon kom för att säga adjö, Margareta lutade sin kind mot handen.

"Kan du inte skriva någon gång?"

"Men det blir så darrigt när jag skriver", sa Tant Ellen och skakade på huvudet. "Du kan inte läsa det ..."

"Det kan jag", sa Margareta. "Så skriv. Snälla, skriv till mig."

Tant Ellen strök luggen ur hennes panna:

"Jaja", sa hon. "Nog kan jag väl skriva. Om det nu är så förskräckligt viktigt ..."

Hon visste inte att hon hade planerat det, men när hon stod på perrongen insåg hon att hon inte alls väntade på tåget till Mjölby, där hon skulle byta för att komma vidare till Göteborg. Hon skulle först i andra riktningen. En julklapp låg fortfarande oöppnad i hennes väska.

Det regnade i Motala också, hon stod en stund inne i järnvägsstationens väntsal och såg ut mot parken i hopp om att det skulle upphöra, innan hon borrade ner hakan i pälsens lurviga krage och stötte upp dörren.

Det låg en skrynklig lapp med en adress i hennes ficka, hon hade lyckats förmå Stig med Gäddkäften att ge henne den innan hon skickades till Norrköping. Den gick till en liten bakgata nere i Gamla stan, men hon hade bara dimmiga begrepp om vilket hus det egentligen var. Å andra sidan hade det aldrig varit någon större skillnad mellan husen i de där trakterna; alla var ungefär lika sneda och gistna.

Men man höll på att städa bort det förflutna i Motala, det kunde hon se medan hon vandrade genom stan. Där risiga gamla träkåkar förr hade stått och lutat sig mot varandra reste sig nybyggda hyreshus i tegel och betong. Framtiden var på väg och hon var kritisk som en svärmor. Hon förväntade sig att det skulle vara rent och prydligt dit hon kom.

Men till Birgittas gata hade hon ännu inte hunnit, hon hade bara skickat en liten förelöpare i form av en nyöppnad bensinstation på en gammal rivningstomt. I övrigt såg det ut som förr: trasiga staket ut mot trottoaren, flagnande träfasader på husen.

Margareta sköt upp dörren till trapphuset och såg sig om. Väggarna var täckta med brun pärlspont och golvet med en trasig korkmatta. Det fanns inga moderniteter alls: inte ens en blå liten skylt med vita plast-bokstäver som avslöjade hyresgästernas namn. Å andra sidan satt det fyra gammaldags brevlådor på väggen, kanske någon av dem var Birgit-tas. Men nej. Det stod inte Fredriksson på någon av dem. Det stod inga namn överhuvudtaget.

"Far du åt helvete! Jävla hora!"

En dörr for upp på övervåningen, en mansröst dundrade, sekunden senare dunsade tunga steg i trappan. Margareta tryckte sig mot väggen. Han tog på sig sin svarta skinnjacka medan han passerade, lädret snud-dade vid hennes ansikte, men han tycktes inte märka henne. Han sparkade bara upp ytterdörren och försvann. Hon hann skymta ryggen på hans jacka innan dörren slog igen: den var täckt av en stor bild av en tiger.

"Ett barn", tänkte hon. "Birgitta har ihop det med en liten pojke."

För nu visste hon att hon hade kommit rätt. Det där var Doggen, en tjockare och något mer härjad Doggen än den som för några år sedan hade varit högste riddare i raggarnas orden, men ändå otvivelaktigt den-samme. Och där Doggen var, där var med stor sannolikhet också Bir-gitta.

Ett spädbarn skrek någonstans, det fanns ett stråk av uppgivenhet i dess gråt som fick Margareta att rysa medan hon gick uppför trappan. Hon stannade på avsatsen. Bakom vilken av de båda bruna dörrarna kunde man förmoda att Birgitta fanns? Hon valde den högra av inget skäl alls.

Ringsignalen fick barnet att tystna för ett ögonblick, men skriket återkom en sekund senare när någon gick över ett trägolv:

"Ja", sa Birgitta och slet upp dörren. "Vad är det?"

Lägenheten var dragig och omodern, utan vare sig värme eller varmvat-ten. Ett ensamt elelement glödde på köksgolvet och på järnspisen stod en kokplatta. Den tog en evighet på sig att bli varm, Birgitta hann röka tre av Margaretas cigarretter innan kaffet blev klart. Någonstans i huset skrek spädbarnet fortfarande, men mera dämpat nu och mindre förtvivlat.

Birgitta var fortfarande vacker: håret var lika bländade vitt som förr, huden lika slät och sammetsmjuk, läpparnas linje lika mjukt kurvad. Men fingertopparna svullnade fortfarande över naglar som bitits ner till roten och man kunde följa kammens spår i hennes lugg. Hon skulle behöva tvätta håret. Hon skulle faktiskt behöva tvättas hela hon: barndomens grå smutsrand hade återuppstått, den låg som ett halsjärn över hennes strupe.

Birgitta mötte hennes kritiska granskning med en minst lika kritisk blick medan hon hällde upp kaffet.

"Du ser ut som en dränkt katt", sa hon och knuffade ett fat skorpor i Margaretas riktning. "Vad har du gjort? Simmat hit?"

"Det regnar ute", sa Margareta och grep efter en skorpa. "Och jag har gått hela vägen från järnvägsstationen."

Birgitta slängde en blick mot fönstret, det var som om hon först nu hade märkt det kalla grådiset utanför. Men hon brydde sig inte om det, hon vände ryggen mot fönstret och sträckte på benen där hon satt, granskade sina raka vader och de svarta nylonstrumpor som täckte dem. Barnet drog utmattat efter andan någonstans, när det skrek på nytt var ljudet sprödare och skörare. Birgitta verkade inte höra det.

"Och vad har du för dig nuförtiden?" sa hon och sänkte benen.

"Jag pluggar. I Göteborg. Det skrev jag ju i det där brevet. Fick du inte det?"

Birgitta ryckte på axlarna medan hon tände ännu en cigarrett:

"Vad gör du i Motala då? Om du nu har flyttat till Göteborg."

Margareta sträckte fram sitt paket över bordet och försökte le:

"Kommer med en julklapp till dig."

Birgitta stirrade på paketet medan hon släppte den avbrända tändstickan i askfatet, men gjorde inte en min av att ta emot det.

"Ta det", sa Margareta. "Det är till dig!"

Birgitta grep tveksamt om paketet med en hand, satte sedan cigarretten i mungipan och blev ivrig, slet av presentbanden och rev upp tejpen i en enda hastig rörelse.

"Åh", sa hon och blåste ett moln av rök genom ena mungipan medan hon höll upp den rosa tröjan framför sig. Den var V-ringad, det var omodernt och rentav lite löjligt numera, men Margareta hade känt på sig att Birgitta fortfarande tyckte om att vara vamp i V-ringad tröja och snäv kjol.

Birgitta lade tröjan i knät, lossade cigarretten från mungipan och blåste ut en misstänksam rökpuff.

"Har du kommit ända från Göteborg bara för att ge mig en tröja?"

Margareta höjde sin kopp, plötsligt lite generad.

"Nej. Jag har varit i Vadstena över julen. Hos Tant Ellen."

Birgitta rynkade pannan:

"Har kärringen flyttat? Bor hon i Vadstena nu?"

Margareta tog en klunk kaffe.

"Hon är på sjukhem i Vadstena."

Birgitta såg förvånad ut:

"Är hon fortfarande sjuk?"

Margareta nickade och såg ner i bordet. Vaxduken var sprucken, man kunde skönja trådarna i den vita väven genom sprickorna.

"Hon är förlamad. Halva kroppen. Det blir aldrig bra."

Birgitta drog ett djupt bloss och vände bort blicken, hennes röst var skarp:

"Det var inte mitt fel."

Margareta slog ner blicken, visste inte vad hon skulle svara. Det blev tyst en stund, regnet viskade mot rutan, barnets gråt hade blivit en utmattad liten rännil i bakgrunden. Margareta såg ner i sin kaffekopp, med ens var hon mycket trött. Det var hopplöst. Inte ens för Birgitta skulle hon kunna berätta om det som hade hänt under hösten och om hon ändå kunde det så skulle Birgitta inte ha någon tröst eller några förklaringar att ge. Hon satt för hårt fast i sitt eget liv. Barnet drog efter andan, sekunden efteråt steg dess gråt till ett förtvivlans skri.

"Jävla unge!"

Birgitta svepte kaffekoppen åt sidan och reste sig upp, sprang i strumplästen över köksgolvet ut i hallen och försvann ur sikte. Men det hördes att hon vräkte upp en dörr.

"Tig!" skrek hennes gälla röst. "Om du inte tiger ska jag slå ihjäl dig!"

Margareta reste sig så hastigt att stolen föll omkull bakom hennes rygg, först nu insåg hon att barnet faktiskt fanns i Birgittas lägenhet. Hon tog tre långa steg över köksgolvet, halkade nästan omkull på hallens trasmatta och grep efter dörrposten.

Birgitta stod inne i ett mörkt litet rum. Det måste vara hennes sovrum: rullgardinen var neddragen och borta vid väggen stod en obäddad säng, på en madrass på golvet låg några trassliga filtar. Mitt på golvet stod en spjälsäng. Det luktade äckligt: sött och bajsigt på samma gång.

Birgitta stod i en besynnerlig ställning bredvid spjälsängen, som i giv-akt. Ryggen var rak som ett spjut, hon höll händerna hårt tryckta mot kroppen och stirrade upp mot taket.

"Tig!" skrek hon. "Tig ditt jävla as innan jag gör mig olycklig på dig!"

Ett gällt skrik steg ur spjälsängen, en liten hand viftade till. Marga-reta tog ett tveksamt steg in i rummet.

"Birgitta?" sa hon. "Har du fått barn?"

Birgitta snodde runt och stirrade på henne:

"Ja, vad fan tror du?"

Hon lyckades göra det till en lek; hon gjorde sig till en mycket liten sys-ter som tigger om att få leka med sin stora systers gulliga docka. Pojken var bara tre månader och vägde ingenting i hennes famn, ändå tyckte hon sig se ett blänk av ytterst medveten fruktan i hans blick när hon lyfte upp honom och lade honom på sängen. Hans skinkor var mörkro-sa, nästan lila, det såg hon när hon torkade av bajset med en flik av sparkbyxan. Den var ändå hopplöst förlorad: bajset hade för länge se-dan trängt ut ur blöjan och runnit längs benen.

Hon skyndade sig ut i köket och fuktade sparkbyxan, använde den sedan både som tvättlapp och handduk, rotade runt i rummet och hit-tade ett paket cellstoff, knölade ihop några ark så som hon en gång hade gjort med sina dockors blöjor och tryckte ner dem i blöjbyxan. Plasten var stel av ålder och sömmarna bruna av gammalt bajs. Hon svepte in honom i en filt, han låg som en liten kåldolma på hennes arm, skrek fortfarande, men mattare nu och med slutna ögon. Den runda pannan var fuktig av svett.

Margareta ställde sig på tröskeln till köket och lade huvudet på sned, Birgitta hade satt sig vid köksbordet och tänt en ny cigarrett.

"Han kanske är hungrig?"

Birgitta krökte överläppen och askade:

"Han är inte hungrig. Han bara jävlas."

"Men snälla", sa Margareta. "Jag har aldrig matat någon unge med nappflaska. Kan jag inte få göra det?"

Birgitta nickade, men vände bort blicken.

Hon fick själv leta upp vällingpaketet och spola vatten i kastrullen, leta upp en visp och diska den sörjiga flaskan. Det gick inte så bra. Det var omöjligt att få den riktigt ren med bara kallt vatten i kranen och bara en hand att arbeta med. Hon vågade inte lägga honom ifrån sig, han skrek fortfarande och Birgitta hade slagit händerna för öronen där hon satt. Gud vet vad hon skulle kunna ta sig till om pojken låg på köksgolvet. Men det var svårt att vispa med pojken på armen, vällingen klumpade sig.

Till slut sjönk hon ändå ner vid köksbordet och stack nappflaskan i hans mun, han slog upp ögonen för en sekund och såg på henne med tom blick, innan han långsamt slöt dem och började suga. Med ens blev det alldeles tyst i huset: Birgitta satt fortfarande lutad över köksbordet med händerna för öronen.

"Vad heter han?" sa Margareta försiktigt.

Birgitta tog bort händerna från öronen och ryckte på axlarna. Hennes fingrar famlade över vaxduken efter cigarrettpaketet, men när hon fann det släppte hon det omedelbart.

"Hördu", sa hon. "Du skulle inte kunna vara barnvakt en timme? Jag skulle behöva gå och handla. Och så har jag en tid på socialen, jag behöver pengar för att gå till doktorn."

Margareta tvekade och såg på sin klocka. Birgittas röst blev ivrigare, hon lutade sig fram:

"Jag har ingen barnvagn, förstår du ... Så om jag inte har barnvakt så kommer jag inte ut. Och jag har inte en matbit i huset. Och jag behöver verkligen gå till doktorn, jag har så jävla ont!"

Margareta nickade. Det var synd om Birgitta. Det var synd om pojken. De behövde hjälp.

"Men du måste vara tillbaka före fem. Jag har ett tåg att passa."

Birgitta var redan på fötter, hon drog handen genom håret:

"Ingen fara, jag är tillbaka om ett par timmar. Du är djävligt hygglig, Margareta. Det har du alltid varit!"

Margareta slog ner blicken. Hygglig? Jo. Det var hon nog. Faktiskt.

Birgitta slet av sig den svarta tröjan och slängde den i ett hörn, drog på sig den rosa och skyndade ut i hallen. När hon tittade in i köket igen var hennes ögon svarta av eyeliner och hennes läppar ljust rosa.

"Ett par timmar bara", sa hon och log. "Hyglo!"

Klockan åtta på kvällen började Margareta gråta. Klockan tio slutade hon och började räkna upp alla invektiv hon kunde, ett för varje steg hon tog över köksgolvet. Klockan två på natten somnade hon med pojken på armen. Klockan halv sju morgonen därpå ruskade någon hennes axel tills hon vaknade.

"Flytta på dig, för fan", sa Birgitta. "Det är min säng. Och jag är as-trött."

"SE INTE SÅ SUR UT", säger Birgitta och fyller sitt glas. "Det är faktiskt bara en öl."

Margareta tittar bort: hon ångrar sig igen, hon ångrar sig alltid. Nästa gång hon får lust att vara snäll mot någon av sina systrar ska hon ta sig själv åt sidan och ge sig en rejäl spark i baken. Bara som en påminnelse.

"Jag är inte sur", säger hon, men lyckas inte hindra att rösten skär sig en aning. "Jag trodde bara att du hade slutat supa. Du sa ju det när jag ringde förra året."

Birgitta höjer sitt glas och granskar den bärnstensgula vätskan.

"Jag super inte", säger hon. "Jag tar bara en öl. Du behöver inte bli hysterisk."

Hysterisk? Margareta fnyser och slår upp menyn.

"Vad vill du ha? Pizza? Eller något annat?"

Birgitta svarar inte, hon har slutit ögonen och klunkar i sig ölen i långa njutningsfulla drag.

"Jag ska i alla fall ha lax", säger Margareta och lägger menyn ifrån sig. "Grillad lax."

Birgitta sänker glaset och slickar bort lite skum från överläppen.

"Lax? Det vete fan, jag är inte särskilt hungrig ..."

Om hon inte äter kommer hon att bli full och om hon blir full kommer hon att bli besvärlig. Margareta kan se det framför sig: hur hon går längs Drottninggatan och försöker hålla ordning på en hojtande och snubblande Birgitta. Den förnedringen tänker hon inte utsätta sig för. Hon lägger båda händerna på bordet och lutar sig fram, väser mellan framtänderna:

"Nu äter du! För om du inte äter något tänker jag inte köra dig till Motala, då kan du ta dig hem bäst du gitter!"

Birgitta ser häpen ut, men bara för ett ögonblick:

"Fan, vad du tar i. Det är klart jag ska äta, det är bara det att jag inte tycker om lax. Det är väl tillåtet?"

Hon smuttar på sin öl medan hon bläddrar i menyn.

"Lövbit?" säger hon. "Är det detsamma som lövbiff?"

Margareta tänder en cigarrett, hennes hand darrar lite.

"Lövbit är pressat slakteriavfall."

Hon biter till om resten av repliken: lövbit är mat som tillverkas för människor som dig av människor som föraktar sådana som dig. Men Birgitta hör henne inte, varken vad hon tänker eller säger.

"Med pommes frites och bearnaisesås ... Jo, för fan. Det tar jag."

Hon höjer sitt glas på nytt och ler över dess kant.

"Fan, vad du är hygglig, Maggan. Du ställer alltid upp!"

Det blir tyst en stund, Margareta ser ut genom fönstret och känner sina axlar mjukna. Drottninggatan ligger i skugga. Allt är sig likt. Om det inte vore för människornas kläder och färgen på spårvagnarna skulle det fortfarande kunna vara sextiotal. Och själv skulle hon mycket väl kunna vara en sjuttonårig gymnasist. Åtminstone på insidan.

"När jag bodde i Norrköping hade jag ihop det med en lärare", säger hon och fyller sitt glas. Hon är förvånad över sig själv, aldrig förr har hon talat med någon om det som hände mellan henne och André. Men Birgitta verkar inte lyssna, hon iakttar besviket glaset som Margareta för mot sin mun, kanske hade hon hoppats att också den andra starkölen skulle tillfalla henne.

"Vi brukade åka omkring i hans bil om kvällarna och leta efter något ställe att vara på, vi parkerade på olika ställen varje gång för att ingen skulle känna igen oss. Och sedan låg vi med varandra i baksätet."

Birgittas intresse har vaknat, hon flinar till:

"Det var som fan, det trodde jag inte om dig. Var han bra?"

"Bra?"

"Ja. Var han bra på att knulla?"

Margareta höjer överläppen en aning. Herregud.

"Jag antar det. Men det var ju inte det viktigaste. Jag var ensam, jag behövde någon ..."

Hon tystnar, den unge kyparen ställer en tallrik framför henne, hon stirrar håglöst på laxen. Birgitta sträcker sig efter saltkaret och saltar sina pommes frites med stora, svepande rörelser. Margareta drar efter andan och fortsätter:

"Det var så hemskt det där som hände med Tant Ellen, jag tror jag befann mig i chock i nästan ett år efteråt."

Birgitta hejdar sig mitt i rörelsen, hennes ögon smalnar:

"Det var inte mitt fel!"

Margaretas vrede blixtrar till. Varför kan hon inte lyssna?

"Har jag sagt det?"

Birgitta släpper saltkaret och famlar efter cigarretterna, trutar med munnen medan hon klickar på tändaren.

"Ni har alltid skyllt på mig! Alltid!"

Margareta spetsar en potatis på sin gaffel, plötsligt får hon lust att vara elak.

"Vi såg dig en kväll, min lärare och jag."

Birgitta flackar med blicken, släpper tändaren och gräver med sin fria hand i jeansfickan.

"Titta här", säger hon. "Christina är inte riktigt klok, hon förföljer mig. Titta här vilket jävla brev hon ..."

Hon slänger ett gult litet papper på bordet, det är hopvikt till en fyrkant, hennes händer darrar när hon försöker veckla upp det. Margareta iakttar henne med ett snett litet leende, hon tänker inte låta sig avledas. Hon är färdigmanipulerad. Hon har slutat vara hygglig. Hon är inte ens rädd.

"Jo", säger hon. "Som sagt. Vi såg dig en kväll, min lärare och jag. Du stod på pass i Saltängen."

Birgitta stirrar på henne en sekund innan hon trycker cigarretten i lövbiten och rafsar åt sig den gula pappersbiten. Hon reser sig upp och börjar slita i jackan som hänger över stolens ryggstöd.

"Din djävel", fräser hon över axeln. "Din falska jävla snobb! Har ni räknat ut det här tillsammans, du och Christina?"

Margareta tittar kallt på henne. Låt henne ge sig i väg, bara, desto fortare kommer jag till Stockholm! Men än är hon inte färdig: hon vill hugga tänderna ännu lite djupare i Birgitta och slita åt sig ett stycke kött. Hon lutar hakan i handen och säger med sin vänaste röst:

"Var Doggen din hallick? Och pojken? Kom han till i tjänsten?"

Birgitta sliter till sig jackan och sveper den över axlarna, den fladdrar som en mantel bakom henne när hon rusar mot dörren. Skorna är definitivt för stora, de glipar över hälen och faller nästan av.

Naturligtvis får Margareta dåligt samvete, men inte förrän hon har ätit upp laxen. Hennes puls slår häftigt och hon kastar i sig maten. Hon tuggar och sväljer, varje bit får henne att känna sig allt tyngre och allt säkrare. Maten smakar bra, bättre än hon väntat sig, i synnerhet sedan hon vinkat till sig kyparen och fått honom att bära ut ölen och i stället hämta in en flaska mineralvatten. Margareta har aldrig tyckt om öl. Hon tycker att öl är äckligt och att folk som stinker öl är ännu äckligare. Faktiskt.

Våndorna kommer med kaffet, hon lutar sig över koppen med handen över pannan och bävar. Vad tog det åt henne? Hur kunde hon säga så där? Vad vet hon egentligen om Birgittas liv, vad är det som säger att inte också hon har gått med handen tätt tryckt mot mellangärdet som om hon var på väg att förblöda? Kanske visste inte heller hon någon annan tröst än mötet med en fullkomligt främmande människa? Kanske sökte hon precis som Margareta bara bekräftelse på att hon verkligen fanns?

Margareta drar handen över ansiktet och rätar på ryggen. Nej. Det finns ingen likhet mellan henne själv och Birgitta. Någon gång måste hon förlåta sig själv för att hon nästan tappade taget under den där första tiden i Göteborg. Redan vårterminen därpå hade allt blivit annorlunda. Varje vecka kom ett vykort från Vadstena med darriga bokstäver och korta telegramartade texter: *Våren är på väg! Sköt om dig!* Det var som om dessa vykort väckte henne, fick henne att blinka till och se sig om som efter en lång tids sömn. Inte var hon så värst mycket fulare än de andra tjejerna på kursen, visst kunde väl också hon våga sig i väg på nationsfester och knytkalas? Så hade hon blivit promiskuös på ett mer socialt acceptabelt vis, hon hade lärt sig att ångesten kunde betvingas också av pojkar i hennes egen ålder. Hon hade gått på bio och FNL-möten med dem och så småningom till och med flyttat ihop med en av dem, levt med honom i nästan ett år i ett gammalt landshövdingehus i Majorna innan hon en morgon hade lämnat honom på samma sätt som hon senare i livet skulle lämna ytterligare fyra män. Hon hade stigit upp tidigt och packat sina saker mycket tyst, lämnat honom sovande i den föräktenskapliga sängen för att gå till ett inackorderingsrum och en hastig kärlekshistoria med en nybliven docent. Men till skillnad från Birgitta hade hon alltid tagit ansvar, också mitt i sin djupaste kris; hon hade varit mycket noga med sina p-piller.

Ändå har hon ingen rätt att sätta sig på sina höga hästar gentemot Birgitta, ingen rätt att döma. Hon vet inte vad det skulle ha blivit av henne om inte den där okända kvinnan hade haft förstånd att gå i stället för att stanna kvar, om hon inte hade lämnat henne i en tvättstuga utan hukat som en skugga över Margaretas barndom. Hon får vara glad och tacka Gud – vem det nu är – för att hon kom till Tant Ellen och fick det som hon fick det. Att hon slapp ha det som Birgitta och Christina.

Men på en punkt har Birgitta rätt. De har alltid skyllt på henne. När Margareta har anklagat sig själv för att hon öppnade dörren till den där telefonkiosken och visade Christina ramsan som hade klottrats på väggen, har en annan anklagelse hela tiden lurat i bakgrunden. Birgitta! Om hon inte så villigt hade halkat ur trosorna i den ena raggarbilen efter den andra. Om hon inte hade varit dum nog att yvas över det andra såg som en skam. Om hon hade förstått att hon hade haft tur när hon slapp sin slampiga morsa och hamnade hos Tant Ellen. Och viktigast av allt: om Birgitta inte hade sagt eller gjort det som hon måste ha sagt eller gjort när Tant Ellen konfronterade henne, detta okända som fick Tant Ellens hjärta att rusa, hennes blodtryck att stiga och ett kärl i hennes hjärna att brista, så skulle allt – hela livet! – för dem alla fyra ha blivit annorlunda!

Vilken jävla idiot!

Margareta drar luggen åt sidan och griper efter kaffekoppen, händerna darrar. Visst är hon arg på Birgitta! Hon har varit rasande på henne i trettio års tid, ända sedan det ögonblick då hon klev in genom dörren hemma hos Tant Ellen och hörde en gäll röst gny:

"Inte mitt fel, inte mitt fel, inte mitt fel!"

Redan innan hon hade stängt dörren bakom sig och gått de få stegen över hallgolvet, redan innan hon såg Tant Ellen ligga på golvet i vardagsrummet, visste hon att livet aldrig mer skulle bli sig likt.

Hon hade fallit på den bruna wiltonmattan och kissat ner den, lukten av ammoniak slog emot Margareta när hon föll på knä bredvid henne och fattade hennes hand.

"Tant Ellen! Vad har hänt?"

Tant Ellen höjde på ena ögonbrynet och rörde på munnen, överläppen var röd av näsblod och lite saliv skummade i hennes vänstra mungipa. Hon kunde inte tala. Margareta höjde på huvudet och såg mot

Birgitta, hon stod och tryckte sig mot fönsterväggen i full ornat: hård-sprayad och tuperad, med snäv kjol och åtsittande jumper. Föraktet smälte samman till en enda glödande punkt i Margaretas huvud. Sub-ba! Hon svalde:

"Vad är det som har hänt?"

Birgitta lade handen framför munnen och gnällde mellan fingrarna: "Det var inte mitt fel!"

Margaretas röst sjönk till en viskning:

"Har du slagit henne? Har du gett dig till att slå Tant Ellen, din för-bannade ...."

Birgitta tryckte sig ännu hårdare mot väggen, fortfarande med handen för munnen:

"Nej! Jag har inte rört henne, jag svär ... Vi bråkade, hon skrek åt mig och sedan ramlade hon omkull. Det var inte mitt fel!"

Margareta gjorde en stum grimas och sänkte blicken, den där varelsen var inte ens värd att se på. Hon släppte Tant Ellens hand och hämtade en kudde i soffan, den var broderad i grönt och rött i den allra finaste tvistsöm, lyfte försiktigt på Tant Ellen och stack kudden under hennes huvud.

"Så, lilla mamma", sa hon och strök Tant Ellens hand. "Allt kommer att bli bra."

I samma ögonblick dök Christina upp i vardagsrummets dörrvalv. Hennes röst var en viskning, den hördes knappt:

"Vad är det som har hänt?"

Margareta höjde på huvudet, såg på sin syster och började äntligen gråta.

Birgitta är dömd till livstid. Och det förtjänar hon.

Margareta famlar över bordet efter sina cigarretter för en sekund in-nan hon inser att de är borta. Birgitta var tydligen inte mer upprörd än att hon kom ihåg att rafsa åt sig dem. Strunt samma. Nu vet Margareta vad hon ska göra. Hon ska leta upp en blomsteraffär, köpa en ros och ett gravljus, och sedan ska hon åka tillbaka till Motala. Ensam. Hon ska gå till Tant Ellens grav och sitta där en stund, tala med henne om brev som kommer från ingenstans, om allt som är och om allt som kunde ha blivit. Ja. Hon ska berätta för Tant Ellen om det hon aldrig har berättat för någon, om André och den där hösten i Göteborg, om sin resa till

Latinamerika med en man som hon lämnade redan tredje dagen, om sina ensamma vandringar i Lima och om den stund då hon kom tillbaka till barnhemmet och fann sängen tom.

"Var är min pojke?" sa hon och vände sig om, stirrade in i föreståndarinnans svarta ögon.

"Åh senorita", sa kvinnan och log snett. "Det var inte er pojke. Hans mor var här med en advokat i eftermiddags. Hon fick 500 dollar för honom. Hade ni kunnat bjuda över?"

Ja. Hon hade kunnat bjuda över, hon har fått mycket, därför har hon mycket att ge. Det arv som hon skulle kunna föra vidare till en oändlig ätt av föräldralösa barn skulle ha räckt till att bjuda över vilket dollarstint amerikanskt par som helst. Men pojken var redan borta, föreståndarinnan vägrade att ge henne advokatens namn och därför skulle Tant Ellen aldrig bli de föräldralösa barnens anmoder och Margareta Johansson inte få några efterkommande. Hon är en högst tillfällig partikelklump som ska lösas upp och övergå i tusen andra lika tillfälliga partikelklumpar, utan att lämna ett enda spår efter sig.

Hon väljer den soliga sidan av gatan när hon kommer ut, vänder ansiktet mot himlen och låter vinden leka i sitt hår. Luften är sval och doftande, hon sniffar ett par gånger och försöker identifiera de molekyler som studsar mot näsans slemhinna, ler när det lyckas. Vår i luften. *Es ist unsere in die Luft und die Löwen und die Bären springen aus ...* Javisst. I morgon är det vårdagjämning. Dagen före vårdagjämningen är en bra dag att hälsa på Tant Ellen.

Hon skymtar en blomsteraffär på andra sidan gatan och skyndar mot ett övergångsställe, någon griper om hennes arm just när hon sätter foten i gatan. Hon vänder sig om och stirrar in i Birgittas grå ansikte, påsen till dubbelhaka dallrar när hon sluddrar:

"Det var inte mitt fel. Du måste tro mig, någon gång måste du tro mig!"

Margareta svarar inte, drar bara åt sig armen och skyndar ut i gatan. Hon får halvspringa, redan efter ett par steg slår trafikljuset om till rött. En buss morrar hotfullt åt henne, hon hör inte vad Birgitta skriker förrrän hon kommer över på andra sidan gatan.

"Hon ljög! Hon var en jävla kärring! Du vet inte vad hon hade gjort!"

Det avgör saken. Birgitta får ta sig till Motala bäst hon kan.

I vågskålen

"Du själv, o fagra härliga natur,
Vad är du annat än ett smyckat troll
Som mördar och förtär de egna fostren
På dina grymma smekningar bedragna?
Du som, på en gång deras grav och gravvård
Bevakar evighetens port, en Sfinx,
Med jungfruanlete och lejonramar,
Du fortfar med ditt dödssmil och din tystnad ...
Välan! Slå till: men låt mig sedan veta
Varför jag var och vad min värld betytt!"

Per Daniel Amadeus Atterbom

JAG KAN INTE SVÄLJA. Jag kommer aldrig mer att kunna svälja.
Vad betyder det? Vart har denna förlust fört mig?
Svaret är enkelt: till randen av ingenting.

Kerstin Ett har fladdrat ut ur rummet för att ringa Hubertsson. Jag hade kunnat tala om för henne att det är förgäves, att Hubertsson har lämnat Vårdcentralen för i dag, men hon har ställt min dator så långt utom räckhåll att jag inte kan nå munstycket.

Ulrika är kvar. Hennes ansikte är förvandlat, det yrkesmässiga leendet har slocknat. Egentligen är hon färdig här inne, hon har redan bytt mitt nattlinne och mina lakan, tvättat mitt ansikte med en tvåldoftande tvättlapp doppad i ljummet vatten, ordnat böckerna på mitt nattygsbord efter storlek så att inte hela traven ska falla i golvet, ändå förmår hon inte gå, hon stryker tigande runt min säng, rättar till lakanet fast det inte behövs, viker våffelfilten med minutiös noggrannhet.

Hon är rädd. Hon är plötsligt så ung och rädd att jag skulle vilja trösta henne. Men mitt munstycke är för långt borta.

Jag får inte bli rädd. Jag vet vad som väntar och just därför får jag inte bli rädd. När man har förlorat förmågan att svälja finns bara tre alternativ. Det första är att inte göra någonting alls. Då dör man av vätskebrist på den tredje dagen. Det andra är att sätta dropp: då tillförs kroppen vätska, socker och vissa salter, men ingen egentlig näring. Alltså dör man av svält efter några månader. Det tredje alternativet är att leda in en slang genom näsborren, föra den vidare genom matstrupen ner i magsäcken och sedan fylla den med näringslösning var tredje timme. Då kan man leva i evighet. Amen.

> Praise the Looord
> I've seen the Light ...

Jublande röster letar sig genom korridoren till Marias rum. För en sekund får jag för mig att himlen har öppnat sig ovanför sjukhemmet och att ärkeänglar, serafer och keruber lockar på mig med sin sång. Sedan minns jag att himlen alltid är öppen och att det skulle komma en kör till sjukhemmet i dag. Deras jubel bär mig till ett stort lugn. Jag ser på Marias änglar. Längtar ni efter mig? Väntar ni på mig? Jag kommer. Snart.

Men inte riktigt än.

Min bild av Den Store Skämtaren är naiv, det vet jag. Jag har träffat tillräckligt många sjukhuspräster genom åren för att förstå att det inte är riktigt *comme-il-faut* att föreställa sig honom som en rymdernas sagokung, en Jupiter med vitt skägg och stjärndiadem, en jätte vars galaxtron svävar i tomrummet på andra sidan Vintergatan och vars blå mantel är praktfullt dekorerad med vita stjärnor och supernovor, skimrande antipartikelmoln och glimmande mörk materia. Han är mer mystisk än så, säger de, han är tillvarons inneboende mysterium.

En sådan gud är så abstrakt att han måste vara inlåst i sitt eget mysterium, både döv och stum, blind och rörelsehindrad. Jag kan inte förstå hur man ska kunna tala med honom. Och jag vill tala med Den Store Skämtaren. Vem ska jag annars gräla med, vem ska jag ställa till svars? Men jag tror inte. Det finns inget skäl att tro. För fysiken är just nu på väg att finna svaret på alla religioners triumferande sista fråga: Hur kan världen finnas utan skapare? Hur kan någonting uppstå ur ingenting?

Materia kan uppstå ur vakuum om trycket är tillräckligt stort. Det är bevisat. Någonting – till exempel ett universum – kan alltså uppstå ur ingenting. Å andra sidan borde ju trycket räknas som någonting. Och kanske också vakuum. Är tomrummet någonting? Icke-existensen? Vem skapade Den Store Skämtaren? Vem skapade den som skapade Den Store Skämtaren?

Så där kan man hålla på. Om man har tid. Och om man inte uthärdar att i stället tänka på det vi redan vet: att någonting kan bli ingenting. Till exempel medvetandet. Tanken. Existensen.

Jag sluter ögonen och sjunker in i Stesoliden. Det är en besynnerlig trötthet, den är inte blytung och kväljande som Birgittas, där hon står vid ett övergångsställe i Norrköping, inte värkande och vaksam som

Christinas när hon sluter ögonen på sin läkarmottagning, inte ens gäspande och sömnig som Margaretas där hon står i kö i en blomsteraffär. Detta är min egen trötthet, den är lika lätt och genomskinlig som förlamande. Det är som om jag vilar i ett gungande spindelnät, oförmögen att komma loss, oförmögen att ens vilja komma loss.

Men jo. Nog skulle jag vilja komma loss, om jag bara hade förmått hoppas. Det tillstånd som jag för några timmar sedan avvisade med förakt framstår nu som paradisiskt. Tänk att få sitta i sin säng och äta frukost. Tänk att få föra en darrande sked fylld med havregrynsgröt och äppelmos mot munnen, tänk att få pressa tungan mot gommen och njuta av de bilder som föddes. Sensommar. Darrande havrevippor, doftande äpplen, milsvid utsikt över Östgötaslätten.

Ett vykort, alltså.

Ute i dagrummet tar kören ny sats och släpper loss sina silverröster:

> *Search me Lord,*
> *shine a light from heaven om my soul*
> *Search me Lord*
> *I wanna be right I wanna be saved*
> *I wanna be whole ...*

Nej tack. Jag vill inte nödvändigtvis bli frälst och räddad över till den säkra sidan, jag strävar inte efter den varianten av det eviga livet. Ändå skulle jag tycka om att stå inför Den Store Skämtaren efter min död och summera, jag skulle vilja att han satt på sin galaxtron med en våg i sin hand och tvingade mig svara för mina synder. I samma stund skulle jag öppna min egen hand och finna tre svarta kulor: en för avunden, en för bitterheten, en för detta att jag inte har förvaltat mitt pund.

"Lyssna nu!" skulle jag säga och lägga avundens kula i hans vågskål. "Ja, jag är skyldig. Varje dag i mitt liv har jag önskat mig det andra har fått. Jag avundades Tiger-Maria att hennes mor skrev till henne, Agneta att hon var så söt och lätt att älska, Elsegerd att hon kunde gå om än med krycka. Jag avundades dem alla för att de slapp ut från Vanföreanstalten, var och en på sitt sätt. Men när jag själv många år senare slapp ut och återbördades till Östergötlands läns landsting blev jag ändå inte nöjd. När jag kom till Linköping och blev neurokirurgernas lilla marsvin avundades jag andra patienter detta att de läkte. Neurokirurgerna öppnade deras huvuden och rotade runt, sedan blev allt bra. Jag såg den ene efter den andre resa sig ur sin säng och ta de första stapplande stegen över golvet, medan jag själv låg kvar och såg efter dem med smala ögon. Jag ville också gå!"

Jag skulle ta ett steg tillbaka och luta mitt huvud bakåt så att jag kunde se honom i ögonen:

"Varför gjorde du avunden till en synd och inte missunnsamheten? Det borde vara tvärtom. Det borde vara en större synd att säga: *Hon ska inte ha!* än att säga: *Jag vill också ha!* Varför ska den som har berövats allt inte ens få önska?"

Därefter skulle jag lägga den andra kulan i hans vågskål:

"Detta är bitterheten. Den är jag också skyldig till. Och där har jag inga invändningar, den är och förblir en synd. Men låt mig få förklara den, låt mig försöka visa vad den verkligen är."

Här skulle jag tala med lägre röst, nästan viskande:

"Bitterheten är en följdsjukdom. Den drabbar den som inte får sörja färdigt. Och jag kom att leva i en tid som inte erkände sorgen, i en tid som i stället letade problem. Det är enklare med problem, de kan åtgärdas, men sorgen måste genomlevas. Dessutom smittar sorgen och det skrämmer människorna, därför är de beredda att gå till ytterligheter för att förhindra att den som har skäl att sörja verkligen får sörja. De ljuger. De moraliserar. De skriker och skrattar med gälla röster för att överrösta. Jag hade många skäl att sörja, därför väckte jag deras fruktan. De blev arga på mig för att mitt läge var förtvivlat. Därför tillhölls jag först att vara tacksam för att jag alls fick mat och kläder på kroppen, därefter att acceptera mitt öde och vara realistisk och så småningom att betrakta mina handikapp som ett opraktiskt tillstånd men inte en tragedi. Men det var en tragedi! Det är en tragedi att inte kunna gå och tala, det är oändligt mycket mer än ett opraktiskt tillstånd. Var och en som drabbas borde ha rätt att knyta näven mot himlen i hela världens åsyn, att svära och förbanna, att skrika och slåss, att kasta sig omkull, sparka och dunka knytnävarna mot marken så gott det nu går, att gråta tills ögonen tömts på tårar. Först då förmår man se världen. Då kan man ligga kvar en stund och följa en myra med blicken när den släpar hem ett strå, först då kan man acceptera att mer än så kommer livet aldrig att ge, men att det ändå är mycket nog. Först då kan man medge att det är en lycka att alls få finnas."

Än en gång skulle jag se upp mot Den Store Skämtaren, han skulle leka med sitt skägg och se på mig, nicka för att få mig att fortsätta. Och det skulle jag göra för nu skulle ingenting kunna hejda mig:

"Och ändå var det inte bara det att jag inte fick sörja färdigt som gjorde mig bitter. Det var mer. Jag var aldrig viktigast. Aldrig någonsin var jag viktigast i världen för någon annan. Inte ens när jag föddes, för Ellen var Hugos död viktigare än mitt liv. Och efter det mötte jag aldrig någon som jag rimligen kunde göra anspråk på, det fanns inget skäl till att jag skulle vara viktig för någon. Det är bara logiskt; den som inte har varit viktigast i världen för sin mor kan aldrig bli verkligt viktig för någon annan. Knappt ens för sig själv."

Den Store Skämtarens röst skulle dåna genom rymderna:

"Hubertsson?"

Jag skulle se strängt på honom, mikrobens vrede skulle drabba världsalltets härskare.

"Nu ska du vara tyst! Du ska bara lyssna för en gångs skull. Jag kommer till Hubertsson. Sedan. Men först ska jag lägga min tredje kula i din vågskål: synden i att inte förvalta sitt pund."

Jag skulle räta på mig och lägga händerna bakom ryggen, harkla mig en aning innan jag fortsatte:

"Du gjorde mig inte helt lottlös. Jag fick skarpa ögon och ett fungerande förstånd. Varför skaffade jag mig då inte ett liv, trots allt? Varför blev jag inte en Stephen Hawking, en världsberömd forskare? Eller åtminstone en medioker universitetsstuderande? Varför låg jag i min säng och kände mig bestulen av mina systrar i stället för att fortsätta mina studier?"

Han skulle nicka. Ja. Varför?

"Följ mig då tillbaka till Linköping, under de år då jag var neurokirurgernas lilla marsvin och en duktig idiot. Åh, vad jag var duktig! Åh, vad jag tyckte om att vara duktig! Jag sken som en sol när jag fick beröm: Titta på duktiga lilla Desirée där hon sitter i sin rullstol på långvården med det senaste kursbrevet från Hermods i knät. Nu har hon klarat engelskan! Nu har hon skrivit ett specialarbete om Thomson och elektronen! Men nu får hon lägga böckerna åt sidan för nu ska vi ta henne till neurologen och borra upp hennes skallben igen."

Här skulle jag se på honom igen:

"Vet du hur många gånger de opererade mig, Du Allvetande Store

Skämtare? Jag vet det inte. Jag vet bara att jag trodde att det myckna opererandet var ett tecken på att de var på väg att hitta den där magiska lilla nervstumpen som var roten till allt ont, att de skulle reparera den med skickliga fingrar och sylvassa instrument och att jag därefter skulle kunna göra saker som jag tidigare aldrig ens vågat drömma om. Sjunga. Dansa. Springa. Jag förberedde mig för ett nytt liv, det var därför jag böjde mitt rakade huvud över kursböckerna bara några dagar efter varje operation, det var därför jag aldrig klagade över att det ena såret knappt hann läka innan de hämtade mig från långvården och förde mig tillbaka till neurologen för att ge mig ett nytt. Jag hade ju ett liv som väntade."

Jag skulle dra ett djupt andetag för att hålla rösten stadig:

"Så kom då dagen då jag tog studenten. En representant från Hermods kom i egen hög person till avdelningen med mina betyg och den vita mössan, jag fick blommor av mina medpatienter och ett tårtkalas av personalen. Östgöta-Correspondenten kom också, man pallade upp mig i rullstolen med alla mina blommor, fotografen tog en bild medan reportern stod i bakgrunden och log välvilligt ... Jag var lycklig. För första gången verkligen sedd och för första gången verkligen lycklig. Några timmar senare kom Lundberg."

Här skulle jag förmodligen få svälja djupt för att alls kunna fortsätta.

"Du minns doktor Lundberg, antar jag. Överläkaren. Ja, det är klart du gör, du är ju allvetande. Då vet du också vad han sa när han kom, när han pliktskyldigast hade lämnat över en bok som examenspresent. Han sa att han ville klyva min hjärna. Han ville dra sin skalpell genom min hjärnbalk och skilja mina hjärnhalvor åt. Det var nödvändigt, sa han, för att inte epilepsin skulle orsaka ytterligare skador. Och det var allt de kunde göra för mig, det hoppades han att jag hade förstått, de kunde inte bota och bygga nytt, de kunde bara förhindra ytterligare skador. Och att klyva hjärnan var visserligen ovanligt, men det var en beprövad metod, den hade använts i USA ända sedan fyrtiotalet."

Här skulle jag sänka rösten ytterligare:

"Jag vissnade. Det är vad som händer när man låter hoppet fara. Man vissnar. Och jag kunde känna hur det hände: det var som om mina ben tömdes på märg på bara några minuter, som om jag förlorade varje uns av den lilla styrka och stadga jag haft. Han ville klyva min hjärna! Skilja känsla från förstånd, bokstäver från siffror, medvetande från det ickemedvetna. Han ville beröva mig min personlighet på det att den inte skulle ta ytterligare skada. Jag lade hans present ifrån mig och såg på honom, mindes med ens att han aldrig hade lovat mig någonting, att jag hade lurat mig själv. Det skulle aldrig få hända igen. Vad hade jag alltså att hoppas på? Att sjunga? Dansa? Springa? Nej. Arkivarbete om jag hade tur. Fyra eller sex eller åtta timmar om dagen i en rullstol i de bakre labyrinterna på ett dammigt bibliotek. Evig arbetslöshet om jag hade otur. Och det var ganska sannolikt att jag skulle ha otur också i fortsättningen. Jag samlade min återstående benmärg, sista resten av min styrka till ett enda ord: Nej. Han skulle inte få klyva min hjärna. Jag vägrade tillåta det."

Här skulle jag se Den Store Skämtaren i ögonen igen:

"Jag var beredd att ge upp. Att dö. Jag slutade tala och läsa, jag slutade äta och dricka, jag skrek av fasa så fort jag skymtade en neurokirurg. Därmed blev jag oanvändbar och landstinget förflyttade mig till Vadstena, för billigare och mer okomplicerad vård. Och livet gjorde en krök: Hubertsson kom i min väg och jag upptäckte att jag var något mer än jag tidigare hade trott. Själen fick vingar, om du ursäktar en så billig metafor ..."

Den Store Skämtaren skulle grymta. Till saken!

"Det finns inte mer att säga. Jag blev tvungen att vara hans patient för att få vara nära honom. Jag flög ut i världen om nätterna och låg stilla i min säng om dagarna och fann att det räckte med det. Därför läste jag inte vidare, därför blev jag aldrig en Stephen Hawking."

Här skulle jag le och göra min trollkonst: ur ett veck i min svepning skulle jag dra fram en fjärde kula; en guldglänsande sfär, större än de andra tre tillsammans.

"Se", skulle jag säga, "luta dig fram och se in i min kula! Jag ska lägga den i den andra vågskålen. Kommer den att uppväga mina synder?"

Här skulle jag låta kulan rulla ur min hand ner i vågskålen, den skulle glittra och glänsa och redan innan den landade skulle det stå klart att den var tyngre än Den Store Skämtarens alla stjärnor.

"Se", skulle jag säga, "se hur vågen vrider sig under min kulas tyngd, hur metallen i vågskålen nästan brister ..."

Den Store Skämtaren skulle böja sig fram, lägga sin väldighets hand framför mig och jag skulle ta ett steg framåt, darrande och rädd, men beslutsam. Långsamt skulle jag stiga genom himlarna, i Guds hand skulle jag föras till Guds ansikte. Till hans svar.

"Jag vet", skulle han säga. "Du älskade."

Kerstin Ett och Ulrika är tillbaka på mitt rum, jag skymtar dem bakom halvslutna ögonlock. Aldrig har jag sett dem sådana som de nu är. Kerstin Ett är rufsig i håret, Ulrika är blankögd och nervös. De höjer huvudändan på min säng ytterligare, lyfter mig och slätar till nattlinnet under min rygg. Det är skönt. Skrynklor kan bli en pina om man är tvungen att vila på dem timme efter timme.

"Desirée", säger Kerstin Ett med en helt annan och mycket djupare röst än den hon brukar använda.

"Desirée! Hör du mig?"

Jag slår upp ögonen och ser på henne.

"Jag får inte tag på Hubertsson. Jag har ringt både till Vårdcentralen och hem till honom, men jag får inte tag på honom. Vill du att jag ska kalla på doktor Wulf så länge?"

Nej. Det vill jag inte. Jag har andra planer för hennes räkning. Jag sluter ögonen och gör en liten rörelse med huvudet. För första gången erkänner Kerstin Ett att hon ser en av mina icke-spastiska rörelser.

"Du vill vänta på Hubertsson? Bra. Jag lovar att jag ska ringa igen. Och om det inte lyckas innan jag slutar för dagen så ska jag säga till Kerstin Två. Är det okej?"

Det är okej. Synnerligen okej.

Jag vet inte vad jag ska säga till Hubertsson när han kommer. Beslut måste fattas. Löften måste hållas.

Naturligtvis har vi talat om dödshjälp, i synnerhet under de senaste åren när ordet eutanasi inte längre enbart förknippas med nazism och dödsläger utan också med nya lösningar i en högteknologisk tid. Det är inte bara i Holland man söker sig nya vägar. I Australien har man uppfunnit ett nytt hjälpmedel för rörelsehindrade. En dödsdator. Man rullar fram rullstolen till datorn, fyller en spruta med gift och sätter en spärrad kanyl i offrets arm. På skärmen upprepas en fråga med trettio sekunders mellanrum:

"Vill du verkligen dö?"

Enter.

"Vill du verkligen dö?"

Enter.

"Vill du verkligen dö?"

Tre gånger ställs frågan, tre gånger ska man trycka på Enter, trettio sekunder senare lossar kanylens spärr och giftet blandar sig med blodet. Enkelt och hygieniskt. Ingen bödel, bara ett offer. Samt ett antal sparade skattekronor.

Kören ute i dagrummet har hunnit till finalen, de är varma och ivriga nu, uppfyllda av sin sång. De klappar takten så ljudligt att jag bara hör ett kort fragment av texten:

No one else can calm my fear ...

Jag avundas dem. Jag skulle också vilja sjunga. Just den sång de nu sjunger skulle jag vilja sjunga för Hubertsson.

Jag vet mer om Hubertsson än han tror mig om att veta. Jag vet hur huden på hans hals smakar mot en tunga, hur det känns att låta fingrar leka med håret på hans bröst, hur han sluter ögonen och öppnar munnen i orgasmens ögonblick. Men minnet är tunt och sprött, jag har gömt det för att det skulle räcka länge, aktat mig för att slita ut det. Men nu gör det ingen skillnad: framtiden är kort.

En enda gång följde jag Hubertsson till Standard Hotell i Norrköping. Det var en torsdag i januari just vid den tid då min uppåtgående kurva hade börjat brytas, då anfallen började komma allt tätare, då de ljud och grymtningar som kom över mina läppar hade börjat få allt mindre likhet med ord och meningar. Jag var ofta arg och otålig på mina assistenter vid den tiden, jag tyckte att de gjorde sig till när de inte begrep vad jag ville ha sagt utan i stället kom rännande med en bokstavstavla och beskäftigt tvingade mig att stava fram vartenda litet ord. Det var lika svårt att peka som att tala: mina händer for hit och dit över tavlan och gjorde mina meddelanden gåtfulla och obegripliga också för mig själv. Till slut försökte jag stoppa pekpinnen i munnen, men det gick inte mycket bättre.

Alltså tystnade jag och gick in i mig själv, jag låg till sängs mest hela dagarna, sov eller låtsades sova, fräste åt alla försiktiga försök att få mig ut ur huset. Det var snö på gatorna och kallt i luften! Vad skulle jag ute att göra?

Assistenterna vande sig efter ett tag, slog sig ner i mitt vardagsrum med böcker och tidningar, tassade bara ibland fram och gläntade på min stängda sovrumsdörr för att se om jag krampade. De slutade tala till mig och det var precis vad jag ville. För när jag inte löpte risk att bli tilltalad kunde jag ge mig i väg.

Jag hade hittat en utomordentlig bärare, en halvgammal kråka som hade dykt upp i tallen utanför mitt sovrumsfönster någon gång i slutet av november och som nu hade gjort den till sitt hem. Hennes känsloläge passade mig, hon var tvär och småilsken för det mesta, men i grunden en ytterst saklig varelse. När hon märkte att jag satt bakom hennes ögon greps hon inte av panik som andra kråkor utan gjorde en hastig kalkyl. Jag var visserligen starkare än hon, men hon insåg att jag behövde henne. Alltså skulle det råda något slags balans mellan oss. Jag förstärkte kalkylen till min fördel med en liten puff av visshet i hennes ådror; om hon gjorde som jag ville skulle hon överleva och när våren kom skulle jag lämna henne i fred med sina ägg.

Jag tog det försiktigt med henne i början, lät henne bara föra mig över Vadstena några gånger om dagen. Jag tvingade henne aldrig ut över Vättern – man kunde skönja det svarta vattnet mellan strändernas isflak och det skrämde henne – utan nöjde mig med att betrakta sjön från slottets torn och trädtopparna i hamnparken. Efteråt lät jag henne föra mig till en träd utanför Vårdcentralen, där satt jag sedan och iakttog ömsom Hubertsson, ömsom Christina medan de mötte sina patienter. Så småningom blev jag djärvare, övergav kråkan för en stund och vilade i en droppe smältvatten på en gren, lät henne lyfta och ta sig till ett annat träd. Hon flög aldrig långt och efter några dagar kom hon så fort min tanke ropade henne tillbaka. Ändå förberedde jag mig ytterligare, drev min kråka i allt vidare cirklar ut över Östgötaslätten, stannade i skogar och dungar, tog mig över i en räv eller en hare, kröp in i en sovande igelkott och drömde med den, tröstade sedan en frusen ekorre med minnen av sommaren innan jag kallade på min fågel. Hon kom genast, trots att hon hade fått vänta i timmar. Hon var min. Tämjd och färdig att nyttja.

Om torsdagarna vaknade jag alltid med oro i kroppen: i dag skulle Hubertsson rusa i väg efter en hastig kopp kaffe och i morgon skulle han komma mycket sent om han kom alls. Han sa aldrig mycket om torsdagsmorgnarna, han var redan innesluten i natten som skulle komma.

Jag tyckte inte om det. Jag visste för lite om hans torsdagar och fredags-nätter, jag visste inte ens om han mötte samma kvinna varje vecka eller om han valde sig en ny varje gång. Och jag tänkte sannerligen inte frå-ga, det vore att bryta mot varje paragraf i vårt kontrakt. Inte heller ville jag nöja mig med att bara se honom på avstånd, att följa honom bakom mina egna ögonlock så som jag redan på den tiden brukade följa mina systrar. Jag ville inte se med Hubertssons ögon, jag ville vara en som blev sedd genom dem.

Så kom till slut den torsdagsmorgon jag väntat på, Hubertsson veva-de frånvarande en hälsning med portföljen och försvann ut genom min dörr om morgonen, jag såg efter honom och bestämde mig för att änt-ligen ta risken. Under dagen var jag snäll och foglig, lät mig till och med föras ut på rullstolspromenad för att lugna assistenten, men gäspade re-dan vid femtiden och lyckades få henne att förstå att jag ville gå och läg-ga mig. Vid sex var det skiftavlösning och nästa assistent – en ung och ivrig konstnär – gläntade på min sovrumsdörr och noterade belåtet att jag verkade sova lugnt. Han slog upp sitt skissblock och fattade sin pen-na. I kväll skulle han hinna med mycket.

Redan när jag vände kråkan mot nordöst tycktes hon inse att detta var ett särskilt tillfälle, hon steg högt mot kvällens svarta tak och kraxa-de, jag skrattade tillbaka i hennes huvud och drev henne att öka farten. Ändå tog det många timmar innan vi äntligen landade på en lyktstolpe utanför Standard Hotell i Norrköping. Kråkan var utmattad och kräng-de med huvudet, ville genast stoppa det under vingen. Jag hejdade hen-ne, jag behövde hennes ögon för att finna en bärare. Det var tomt utan-för entrén, jag fick vänta i nästan tjugo minuter innan en ensam eftersläntrare dök upp. Det var en medelålders man, han märkte mig inte, stannade bara för ett ögonblick mitt i steget och svajade till som om han hade blivit yr när jag landade. I garderoben stötte han ihop med en kvinna på väg mot damrummet. Jag hann knappt se henne innan jag tog språnget.

Hon hade en behaglig kropp, lätt och mjuk att bära. Hennes lungor var milt rosa, luftvägarnas cilier vajade som tång på havets botten, sali-ven i hennes mun var daggfrisk som ett barns. Jag bestämde mig genast. Här ville jag vara.

Hon hade druckit lite och märkte mig inte förrän hon satt på toalet-ten, då såg hon upp från sina vita bomullstrosor och stirrade in i väggen, en fråga fladdrade till. Är det någon där?

"Jag vill dansa", viskade jag.

Hon skrattade till och upprepade mina ord:

"Jag vill dansa!"

Jag hann betrakta hennes spegelbild när vi kom ut från toaletten. Hon hade vackra färger: guldblont hår och gröna ögon, men hennes ansikte var ungt och ännu inte riktigt färdigt, kinderna var släta, ögonen runda och frågande. Kanske var hon för ung för Hubertsson.

"Men jag vill vara lätt under hans tyngd", tänkte jag.

Hon log mot sin spegelbild och lade huvudet på sned:

"Lätt under hans tyngd ..."

Sekunden senare slog hon handen för munnen och stirrade på sig själv. Vad tar det åt mig?

"Vad heter du?" viskade jag.

Hon tog händerna från munnen och viskade:

"Vem är du?"

"En dröm och en saga. Vad heter du?"

Panik darrade till i hennes röst.

"Vem är du?"

Dörren till ett av toalettbåsen slogs upp, en fnittrande flicka steg ut.

"Vad är det med dig, Camilla? Pratar du för dig själv?"

Camilla vajade till och skrattade, det var ett kristallskratt, glasklart och skimrande. Hubertsson skulle tycka om henne.

"Jag känner mig så konstig. Som om jag inte var ensam i kroppen ..."

Den andra flickan fnissade till:

"Det är du väl inte heller länge till ... Efter vad det verkar."

Vulgär typ. Tur att jag inte tog henne.

Jag lät Camilla stanna ett ögonblick i restaurangens dörröppning så att jag kunde se mig omkring. Kristallkronor och dämpad belysning, röda sammetsgardiner och dansparkett. En elektrifierad men måttfull kvartett i svarta kavajer på estraden. Ungefär som jag väntat mig.

Hubertsson satt ensam och tillbakalutad vid ett bord nära fönstret. Hans ansikte var allvarligt men hållningen arrogant, benen korsade, högerarmen utsträckt över ryggen på den tomma stolen intill. Det såg ut som om han egentligen inte var där, som om han inte märkte alla ljus och ljud omkring sig.

Camillas väninna var halvvägs genom restaurangen, hon vände sig om och gjorde en uppfordrande gest med armen, Camilla tog ett steg i hennes riktning innan jag hejdade henne.

Han, viskade jag. Den ensamme mannen där borta.

En illaluktande våg av förakt strömmade genom hennes hjärna. En gubbe! Jag fräste till och vidgade mig, hennes eget jag sjönk räddhågset undan och hon gick i den riktning jag valt. Jag fäste de gröna ögonen på Hubertssons och strök med fingrarna över hans bordduk, log ett halvt litet leende medan jag passerade.

Det fungerade. I samma ögonblick som jag hade satt mig på Camillas plats lade han sin hand på min axel. Jag lade Camillas lilla aftonväska på bordet och reste mig upp, han tog mig under armen och förde mig ut på dansgolvet.

Åh!

Att äntligen få luta en kind mot Hubertssons och le åt den lilla rysning som i samma ögonblick kilade genom nervsystemet, att låta en mjölkvit kropp med strama senor försvinna i hans famn, att låta ett lår som av en händelse glida in mellan hans.

Han dansade bra, det enda jag behövde göra var att så avspänt som möjligt vila i hans armar och låta honom föra. Jag fick inte tala och inte heller han, han förde mig över parketten i dans efter dans, utan att säga ett ord. Camillas väninna dansade förbi några gånger och höjde frågande på ögonbrynen, men jag slöt Camillas ögon för att stänga henne ute. Camilla själv var nästan borta. Hon satt storögd och undrande i en vrå av sig själv och intalade sig att hon drömde.

Jag hade kommit sent, snart var det sista dansen. Hubertsson lade befallande sin hand på min rygg och tryckte mig intill sig, jag svarade med ett litet skratt mot hans hals. Ja, viskade jag och min egen röst, så som den skulle ha varit om allt hade varit annorlunda, trängde plötsligt ut ur Camillas strupe:

"Ja. Ja. Ja."

Hubertsson skrattade till och strök med handen över min rygg.

"Ja", sade han också. "Ja. Definitivt."

Hans hotellrum var förberett på ett sätt som tydde på en viss rutin. En liten bordslampa var tänd så att han slapp förstöra stämningen genom att tända i taket, gardinerna var fördragna och sängen bäddad. Det låg två små chokladbitar på örngottet, han tog den ena och kastade den nonchalant till mig. Jag fångade den med en lätt liten rörelse med handen och skrattade till. Camilla måste ha bollsinne.

Det stod ett par glas och en flaska vin på bordet. Det överraskade mig att han var så noga med detaljerna: det var inga tandborstglas från badrummet utan riktiga vinglas med fot och stjälk.

Jag stod kvar mitt på golvet med fötterna tätt ihop medan han korkade upp vinet. Plötsligt var jag nervös. Skulle det räcka, det jag lärt mig i böcker och framför TVn?

"Nå", sa Hubertsson och sträckte fram ett glas. "Vem är Camilla?"

Jag höjde glaset och svarade sanningsenligt:

"Jag vet inte. Och vem är du?"

Han ställde ifrån sig glaset och strök av sig kavajen. Det glittrade i hans ögon, han tyckte om den här leken:

"En främling. Ska vi låta det stanna vid det?"

"Ja", sa jag. "Vad vill du mig främling?"

"Allt", sa Hubertsson. "Och ingenting."

Det förvånade mig att han så villigt fann sig i att vara min, att han förmådde sitta orörlig i rummets enda fåtölj medan jag grenslade honom och knäppte upp hans skjorta, att han lutade sitt huvud bakåt och blundade när jag lät Camillas fingrar stryka över håret på hans bröst och sedan lade hennes öra tätt intill för att lyssna till hans hjärtas slag. Med ens var jag ett djur, ett lystet rovdjur som ville slicka och bitas, nafsa med vassa tänder i den mandeldoftande huden på hans hals ända tills han började kvida. Då gled jag av honom, föll på knä mellan hans ben och började lirka med kostymbyxans hyska och hake, jag kände hur han lyfte sitt underliv en aning, men jag ville inte ha för bråttom, jag lät honom vänta några sekunder innan jag mycket försiktigt drog ner blixtlåset och lät det som doldes i den vita bomullstrikån välla fram.

"Åh!" sa Hubertsson grumligt när jag sänkte mig över honom. "Åh! Vem är du?"

Hela natten var jag utan namn, när jag låg som en korsfäst på golvet under honom, när vi rullade som en enda varelse från den ena sidan av dubbelsängen till den andra, när jag stod på alla fyra som en varghona och ylade. Luften i rummet tjocknade av våra dofter, Camillas hår blev tovigt och fuktigt av svett, jag stirrade genom testarna på Hubertssons ansikte – våta läppar, vidgade näsborrar, ögon slutna till hälften – och blottade mina rovdjurständer. Allt! Ge mig allt och ingenting!

Han märkte inte att jag gick, han sov som en död redan när jag reste mig upp och plockade upp Camillas kringslängda saker: en aftonväska, ett par trosor, en behå och en skrynklig klänning. Hon började bli besvärlig nu, kved och gnällde och försökte komma loss. Men jag hade mer att göra. Jag drog upp lakanet över Hubertssons nakna axlar och böjde mig över honom, kysste hans skäggstubb en sista gång och släckte lampan innan jag mycket försiktigt stängde dörren till hans hotellrum efter mig.

Jag ville att Camilla skulle slippa se garderobiärens syrliga leende, därför var jag var plikttrogen nog att behålla kommandot och själv hämta ut hennes kappa. Hon kvicknade till medan hon snubblade ut på trottoaren. Där stannade jag henne och kallade på min kråka. Hon satt i ett träd borta i Järnvägsparken, lystrade omedelbart och bredde ut sina vingar. Jag släppte taget om Camilla och steg mot himlen, fyllde kråkan med jubel och änglasång. Hon svarade med att skratta sitt hesa skratt.

Och kvar utanför Standard Hotell i Norrköping stod Camilla med armarna om sig själv.

Några timmar senare ringde Hubertsson på min dörrklocka och skrämde upp morgonassistenten.

"Var är hon?" sa han.

"Vem?"

"Desirée förstås."

"I sin säng. Vad trodde du?"

Han satte kurs mot min sovrumsdörr, assistenten tassade efter på mjuka raggsocksfötter.

"Hon sover. Vi väntade dig inte, du brukar ju inte komma så här tidigt på fredagsmorgnarna ..."

Hon sträckte fram handen och försökte hejda honom:

"Låt henne vara, hon var så trött i går."

Han föste henne åt sidan och öppnade dörren, såg in i rummet och vände sig sedan mot henne:

"Hon krampar ju! Och du varken ser eller hör!"

Jag fick betala dyrt för min kärleksnatt med Hubertsson: fyra dagar av tätt återkommande orkaner, då världen riste och brast framför mina ögon. Det var bara med yttersta möda som jag då och då lyckades ta mig upp till verklighetens yta och snappa efter luft, innan jag sjönk igen.

När jag vaknade den femte dagen var jag inte längre hemma, jag låg i en främmande säng i ett främmande rum. Det tog en stund innan jag insåg att jag var tillbaka på det sjukhem där jag först hade mött Hubertsson. Han kom efter några timmar, lufsande och oändligt mycket äldre än när jag sist hade sett honom.

"*Status epilepticus*", sa han och ställde sig vid fotänden på min säng. "Det var på vippen. Vet du var du är?"

Jag försökte svara, men det kom bara ett stönande ur min mun.

"Va?"

Jag gjorde mig möda, formade ordet i huvudet, rullade det genom hjärnans alla vindlingar, lät det studsa mot mina stämband och öppnade munnen. Det blev en grymtning. Hubertsson lyfte bokstavstavlan från nattygsbordet och stack en penna i min mun, mitt huvud började värka av ansträngning medan jag stavade det korta ordet. Ja.

"Har du svårt att tala?"

Det låg en glödande tyngd över min panna, ändå försökte jag hålla ögonen öppna medan jag pekade på sju bokstäver till. Kan inte.

"Kan inte? Kan du inte tala alls?"

Jag slöt ögonen och famlade efter hans hand, tryckte den två gånger och släppte: nej, jag kunde inte tala längre. Hans hand föll slappt ur min. Han stod orörlig vid min säng en lång stund, sedan hörde jag tyget frasa och förstod att han hade stuckit händerna i fickan.

"Du får vara kvar här några dagar", sa han. "Men du ska få komma hem. Vi ska bara ställa om din medicin."

Jag öppnade inte ögonen och grep inte efter hans hand, jag hade ingenting att tillägga och mitt huvud värkte. Hans sulor viskade mot golvet, han var på väg mot dörren, öppnade den men stängde den inte. Sekunderna gick innan han talade och då kittlade ett högst opassande litet skratt i hans röst:

"Jag drömde om dig i torsdags. Hela natten."

Jag log bakom slutna ögonlock. Det hade varit värt priset.

Den gången slapp jag ut från sjukhemmet redan efter någon vecka. Den här gången är det mer tveksamt. Hubertsson undviker ämnet när jag försöker föra det på tal.

Men jag skulle gärna vilja komma till min lägenhet än en gång. Jag skulle vilja sitta i mitt soliga vardagsrum med en tystlåten assistent utanför synfältet – helst konstnären, det är mycket behagligt att befinna sig i närheten av hans koncentration när han skissar – och lyssna på Grieg. Jag tycker om Grieg. Han är varken tveksam eller blygsam, han tar plats och påstår som män har för sed, men är samtidigt tillräckligt mycket en ovanlig karl för att kunna skratta åt sig själv. Som Hubertsson.

Mitt vardagsrum är vackert, oändligt mycket vackrare än något av mina systrars rum. Inte ens Christinas blåbleka paradis kan jämföras med mitt. Jag har ljuset på min sida, somrarnas bländande morgnar och vintrarnas gnistrande förmiddagsljus. Kanske är det ljuset som mer än något annat har lockat Hubertsson till min lägenhet varje morgon i åratal. För det är sannerligen inte mina vackra gardiner.

Vi grälade i ett halvår efter det att jag hade förmått honom att ta mig till Svenskt Tenn efter det årliga besöket på Tekniska museet. Han kände sig lurad. Hade jag sagt att jag än en gång ville se dimkammaren bara för att efteråt få en möjlighet att slinka in i den där inrättningen för Östermalmskärringar? Va? Dessutom var det obscent att köpa gardiner för femtusen kronor. Det fanns folk i världen som inte hade mat för dagen. Visste jag inte det? Jag bara fnös åt hans gormande. Jag hade längtat efter mina Josef Frank-gardiner ända sedan jag flyttade in i lägenheten, tusen gånger hade jag föreställt mig hur det skulle se ut när blommorna slog ut över väggen och i flera år hade jag sparat av pensionen för att få råd. Vad angick det Hubertsson vad mina gardiner kostade? Va? Hade jag och Josef Frank ryckt maten ur mun på de behövande?

Jag längtar hem. Till mina gardiner och allt det andra. En sista gång skulle jag vilja sitta i mitt vardagsrum tidigt om morgonen och känna kaffedoften sprida sig genom lägenheten, än en gång skulle jag vilja ge tecken åt assistenten att sätta på mikrovågsugnen i samma ögonblick som Hubertsson ringer på dörren så att franskbröden ska vara lagom varma när de läggs på hans tallrik.

Hubertsson och jag. Våra gardingräl. Våra morgnar med starkt kaffe och varma franskbröd. Våra långa tystnader och glesa samtal. Våra utflykter till Tekniska museet. Vår enda nyårsafton, då jag höjde ett glas med darrande Pommac, stötte det mot hans champagneglas och skålade för det nya året.

Kanske var det ett liv trots allt. Det som jag levde.

Ja. Jag vill att Hubertsson ska komma nu, just när eftermiddagens ljus börjar skifta i blått och förebåda skymningen, jag vill att han ska ta mig i sin famn och bära mig genom Vadstena till min lägenhet. Där ska han lägga mig i min röda soffa, släta ut den vita plädden över min kropp så att det inte syns att den är ett stycke drivved, dra Josef Frank-gardinerna en smula åt sidan och låta skymningen glida in. Och sedan ska vi sitta där, hand i hand i tre hela dygn. Ensamma. Men tillsammans.

I morgon är det vårdagjämning, men *benandanti* får hålla sin procession utan mig. Jag vill vara kvar i min kropp, jag vill vila med min hand i Hubertssons och under de sista dygnen ge honom det enda jag har att ge: en fullbordad berättelse.

Ingen av mina systrar stal det liv som var avsett för mig. Jag har levt det liv som var avsett för mig. Ändå kan jag inte släppa loss dem, än kan jag inte låta Christina, Margareta och Birgitta rusa i var sin riktning.

Hubertsson har ställt en fråga. Innan allt är över ska han få ett svar.

Mean Woman Blues

"Sometimes, being a bitch is the
only thing a woman has to hold on
to."

Stephen King

EN BUSS KÖR FÖRBI och skymmer Margareta, när den har passerat syns hon inte längre till. Typiskt Margareta. Ena stunden där, andra stunden borta. Hon har en enastående förmåga att försvinna. I synnerhet i sådana här stunder, när hon har fått Birgitta att vilja förklara och försvara sig, när hon har retat upp Birgitta till den grad att hon är beredd att äntligen gräva fram minnet av det som hände den där gången. Då sticker Margareta, smiter i väg med darrande nos som en ängslig kanin. Hon gillar att komma med pikar och antydningar, men när det kommer till kritan är hon rädd för det hon ska få veta.

Det gör så ont!

Birgitta trycker handen mot mellangärdet och tar stöd mot trafikljusets stolpe. Fan. Det känns som om hon måste spy, jo, nu känner hon hur den där lilla bubblan av ingenting som alltid förebådar spyan stiger upp ur magen, hur den vidgar sig i hennes hals och tvingar henne att öppna munnen. Hon särar på fötterna och böjer sig fram, men mitt i illamåendet kryper en alldeles nykter liten undran genom hennes huvud. Var fan kommer de där pumpsen ifrån? Och var är hennes egna skor?

Margareta tror att hon är helt borta, det syntes i hennes ögon nyss. Men Birgitta minns visst några saker från i går. Att hon låg blytung och bedövad på sin madrass i flera timmar, till exempel, utan att vare sig kunna resa sig eller sova, medan Roger låg på golvet och snarkade. Att det blev något bråk framåt eftermiddagen, han blev visst sur för att hon vägrade plocka fram fler öl. Javisst. Så var det. Och då fick hon äntligen tillfredsställelsen att knuffa den jävla räkan genom hallen, öppna dörren och slänga ut honom. Efteråt hade hon känt sig uppåt. Djävligt uppåt. Det där borde ha lärt honom att Birgitta inte låter sig hunsas, att hon i hela sitt liv har vägrat att leva under klacken. En gång hade det stått i tidningen att hon var Motalas knarkdrottning och det var sant, åtminstone på den tiden. Hon har aldrig varit någon vanlig mesig pundarbrud, som har särat på benen för vem som helst för en kabbe, hon har dealat själv och styrt sitt eget öde. I den stämningen hade hon gett sig ut på stan och träffat Kåre, en gammal pundare som var på jakt efter Rohypnol och med honom hade hon gått från den ena kvarten till den andra. På ett ställe hade de träffat någon jävla svartskalle som hade bil och så hade hela gänget – Kåre och Sessan, hon själv och Kjelle Röd – hoppat in i bilen och åkt i väg till ett partaj någonstans. I Norrköping. Det måste ha varit i Norrköping, för det var i Norrköping hon vaknade i morse och det är i Norrköping hon befinner sig just nu. Och någon gång under natten måste någon Mimmi Pigg-kopia ha lagt beslag på Birgittas jympadojor och knallat i väg. Det är hål på ena sulan, det bör damen ifråga ha märkt vid det här laget. Hoppas hon har frusit tårna av sig, att de föll som klirrande små isbitar från hennes fot så fort hon tog av sig skorna.

Fy fan. Nu kommer spyan.

Birgitta hulkar till och kräks så det plaskar i asfalten, ögonen tåras, men hon kan se hur en kvinna som står och väntar på grönt ljus hoppar till och tar några steg åt sidan. Jävla snobb!

Det kommer inte mycket, hon har ju bara en enda stackars öl i kroppen. Birgitta lyfter huvudet och lutar sig mot stolpen, sluter ögonen för en sekund och försöker påminna sig att hon är praktiskt taget nykter. Hon har bara druckit en enda liten öl, egentligen spyr hon bara för att hon är trött och har ont i magen. Fan. Om hon ändå vore hemma i sin egen kvart, om hon hade fått gå och lägga sig på sin madrass med ett gäng öl inom räckhåll. Då skulle hon ligga kvar där i timmar utan att röra en fena, hon skulle bara ligga alldeles stilla och glo i taket.

Hon måste hem! Och Margareta, den jävla maran, ska köra henne. Det har hon lovat och så fan om hon ska få smita från det löftet.

Birgitta försöker än en gång spana över gatan, den välver sig och gungar som ett golv i Lustiga Huset, men det skiter hon i, det oroar henne inte ett dugg. Hon blir alltid yr när hon har kräkts. Det kommer att gå över på ett par minuter: hon kan stå här och hålla sig i stolpen medan hon väntar, låtsas att hon är en vanlig fru Svensson som har drabbats av ett lätt illamående och ändå är väluppfostrad nog att vänta på grön gubbe.

Fast vem försöker hon egentligen lura? Sig själv. Ingen annan skulle komma på tanken att hon är en vanlig fru Svensson. Nu står det en hel flock svenssöner vid övergångsstället, tre kvinnor och två män, och de har samlats i en liten grupp så långt borta från henne som de bara kan komma. Ändå är de noga med att inte se på henne, alla låtsas otåligt vänta på att trafikljuset ska slå om. Det är bara en tidsfråga när hela gänget börjar vissla, bara för att markera riktigt tydligt att de varken har sett eller hört henne.

"Pissråttor!" säger Birgitta halvhögt och skrattar till när hon ser hur en liten skälvning sprider sig genom gruppen. De är rädda: alla fem håller blicken beslutsamt riktad ut mot gatan, men kvinnorna drar åt sig sina handväskor och männen kör sina nävar ännu lite djupare ner i fickorna.

Birgitta fnyser och gräver i fickan efter sina cigarretter. Vad tror de egentligen att hon ska göra? Äta upp dem?

Det fanns en tid då hon njöt av svenssönernas avståndstagande, då det fick henne att känna sig stolt och övermodig. Som den där midsommaraftonen då det gick en hel karavan från Motala till Mantorp med Doggens Chrysler i täten. Själv satt hon bredvid Doggen klädd i nya vita jeans och med en Bardotrutig behå under sin rosa blus. Hon var så snygg! Hon hade knutit en rosa sjalett över tuperingen och dragit upp knuten på hakan så fort hon hade stängt grinden bakom sig. Och när hon hade kommit utom synhåll från Kärringen Ellens hus hade hon dessutom dragit upp blusen ur jeansen och knutit ihop den strax ovanför midjan. När hon sträckte på sig syntes hennes navel, därför hade hon höjt armen riktigt högt och vinkat när hon såg Doggen sitta och vänta på henne i sin Chrysler några kvarter bortom Ellens hus. Doggen hade inte kunnat låta bli att le. Det var ovanligt: han brukade hålla henne kort. I synnerhet i början, när de hade ihop det för första gången.

De tog vägen över Mjölby, körde till och med in i stan trots att det var en omväg, åtta stora bilar i rad kryssade genom ytterområdena i riktning mot Stora torget. Först var det nästan ingen som såg dem: staden låg stilla och söndagstom i solgasset, trots att det var förmiddag och inga midsommarstänger ännu hade rests. Staden såg nystädad ut, det var som om Ellen och Christina i ett ovanligt svårt anfall av städdille hade farit över hela Mjölby med skurtrasor och putsdukar, som om Christina hade kammat gräsmattorna och klippt dem med nagelsax och som om kär-

ringen själv hade skrubbat husfasaderna med rotborste och putsat vart-
enda björklöv med silverputs.

När de närmade sig centrum blev det lite tätare med folk, affärerna
var ju fortfarande öppna. Doggen hade bara vänster hand på ratten, den
andra vilade avspänt och självklart över ryggen på Birgittas säte. Han
höll inte om henne: han bara markerade att den där bruden som nästan
såg ut som Marilyn Monroe var hans. Birgitta lutade sig bakåt och lät
sin nacke snudda vid hans arm. Det här var livet, så borde det alltid vara.
Om himmelriket fanns så var det en evig midsommaraftons förmiddag,
då man gled i en blänkande cabriolet genom en liten skitstad med någ-
ra flaskor klirrande på golvet i baksätet och med förvissningen om att
det närmaste dygnet skulle bjuda på ett sjuhelvetes hålligång.

Men något saknades och det var naturligtvis Doggen som insåg vad
det var: han tryckte in en skiva i Chryslerns lyxiga lilla skivspelare, den
som Birgitta hade köpt med personalrabatt på Luxor för hans räkning,
och drog upp volymen. När karavanen gled ut på bron över Svartån
mullrade en välbekant röst över vattnet:

> *"Well since my baby left me*
> *I found a new place to dwell*
> *it's down at the end of Lonely Street*
> *at Heartbreak Hotel ..."*

Det var som om rösten fick hela Mjölby att lystra och stelna. Bönderna
på Stora torget lyfte blicken från frukt och grönsaker på torgstånden
och makade sig omärkligt i riktning mot sina kassaskrin, män i nyin-
köpta sommarskjortor från Algots harklade sig och spanade med ryn-
kade pannor ut mot gatan, medan deras prudentliga fruar i permanent
och beiga poplinkappor blev stående som fastfrusna med sommarens
första jordgubbskartonger i händerna, plötsligt oförmögna att ens stop-
pa ner dem i sina kassar.

Birgitta och Doggen satt i sin öppna bil med just så slutna ansikten
som deras rang krävde, men gänget i bilarna bakom dem hade redan
öppnat sina flaskor och var på gång. De vevade ner rutorna och hängde
i klasar genom bilfönstren, skrålade och sjöng, skränade och skrattade.
Doggen kastade en blick i backspegeln och konstaterade att hela kara-
vanen hade passerat bron, bromsade in och stannade vid Stora torget.

Birgitta och Doggen steg ur först, Doggen kastade nyckeln ett par decimeter upp i luften och fångade den igen i en ytterst elegant gest, Birgitta drog av sig sjaletten och strök med handen över tuperingen innan de började gå.

"Kan jag inte få en glass?" sa hon och kröp tätt intill Doggen, smög sin arm under hans. Han var också alldeles ovanligt snygg i dag: håret låg samlat i ett konstfullt brylcrèmeburr i pannan och han var klädd i en ny svart jacka i blänkande satäng. Han hade beställt den från postorderfirman Hollywood i Stockholm och otåligt väntat på den i flera veckor innan den slutligen anlände dagen före midsommarafton. Det var en örn på ryggen. Ingen annan raggare i hela Östergötland hade en jacka med en örn på ryggen.

"Jo, för fan", sa Doggen och halade fram plånboken.

Birgitta ställde sig på tå framför glasskiosken, i bakgrunden hördes höga röster och smällande bildörrar när de andra klev ur, ändå visste hon att alla svenssönerna på torget glodde just på henne. På henne och Doggen.

Doggen var också medveten om det, det syntes på hela hans hållning när han lutade sig in i kiosken, slängde fram en enkrona och sa:

"En Top Hat!"

Birgitta lade armen om hans rygg:

"Ska inte du ha någon glass?"

Doggen fnös:

"Nej, för fan. Sånt klet är för kärringar ... Ska du ha jordgubbar också?"

Jordgubbar? Varför skulle hon vilja ha jordgubbar? Sedan mindes hon: Doggen tyckte om att visa sig flott. Ännu hade de bara varit ihop i en månad, och redan hade hon lärt sig att gapa och svälja när han var på sitt mest spendersamma humör. Häromkvällen hade hon fått proppa i sig tre omgångar korv med potatismos innan han var nöjd. När de låg med varandra efteråt hade hon tyckt att hela hennes strupe hade varit full av gurkmajonnäs och tomatketchup, men hon hade svalt sitt illamående och hållit god min. Det var lätt att föreställa sig vad Doggen skulle göra med den som spydde ketchup och gurkmajonnäs över baksätet i hans Chrysler. Ännu hade han inte slagit henne på riktigt, bara daskat hennes kind med utsidan av handen när hon pratade för mycket. Det hade fått en liten låga av lust att flämta till mellan hennes lår, men hon var inte dummare än att hon insåg att det inte skulle vara särskilt skönt att få sig en ordentlig omgång av de där nävarna.

Mjölbyborna vek åt sidan när Doggen banade sig fram mot ett torgstånd, fortfarande med plånboken i handen. Själv trippade hon efter – i remsandaler med stilettklack var det omöjligt annat än att trippa – medan hon omständligt slickade rent glassens papplock. Varenda karl på torget glodde på henne och därför lät hon sin tunga bli alldeles ovanligt lång och spetsig, drog den i långa smekande drag över locket och lapade i sig varje rest av choklad och sylt.

Det stod en hel flock svenssöner framför det stånd Doggen hade valt, men de särade snällt på sig och lät honom utan invändningar gå före. Birgitta trängde sig efter, slickande på sin strut.

"Jordgubbar!" röt Doggen.

Bonden bakom disken skyndade sig att gripa efter en ask och räcka fram den för godkännande, Birgitta vände sig om och granskade lojt de närmaste svenssönerna. De hade börjat slappna av nu, de pratade med låga röster och slöt sig långsamt samman. Alldeles intill Birgitta stod en kvinna som såg ut nästan som Kärringen Ellen: gråblommig bomullsklänning under en ordentligt knäppt poplinkappa, hårda små permanentlockar i pannan och ett hårnät sträckt över bakhuvudet. Hon lirkade ner en brun påse i sin torgkasse, sträckte den sedan mot en man på andra sidan Birgitta. Han sträckte fram armen och röck hastigt åt sig kassen.

"Fan!" skrek Birgitta. "Jävla snuskhummer!"

Doggen snodde runt.

"Han tog mig på brösten!"

Birgitta sträckte ett anklagande finger mot gubben med kassen, hon hade redan hunnit övertyga sig om att det hade hänt. Visst hade det hänt! Varför skulle hennes röst annars skära sig och bli gäll, varför skulle hon annars darra av upprördhet inombords?

"Vem?" sa Doggen och drog upp ärmarna på sin jacka. Det var resår i manschetten, därför kunde han blotta sina håriga underarmar utan att vika och skrynkla den svarta satängen.

"Han där! Han med kepsen!"

Röda fläckar flammade upp på den främmande kvinnans hals, hon kilade förbi Birgitta och ställde sig framför gubben.

"Var inte löjlig", sa hon och fnös. "Egon har aldrig tagit någon på brösten ..."

"Det kan du inte veta något om, kärring. Så som du ser ut!"

Det var Sigge Geting som skrek. Resten av gänget hade hunnit fram, killarna bildade en liten halvcirkel som inneslöt svenssönerna. Sigge Geting stod i mitten, mager och sandfärgad som en ödla, med armarna korsade över lädervästen. Tjejerna flaxade indignerat i bakgrunden: en snuskgubbe har tagit Birgitta på brösten! Fy fan! Hur kan man bara?

"Flytta på dig kärring", sa Doggen med sin mörkaste röst och föste kvinnan åt sidan.

Som en film, tänkte Birgitta. Med Doggen är precis allt som i en film. Och eftersom det var en film så beredde hon sig att spela sin roll, hon saxade sina egna armar runt en av Doggens, lutade sig mot honom och blinkade hastigt som för att driva bort tårarna:

"Kom älskling! Vi går. Låt snuskgubben vara!"

"Så fan heller", sa Doggen och drog upp sin jackärm ytterligare en centimeter, siktade noga på gubben och klippte till.

"Aoooh!" skrek hans hustru och damp i marken.

Birgitta gör en grimas åt minnet medan hon långsamt släntrar över gatan och gräver efter tändaren i jeansens fickor. Svenssonflocken har skyndat före och skingrar sig just på den andra trottoaren, annars kunde hon ha hejdat någon av dem och bett om eld, om inte annat så för nöjet att få se dem flaxa till som skrämda höns. Men det klarar sig ändå: hennes fingrar har funnit vad de sökte i fickan. Hon ställer sig bredbent mitt i gatan och kupar handen om lågan medan hon tänder och drar det första blosset. En bil morrar irriterat på hennes vänstra sida, hon blåser ut en liten plym av rök och ger föraren ett ilsket ögonkast. Vad är det för jävla tjat? Det är ju fortfarande grön gubbe!

Den där historien i Mjölby var hennes debut som rövare, fast hon egentligen inte hade gjort något. Ändå var det då hon för första gången fick se en snuthäck från insidan. Doggen hade skrikit åt gänget att sticka i väg till Mantorp när han leddes över torget med handbojor och allt, men han hade inte protesterat mot att också hon togs till förhör. Det hade gjort henne smickrad, trots att hon var lite rädd att det skulle komma fram hemma i Motala, att Kärringen Ellen skulle få reda på att Birgitta gripits av polisen. Då skulle hon ställa till bråk. Utan tvekan. För även om kärringen hade blivit lite vettigare de senaste åren – hon hade till exempel bara nickat stumt när Birgitta hade deklarerat att hon inte tänkte delta i släktkalaset på midsommarafton i år, att hon inte ens skulle komma hem på natten – så skulle hon säkert få hjärnblödning om hon fick veta att någon av hennes flickor hade gripits av polisen.

Fast hjärnblödning fick hon ju ändå. När det väl blev rättegång mot Doggen många månader senare var allt redan över. Det var som om hösten började redan på midsommarafton det året och som om det redan då hade stått klart att den skulle bli bedrövlig.

Men det började bra. De släpptes någon gång på kvällen och när de kom ut på polisstationens trappa grep Doggen för ett ögonblick Birgittas hand, tryckte den hastigt och skrattade, innan han tog sitt vanliga grepp om hennes handled. Skymningen var alldeles rosa, stan låg varm och orörlig som en sovande katt framför dem, men Doggen ville inte ha stillhet och pastellfärger, han ville ha action. Nu skulle de vidare till Mantorp, omedelbart, och se till att det blev lite fart på festandet.

De hälsades som segrare, det steg ett vrål ur Motalagänget när de en timme senare körde in på campingplatsen med Elvis på högsta volym. Doggen sköt upp sina solglasögon i pannan och log snett, själv skrattade Birgitta högt och beredde sig att svara lätt och nonchalant på de andra tjejernas frågor om hur det hade varit, hur det hade gått till, vad polisen hade sagt och gjort.

Och ändå, efter bara några timmar svängde stämningen. Det var Sigge Geting, förstås, han kunde som vanligt inte hålla sin stora käft, han var bara tvungen att ragla fram till Doggen, lägga armen om honom och sluddra med våta läppar i hans öra:

"Fan, Doggen! Det var djävligt starkt, inte fan trodde jag att du kunde däcka en kärring med ett enda slag ..."

Doggen hade naturligtvis blivit förbannad, han hade rest sig upp och slitit av sig jackan. Sigge Geting föll på knä framför honom och knäppte händerna som i bön:

"Slå mig inte, goa herrn! Slå min brud i stället!"

I nästa ögonblick var han på benen igen, kvick som en apa snodde han sig bakom Anita och låtsades gömma sig:

"Slå henne! Ja! Hon är skitstark. Annars kan vi åka in till Skänninge i morgon och leta upp någon gamling, jag lovar att jag ska sparka undan käppen på honom, så kan du klippa till honom i fallet!"

Vid det laget var Doggen vit i ansiktet och så förbannad att han nästan hade blivit nykter, han pressade samman läpparna och andades genom näsan som en tjur, öppnade och slöt sina händer gång på gång innan han långsamt krökte fingrarna och gjorde sig beredd. I en enda rörelse vräkte han Anita åt sidan och kastade sig över Sigge Geting, tog tag i hans skjortbröst och lyfte upp honom, lät honom dingla i luften med sparkande ben en stund innan han släppte taget och drog till med knuten näve. Sigge tumlade baklänges och blev liggande orörlig, han stirrade med öppna ögon rakt upp i den blågrå midsommarhimlen, det var som om han först inte märkte att blodet hade börjat sippra ur ena näsborren. Sedan höjde han långsamt ena handen, strök den under näsan och tittade på blodet, stack sedan in pekfingret i munnen och vickade lite på en framtand. Han lyfte överkroppen, lutade sig på armbågen och spottade i gräset, loskan var blodblandad och röd.

"Fan", sa han och sjönk tillbaka ner i gräset. "Inte anade jag att du skulle ta det så, Doggen ..."

Doggen stod kvar framför honom, fortfarande med knutna nävar och tjurandning. Ett enda slag hade inte räckt för att förlösa hans vrede, han ville slå mer och hårdare, men han kunde naturligtvis inte slå någon som redan låg på marken, i synnerhet inte efter det som hade hänt på Stora torget i Mjölby. Och Sigge visste att utnyttja sin makt, han lade sig lugnt tillrätta igen och placerade armen över pannan, skakade på huvudet i låtsad sorg så att den lilla rännilen av blod under hans näsa darrade till och ändrade riktning.

"Nej", sa han. "Inte hade jag en aning om att du skulle ta det så här, Doggen. En kille som du, med den finaste Chryslern i hela Motala och det bästa knullet i hela stan ... Fan, vi avundas ju dig, har du inte fattat det! Du har ju haft tur. Om inte du hade dykt upp så skulle hela gänget ha fått dra över Birgitta i tur och ordning, hon hade bara hunnit med hälften innan du kom och stängde butiken. Fan, du får förstå oss, vi är många som suktar."

Midsommarnattens bleka ljus släckte alla färger, allt hade plötsligt blivit grått; gräset, bilarna, Birgittas rosa blus. Det hade blivit tyst omkring dem, det var som om en glaskupa hade sänkts från himlen ner över Motalagänget, en kupa som tvingade dem att sluta sig samman i en cirkel och som stängde ute alla ljud och läten från de andra gängen på campingplatsen.

Någon skrattade till, Birgitta slängde ett hastigt ögonkast åt sidan och såg att det var Lille-Lars, en ny liten brud vid hans sida fyllde på med ett viskande fniss. Cirkeln slöt sig tätare och plötsligt upptäckte Birgitta att hon inte längre var en del av den, att hon var lika innesluten som Doggen och Sigge Geting. De andra hade tagit ett steg bakåt och slutit sig samman bakom hennes rygg.

Doggen stod fortfarande orörlig, men hans läppar var inte längre lika hårt slutna och hans nävar hängde öppna och försvarslösa utefter sidorna. Sigge Geting drog upp ena benet och lade det andra på tvären över det, han såg ut som om han låg och slöade på en badstrand. Än en gång drog han handen under näsan, betraktade blodet ett ögonblick, innan han lyfte den andra handen från pannan och började klappa händer:

"Ack om jag ..."

Hans röst var viskande och låg, men inte lägre än att gänget hörde och begrep. På ett ögonblick fylldes glaskupan av ett rytmiskt klatschande, alla händer daskade plötsligt i samma takt, alla viskade med en enda röst, en röst som på några sekunder växte från en stilla bris till en brusande vind:

> *... vore i Birgittas kläder*
> *då skulle jag sko min fitta med läder*
> *och resa land och rike kring*
> *och knulla för ingenting ..."*

I ögonvrån såg Birgitta hur Sigge Geting långsamt satte sig upp, hur han tog sig upp på fötter utan att sluta klappa och falla ur rytmen, hur han långsamt snodde runt och drog i gång en repris, hur han knäande och flinande gick längs hela cirkeln och fick de andra att öka takten och höja rösterna, ända tills glaskupan sprack och föll i tusen vassa skärvor över dem. Cirkeln upplöstes, den enda rösten var plötsligt många röster, ögon som nyss hade varit glasklara och glittrande var plötsligt lika simmiga som innan glaskupan sänktes över dem. Då höjde Sigge Geting armen till en segergest, slöt sin blodiga hand om en flaskhals, skålade med ett tjut och drack.

Bara Doggen och Birgitta stod kvar och stirrade på varandra.

Så blev det slut mellan dem för första gången. De såg varandra på avstånd några gånger under hösten, men talade inte till varandra. Ändå vittnade Birgitta till hans förmån när det äntligen blev rättegång om den där historien i Mjölby, hon sa att det var kärringens eget fel, att hon hade stuckit fram nyllet i onödan när Doggen bara jabbade lite i luften. Trots det fick Birgitta åka ensam hem, Doggen skickades direkt till ungdomsfängelset, för nu var det plötsligt bråttom att straffa honom trots att han hade fått gå och dra hemma i Motala i nästan ett halvår. Kanske var det lika bra: det hade varit värre om han hade blivit frisläppt och vägrat skjutsa henne hem, om han efter rättegången hade tittat lika tomt och likgiltigt på henne som han gjorde när hon lämnade vittnesbåset.

När hon kom till Motala den kvällen hade hon betett sig jättekonstigt, som om hon var påtänd, trots att hon vid det laget inte ens visste att det fanns något som hette hasch och amfetamin. Först hade hon åkt hem till Gertruds gamla lägenhet och slitit i den låsta dörren, på någon vänster hade hon lyckats glömma att Gertrud var död och hon hade inte kommit ihåg det förrän dörren öppnades av en vilt främmande människa. Då hade hon backat och sprungit nerför trapporna, bort till en busshållplats i närheten och sedan hade hon tagit bussen till utkanten av stan, till Kärringen Ellens hus. Först när hon stod med handen på grinden mindes hon att ingenting var som förr här heller. Det lyste bara på övervåningen: Hubertsson bodde kvar, men själv låg ju Kärringen Ellen i Linköping och var stum som en fisk. Birgitta hade ju en egen lya numera, ett utkylt litet kyffe nere i Gamla stan. Hon åkte dit, men hon förmådde inte gå och lägga sig, hon satt vid köksbordet hela natten och stirrade på det glödande elelementet framför sig medan hon rökte den ena cigarretten efter den andra.

Dagen därpå hade hon stannat hemma från jobbet och eftersom det var sjätte gången den hösten som hon hade varit frånvarande utan att sjukskriva sig, så hade hon fått sparken. Det var djävligt orättvist. Hur skulle hon ha kunnat sjukskriva sig? Hon hade ju ingen telefon.

Birgitta hejdar sig när hon har kommit över på andra trottoaren och ser sig om. Gatan svajar inte mer, men den är så trång och gyttrig att man får andnöd. Kallt är det också, de höga husen lägger hela gatan i skugga. I Motala ser det inte ut så här, där är det ljust och öppet överallt. Dessutom finns det inga spårvagnar i Motala. Birgitta tycker inte om spårvagnar, de skrämmer henne. På något vis har hon mycket lättare att föreställa sig hur det skulle kännas att hamna under en spårvagn än under en buss, hon vet till och med hur det skulle låta när spårvagnens metallhjul skar in i hennes kropp. Tjofs, tjofs, tjofs. Ett kladdigt och ovanligt blodigt tjofs. Fast det hon har sett i sitt huvud händer ju aldrig, alltså kommer hon aldrig att bli överkörd av en spårvagn. Men tänk om den tanken upphäver magin? Om man inte tror att det man just har inbillat sig verkligen ska hända, så kanske det händer ...

Äh! Bäst att inte tänka alls.

Vart tog nu Margareta vägen? Hon kan ju inte bara ha upplösts i ingenting och svävat i väg. Förmodligen försöker hon gömma sig i en port eller en affär någonstans. Det skulle vara likt henne.

Annars är Margareta faktiskt fullkomligt obegriplig. Antingen är hon genomfalsk, eller så är hon helt enkelt knäpp i huvudet. Det är enklare med Christina: hon är mer konsekvent snobbig och elak. Man vet var man har henne. Men Margareta är urgullig och världens bästa kompis i ena stunden, fnissar och skrattar och pratar och gullar, och i nästa gläfser hon till som en jävla rottweiler och hugger. Hundra gånger har hon fått Birgitta att tro att hon är beredd att ställa upp, att hon inget hellre vill än att vara lite schyst mot en gammal fostersyster och sedan har hon klippt till – tjoff bara! – och gått därifrån med näsan i vädret. Men hon är skicklig: det är lätt att glömma hur djävlig hon egentligen är när hon lägger huvudet på sned och verkar så makalöst hygglig.

Vad angår det henne om Birgitta gick i Saltängen ett tag? Har hon med det att göra? Och varför blev hon själv så upprörd? Det är ju hundra år sedan, det borde vara dött och begravet för länge sedan. Någonstans har Birgitta läst eller hört att hela kroppen förnyas vart sjunde år; det finns alltså inte en nagel, inte ett hårstrå, inte en enda fläck av hennes hud som är densamma som på den där tjejen som gick i Saltängen. Plötsligt blixtrar vreden vit i hennes huvud. Just det! Hon är en helt annan varelse i dag, snobborna kan inte skylla på den Birgitta som finns i dag för det som hände Ellen. Skulle förresten inte kärringen ha varit död för länge sedan under alla omständigheter? Trodde de kanske att hon skulle ha fått leva för evigt om det inte hade varit för Birgitta? Eller att Ellen själv inte hade någon del i det som hände? Ha! Men nu ska Margareta få höra hela sanningen, nu ska hon tamejfan tvingas lyssna och erkänna att det inte var Birgittas fel!

Hon stannar utanför ett skyltfönster och spanar in. Kanske har Margareta gått in i den här flådiga affären och gömt sig i något provrum.

Den är väl fin nog för att duga åt en snobba, det ligger en blus i fönstret som kostar tolvhundra spänn. Birgitta kan tänka sig hur Ulla, hennes assistent, skulle se ut om hon svassade in på socialen i en sådan blus, men för en sådan som Margareta är det väl vardagsmat, hon slänger väl tusenlappar omkring sig till höger och vänster som om det vore små-pengar. För att inte tala om Christina: när hon dök upp i tingsrätten för att vittna mot Birgitta var hon klädd i en dräkt som bara skrek pengar, trots att den var både tantig och ful. Dessutom hade hon tre tjocka guld-armband på armen, Birgitta hade stirrat på de där guldarmbanden un-der hela hennes vittnesmål, stirrat och försökt räkna ut hur många kab-bar man skulle kunna få för dem.

Hon knuffar upp dörren och tar ett par steg in i affären, det är tomt därinne, inte ens en expedit. Hon stannar till och ser sig om. Var är provrummen?

Det svajar till i ett draperi längst bak i butiken, en mager brud kom-mer ut och försöker hastigt tugga ur mun. Typisk hunsad butiksslav som försöker kasta i sig lite mat mellan kunderna. Fast hon har slingor i hå-ret som den värsta överklassdam och hon är så rak i ryggen att hon näs-tan faller baklänges.

"Ja?" säger hon och höjer ögonbrynen. Det är uppenbart att hon inte betraktar Birgitta som en potentiell kund, för hon pratar med mat i munnen. Hon ser inte ens rädd ut: hennes höjda ögonbryn sitter som fastklistrade en centimeter under hårfästet. I samma ögonblick får Bir-gitta syn på sin egen bild i en spegel borta vid väggen. Håret hänger, ansiktet är grått, låren är stumma i formen och tjocka som trädstammar.

"Det är faktiskt rökning förbjuden härinne", säger kvinnan utan att sänka ögonbrynen. "Och vi brukar inte lösa in rekvisitioner från soci-alen."

Birgitta öppnar munnen för att svara, men det kommer inga ord. Fan! Vad skulle hon i den här affären att göra? Här finns ju ingen Mar-gareta. Hon snor runt och rycker upp dörren, en liten klocka pinglar, ändå tycker hon sig höra hur kvinnan önskar henne välkommen åter.

Det är sjögång igen, gatan reser sig och sjunker under henne. Hon måste ta stöd mot en husvägg för att inte falla omkull och plötsligt är det som om all kraft rinner ur henne. Knäna vill vika sig och själv vill hon inget hellre än att ge efter, låta sig falla, lägga sig ner på den gung-ande gatan och somna.

Om det bara inte hade gjort så ont!

Hon trycker handen mot mellangärdet och snubblar vidare. Det är bra att det gör ont, det får henne att hålla sig vaken. Det är farligt att lägga sig utomhus så här års, man kan frysa ihjäl. Ingen kommer att lägga en filt över henne eller skjuta in en kudde under hennes huvud, svenssönerna kommer bara att kliva över henne och låtsas som ingenting. Hon har bara sig själv att lita till, därför lutar hon ryggen mot ett skyltfönster och tar stöd med handflatorna mot glaset. En liten stund ska hon stå så, vila och samla sig innan hon fortsätter att leta efter Margareta.

Någon öppnar butiksdörren bredvid henne och stiger ut på trottoaren. Birgitta orkar först inte öppna ögonen för att se vem det är, men när det står klart att personen ifråga inte tänker gå vidare öppnar hon ögonlocken en millimeter. Margareta står framför henne och drar på sig vantarna. Det hänger en papperskasse över hennes arm. Hon har köpt blommor.

"Jag vill ha tillbaka mina cigarretter", säger hon. "Och förresten behöver du inte anstränga dig för att se så där tragisk ut. Jag tänker ändå inte tycka synd om dig."

Har Birgitta någonsin begärt att bli tyckt synd om? Aldrig. Icke för ett ögonblick.

Ändå har hon i hela sitt liv blivit behandlad som ett skadat exemplar, som om hon var halt eller puckelryckig, döv eller stum. Det är egentligen bara Ellen och Christina som inte har tyckt synd om henne. Och mormor förstås. Hon var tvärförbannad livet igenom, hon tyckte aldrig synd om någon, skrattade bara sitt kacklande lilla skratt och sa att livet var ganska rättvist trots allt. Folk fick i allmänhet precis vad de förtjänade. I synnerhet på sluttampen.

Ibland vaknar Birgitta om nätterna och tycker sig höra det där skrattet, men det är naturligtvis bara inbillning. Mormor har varit död i många herrans år och Birgitta har svårt att föreställa sig att hon skulle kunna spöka. Hon fnös alltid nedlåtande när Gertrud kom hem och berättade spökhistorier, och hon har säkert inte blivit annorlunda efter döden. Hon sitter nog på ett moln någonstans med munnen hopknipen och armarna korsade över bröstet: om hon har sagt att det inte finns några spöken så är det så, hon tänker minsann inte ge sig till att spöka bara för att hon blir tillsagd.

Ändå skrattade mormor ganska mycket för att vara en så bister typ. Som när hon stod framför spegeln och kammade sitt hår om morgnarna:

"Nämen godmorgon!" sa hon alltid till sin spegelbild och skrattade till. "Värst vad du var ung och vacker i dag då!"

Birgitta brukade sitta på kökssoffan och iaktta henne. När hon var riktigt liten tyckte hon att det var konstigt att mormor tyckte att hon var ung och vacker, hon kunde inte se något vackert med den där oformliga kroppen och det där bleka degansiktet. Inte ens håret var vackert, det som mormor annars verkade vara så stolt över. När hon lossade nattflätan och redde ut den med fingrarna rann det matt och platt nerför hennes rygg. Det hade ingen färg, det var det enda hår i världen som inte hade någon färg. När Birgitta många år senare slog på TVn på något behandlingshem och råkade höra en amerikansk astronaut säga att det märkligaste med månens yta var att den saknade färg, så tänkte hon på mormor. Hon var en kvinna med hår i samma nyans som månens yta.

Men mormor sysslade aldrig med sitt hår särskilt länge, hon kammade bara ut det som hastigast, slätade ut det över hjässan och snodde ihop det till en hård liten korv i nacken, innan hon drog på sig sina gamla stövlar och gick ut och tittade på linjen.

Morfar var banvakt och de bodde i en banvaktsstuga tätt intill järnvägsspåren, ett rött litet hus mitt ute på Östgötaslätten, en kilometer bort från den riktiga vägen och en halvmil från närmaste bondgård. Fast det var egentligen inte någon bondgård, snarare en herrgård: dess åkrar sträckte sig ända fram till banvaktsstugans trädgårdsstaket. Mormor sa att det fanns barn i det stora vita huset långt borta, men att Birgitta inte skulle inbilla sig något. Sådana barn fick inte leka med banvaktsungar.

Inte heller fick hon leka ensam ute i trädgården, det var för farligt. När som helst kunde hon ju drulla ut på järnvägsspåret som hon hade gjort en gång när hon var liten. Mormor hade hittat henne liggande på en av syllarna med näsan tryckt mot det tjärdoftande timret. Det sjöng redan i spåren, mormor hade slitit upp henne i sista sekunden. Birgitta skulle ha varit dödens lammunge om inte mormor hade funnits, det skulle hon ha klart för sig.

Birgitta hade sagt sina första ord när de kom in i stugan efteråt, det berättade mormor ofta. Först hade hon fått precis så mycket däng som hon förtjänade, sedan hade hon tultat ut mitt på golvet, stått där och gnällt med hög röst:

"Gitta inte dum!"

Hon var en konstig unge, sa mormor. Aldrig förr hade hon hört talas om en unge som började prata på det viset, de flesta sa ma-ma och da-da i flera år innan det gick att få något begripligt ur dem. Men inte Birgitta: hon hade varit tyst ända tills hon var tre år fyllda och sedan hade hon talat nästan rent redan från början. Det var likadant när hon började gå, det var också konstigt. Hon gick jämt omkring och höll i mormors förkläde, men en dag hade mormor tröttnat på att ha henne framför fötterna och knutit av sig förklädet. Birgitta märkte det inte, hon hade bara tultat i väg över köksgolvet i rasande fart, utan att ramla och slå sig det minsta. Men när mormor tog ifrån henne förklädet, då damp hon på ändan och började yla. Det var som om hon trodde att hon inte kunde gå om hon inte fick hålla i den där tygbiten.

Annars minns inte Birgitta särskilt mycket av sina år i banvaktsstugan, det var som om hon fick sitta i den där kökssoffan i sex års tid och göra ingenting. Morfar såg hon inte mycket av. Han sov länge om morgnarna och när han så småningom vaknade hade han mycket att göra och kom inte hem förrän till kvällsmaten. Birgitta trodde att han körde fram och tillbaka längs linjen med sin dressin hela dagarna. Hon skulle gärna ha velat åka med, men det fick hon inte, det var inget för småungar.

Morfar hade tre krökta fingrar på ena handens fingrar, han kunde inte räta ut dem. En gång hade han lyft upp Birgitta i knät och då hade hon gripit hårt om hans bruna ringfinger och försökt tvinga det uppåt, men det gick inte. Fingrarna hade stelnat för länge sedan och gjort handen till en klo. När Gertrud kom på besök viskade hon till Birgitta att det var gubbens eget fel, han hade skurit sönder senorna i fingrarna en gång när han var full och vräkte köksbordet över ända. Hela golvet var fullt med porslinsbitar och glassplitter efteråt, därför skar han sig i handen när han ramlade i röran. Mormor lät honom ligga, eftersom det var precis vad han förtjänade.

Birgitta tyckte om när Gertrud kom. Det var som om luften och färgerna i banvaktstugan förändrades så fort hon stod i dörren, som om hennes blonda hår gjorde allting ljusare. En gång hade hon dessutom en vit dräkt på sig, jackan slöt sig tätt om hennes smala midja, kjolen var lång och böljande som på en prinsessa. Hon hade en blå blus under jackan och en liten hatt med violer, Birgitta tyckte att de doftade som riktiga blommor när Gertrud böjde sig fram och kramade om henne. Men mormor tyckte inte om Gertruds nya dräkt, hon bara slängde ett kort ögonkast på den innan hon vände sig mot spisen igen.

"Om du har något vett i huvudet så klär du om dig innan far din kommer hem", sa hon. "Han är inte dummare än att han begriper hur du har fått ihop till den där stassen ..."

Birgitta hade kanat ner från kökssoffan och följt efter Gertrud när hon gick uppför trappan till vindsrummet. Gertrud sov alltid i vindsrummet när hon kom hem, trots att det var iskallt om vintern. Hon frös gärna bara hon slapp de där surpupporna, brukade hon säga och göra en grimas som fick Birgitta att skratta. Men nu var det sommar och varmt i rummet, så varmt att brädväggarnas virke hade börjat dofta. Gertrud öppnade fönstret på vid gavel och sjönk ner på sängen medan hon tände en cigarrett:

"Herregud", sa hon sedan och puffade till sin lilla hatt så att den halkade på sned. "Då var man tillbaka i medeltiden igen ..."

Birgitta visste inte riktigt vad hon menade, om det verkligen var en tid här och en annan i Motala, där Gertrud bodde och jobbade, men hon nickade ändå ivrigt och stack händerna mellan knäna där hon satt på pinnstolen bredvid sängen. Gertrud log och nöp henne lätt i näsan:

"Det är bara för din skull jag kommer", sa hon. "För att du är min lilla ängel ..."

Plötsligt stack hon cigarretten i mungipan och slog ut med armarna:

"Kom hit! Jag ska pussa dig och pussa dig och pussa dig!"

Birgitta hade hoppats att Gertrud skulle fimpa cigarretten innan hon började pussas, men det glömde hon, hon glömde till och med att ta ut den ur munnen innan hon slog armarna om henne. Birgitta gav ett litet pip ifrån sig och kupade handen över kinden.

"Åh herregud!" sa Gertrud och skrattade till. "Brände jag dig?"

"Bara lite ..."

Hon hade hoppats att Gertrud skulle fortsätta att pussas när hon hade fimpat, men det gjorde hon inte, hon reste sig i stället upp från den svajiga sängen och började knäppa upp sin jacka.

"Bäst man klär om då", sa hon och lossade en galge från kroken på väggen. "Så att inte gubben får ett anfall ... Titta om du ser honom!"

Birgitta kröp upp på knä i pinnstolen och lutade sig ut genom fönstret. Trädgården var mycket finare ovanifrån än från köksfönstret, här syntes det inte att syrenens blommor hade börjat bli lite bruna i kanten, de såg fortfarande fuktiga och friska ut. Körsbärsblommornas sista vita blad fladdrade genom luften som små fjärilar, det såg vackert ut, inte alls så hafsigt och snafsigt som mormor påstod. Och uppe på banvallen hade hundkäxen börjat slå ut, om man kisade med ögonen såg det ut som om gräset var täckt med spetsar. Birgitta tyckte om hundkäxen, men hon fick aldrig plocka dem. Det var ogräs, sa mormor. Om man tog in dem föll deras blommor som ett vitt mjöl över köksbordet, och mormor hade tillräckligt att göra med att sopa och städa efter morfar och Birgitta ändå, hon tänkte minsann inte plocka ogräs inomhus till råga på allt.

Det luktade gott ute. Solen hade värmt upp syllarna och därför doftade det av tjära längs hela linjen. Birgitta drog in doften i näsborrarna, svalde den nästan för att behålla den inom sig, samtidigt som hon kände en liten huvudvärk börja mola bakom pannbenet. Det var så konstigt, hon fick alltid ont i huvudet av syllarnas doft, ändå tyckte hon om den.

"Jag ser honom inte", sa hon, vände sig om och damp ner på stolen igen.

Gertrud stod framför den lilla väggspegeln och kammade sig, nu hade hon bara sin underklänning på sig. Dräkten hängde på en galge på kroken bakom henne, kjolen böljade över väggen som en uppochnervänd blomma. Ja, just det. Som en utslagen tulpan såg den ut, en tulpan vars vita blad snart skulle lossna och blåsa bort.

"Bra", sa Gertrud och böjde sig fram mot spegeln, granskade sitt ansikte medan hon försökte få en lock i pannan att ligga rätt.

"Sexor", sa hon sedan och snodde runt. "Tycker du att det är snyggt?"

"Jag kan inte räkna än", sa Birgitta.

Gertrud skrattade:

"Lockarna, menar jag. Ser du inte. Jag har två sexor i pannan. Det är modernt."

Birgitta blev generad. Vad dum hon var, att hon inte hade fattat. Men Gertrud verkade inte bry sig om det, hon stirrade in i spegeln igen, fladdrade med ögonfransarna och gav sexorna en sista tillplattning.

"Lennart tycker i alla fall att det är jättesnyggt."

Birgitta tittade upp:

"Vem är det?"

Gertrud drog upp axlarna, det var som om hela hennes vita kropp kuttrade till.

"Min nya kille. Skitsnygg. Jättetrevlig."

Hon sjönk ner bredvid Birgitta och tog hennes hand:

"Kan du bevara en hemlighet?"

Birgitta nickade allvarligt.

"Det är dödshemligt, du får inte säga ett ord till surpupporna", viskade Gertrud. "Men vi ska gifta oss till hösten, Lennart och jag."

Birgitta drog efter andan, Gertrud böjde sig fram, hon kom så nära att hennes andedräkt snuddade vid Birgittas kind:

"Jag har redan pratat med honom om dig, han vet att du finns. Han säger att det inte gör något, att du gärna får bo hos oss när du blir lite större. Han gillar ungar."

Hon tystnade ett ögonblick, lyssnade som om hon hade hört någon smyga i vindstrappan, sänkte sedan rösten ytterligare.

"Han ska skilja sig, han har bara några månader kvar på hemskillnadsåret. Och han ska behålla huset, det är skitfint, fyra rum och kök och riktigt badrum. Han har kylskåp också."

Birgitta nickade: hon hade sett kylskåp på bilder i Allers, hon visste vad det var.

"Jag ska vara hemmafru, Lennart säger att det är det bästa. Han vill att någon tar hand om honom på heltid. Vi kommer att få det skitfint. Du ska få eget rum, det finns ett pyttelitet ett bakom köket som skulle passa perfekt ..."

Hon släppte Birgittas hand och tände en ny cigarrett, viftade med handen för att släcka tändstickan och talade plötsligt i normal samtalston:

"Men det är alltså hemligt. Om du så mycket som andas om det till surpupporna så får du stanna där du är. Har du förstått?"

Birgitta nickade och knep ihop munnen. Hon hade förstått.

Hela hösten satt hon med näsan tryckt mot fönsterglaset och väntade. Hon visste precis hur det skulle bli. En dag skulle Gertrud och Lennart komma gående på stigen från landsvägen. Gertrud skulle vara klädd i brudklänning och tyllslöja, Lennart i frack. Han skulle vara lång och stilig och ha en vit nejlika i knapphålet ...

En dag bestämde hon sig för att rita Gertruds bröllop, det skulle ju inte vara att skvallra. Mormor muttrade när hon bad om ett papper, men torkade ändå av händerna på förklädet och plockade fram en blyertspenna och ett brevpapper. Birgitta satte sig vid köksbordet med beslutsam min, hon visste precis hur teckningen skulle se ut. Hon hade sett både brudar och brudgummar i Allers, många gånger om.

Men hennes bild blev inte alls lik bilderna i Allers. Gertrud blev alldeles för stor och Lennart såg konstig ut, hon hade varit tvungen att rita honom med spretande ben för att få med frackskörten, och nu såg det ut som om han hade en påse hängande mellan benen. Birgitta slängde pennan ifrån sig och tryckte händerna för ögonen, plötsligt ville hon bara gråta.

"Vet du inte hut, unge!" sa mormor och satte händerna i sidorna. "Plocka genast upp pennan."

Gertrud kom till jul, men utan brudklänning. Hon hade inte ens den vita dräkten på sig, bara en brun kappa och en blå sjalett. Kanske var det sjalettens fel att inte färgerna förändrades den gången: det förblev lika vinterskumt i köket som innan hon kommit.

Birgitta följde med henne upp på vindsrummet, men Gertrud verkade knappt märka henne. Hon frös och drog in händerna i koftans ärmar innan hon satte sig på sängen. Birgitta tvekade ett ögonblick, innan hon viskade sin fråga:

"Får jag se ringen?"

Gertrud kurade ihop sig och stirrade frågande på henne:

"Vilken ring?"

"Giftasringen."

Gertrud gjorde en grimas och strök håret ur pannan, sexorna hade raknat.

"Äh, det där ... Det blev inget. Han gick tillbaka till sin fru. Det gör dom alltid."

Trots det fick Birgitta flytta till Motala sommaren därpå. Hon skulle börja skolan, då kunde hon inte bo kvar i banvaktsstugan längre, sa mormor. Det var flera mil till närmsta skola och det fanns ingen skolbuss.

"Dessutom har jag gjort mitt och mer därtill", sa hon och räckte fram Birgittas väska mot Gertrud. "Nu får du själv ta över."

Gertrud grep inte genast efter väskan, mormor fick stå och hålla fram den en lång stund innan hon suckande gav efter.

"Men jag har ju så trångt", sa hon. "Och så jobbar jag ju kväll åtminstone tre gånger i veckan."

"Då får du väl byta jobb då", sa morfar. Han hade just stoppat sin pipa, nu vek han långsamt ihop tobakspaketet och började famla över köksbordet efter tändstickorna.

"Herregud!" sa Gertrud irriterat när de gick längs landsvägen på väg mot busshållplatsen. "Gubben är faktiskt inte klok, han lever kvar på 1800-talet ..."

Birgitta skyndade på stegen. Hennes ena socka hade lösa resårer, den höll på att korva sig och halka ihop till en liten knöl under foten, men hon vågade inte stanna och dra upp den. Hon ville inte bli efter och tvingas gå tillbaka till banvaktstugan, hon ville följa med Gertrud till Motala, trots att hon inte skulle få något eget rum. Gertrud hade sagt att hon bara hade en etta med kokvrå, Birgitta visste inte riktigt vad det betydde, men hon visste att hon var beredd att bo i ett pottskåp om hon bara fick bo tillsammans med Gertrud.

"Vet du vad han sa i går?" sa Gertrud och ställde ifrån sig resväskorna." Han sa att servitriser inte är bättre än cigarrflickor. Och när jag frågade vad en cigarrflicka var, så sa han att de var en sorts horor, att det fanns sådana i Norrköping när han var ung. Va!"

Birgitta hade hunnit ifatt, Gertrud började gå igen. Hennes skor var redan grå av vägens damm, de höga klackarna sjönk djupt ner i gruset.

"Cigarrflickor! Herregud, det är väl bara en tidsfråga närhan kräver att jag ska börja med snörliv och knäppkängor."

"Jävla gubbe", viskade Birgitta prövande.

"Just det", sa Gertrud. "Han är en jävla gubbe."

I banvaktsstugan fick Birgitta inte vara ute, i Motala fick hon inte vara inne.

"Kan du inte gå ut ett tag?" sa Gertrud när hon kom hem från jobbet dagen därpå och hade sparkat av sig skorna.

"Gå ut?" sa Birgitta.

Det hade inte fallit henne in att hon skulle få gå ut ensam i en så stor stad som Motala. Medan Gertrud var på jobbet hade hon ägnat sig åt att undersöka lägenheten, hon hade dragit ut varenda låda i byrån och rotat runt i röran av underkläder och sjaletter, nylonstrumpor och halsband. Efter det hade hon öppnat alla skåp i kokvrån, snott några russin ur ett rött paket och två bitar ur sockerskålen, innan hon hade blivit kissnödig och gått in på toaletten. Hon blev kvar där i nästan en timme. Det var roligt att spola, nästan som trolleri. Hon hade bara varit på en vattenklosett två gånger i sitt liv och då var det mormor som hade dragit upp den lilla svarta knoppen, Birgitta hade inte riktigt kunnat se vad som hände. Men nu hade hon slängt i små bitar av toapapper, hon hade fått se hur de snurrade runt och dansade, innan de sögs ner och försvann.

Gertrud slängde sig på rygg i sängen, resårerna gnällde till under henne.

"Ja. Gå ut och lek, det är ju vad ungar gör ..."

Birgitta gapade:

"Men vart ska jag gå?"

Gertrud gjorde en ilsken grimas:

"Herregud! Gå ut på gården. Eller till kiosken eller något ..."

Hon grävde i fickan på sin vita jacka och fiskade upp en enkrona.

"Här! Stick i väg och köp godis!"

Birgitta hade aldrig köpt godis förr, men hon visste vad det var. Några gånger hade morfar köpt med sig kandisocker till henne när han hade varit på Bolaget och mormor brukade ha en liten skål med hårda karameller högst upp i skafferiet. Men var låg kiosken? Hon blev tveksamt stående när hon kom ut på gården och såg sig omkring. Det fanns ingen kiosk på gården, bara soptunnor och några tvättlinor där vita lakan slokade. Några barn lekte vid porten ut mot gatan, de klängde på en ställning i mattgrå metall. En pojke drog i en spak vid sidan så att en stång upptill höjde och sänkte sig, en flicka klättrade på något som såg ut som ett galler.

Plötsligt öppnades ett fönster i gathuset, en kvinna stack ut ansiktet:

"Ge er i väg från piskställningen ungar!" skrek hon. "Den är ingen leksak."

Ändå var det på piskställningen de satt lite senare, hela gänget. Alla höll sig inom armlängds avstånd från Birgitta för ingen annan unge på gården hade någonsin fått en hel enkrona att köpa godis för. Tio öre var vad man brukade kunna tjata till sig till vardags. Det räckte till två femöres piastrar, tio ettöres gelébitar eller en ask salmiak. Salmiaken räckte längst, det hade en flicka berättat i lyriska ordalag när hela gänget drog i väg till kiosken. Man hällde de små svarta bitarna rätt in i munnen, makade dem över tungan, tryckte till mot gommen och sög. Efter en liten stund brukade lite svart saliv tränga ut genom mungiporna, inte mycket, bara så att det såg ut som en skugga. Då gällde det att svälja spottet, att låta sältan glida genom strupen, och sedan kunde man börja tugga. Vid det laget var lakritsen mjuk och kändes nästan lite slemmig.

Men Birgitta hade inte köpt någon salmiak, bara skumsockerbitar och geléråttor, kolor och chokladprickar. Men nu hade hon slutit sin påse och knep om den med hårda fingrar. Luften var ljum, trots att det redan hade börjat skymma, de andra ungarnas röster blandade sig med ljudet från en bil ute på gatan. En liten rysning av lycka kilade uppför hennes ryggrad. Det var kväll och hon var ute, hon satt på en piskställning mitt inne i Motala med en hel påse godis i knäet.

Hon blev förvånad när det ena fönstret efter det andra öppnade sig, både i gårdshuset och i gathuset, när den ena kvinnan efter den andra lutade sig ut och ropade att maten var klar. Hon skrattade till: det såg ut som morfars gökur, som om alla de där kvinnorna var gökar med målade näbbar. Den ena ungen efter den andra kravlade ner från piskställningen och försvann, bara en av de stora pojkarna vågade stanna en stund extra för att tigga till sig en sista bit godis.

När han hade gått satt Birgitta kvar en stund och dinglade med benen. Kanske skulle Gertrud också slå upp fönstret snart och ropa att maten var klar. Det gjorde inget att det dröjde. Hon var inte hungrig längre.

Gertrud hade inte haft råd att köpa någon säng till henne, därför fick Birgitta sova i fåtöljerna. De fick möblera om rummet varje kväll och varje morgon: om dagarna stod fåtöljerna på var sin sida om ett litet bord med metallskiva – det var ett äkta turkiskt rökbord, förklarade Gertrud – men om kvällarna flyttades den ena och ställdes mot den andra, så att det blev nästan som en liten säng. Birgitta kunde inte ha benen raka när hon låg, men det gjorde ingenting, hon tyckte ändå om att sova i fåtöljerna, hon tyckte om allt hemma hos Gertrud.

Ibland var det synd om Gertrud. När hon kom hem från jobbet hade hon ont i fötterna och var ledsen. Då hade några snobbiga gäster varit dumma mot henne, klagat på maten eller gjort sig malliga och flinat åt henne. I synnerhet kärringarna: det fanns inget elakare än snobbkärringar, det skulle Birgitta ha klart för sig. Men egentligen hade de ingen anledning att sätta näsan i vädret, de flesta var fula som stryk och deras karlar var precis som alla andra karlar, de nöp Gertrud i ändan och tog henne på brösten så fort kärringarna tittade bort.

När Gertrud berättade sådana saker fick Birgitta ligga bredvid henne på sängen. Det tyckte hon om, Gertrud luktade gott av parfym och tobak, ibland kittlade dessutom ett litet stråk av fin likör i hennes andedräkt. När Gertrud behövde aska kilade Birgitta bort till det turkiska rökbordet och hämtade askfatet, och när det behövde tömmas tog hon det det till vasken i diskhon. Då tyckte Gertrud att hon var snäll, faktiskt var Birgitta den enda snälla människa hon hade träffat på flera år, utom Lennart kanske, men han var ju inte riktigt snäll eftersom han hade svikit sitt giftaslöfte och gått tillbaka till sin fru. Fast Gertrud trodde att hon hade honom på kroken i alla fall, han brukade titta så långt efter henne när han kom till Stadshotellet för att äta lunch med sina affärsbekanta ...

De kunde ligga på sängen i timmar, ända tills Gertrud kom på att det snart var dags att gå till jobbet. Då fick Birgitta hjälpa henne att skynda sig, spola upp kaffevatten i en kastrull och bre några smörgåsar, medan Gertrud sprang genom rummet och letade efter ett par hela strumpor och en tjugofemöring som kunde fungera som knapp i det trasiga strumpebandet. Sedan drog hon på sig den vita servitrisjackan och den svarta servitriskjolen, skrattade åt de tjocka och sneda brödskivor som Birgitta hade skurit och slängde i sig en kopp kaffe innan hon rusade mot dörren. Därefter var Birgitta ensam och kunde göra vad hon ville, så länge hon inte drog in en massa skitungar i lägenheten och rörde till det.

De lagade sällan någon mat, Gertrud åt ju på jobbet och ibland tog hon med sig små formar hem till Birgitta. Problemet var att de inte hade något kylskåp, därför var Birgitta tvungen att äta upp maten genast, den gick inte att spara. Ibland jobbade Gertrud natt och då fick Birgitta äta middagsmat till frukost.

Det kändes lite konstigt att sitta vid det turkiska rökbordet och peta i sig uppvärmd slottsstek klädd i bara nattlinnet.

Natten innan Birgitta skulle börja skolan kom Gertrud inte hem förrän vid tretiden, det berättade hon efteråt. Men Birgitta förstod redan på morgonen att hon måste ha varit alldeles ovanligt trött, för hon hade somnat med kläderna på och glömt ställa väckarklockan. Det var rena turen att Birgitta vaknade av sig själv klockan kvart i åtta och mindes att det var upprop klockan åtta. Hon försökte skaka liv i Gertrud, men det gick inte, hon vände sig bara på rygg, lade armen över huvudet och började snarka.

Det var tur att Birgitta hade sitt finaste nattlinne på sig, det som var av bäckebölja och nästan såg ut som en klänning. Mormor hade sytt det av en stuvbit och därför räckte det bara till knäna, inte ända ner till fötterna som alla andra nattlinnen. Birgitta behövde bara dra på sig koftan och sätta på sig skor och sockor för att bli färdigklädd, sedan kunde hon rusa mot dörren på samma sätt som Gertrud.

Hon visste var skolan låg, det var bara att springa nerför gatan och svänga till höger när man kom till nästa gata. Bosse hade visat henne. Han bodde i gathuset och skulle gå i samma klass som hon. Det måste vara han som gick där framför henne på trottoaren och höll sin mamma i handen. Men Birgitta var inte riktigt säker. Bosses hår brukade ligga som en liten fågelstjärt över skjortkragen, men den där pojken var nästan rakad i nacken, huden lyste vit under stubben.

"Bosse!" ropade hon ändå, för när hon kom till skolgårdens staket blev hon en smula osäker. Skolgården hade legat tom och asfaltsvart häromkvällen, nu var den fläckig av folk. Birgitta hade aldrig sett så mycket folk i hela sitt liv och ändå hade hon bott i Motala i nästan en hel månad.

Pojken och tanten där framme svängde just in genom skolans gallergrind, pojken vred på huvudet och såg på henne.

"Bosse!" skrek Birgitta igen och viftade med handen, för nu var hon säker på att det verkligen var Bosse, trots att han var nyklippt och hade vit skjorta och slips ovanför kortbyxorna. Hans mamma var klädd i hatt och kappa, hon tryckte handväskan hårt mot kroppen som om hon var rädd att någon skulle stjäla den. Hon kastade en hastig blick på Birgitta och sa:

"Åh herregud! Stackars barn!"

Det var så allt började. Bosses mamma gjorde det mesta av situationen, hon lutade sitt huvud mot andra mödrars och viskade bekymrat, skakade uppgivet på huvudet när lärarinnan ropade upp Birgittas namn och dröjde kvar i klassrummet efteråt och mumlade med lärarinnan medan hon drog på sig sina vita bomullsvantar. Hennes kappa var ovanligt ful, den var stor som ett tält och hade samma färg som lingon och mjölk. Birgitta brukade få lingon och mjölk till kvällsmat när hon bodde i banvaktsstugan, men hon hade fått blunda när hon sörplade i sig de sista skedarna för att alls kunna äta upp. Färgen var så ful att hon mådde illa. Bosses mamma var så ful att hon mådde illa.

Tre dagar senare blev Gertrud för första gången en gök i ett gökur, hon lutade sig som de andra mammorna ut genom fönstret och ropade på Birgitta. Det var lite konstigt, hon hade ju nyss kommit hem från jobbet och sagt åt Birgitta att gå ut och leka, att hon var så jävla trött och hade så ont i huvudet att hon måste få vara i fred och sova en stund. Men när Birgitta öppnade dörren till lägenheten stod hon i hallen och tog på sig skorna. Det var konstigt. Hon brukade gå i strumplästen inomhus eftersom hennes fötter alltid var ömma och svullna efter jobbet. Hon var rufsig i håret också och slängde ett ilsket ögonkast på Birgitta, innan hon nickade in mot rummet och satte pekfingret för munnen. Birgitta borde hålla tyst. Så mycket begrep hon, även om hon inte riktigt kunde begripa varför Gertrud såg så arg ut.

Birgitta lutade sig mot dörrposten och tittade in i rummet. Det satt en kvinna i den ena fåtöljen, hon hade blå dräkt och en vit blus som var knäppt ända upp i halsen. Kjolen böljade så lång och vid omkring henne att den nästan snuddade vid golvet. Hon såg inte Birgitta, hon rotade i en brun läderportfölj som låg i hennes knä och drog fram ett glasögonfodral, plockade upp glasögonen och putsade dem långsamt och omständligt innan hon satte dem på sig.

"Goddag på dig", sa hon sedan. "Är det du som är Birgitta? Jag heter Marianne. Jag kommer från barnavårdsnämnden."

Det var Birgittas fel, sa Gertrud många gånger efteråt. Om inte Birgitta hade varit dum nog att knalla i väg till skolan i bara nattlinnet, så hade aldrig den där Marianne börjat ränna hemma hos dem. Men nu kom hon nästan varje vecka och efter ett tag drog hon sig inte ens för att dra ut byrålådorna för att inspektera Birgittas underkläder eller att gå ut på toan och kontrollera om Birgitta hade någon egen tandborste. Det hade hon inte. Gertrud sa att det bara var en tillfällighet, att den gamla tandborsten hade blivit utsliten och att hon just skulle köpa en ny, men det var inte sant. Birgitta hade inte borstat tänderna en enda gång sedan hon kom till Motala och det verkade Marianne förstå, hon gjorde en grimas när hon öppnade Birgittas mun och inspekterade den också. Hon skulle meddela skolan att Birgitta skulle behandlas med förtur hos skoltandläkaren.

Tandläkaren sa åt henne att inte tjafsa när hon skyggade för sprutan, drog sedan ut tre kindtänder, stoppade något vitt i hennes mun och skickade i väg henne. Det vita blev alldeles svampigt efter en stund, Birgitta stannade och spottade ut det på trottoaren. Det vita var inte vitt längre, det var rött av blod. Och nu kunde hon känna hur nytt blod vällde upp i munnen, hon böjde sig fram och spottade, men det hjälpte inte, blodet bara fortsatte att rinna och rinna och rinna. Om hon inte ville stå här och spotta blod i all evighet skulle hon bli tvungen att svälja. Tanken fick trottoaren att röra sig under hennes fötter, hon snörvlade till och böjde sig fram, grep efter den blodiga tampongen och stoppade in den i munnen igen. Det hade kommit lite grus på den, men det gjorde ingenting. Den hindrade i alla fall blodet från rinna ut i hennes mun.

På kvällen ville hon inte gå ut och leka, det gjorde ont i munnen när bedövningen släppte. Gertrud fnös åt henne, blandade en grogg på renat och sockerdricka och sa åt henne att det var hennes eget fel.

Ändå verkade det som om hon förstod att Birgitta verkligen hade ont. Hon ställde i ordning fåtöljerna redan tidigt på kvällen och lät Birgitta gå och lägga sig, gick till och med själv ut med tombuteljerna till soptunnan när det blev mörkt. Hon var noga med att slänga sina flaskor numera, trots att man kunde få pengar för dem. Hon ville inte att de skulle stå i skåpet under vasken så att Marianne kunde räkna dem. Hon hade redan börjat tala om nykterhetsnämnden, om än i vaga ordalag.

Birgitta tog tummen ur mun när Gertrud kom in från gården, slöt ögonen och låtsades sova. Hon hade bestämt sig. I morgon skulle Bosse få näsblod.

För det var hans fel. Hans och hans fula morsas.

BIRGITTA KLIPPER MED ÖGONEN, som om hon nyss hade vaknat.

"Vilka cigarretter?" säger hon.

"Mina cigarretter", säger Margareta och rynkar pannan. "Dom som du lade beslag på nyss."

Margareta rättar till remmen på axelväskan och sträcker fram handen. Hon är nästan snygg trots den ilskna minen, hon ser gedigen ut på något sätt. Som skuren i ett stycke. Det är ganska konstigt. Margareta var aldrig särskilt snutfager som ung – platt som en planka och rundkindad som ett småbarn långt upp i tonåren – och hon borde inte vara snyggare nu när hon är gott och väl fyrtiofem. Det måste bero på pengarna, hon har väl råd att köpa mirakelkrämer och nya kläder stup i kvarten. Allt hon har på sig ser nytt ut, den vita kragen på fårskinnsjackan är utan en fläck, jeansen verkar fortfarande styva. Birgitta tycker om styva jeans, men vad hjälper det? Hennes egna är ändå slitna och sladdriga.

Ett alldeles färskt minne fladdrar till. Spegelbilden. Det var ett socialfall Birgitta såg i spegeln i den där snobbaffären.

För tio år sedan syntes det inte. Det berodde inte bara på att hon dealade på den tiden, hon gick ju till socialen ändå. Då räckte det med att jackan var lite sliten i muddarna för att man skulle få en ny, nu får man gå omkring i sina gamla kläder tills de hänger i trasor. Det är väl för att det riktigt ska synas hur utomförträffliga sådana som Christina och Margareta är och hur fenomenalt usla vissa andra är. Trasiga täckjackor åt packet, fårskinnsjackor och läderväskor åt snobbarna.

Birgitta är ingen snobb, hon skulle inte ta på sig tantdräkt eller fårskinnsjacka ens om hon hade massor med pengar. I stället skulle hon köpa sig en svart läderjacka av den där svartskallen som brukar stå på torget i Motala om lördagarna. Hans jackor är både skitsnygga och billiga, ändå vägrade Ulla, hennes socialassistent, att ens diskutera saken när Birgitta i all anspråkslöshet förde den på tal. Birgitta borde kunna laga sin täckjacka, sa hon. Och tvätta den. Ullas stora chef hade nämligen sagt att det var dags att dra åt tumskruvarna och Ulla – den mesen – gjorde alltid som hon blev tillsagd. Följaktligen har det gjort ganska ont i Birgittas tummar på sistone. Det är knappt hon får ens så mycket att hon kan äta sig mätt. Men det är kanske en sådan där förklädd välsignelse, som Gertrud brukade prata om, för numera blir ju Birgitta spyfärdig bara hon tänker på mat. Däremot skulle hon inte ha något emot att få ytterligare några spänn till kalorier i flytande form. För ögonblicket skulle hon faktiskt vara beredd att ge sin högra hand för en öl.

"Nå", säger Margareta.

Birgitta blinkar till. Vad menar hon? Och varför ser hon så sur ut? Margareta drar otåligt efter andan och lutar sig fram, hennes ansikte kommer tätt intill Birgittas.

"Kan du vara så snäll och ge mig mina cigarretter", säger hon och uttalar varje ord mycket tydligt, som om det var något fel på Birgitta, som om hon inte kunde höra och förstå.

"Vilka cigarretter?" säger Birgitta medan hon sjunker tillbaka mot skyltfönstret och sluter ögonen. Hon är trött. Mycket trött.

"Försök inte!" väser Margareta. "Du tog med dig ett paket gula Blend som tillhör mig från den där restaurangen. Jag vill ha det tillbaka!"

Javisst. Nu minns hon. Det är klart damen ska få tillbaka sina cigarretter, hon skulle väl inte överleva en så avsevärd ekonomisk förlust. Och om hon överlevde så skulle hon säkert ränna efter Birgitta i ytterligare trettio år, pina henne med polisanmälningar och anonyma brev, stå utanför hennes lägenhet om kvällarna och hojta: Det var ditt fel, det var ditt fel! Självklart ska hon få sina cigarretter!

Med ögonen fortfarande slutna gräver Birgitta i jackfickan, det är hål där också, men bara ett litet, cigarrettpaketet har inte trillat igenom. Hon drar upp det och sträcker fram det, trevar lite i luften efter Margaretas hand, eftersom hon fortfarande inte orkar öppna ögonen. Eller rättare, eftersom hon inte *vill* öppna ögonen och se den där snörpiga snobban glo henne rakt in i nyllet. Hon kommer säkert att kräva betalt för de futtiga små ciggisar som Birgitta redan har hunnit röka upp. Birgitta får väl föreslå en avbetalningsplan. Det är inte ofta hon har råd att köpa cigarretter, nämligen. Sådana som hon får nöja sig med att rulla, om de nu är uppnosiga nog att alls röka.

Margareta rycker åt sig paketet, Birgitta kan höra hur hon drar upp blixtlåset på sin väska och stoppar ner det. Nu borde hon gå därifrån med näsan i vädret, så att Birgitta kan få öppna ögonen och se sig om, men det gör hon inte. Birgitta kan fortfarande höra henne andas.

"Klarar du dig nu?" säger Margareta. Rösten är annorlunda, lite tveksam och inte lika vass som nyss.

Birgitta nickar. Hon kommer att klara sig utmärkt, tack så mycket, förutsatt att Margareta är så inihelvete vänlig och avlägsnar sig illa kvickt med fårskinnsjacka, sina cigarretter och hela bidevitten. Men Margareta fattar ingenting, hon lägger sin hand på Birgittas arm och skakar henne lite.

"Du", säger hon. "Hur mår du egentligen? Du får inte stå här och somna ..."

Det skiter väl du i, tänker Birgitta, men det säger hon inte, hon står stum och blundande med ryggen tryckt mot skyltfönstret. Kylan från glaset har börjat tränga igenom jackan och kryper långsamt in mot hennes rygg. Hon huttrar till och byter ställning, gömmer sina händer i armhålorna. Fingrarna är alldeles stela. Hon fryser om fötterna också.

"Okej då", säger Margareta och suckar. "Du får väl åka med till Motala då. Men jag vill inte ha något bråk."

Birgitta slår upp ögonen. Vem tänker bråka? Är det någon här som tänker bråka? Inte Birgitta Fredriksson i alla fall.

No way. Never.

Margareta pinnar i väg nerför Drottninggatan i rask takt, Birgittas skor glappar så att hon inte riktigt hinner med, därför blir det ett litet avstånd mellan dem. Och snart ett ganska stort.

Förmodligen kutar Margareta så där fort med avsikt, hon vill väl inte gå bredvid en gammal hora. Birgitta fnyser till. Som om Margareta själv skulle vara så mycket bättre. Om hon var fräck nog att knulla en lärare redan när hon gick i skolan så har hon nog hunnit med en del sedan dess. Ett och annat har ju Birgitta förstått genom åren, Margareta har ringt ibland och när hon har pratat om karlar så har det alltid varit någon ny. Hon verkar ha bytt ungefär var sjätte månad, livet igenom.

Margareta har redan hunnit fram till bron, nu märker hon att Birgitta har halkat efter, hon hejdar sig och ser sig hastigt om innan hon sätter fart igen. Varför har hon så bråttom? Ser hon inte att Birgitta vacklar omkring som en jävla Bambi i sina Mimmi Pigg-pumps? Om hon vore så där kolossalt snäll och människovänlig som hon låtsas så skulle hon låta Birgitta gå och sätta sig på en parkbänk och själv hämta bilen.

Fast nu står hon i alla fall stilla vid övergångsstället där borta. Birgitta gör en kraftansträngning och försöker springa, men det vill sig inte, hon orkar bara några steg. Fan. Hon är inte i form. Det är väl den där förbannade levern. Eller lungorna. Eller njurarna. Eller hjärtat. När hon blev utskriven från sjukhuset häromveckan sa doktorn att det var ett mirakel att hon överhuvudtaget stod upprätt.

"Det är för att jag är så stark", sa Birgitta för hon kunde ju inte säga vad hon verkligen tänkte, då skulle hon bli insydd på psyket på nolltid.

Doktorn skrattade åt henne och vände sig mot datorn, tryckte på en knapp och fick hennes journal att rulla upp på skärmen.

"Du måtte vara det", sa han och skakade på huvudet. "Men nu börjar det bli dags att ta det lite lugnare. Åtminstone om du har tänkt dig att bli äldre än du är."

Det var en ovanligt schyst doktor, nästan i klass med Hubertsson, men han fattade lika lite som alla andra. Birgitta har inga planer på att dö och hon har aldrig tänkt sig att bli gammal, hon vet inte ens hur man gör för att bli gammal. Gertrud blev ju inte ens trettiofem.

Fast det är klart, Gertrud var aldrig lika stark som Birgitta. Det syntes. Hon var så obegripligt tunn och genomskinlig, hon såg ut som den där porslinsdansösen som stod på mormors chiffonjé. Mormor var mycket rädd om den där dansösen. Hon gav Birgitta en örfil som fick det att ringa i öronen i flera timmar när hon upptäckte att Birgitta hade klättrat upp på en stol och stod och fingrade på den. Det var ingen leksak!

Birgitta brydde sig inte om att förklara att hon minsann inte var så dum att hon hade tänkt leka med dansösen, att hon bara ville se hur den styva porslintyllen såg ut på nära håll och känna hur den kändes mellan fingrarna. Hon hade velat bita i den också, men det hade hon inte hunnit med innan mormor fick syn på henne. Alltså fick hon gå där och sukta i fortsättningen också, fullkomligt övertygad om att porslintyll var lika sött som kandisocker.

En gång hade hon fått för sig att smaka på Gertrud också. Det var precis innan hon blev förflyttad till Kärringen Ellen, alltså måste hon ha gått i fyran vid det laget. Gertrud hade slutat jobba, hon hade fått sparken från Stadshotellet och det fanns inga andra vettiga servitrisjobb i Motala. Och Gertrud tänkte sannerligen inte plocka disk på någon Ringbar, hur mycket Marianne och de andra socialtanterna än tjatade, för hon hade ett yrke och det var hon stolt över. Dessutom skulle hon snart gifta sig med Osvald och bli hemmafru i den där trerummaren som han hade på gång. Och det första hon skulle göra när hon väl hade fått ringen på fingret, det var att be Marianne och hela hennes gäng att flyga och fara.

Birgitta såg fram mot bröllopet, även om hon inte tyckte om Osvald. Han var så stor och otymplig att det var som om hon själv inte fick plats i lägenheten när han dök upp. Dessutom hade han konstiga vanor. Han hälsade aldrig och så fort han kom innanför dörren drog han av sig sina skor och sina svettiga sockor, slängde dem över axeln och tassade in i rummet på nakna fötter. Han slog sig ner i en av fåtöljerna och reste sig sedan inte upp på hela kvällen. Ändå hade han en makalös förmåga att stöka till omkring sig. Efter bara en liten stund var alla glas nedskitade och alla askfat överfulla och en massa tomflaskor låg och rullade på golvet. Inte för att Birgitta hade städdille ens på den tiden, men Osvald var faktiskt en riktig gris, han rapade högt och loskade på golvet, flinade när han fes långa brakskitar som luktade så illa att Birgitta var tvungen att öppna fönstret. Dessutom hade han aldrig vett att gå, han satt kvar i den där fåtöljen i evigheters evighet. Birgitta kunde inte gå och lägga sig ordentligt, hon fick sno ihop lite kläder till en hög på golvet ute i hallen och knoppa in så gott hon kunde. Osvald väckte henne alltid när han skulle gå hem, ryckte i klädhögen under henne och svor för att hon hade lagt sig på hans jacka.

När han hade gått blev Gertrud orolig, hon började snyfta och gråta, kramade Birgitta och kallade henne sin lilla ängel, sin enda lilla vän i världen. Alla ville skilja dem åt, Osvald också, den knölen, men Gertrud tänkte aldrig ge sig. Hon var ju mor, det fick han acceptera, och för en god mor går kärleken till barnet alltid före kärleken till en man. Om Osvald ville ha henne så fick han ta Birgitta på köpet, för Gertrud skulle inte klara sig utan sin ängel och Birgitta ville väl inte skiljas från sin mamsi-mams. Eller ville hon det? Gertrud började gråta: ja, det ville hon säkert, Birgitta önskade nog att Gertrud var död och begraven. För då kunde ju Birgitta få flytta till någon av de där gedigna familjerna som

Marianne alltid talade om, de där familjerna där hon skulle få det så bra med egen säng och eget rum och allting. Då skulle hon säkert snart glömma bort sin fattiga lilla mamma och ...:

Vid det laget kunde Birgitta inte hejda sina egna tårar, de steg henne i ögonen och började rinna utefter kinderna när hon blinkade. Hon sjönk snörvlande på knä bredvid Gertruds säng, kramade hennes hand och svor på att hon inte ville till något sketet fosterhem, att hon inte ville ha något eget rum och någon egen säng. Alla var dumma, Osvald och Marianne, Bosses mamma och magistern i skolan. Ingen av dem fattade att Birgitta hade det bra, att hon hade den snällaste mamman i världen ... Hennes kropp började rista av snyftningar, orden kom stötvis och stora bubblor av spott slog upp och brast över munnen, ändå verkade det som om Gertrud inte hörde henne. Hon fortsatte bara att gråta och skrika, drog åt sig handen och slog den för ansiktet, medan hela hennes spröda lilla kropp drogs samman i kramp.

"Jooo!" skrek hon och sparkade med fötterna i madrassen, slängde huvudet hit och dit. "Jooo! Du vill visst att jag ska dö, det vet jag! Alla hatar mig! Det vet jag, det vet jag! Men jag ska nog visa er allihop, i morgon när du har gått till skolan ska jag ta livet av mig, det svär jag på! Jag ska ta den stora köksknivengen och sticka den rätt in i magen ..."

Birgitta kastade sig över henne, kravlade upp i sängen och slog armarna om hennes hals, som för att hålla fast henne, som för att tvinga henne att stanna kvar i livet.

"Mamma", skrek hon och orden snubblade plötsligt ur henne. "Mamma, mamma, mamma ... Du får inte dö! Du får inte dö, snälla lilla mamma, dö inte!"

Gertrud brukade bli lugnare när Birgitta tryckte sin fuktiga kind mot hennes och grät lika högt som hon. Hon slutade sparka med benen och slänga med huvudet, efter en liten stund skrek hon inte ens, snyftade bara och hulkade till ibland, tills hennes huvud långsamt sjönk åt sidan och hon föll i sömn. Då fick Birgitta inte snyfta mera, då var hon tvungen att svälja sin gråt så att den blev till en hård liten knut i strupen, annars kunde Gertrud vakna och bli orolig igen.

Birgitta brukade ligga alldeles orörlig ända tills hon inte längre kunde höra Gertruds andetag, då lossade hon försiktigt sina armar från Gertruds hals och steg upp. Hon hade saker att göra innan hon själv kunde tillåta sig att somna. Först var hon tvungen att skära upp bröd till frukosten, sedan att gömma alla knivar. De hade bara tre stycken, så det hade i och för sig varit lätt gjort om hon bara inte hade darrat så mycket. En hamnade bakom rören i skåpet under vasken, en annan i toalettens vattenbehållare, trots att det var lite kinkigt att skruva av plastploppen och få av locket, den tredje hakade hon fast bakom spegeln i hallen. Hemma hos Kärringen Ellen hade hon blivit alldeles matt när hon en av de första dagarna öppnade en kökslåda och stirrade ner på elva vassa knivar – hon hade räknat dem på en sekund – och för ett ögonblick hade hon fått för sig att hon måste hitta elva gömställen åt dem. Men det behövdes ju inte i det där huset. Och hemma hos Gertrud blev det så småningom en vana. Gertrud själv tycktes aldrig märka att knivarna var försvunna och att de dök upp igen när Birgitta kom hem från skolan.

När knivarna var gömda brukade hon samla alla flaskor i en liten tygkasse och ställa den under klädhyllan ute i hallen. När hon kilade i väg till skolan om morgnarna tog hon kassen i handen och sprang bort till soptunnorna, tömde den och snodde ihop den till en liten boll som hon stoppade i skolväskan. Grannkärringarna, som spanade på henne bakom blanka fönsterrutor, inbillade sig säkert att hon slängde dem, men det gjorde hon inte, hon gömde dem bara bakom soptunnan. Man kunde ju få pengar för dem och Birgitta var inte så dum att hon tänkte avstå från chansen att tjäna pengar. Gertrud var visserligen snäll, men hon hade inte så mycket att ge nuförtiden och Birgitta var ständigt godissugen. Det var som om det satt en sockerråtta i hennes mage, en elak och långsvansad råtta som hotade och skrämdes, som viskade att den skulle sätta sina gula tänder i Birgittas tarmar och slita dem i trasor om hon inte matade den.

Kanske var det sockerråttan som en natt drev henne att smaka på Gertrud. Hon hade just gömt knivarna och plockat upp alla flaskor, nu stod hon borta vid det turkiska rökbordet och belönade sig själv med en näve sockerbitar.

Gertrud sov lugnt, hon hade krupit ihop mot väggen, hennes vita arm låg rak över höften. Birgitta tittade på henne medan sockerbitarna först blev porösa och sedan långsamt smälte i hennes mun. Godisråttan väste av otålighet; den ville ha något annat, helst choklad, en hel kaka av Marabous mjölkchoklad, en sådan som var klibbig och mjuk efter att ha legat i solgasset i kioskens fönster. Eller glass, ja, den kunde tänka sig vaniljglass också, ett helt paket med smältande vaniljglass med tunna strimmor av jordgubbsrippel, sådana som fick det att kittla av lust längst bak i gommen ...

Det började redan gry utanför rullgardinen, rummet blev långsamt ljusare. Möbler och föremål började lösas upp, de blev dimmiga och vaga i konturen och själv styrde Birgitta inte längre över sin kropp. Hon kunde känna hur tungan gled över tänderna på jakt efter de sista sockerkristallerna, hur händerna torkade bort gråtsnoret under näsan och hur fötterna började gå. Det var som om hon gick i ett hav, det var vatten och ljus överallt omkring henne, viskande vågor drev henne att gå i deras rytm bort mot sängen.

Gertrud sov djupt, hon märkte inte att Birgitta lyfte hennes arm. Birgitta strök först med pekfingret över några vita fjun på underarmen, godisråttan rörde lystet på sig i hennes mage; det såg ut som om varje strå på Gertruds arm hade spunnits av socker. Hon mindes det vita fluffet som hon hade köpt på ett tivoli en gång och munnen var plötsligt full av spott, det kittlade och ilade och kröp av sockersug i halsen ...

Birgitta slöt ögonen och drog tungan i en blöt smekning över Gertruds hela arm, från handleden till axeln. Därefter lade hon mycket försiktigt tillbaka armen mot höften, rätade på ryggen och inväntade med slutna ögon den smaksensation som snart skulle explodera i hennes gom.

Men Gertrud smakade inte choklad och vanilj. Hon smakade salt. Som salmiak.

Margareta sätter foten i gatan i samma ögonblick som Birgitta hinner ifatt henne, trafikljuset har inte ens hunnit slå om till grönt.

"Vänta!" säger Birgitta andfått, men Margareta är redan halvvägs över gatan.

Förbannat också! Birgitta snubblar ut i gatan – jävla skitskor! – och försöker hinna ifatt henne på nytt. Margareta skyndar sig med avsikt, hon försöker springa ifrån Birgitta! För om Birgitta inte syns till när Margareta kommer fram till bilen då kan hon hoppa in och trycka gasen i botten med gott samvete. Ja, just det, så är det, hon kan se det framför sig, hon kan till och med se Margaretas elaka lilla leende när hon minuten senare kör förbi en förtvivlad och strandsatt och luspank Birgitta och låtsas att hon inte ser henne. Dessutom kan hon se Margareta skrynkla ihop hela fejan i en förvånad grimas när de träffas nästa gång och Birgitta påminner henne om det hela. Vadå? Inte hade Margareta ångrat sitt löfte till Birgitta! Inte hade hon smitit! Hon hade minsann väntat och väntat, men när Birgitta inte dök upp så hade hon varit tvungen att åka. Beklagar, beklagar.

Margareta har hunnit in i Järnvägsparken nu, men Birgitta är fortfarande kvar på trottoaren. Hennes hjärta bultar tungt, det är som om bröstkorgen ska sprängas. Ändå måste hon skynda vidare. Kanske kommer hon att dö av den här ansträngningen, kanske pumpas den lilla klump av blod som snart ska spränga ett kärl i rasande fart mot hennes hjärta eller hjärna.

Ja. Så är det. Hon vet precis vad som kommer att hända, hon kan se det framför sig: Birgitta Fredriksson tar sig åt hjärtat och hejdar sig mitt i steget, hon snor runt på en fot – den andra är höjd som till dans – och stirrar för ett ögonblick upp mot den isblå marshimlen innan hon långsamt segnar till marken. Människor strömmar till från alla håll, de ropar med oroliga röster och vrider sina händer. Är hon död? Åh, nej, låt henne inte vara död! Det är ju Birgitta Fredriksson, hon som en gång var så vacker! Hon som säkert skulle ha blivit en världsberömd fotomodell, en svensk variant av Anna Nicole Smith, om hon hade varit ung i dag! Ack, om bara inte livet varit så grymt mot henne!

Det är en tankelek. Egentligen tror Birgitta inte på döden. Inte för ett ögonblick.

Visserligen har hon tusen gånger föreställt sig de dramatiska omständigheterna och den sorg, skuld och veklagan som hennes bortgång ska väcka bland snobbor och andra, ändå är hon oförmögen att verkligen tro att hon en gång ska dö, att hon inte ska existera längre. Andra kanske, men inte hon. Birgitta Fredriksson kommer att leva i evighet, något annat är omöjligt att föreställa sig.

Som barn försökte hon förklara sin övertygelse för de vuxna, men det var ingen som tog henne på allvar:

"Jag tänker ta med mig en spade i kistan", sa hon till mormor. "Och när alla har gått hem från begravningen så gräver jag upp mig igen ..."

Mormor skrattade sitt lilla ökenskratt:

"Det kan du inte. När man är död så är man död, då kan man inte gräva upp sig ..."

"Jag kan."

Mormor kastade huvudet bakåt och skrattade ännu högre, hon spräckte nästan fönsterrutorna i banvaktsstugan. Det här var tydligen det roligaste hon hade hört på flera år.

"Du får väl se!" kacklade hon. "Du får väl se!"

Gertrud blev arg. Det var tidigt om kvällen, ännu hade hon inte hunnit bli riktigt full, ändå reste hon sig upp på armbågen i sängen och fräste:

"Är du inte riktigt klok, va? Vad skulle det vara för särskilt med dig, varför skulle just du slippa undan?"

Birgitta svarade inte. Det var som om hon hade en liten knapp inom sig, en liten det-här-händer-inte-på-riktigt-knapp, som hon brukade trycka på när Gertrud blev arg. Den fungerade aldrig när Gertrud grät och var ledsen, bara när hon fräste och svor. Som nu.

"Faaan!" väste Gertrud och sjönk tillbaka ner på kudden. "Vad har jag gjort för ont? Va? Här ligger jag i en liten pisslägenhet i en liten pisstad och har inte ens pengar till det nödvändigaste, och så visar det sig till råga på allt att ungen är idiot! Men passa dig du, det säger jag dig bara, för om du går omkring och dillar på det där viset ute bland folk så kommer Marianne att sätta dig på knäpphem illa kvickt. Bara så du vet!"

Kärringen Ellen varken skrattade eller skrek, hon såg bara upp från sin knyppeldyna och stirrade på Birgitta ett ögonblick:

"Jasä", sa hon sedan och sänkte blicken igen, flyttade ett par spolar så kvickt att Birgitta inte ens kunde följa rörelsen med blicken. "Så du är odödlig ... Det var värst."

Birgitta iakttog henne med smala ögon och väntade på en fortsättning, men det kom ingen. Ellen stack en knappnål mellan läpparna i stället och böjde sig över knyppeldynan för att se ordentligt.

"Jag tänker hålla ena ögat öppet", sa Birgitta. "För att se vad som händer."

Ellen tittade upp på henne och log hastigt. Birgitta harklade sig otåligt. Förbannade kärring! Säg något då! Hon drog ihop ansiktet till en grimas och höjde händerna, krökte fingrarna som ett monster:

"Och om de försöker gräva ner mig ska jag yla som en gast ..."

Ellen tog knappnålen ur munnen och skrockade till.

"Det är jag fullkomligt övertygad om", sa hon. "Men eftersom du inte är död än så kan du gå och tvätta dig. Du är lortig om händerna."

Än i dag är det så Birgitta tänker sig döden: som ett skådespel där hon är både huvudrollsinnehavare och publik. Hon kommer att ligga i sin kista med alla sinnen i behåll, med ögonen bara slutna till hälften för att kunna iaktta begravningsgästerna, och när de har gått kommer hon att skjuta locket åt sidan och sätta sig upp som en annan Dracula. Hon vill inte bli bränd, det har hon förklarat för Ulla på socialen, men hon hyser inte stort hopp om att få sin önskan respekterad från det hållet. Om Ullas stora chef säger att kommunen vill att allt avskräde ska brännas, så kommer Ulla att se till att Birgitta blir bränd. Därför har hon tejpat en lapp på insidan av dörren på sin garderob: *Jordbegravning, Vill under inga omständigheter brännas. Birgitta Fredriksson.* Hon hoppas att snobborna ska dyka upp i sista stund. Ja, hon kan se det hända, hon kan se hur de får syn på lappen, hur de ser på varandra med tårfyllda ögon – äntligen har de insett hur illa de har behandlat henne! – och hur de sedan springer mot kyrkogården och krematoriet och hejdar kistan just när den ska skjutas in i ugnen ...

Fast så kommer det nog inte att bli, Birgittas systrar är inte att lita på. För när folk om en liten stund kommer att samlas kring Birgitta där hon ligger som en korsfäst på en grusgång i Järnvägsparken, så kommer åtminstone en person att utebli. Margareta. Hon kommer säkert bara att kuta vidare. Den förbannade maran!

Birgitta tar sats, ur djupet av sin strupe hämtar hon alla sina röstresurser och samlar dem i ett enda vrål:

"VÄÄÄNTA!"

Det var många år sedan hon skrek så högt, men hon har inte legat av sig. Det är som om hon får hela Norrköping att stanna till ett ögonblick, som om alla motorer slutar morra, som om alla samtal bryts under de sekunder då ekot av hennes röst studsar mellan gamla Standard Hotell och Folkets hus. Birgitta böjer sig fram och tar stöd med händerna mot låren, som en sprinter som just har sprängt målsnöret, och ser hur Margareta fryser till is där framme, hur hennes rygg raknar och hur hon blir stående alldeles orörlig. Birgitta flåsar, nej, mer än så, hon rosslar och hennes hjärta bultar så hårt att hon kan känna pulsen i varje del av sin kropp: i huvudet, i fingrarna, i åderbråcken under knäna. Hon kan till och med känna sina hjärtslag i örsnibbarna. Då är man trött. Då har man faktiskt rätt till en stunds vila.

Nu hör hon Margaretas steg, det rasslar i grus och smältsnö när hon trippar på sitt avmätta snobbmaner i riktning mot Birgitta.

"Vad är det?" säger hon dämpat, som om hon tror att hon i efterhand kan sänka nivån på Birgittas skrik genom att själv tala med låg röst. "Vad skriker du för?"

Birgitta står kvar med händerna mot låren, men hon höjer på huvudet och gör en grimas.

"Fan! Har du tänkt att vi ska springa hela vägen till Motala?"

Margareta väger lite på klackarna och tittar bort:

"Det kanske skulle göra dig gott. Du verkar vara i behov av lite motion ..."

Vad är det med henne? Kan hon inte öppna munnen i dag utan att kläcka en taskighet? Hon har faktiskt inte varit så här taskig sedan den dag Birgitta lämnade Stig med Gäddkäftens flådiga villa. Varken Margareta eller Christina hade sagt ett ord till Birgitta under de veckor de bodde i gillestugan, och när Birgitta nu skulle ge sig av svarade de inte ens när hon sa adjö, de stirrade bara på henne med tomma ögon. Därför blev Birgitta förvånad när Margareta började skriva till henne några år senare. Hon hade trott att de var fiender för livet, men den uppfattningen delade tydligen inte Margareta, eftersom den ena drapan längre än den andra plötsligt började dimpa ner i Birgittas brevlåda. Och dök förresten inte Margareta upp hemma hos henne bara någon månad efter det att hon hade fått pojken? Jo. Det minns hon nu, hon har en alldeles tydlig minnesbild av hur Margareta satt vid köksbordet och matade honom med nappflaska ...

Aha! Det är därför Margareta är så taskig i dag. Hon måste ha kommit att tänka på pojken när de satt inne på den där restaurangen, just det, plötsligt måste hon ha kommit att tänka på att Birgitta hade fått allt det som hon själv aldrig fått. Birgitta har haft både en mor, en man och ett barn, men Margareta har aldrig haft en människa i hela världen. Ingen ville ha henne när hon var liten och ingen vill ha henne nu, och det är inte så konstigt, eftersom hon är en ovanligt elak klimakteriehäxa. Margareta är helt enkelt avundsjuk. Men det skulle hon säkert inte medge ens under pistolhot. När de var små ville Margareta aldrig prata om sin mystiska mamma och hon gick alltid sin väg när Birgitta började prata om Gertrud. Hon var avundsjuk då och hon är avundsjuk nu. Så är det.

Ändå borde hon faktiskt förstå att Birgitta blir sårad, att det är Margaretas tasksparkar som gör henne tårögd just nu och får hennes mungipor att darra.

"Fan, Maggan", säger hon och rätar på ryggen. "Jag är faktiskt inte riktigt frisk, jag orkar inte springa så fort som du. Jag har dragit på mig levercirros, förstår du ... Jag har legat på sjukhus, jag kom ut för fjorton dagar sedan."

Margaretas ansikte mjuknar, men inte tillräckligt för att Birgitta ska känna att hon står på säker mark. Det är möjligt att Margareta inte vet vad levercirros är – och Birgitta tänker sannerligen inte upplysa henne om den vardagliga benämningen på sin sjukdom – och därför inte förstår allvaret i det hela. Grunden måste förstärkas.

"Det är mitt eget fel, förstås", säger hon och vänder sig i riktning mot en parkbänk, går med släpande steg så att det rasslar i gruset. "Är man rövare så är man, då blir man inte gammal. Doktorn sa att jag har ett halvår kvar. Om jag har tur ..."

Hon sätter sig på bänken och kastar en hastig blick på Margareta. Hon är på väg nu, Margareta har öppnat munnen, hon stirrar på Birgitta med blanka ögon:

"Men du känner ju mig", säger Birgitta och skrattar ett bittert litet skratt. "Jag är ju oförmögen att sköta mig. Ens om jag skulle vilja ..."

Margareta sluter sin gapande mun och sväljer:

"Är det sant?"

Det är klart att det är sant. Vad inbillar hon sig egentligen, tror hon att Birgitta sitter här och ljuger? Visst fan har doktorn har sagt att hon kommer att dö inom ett halvår eller ett år om hon inte slutar kröka!

"Visst är det sant", säger hon och slår ner blicken för att dölja att hon ändå ljuger. För visst ljuger hon. Birgitta Fredriksson kommer inte att dö. Hon kan inte dö.

De går långsamt ut ur parken bort mot järnvägsstationen, Margareta har lagt sin arm under Birgittas, stöder henne som om hon var en gamling.

"Om du sätter dig på en bänk här utanför stationshuset så ska jag hämta bilen", säger hon. "Det tar inte lång stund, den står bakom polishuset ..."

Birgitta sluter ögonen och nickar, låter sig långsamt föras över gatan. Hon kommer på sig själv med att halta lite och hejdar sig. Hon får inte spela över: man blir inte halt av skrumplever. Det borde väl hon veta som har åkt ut och in på sjukhus för den där jäkla levern i ett och ett halvt års tid och ännu inte börjat halta. Faktum är att hon aldrig tänker på sin lever, utom ibland när hon spyr. Då kikar hon mellan ögonfransarna för att se om det har kommit något blod, för när det börjar komma blod måste hon fraktas till sjukhus och det vill hon inte. Birgitta tycker inte om att ligga på sjukhus. Faktum är att hon är rädd för sjukhus.

"Oj", säger Margareta när de kommer fram till bänken. Den är lite fuktig av smältsnö. "Det är för vått och kallt. Vänta ett tag så ska jag gå till kiosken och köpa en tidning som du kan sitta på ..."

Hon är tillbaka på ett ögonblick, brer ut en tjock tidning med många bilagor över bänken och sträcker fram en burk när Birgitta har satt sig till rätta.

"Här", säger hon. "Här har du lite att dricka medan jag är borta. Men det dröjer inte länge. Jag är tillbaka om ett par minuter ..."

Birgitta kväver en grimas: Coca-Cola Light. Typiskt. Vad hon behöver är en öl. Men om hon säger det så börjar väl Margareta gläfsa som en rottweiler igen.

"Klarar du dig nu?" säger Margareta.

Birgitta nickar och sluter ögonen men öppnar dem igen i nästa ögonblick.

"Du", säger hon och ler ett vädjande leende. "Jag skulle inte kunna få en cigarrett också?"

DET ÄR JU FINT VÄDER, att hon inte har tänkt på det förut. Birgitta lutar sig bakåt och vänder ansiktet mot solen medan hon pular ner cigarrettpaketet i sin ficka. Det är inte så dumt att sitta här i vårsolen och ta ett bloss.

Birgitta har alltid tyckt om att vara utomhus, i hela sitt liv har hon hellre varit ute än inne, oavsett om det haglar eller regnar småspik. Under andra omständigheter skulle hon kanske ha blivit en riktig friluftsmänniska. Tanken får henne att frusta till. Hon kan se sig själv i rollen som äppelkindad skogsmulle med svampkorg på armen och solsken i blick. Herrejösses! Tur att det inte gick så illa.

Inte för att det någonsin varit någon större risk, mormor betraktade naturen med misstänksamhet, trots att hon levde hela sitt liv mitt i klorofyllen, och Gertrud var övertygad asfaltsblomma. Birgitta har egentligen bara varit på skogsutflykt en enda gång, och det var när Ellen tog med alla tre flickorna för att plocka svamp, trots att hon annars inte skulle drömma om att ge sig ut i skogen. Men Stig med Gäddkäften skulle visst fylla fyrtio och Ellen hade lovat att hjälpa till med maten. Det skulle vara kantarellfyllda krustader till förrätt och eftersom kantareller på burk kostade skjortan och Ellen var snål, så var det bara att ge sig ut i skogen och hämta dem där de var gratis. Trodde hon. I själva verket hittade de inte den minsta lilla svampusling.

Men vilken syn de måtte ha utgjort där de tågade ut genom grinden ut på landsvägen. Birgitta minns det alldeles glasklart: först i raden gick Ellen klädd i gummistövlar, städrock och kofta, alldeles bakom henne småsprang Christina i en liknande mundering, ängslig och darrande, som om hon var rädd för att vägen skulle öppna sig under hennes fötter och sluka henne. Margareta vinglade efter. Hon kunde inte gå rakt eftersom hon hade smugglat med sig en Fem-bok i svampkorgen och hade börjat läsa så fort Ellen vände ryggen till. Hon var inte klok med sina böcker, hon läste jämt, trots att både Ellen, Christina och Birgitta himlade med ögonen och sa åt henne att det var onormalt att läsa alltid och överallt. Det hjälpte inte, hon fortsatte att vingla fram genom tillvaron med ständigt nya böcker i handen. Den här gången sträckte hon ut handen mot Birgitta och tog stöd för att inte halka ner i diket. Birgitta lät henne hållas, för i dag var hon en ganska glad och uppsluppen Birgitta. Hon hade stoppat fickorna fulla med papperspåsar till svampen, för den svamp hon plockade tänkte hon nämligen inte donera till någon jäkla gubbes hundraårskalas, den tänkte hon sälja för dyra pengar och omvandla till godis. Dessutom hade hon smitit hem till Gertrud på frukostrasten, och Gertrud hade varit nästan nykter och lovat att hon skulle ligga på Marianne som en igel för att Birgitta skulle få flytta hem igen. Vid det här laget hade Birgitta varit hos Ellen i exakt nio månader och tolv dagar. Ingen visste att hon höll så noga reda på tiden, att hon hade börjat räkna dagar, timmar och minuter som en annan fängelseintern redan den dag då hon först kom till Ellens hus.

Det var Marianne som tog henne dit. Hon hade kommit till skolan en fredag, knackat på dörren till klassrummet under sista lektionen för dagen och med låg röst bett att få tala med magister Stenberg. Han skyldrade med pekpinnen och morrade något om att sitta still och vara tyst innan han gick ut i korridoren.

Ingen av de andra ungarna i klassen hade känt igen Marianne, inte ens Bosse som bodde på samma gård som Birgitta och som brukade glo så att man trodde att ögonen skulle trilla ur skallen på honom, precis som alla de andra ungarna på gården, när tanten från barnavårdsnämnden kom spatserande iförd basker och med portfölj. De glodde inte bara för att de var rädda för barnavårdsnämnden, det hade Birgitta förstått, utan också för att Marianne såg så konstig ut. Ingen annan tant i hela Motala bar basker och kånkade omkring på en portfölj, det var ett manligt privilegium att göra sig löjlig på just det viset. Men i dag hade Marianne ingen basker på sig utan en liten hatt, det var väl därför Bosse inte hade känt igen henne.

Birgitta hade sin naturlära uppslagen på bänken, hon hade just varit i färd med att i smyg bläddra sig från avsnittet igelkottar till det betydligt intressantare avsnittet fortplantning. Det var visserligen kryptiskt och obegripligt, men inte mer kryptiskt och obegripligt än att personer som hon – unga personer med ögon och öron på skaft – kunde dra vissa slutsatser om mänskligt beteende utifrån det som berättades om däggdjur. Birgitta var nästan säker på att människor var däggdjur. Det påstods ju att alla barn hade kommit ur sin mammas mage, även om hon för sin del inte riktigt kunde begripa hur det gick till. Gertruds mage var alldeles platt, hon kunde inte föreställa sig att hon själv en gång hade vilat därinne. Gertrud skulle ha spruckit, det var hon säker på, och Gertruds mage såg inte det minsta sprucken ut. Kanske hade naturen ordnat något slags extra hud, kanske låg bäbisen på mammans mage, täckt med en extrahud som såg ut ungefär som en nylonstrumpa. Jo, så måste det vara. För nylonstrumpor var ju genomskinliga och då kunde ju mamman se bäbisen och förstå att hon var med barn, för om ungen låg dold någonstans inne bland inälvorna så skulle hon ju inte kunna veta att hon skulle få en unge ...

Fan! Hon stod inte ut med att vänta längre, hon kunde inte längre tvinga sina tankar att syssla med annat. Hon slog ihop naturläran och reste sig upp, stolen skrapade mot golvet, klassens småprat och dämpade viskningar tystnade på ett ögonblick. Alla såg på henne, varenda en i hela klassrummet såg på Birgitta och väntade på vad hon skulle göra.

Men Birgitta kunde inte göra något. Hon var förlamad. Hon stod alldeles rak och orörlig vid sin bänk, oförmögen att sätta den ena foten framför den andra, oförmögen att gå bort till dörren och öppna den, oförmögen att kräva besked om varför Marianne hade kommit till skolan. Hon visste ju.

Hon hade glömt att gömma knivarna i natt, hon hade sovit som en jävla idiotisk stock! Och nu var Gertrud död, hon hade till slut stuckit den stora köksknivven i sin mage.

Tiden hade stannat. Snart skulle jorden brista.

"Hon är inte alls död", sa Marianne en stund senare. "Var har du fått det ifrån? Du kommer att få träffa henne och säga adjö om en liten stund."

Hon bokstavligen släpade Birgitta över skolgården, höll henne hårt i armen och drog henne efter sig. Birgitta flyttade bara fötterna när det var absolut nödvändigt för att inte falla. Alldeles nyss hade hon försökt bita Marianne i den där handen som låg som en boja om hennes egen handled, men det gick inte. Marianne var starkare, hon såg vad Birgitta hade för avsikt och drog undan sin hand men utan att släppa greppet. Det gjorde ändå detsamma; hon hade tjocka handskar på sig, Birgittas tänder skulle ändå inte kunna tränga igenom. Men sparka henne på smalbenen det kunde hon.

"Nu slutar du trilskas!" röt Marianne och drog åt sig Birgitta med en sådan kraft att hon snubblade till och höll på att tappa balansen. Jävla kärring! Den nya hatten hade halkat fram i pannan på henne, hon såg inte klok ut!

Skolgården omkring dem låg tom och övergiven, det skulle inte ringa ut förrän om tio minuter. Hon hade fått gå tidigare. I morgon var det lördag och skoldag, men magistern hade sagt att Birgitta inte behövde komma, att hon skulle få vara ledig för att anpassa sig i sitt nya hem. Men på måndag väntade han henne som vanligt, hon skulle inte behöva byta skola när hon flyttade, trots att det fanns en annan skola i närheten av hennes nya hem. Både rektorn och den trevliga damen från barnavårdsnämnden hade tyckt att det var bättre om Birgitta fick vara kvar med sina gamla klasskamrater och sin gamla lärare.

Som om hon brydde sig om dem. Som om hon brydde sig ett piss om någon annan än Gertrud!

Lägenheten luktade spya.

Den syrliga stanken var så bedövande att Birgitta själv blev illamående när Marianne öppnade dörren. Men Birgitta var faktiskt ganska van vid spyor, det var ju hon som brukade torka upp när Gertrud blev sjuk, så det skulle kanske ha varit uthärdligt om inte lägenheten hade varit så förvandlad.

Hon blev stående på tröskeln till rummet och stirrade in. Det var obegripligt! I morse hade lägenheten sett ut precis som vanligt när hon gick till skolan, möjligen lite stökigare, eftersom Osvald hade haft med sig några kompisar och ett ovanligt gapigt fruntimmer när han kom i går kväll, men åtminstone nästan som vanligt. Birgitta hade vaknat sent, tydligen hade Osvald och de andra inte brytt sig om sina ytterkläder när de gick, alltså låg hon fortfarande kvar på klädhögen ute i hallen. Men klockan var redan mycket, det hade hon sett när hon tassade in i rummet för att se om Gertrud var kvar. Det var hon. Hon hade sovit hur lugnt som helst, medan Birgitta rusade runt i rummet för att leta rätt på sina kläder. Faktiskt hade hon sovit så djupt att Birgitta blev lite rädd, hon hade fått luta sig över Gertrud, medan hon knäppte strumpebanden, för att kontrollera att hon fortfarande andades. Det gjorde hon. Inga problem. Birgitta hade ryckt åt sig sin skolväska, stoppat några sockerbitar i jackfickan och störtat mot dörren. Hon hann inte plocka upp flaskorna, men det gjorde ingenting, trodde hon, eftersom Marianne hade varit på besök dagen före. Hon brukade aldrig komma två dagar i rad.

Men tydligen hade hon gjort det. Och tydligen hade hon gjort om hela lägenheten. Ingenting var längre som Birgitta och Gertrud brukade ha det. Rullgardinen hade dragits upp och gardinerna åt sidan, grått dagsljus strömmade in i rummet och fick Birgitta att frysa. Dessutom hade Marianne samlat flaskorna i en flock på golvet bredvid byrån, det såg ut som om de stod där och väntade på att fyllas, på att festen skulle börja på nytt. Kanske skulle det bli dans. Mattan var hoprullad och låg tätt tryckt mot väggen som om den skämdes. Något annat låg på golvet bredvid dörren, Birgitta fick böja sig ner för att se vad det var. Överkastet. Det var alldeles vått och fukten fick det att se mycket mörkare ut än vanligt. Varför hade Marianne blött ner överkastet? Och varför stod det en fullproppad kasse med Birgittas egna kläder bredvid?

Gertrud låg på sängen och sov, hon såg konstig ut i ansiktet, nästan lika grå och flammig som hinken som stod på golvet bredvid sängen. Det var ju slaskhinken, den som brukade dänga mot Birgittas ben när hon sprang ut med soporna! Varför i all världen hade Marianne ställt ut slaskhinken på golvet, den skulle ju stå i skåpet under vasken? Fattade hon inte det? Var hon dum i huvudet på något sätt?

Marianne lade handen på Birgittas huvud och viskade:

"Mamma är sjuk, Birgitta. Hon har bett oss ta hand om dig, hon behöver vila."

Det var en förbannad lögn och den straffade sig genast. För nu hade Marianne inga handskar som skyddade hennes händer, de var blottade och bara.

Birgitta valde den högra, hon var blixtsnabb och vasstandad. Det gladde henne att Marianne skrek så högt.

Det var konstigt att gå tillbaka till skolan på måndagen, allt var sig likt och ändå var allt annorlunda, husen, gatan, klasskamraterna. Till och med klassrummet hade förändrats under helgen, hon visste inte riktigt hur, men det hade något med färgen och storleken att göra. Det var som om allt hade blivit större, fönstren också, och ändå var allt mycket mörkare än på fredagen. Kanske hade Stenberg målat om över helgen, för att riktigt markera att stora förändringar hade skett i världen, men i så fall var han ingen vidare bra målare. Sprickan högst upp på väggen var kvar. Och de ljusa fläckarna där förra årets teckningar hade suttit.

Några ungar från gården hemmavid flockades omkring henne på rasten. Vad hade hänt? Vart hade Birgitta tagit vägen? Visste hon att det hade kommit en ambulans till gården när hon själv och den där Marianne hade åkt sin väg och att Gertrud hade burits ut på bår?

Klart hon visste, sa Birgitta och skakade på huvudet, som om hon hade haft ett riktigt långt hår att slänga med. Kanske var det just det ögonblickets ouppmärksamhet som gjorde att hon inte hörde vem det var som viskade det där ordet; det där ordet som plötsligt kom farande som en förgiftad pil genom luften och letade sig in i hennes öra. *Fylledille*! Hon straffade den som stod närmast, grep tag i en kalufs på måfå och slet till, märkte inte att det var den mesiga Britt-Marie, förrän hon hörde henne skrika.

I vanliga fall skulle de andra ha rusat in i lärarrummet och larmat Stenberg innan hon ens hunnit släppa taget, hon skulle ha fått skäll och anmärkning och kanske rentav ett rapp med pekpinnen, men inte i dag. Gunilla, mesarnas överhuvud och fjäskfiornas drottning, lade armen om den gråtande Britt-Marie och vädjade till de andra att inte skvallra. De måste tänka på att det var synd om Birgitta, hon som aldrig hade haft någon pappa och som nu inte ens hade någon mamma! Birgitta övervägde för ett ögonblick om hon skulle spy Gunilla i håret eller skalpera henne med tänderna, men hann inte börja med någotdera. Det ringde in och på en sekund var hela flocken upplöst, fjäskfiorna rusade mot ingången, hjärtängsliga för att komma för sent. Hon skulle få vänta till nästa rast.

Men nästa rast fick hon inte gå ut, Stenberg kallade på henne när hon störtade mot klassrumsdörren och trängdes med de andra. Han ville tala med henne, kunde hon vara så snäll och komma fram till katedern. Han fick det att låta som om hon hade ett val och det var inte likt honom, i vanliga fall brukade han gläfsa hennes namn i kommandoton: Bir-gitta! Sitt still! Håll tyst! Torka bort snoret och gå ut och tvätta händerna! En gång hade han till och med kallat henne lortgris, så att hela klassen hörde det.

Men nu var hon ingen vanlig skitunge längre, det märktes. Nu var hon en riktig finflicka, men en finflicka som det trots allt var lite synd om. Stenberg lade huvudet på sned som en kärring och tog till den där konstgjorda rösten som han annars bara brukade använda när han talade med små gullefjun som Gunilla och Britt-Marie. Det var roligt att se hur ren och fin Birgitta var i dag. Hade hon inte fått nya kläder också? Det var väl roligt. Nu skulle hon se att allt skulle ordna sig till det bästa, nu skulle hon säkert få tid och kraft att ta itu med skolarbetet på ett annat sätt. För han, Stenberg, hade minsann märkt att Birgitta inte var något dumhuvud, tvärtom. Hon skulle kunna bli en riktigt duktig elev om hon bara lade manken till. Och det tänkte hon väl göra, eller hur, nu när hon hade fått lite ordning och reda omkring sig? Eller hur? Eller hur? Eller hur?

Birgitta neg och höll med, hon var inte dum nog att käfta emot Stenberg. Hon hade försökt en gång och efter den betan kunde hon knappt sitta. Gertrud hade tittat på ränderna i hennes bak och lovat att anmäla gubben till både Skolöverstyrelsen, Medicinalstyrelsen och Domkapitlet, men sedan glömt bort det. Och när Birgitta påminde henne om saken var hon full och arg och tyckte att Birgitta fick skylla sig själv.

Det var förbjudet att lämna skolgården på frukostrasten, men det fanns ingen som kontrollerade att förbudet efterlevdes. Lärarna satt väl inne i lärarrummet och smaskade i sig tårta, det sades ute på skolgården att de fick gräddtårta och mjuka ostsmörgåsar varenda dag. Ingen hade kunnat kontrollera saken för skolbarnen fick inte gå in i lärarrummet, man fick vänta ute i kapprummet om man ville något och kunde bara skymta lyxen där inne som hastigast när dörren öppnades eller stängdes. Lärarna hade fåtöljer, det hade Birgitta själv sett. Stora bruna fåtöljer och små bruna bord, där det stod kaffekoppar. Allt talade alltså för att ryktet var sant, att lärarna frossade i mjuka mackor och gräddtårta, medan eleverna fick sitta i bespisningen och äta knäckebröd och levergryta.

Men i dag unnade Birgitta lärarna både gräddtårta och mjuka fåtöljer, ja, all den lyx de bara kunde önska sig så länge det innebar att de höll sig borta från skolgården. Snabb som en vessla kilade hon ut genom grindarna och sprang uppför gatan, bort mot sin egen gata och sitt riktiga hem.

Hon höll sig dold i porten ut mot gatan en stund, kontrollerade att inga nyfikna kärringar piskade mattor ute på gården och att inte barnavårdsnämnden hade satt ut vakter för att hindra barn att gå till sina mammor. Men allt var öde och tyst, det var som om både gårdshus och gathus hade tömts på folk i samma stund som Birgitta skrikande leddes ut på trottoaren. Fast Gertrud var säkert hemma, hon hade säkert blivit opererad på sjukhuset över helgen och blivit frisk. Just nu gick hon säkert omkring i sin kimono uppe i lägenheten och letade efter ett par hela nylonstrumpor, för det var klart att hon måste ha hela strumpor på benen när hon gick upp på Mariannes kontor och krävde att få hem Birgitta. Vad glad hon skulle bli när Birgitta kom av sig själv, hon skulle säkert slå ut med armarna på det där sättet hon brukade när hon kom till banvaktsstugan och ropa att hon ville pussa Birgitta. Bara pussa och pussa och pussa!

Birgitta kunde inte vänta längre, hon sprang hastigt över gården, så fort att ingen, inte ens Bosses hökögda morsa, skulle kunna se henne, drog upp dörren till gårdshuset och snubblade uppför trappan, ramlade och reste sig upp i en enda rörelse, trots att det gjorde ont i knäet, trots att det faktiskt gjorde väldigt ont ...

Dörren var låst och ingen svarade när hon ringde på dörrklockan, men hon hade sin nyckel kvar. Redan i taxin på väg till fosterhemmet hade hon lirkat det vita bendelbandet med nyckeln över huvudet och smusslat ner det i sin ficka. Marianne hade inte märkt något, hon hade suttit och granskat sin högerhand under hela resan, gnidit med pekfingret över Birgittas blå tandavtryck i huden och suckat. Ingen hade undersökt Birgittas jackfickor, inte ens den där kärringen som hon hade hamnat hos. Hon hade lagt alla Birgittas kläder på köksbordet när Marianne hade gått, lyft vartenda plagg mot fönstret, skärskådat dem i ljuset och stuckit sitt finger i vartenda hål som om hon ville göra dem större. Men jackan hade hon glömt, den hade fått hänga orörd och ogranskad ute i hallen. Det var därför Birgitta trots allt hade varit så lugn, det var därför hon inte hade slagit sönder varenda sak i huset. Hon hade en nyckel, hon skulle komma hem igen.

Hon stack nyckeln i låset, men förmådde inte vrida om. Det hopp som hållit henne på fötter ända sedan i fredags, slöt sina kronblad som en blomma i skymningen. Hon lutade sitt huvud mot dörren och höll andan. Kanske skulle hon höra Gertrud gå omkring där inne och gnola lite smått medan hon letade efter sin strumpa. Men det var alldeles tyst bakom dörren. En tanke drog snabbt som en vindil genom hennes huvud: tänk om Gertrud ändå inte var där, tänk om hon aldrig skulle komma tillbaka ...

Birgitta ryckte nyckeln ur låset och rusade nerför trapporna, hon kunde känna hur fötterna fladdrade under henne, det var som om de inte ens snuddade vid trappstegen. Hon var jagad av spöken och gastar, hon måste bort, ut, undan, så fort det bara gick ...

Aldrig hade Birgitta sett en så rädd och mesig typ som den där Christina. Det var bedrövligt, den jävla gråsuggan var så feg att det verkade som om hon inte ens kunde prata högt, som om hon bara tordes viska. Men för det mesta sa hon inget alls, stirrade bara på folk med uppspärrade grå ögon. Det var så att man kunde bli tokig.

Hon förtjänade en snyting. Eller två. Men på måndagseftermiddagen fick hon bara en knuff i ryggen så att hon föll ihop på trädgårdsgången och gjorde hål på sin strumpa.

Så kan det gå. Om man är för rädd av sig.

Hemma hos Kärringen Ellen beordrades flickorna ur sina sängar redan kvart i sju om morgnarna. Birgitta förväntades sedan sno in sig i en förbannad morgonrock och sätta morgonskor på fötterna som de andra – hon hade aldrig förr behövt någon morgonrock och några morgonskor, vad skulle hon med dem till? – och marschera ut i köket. Där stod Kärringen Ellen vid spisen, som alltid. Det verkade som om hon inte kunde lämna den, som hon om hon stod där dygnet runt och rörde i grytorna. Hon slevade upp slemmig havregrynsgröt på Birgittas tallrik och förklarade att här i huset lämnade man inte bordet förrän maten var uppäten. Birgitta glodde under lugg på henne och avstod från att mucka, hon hade redan begripit att det var något speciellt med maten, att man kunde bråka om kläder och tvättning och bäddning, men aldrig om maten. Då skulle kärringen säkert däcka en med ett enda slag av grötsleven. Alltså åt Birgitta upp slemmet, men inte förrän hon hade öst ett helt litet berg av strösocker ovanpå. Råttan ylade i hennes mage, redan efter ett par dagar hos Kärringen Ellen hade den blivit mager och vild som ett rovdjur. Birgitta visste inte riktigt vad hon skulle göra för att skaffa pengar åt den, hon hade redan snokat både i städskrubben och i skåpet under vasken men inte hittat en enda flaska. Hon skulle bli tvungen att hitta på något annat.

De andra flickorna slevade i sig gröten som om den vore god. Ellen hade satt sig bredvid Margareta, som tydligen var hennes allra som käraste lilla hjärtegull. Christina satt på andra sidan bordet och plockade nervöst med fingrarna på duken med ena handen, medan hon slevade i sig gröt med den andra. Ellen puffade brödkorgen i hennes riktning, de log mot varandra. Det var ett konstigt leende, som om de båda vore vuxna, som om inte Christina var lika mycket tio år och småskit som Birgitta. Ändå löd Christina som ett barn. Hon lade skeden på tallriken och tog en frukostbulle.

"Nybakade?" viskade hon, fortfarande med det där bleka leendet fastklistrat på sitt lika bleka ansikte.

"Mmm", sa Ellen. "Är de fortfarande varma?"

Christina nickade, Ellen lade armen om Margareta och tryckte till.

"Vill du också ha en grahamsbulle? De är varma."

Margareta nickade med munnen full och sträckte sig efter brödkorgen. När smöret började smälta på den varma bullen, stack hon ut tungan, slickade hastigt i sig en stor klick och bredde på nytt. Ellen skrattade till och nöp henne i kinden:

"Tramsa!"

Jaha. Det var alltså så man skulle bete sig här i huset. Antingen skulle man vara gullig som en kattunge som Margareta eller leka vuxen som Christina. Och dessutom skulle man glufsa i sig så mycket som möjligt.

De där tjejerna var svikare. Ellen var inte morsa åt någon av dem, de måste ha riktiga mammor någonstans, men de skänkte dem tydligen inte en tanke.

Men Birgitta hade inte svikit. Och aldrig att hon skulle komma att svika.

Ellen tyckte inte om Birgitta, hon ville egentligen inte ha henne i huset. Det märktes redan första dagen, när hon släpade ner Birgitta i badrummet i källaren och gav sig till att skrubba henne så att hon blev alldeles skinnflådd. Hon log inte på hela tiden, rynkade bara pannan, och gav Birgitta korta kommandon om att vända ryggen till och sträcka upp armarna så att hon kunde komma åt överallt. Birgitta hade sagt att hon kunde göra det själv, att hon minsann var van vid att tvätta sig själv och inte behövde hjälpas som ett småbarn, men då hade kärringen bara fnyst och muttrat något om att det såg ut som om Birgitta inte hade badat på flera år. Men det var en förbannad lögn, Birgitta hade visst badat under det senaste året. En dag i somras hade hon åkt till Varamobaden på egen hand och doppat sig i Vättern. Men det kvittade, kärringen hade ändå ingen rätt att flå henne med den hårda borsten.

Ellen var en ovanligt långsint typ, det var som om hon inte kunde förlåta Birgitta för det där som hände första dagen, då Birgitta hade vägrat att dricka hennes gula saft och kallat den för piss. Efter det var hon på Birgitta och skällde för precis allt, för att hon hade råkat slå ner en liten porslinsfigur i matrummet, för att hon skrek för högt och sprang för fort när hon lekte, för att hon inte begrep att man inte kunde gå omkring i smutsiga kläder och att man måste borsta tänderna vareviga dag. Två gånger, till och med. Ibland säckade hon ihop av sin egen ilska och fick näsblod. De andra flickorna blev kolossalt upprörda när det hände, det var som om jorden skulle gå under eller så. Christina kutade ut i köket och hämtade vatten i en skål och baddade Ellens panna, medan Margareta hämtade bomull som kärringen kunde trycka upp i näsan och kröp sedan upp i hennes knä. Båda blängde på Birgitta, som om det var hennes fel, som om hon hade fått kärringen att börja blöda.

Annars var det inget större fel på Margareta. Hon var lite räddhågsen av sig, men inte lika skitfeg och inställsam som Christina. Hon tyckte om att kuta runt i huset och leka, det var bara när hon hade fått tag på en ny bok som hon var omöjlig. Då satt hon fullkomligt uppslukad på sin säng inne i tomrummet och verkade inte märka att hon äcklade sig med att peta näsan medan hon läste. Å andra sidan läste hon fort och när hon hade slagit ihop sin bok störtade hon runt i huset för att leta upp Birgitta. Hon ville alltid leka det äventyr hon just hade läst om, i synnerhet när det var Fem-böcker. Birgitta gick med på det ibland, men bara om hon själv fick vara George. Något annat vore förresten löjligt. Margareta skulle inte kunna vara George ens om hon försökte.

Inte förrän långt in på sommaren började Ellen behandla Birgitta som folk, men då var det så dags. Det var som om hon tyckte att det var makalöst imponerande att Birgitta kunde klättra högst upp i körsbärsträdet, och Birgitta brydde sig inte om att förklara att hon hade klättrat betydligt högre i sin dar, att hon och hennes kompisar brukade dra i väg till Varamobaden om höstarna och fylla fickorna med frukt från övergivna trädgårdar utanför stängda sommarstugor. Ellen blev så till sig att hon till och med tog ett kort av Birgitta där hon satt uppe i trädtoppen. De andra flickorna kom också med på fotografiet, och efteråt lät Ellen förstora och färglägga det, köpte en blank ram och ställde det på skåpet i sitt rum.

Birgitta tyckte om att det stod där, hon brukade smyga in i Ellens rum när ingen såg det och titta på sig själv. Hon var faktiskt riktigt söt i sin rosa klänning och sitt vita hår.

Ellen sydde hennes kläder numera och där hade Birgitta ingenting att klaga på. Flickorna fick välja färger och modeller själva, Birgitta också. Det var bara när man hittade på uppenbart knasiga saker, som vintershorts och sommarhalsdukar som hon skrockade till och vägrade, annars fick man för det mesta som man ville. Därför hade Birgitta den finaste klänningen i hela klassen när det blev examen i fyran. Den var vit med skära rosenknoppar och volang på kjolen. Inte en enda av fjäskfiorna hade rosenknoppar och volang på kjolen.

Där fick dom. Till slut.

Ändå blev det ett elände med den där klänningen.

En dag i slutet av maj berättade Bosse att Gertrud hade kommit tillbaka. Hans hökögda morsa hade sett henne dagen innan, när hon släpade sin väska över gården.

Det var tur att han sa det på frukostrasten, just när de var på väg nerför trapporna till barnbespisningen, annars hade Birgitta blivit tvungen att skolka. Nu behövde hon bara vika en aning åt sidan, glida alldeles omärkligt i riktning mot skolporten och sätta fart.

Hon hade ingen nyckel med sig, den hade hon grävt ner under en buske i Ellens trädgård så fort tjälen hade gått ur jorden. Men det kvittade. Gertrud var hemma och skulle öppna dörren. Det var en fröjd att leva.

Under de sista veckorna på vårterminen gick hon inte till bespisningen en enda gång. Så fort klockan ringde till frukostrast rusade hon över skolgården och ut på gatan. Efter några dagar brydde hon sig inte ens om att vara försiktig, hon var beredd att springa över både rektorn och Stenberg om det skulle behövas. Hon måste ju hem till Gertrud.

Gertrud brukade ligga på sängen precis som förr, ändå var hon inte riktigt sig lik. Ansiktet hade blivit rundare, ändå såg hon inte frisk ut, hon hade blivit grå på något sätt. Det verkade som om allt hos henne hade dragits neråt, håret, linjerna i ansiktet, brösten som dinglade håglöst under kimonon. Men hon blev glad och log när Birgitta kom, skickade henne genast till kiosken efter ciggisar och godis, veckotidningar och sockerdricka. Birgitta fick äta godiset hemma hos Gertrud, men Gertrud själv läste aldrig de där tidningarna medan Birgitta var kvar och blandade inte ens någon grogg. I stället lade hon sig på sängen och tog ett bloss medan hon pratade.

Gertrud hade inte haft det lätt under de månader som gått. Först hade hon legat på sjukhus i flera veckor och sedan hade hon blivit skickad till någon jävla anstalt, ett hemskt ställe som drevs av ett gäng ovanligt elaka och skenheliga frälsningssoldater. På anstalten hade Gertrud fått klimp i soppan och tvingats umgås med en massa fyllkärringar. Alltihop var Mariannes fel, den kvinnan var fullkomligt knäpp i huvudet och det var en stor olycka att hon alls hade kommit in i Gertruds liv. Ingen utom en moraltant som hon skulle ha kommit på tanken att sätta Gertrud på anstalt ...

Birgitta satte sig på sina händer när det blev tal om hur Marianne hade kommit in i Gertruds liv och kastade en blick på väckarklockan. Snart måste hon kuta.

"Förlåt", sa hon och gled ner från stolen. "Stenberg slår mig om jag kommer för sent ..."

Gertruds underläpp darrade till, hon slöt ögonen.

"Gå du bara", sa hon. "Det kan ju inte vara roligt för dig att sitta här och höra på din lilla mammas klagovisor ..."

Birgitta blev stående bredvid sängen, det var som om hon inte vågade slå armarna om Gertrud mera, hon sträckte bara fram sin hand och snuddade vid Gertruds underarm:

"När får jag komma hem?" sa hon. Rösten stockade sig lite, hon var tvungen att svälja. "Har du talat med Marianne?"

Gertrud slog handen för ansiktet och fräste till:

"Snart! Jag ska göra det snart har jag ju sagt!"

På examensdagens morgon ojade sig Kärringen Ellen över att hon inte kunde gå på examen i två skolor, men tyvärr, tyvärr hon skulle inte hinna med att springa från Christinas och Margaretas skola till Birgittas. Det verkade som om hon trodde att Birgitta skulle bli förtvivlad över det, men Birgitta hade inte för avsikt att bli det minsta förtvivlad. Tvärtom. Det var bara mesproppar som hade vuxna med sig på examen och Birgitta var ingen mespropp. Dessutom skulle hon ju inte kunna kila in till Gertrud efteråt om hon hade Ellen i hasorna.

Hon hade nästan vant sig vid att ringa på dörren hemma hos Gertrud. Hon hade grävt och grävt i Ellens trädgård en hel eftermiddag utan att hitta nyckeln, och till slut hade Ellen i egen hög person marscherat ut i trädgården och sagt att det fick vara slut på mullvadsleken. Gertrud hade lovat henne en ny nyckel, men än så länge hade hon inte haft pengar så det räckte. Och Birgitta ville inte tjata: Gertrud hade minsann nog med bekymmer ändå.

Ingen kom och öppnade, men hon kunde höra röster bakom dörren. Gertrud var hemma, men hon var tydligen inte ensam. Birgitta hoppades att det var någon av Gertruds gamla väninnor som hade kommit på besök, då skulle det vara två personer som slog samman händerna i beundran över den fina klänningen. Hon rättade till kjolen lite innan hon tryckte på dörrklockan igen och när hon inte fick något svar tryckte hon ner dörrhandtaget.

Det var ingen väninna. Det var Osvald.

Han satt som vanligt i den ena fåtöljen, men den här gången satt Gertrud i hans knä. Båda var lite simmiga i ögonen och Gertruds ena strumpa hade halkat ner, den hängde som ett flor nedanför hennes knä. Gertruds läppstift hade smetats ut runt munnen och hon tycktes inte märka att Osvald hade lirkat in sin stora hand under hennes kjol. Båda blinkade till och vred på huvudet när Birgitta klev in i rummet, satt sedan alldeles tysta och orörliga ett ögonblick och stirrade på henne. Klänningen hade förstummat dem.

"Kommer du?" sa Gertrud medan hon böjde sig fram och grep efter sina cigarretter. Osvald drog åt sig handen och famlade i luften över det turkiska rökbordet efter sitt glas.

"Mmm", sa Birgitta.

"Och uppklädd som fan ...", sa Gertrud och kisade medan hon blåste ut röken från det första blosset. "Var har du fått den där stassen ifrån?"

"Från Tant Ellen."

"Ellen? Vilken jävla Tant Ellen?"

"Hon som jag bor hos."

Gertrud gjorde en grimas och reste sig upp, gick med sin nedhasade strumpa dinglande runt benet bort till sängen och satte sig. Resårerna gnällde till som vanligt. Allt var som vanligt. Absolut. Ingenting hade förändrats.

"Så hon har råd att köpa tjusiga klänningar till dig?" sa Gertrud och krökte överläppen.

Birgitta visste inte vad hon skulle säga, men det gjorde ingenting för

Gertrud fortsatte själv att prata. Hon slog av askan på sin cigarrett i sin kupade hand och skrattade till:

"Ja, det tror fan att hon har råd att köpa klänningar till dig ... Hon får väl betalt för att ta hand om andras ungar. Eller vad tror du, Osvald?"

Osvald grymtade instämmande borta från fåtöljen. Gertrud stack cigarretten mellan läpparna och granskade Birgitta än en gång:

"Ja, det var själva fan vad du var tjusig. En riktig liten Shirley Temple, skulle man kunna säga ... Så då är du väl nöjd då? Då vill du väl stanna hos den där Ellen? Så att du kan gå klädd i siden och sammet vareviga dag?"

Birgitta knep ihop läpparna och skakade på huvudet. Nej! Hon ville hem till Gertrud, det hade hon ju sagt tusen gånger! Men kanske hade hon talat för lågt, kanske hade Gertrud inte hört henne. Hon önskade att rosenklänningen skulle spricka i sömmarna och falla i trasor från hennes kropp, att hon skulle kunna röra sig och tala. Men icke: klänningen satt där den satt och Birgitta var oförmögen att röra sig. Hon kunde inte ens tala längre.

"Vad är det förresten för en kärring?" sa Gertrud och lutade sig bakåt, tog stöd med armbågen mot huvudkudden. Hon hade glömt att hon hade askat i handen för en stund sedan, det blev en grå liten fläck på överkastet. Men Birgitta behövde inte oroa sig, det fanns ingen glöd i askan och fläcken skulle hon borsta bort på en sekund när hon väl kunde röra sig igen.

"Vet du det, Osvald?" sa Gertrud. "Vet du vad det är för människa som Birgitta bor hos nu?"

Osvald tog en klunk av sin grogg och rapade.

"Visst", sa han. "Ellen Johansson, du vet. Hon tar fosterbarn, jag tror hon har en tre–fyra stycken vid det här laget."

Gertrud rynkade pannan:

"Vilken Ellen Johansson?"

"Hugo Johanssons änka. Pampen du vet, han som dog för en tio år sedan eller så ..."

Osvald skrattade till, tog ännu en klunk och kliade sig på bröstet:

"Jävla klurig kärring, det där. Minst tjugo år yngre än han. De hade inte varit gifta mer än ett år när han trillade av pinn och sedan satt hon där med både hans hus och hans pengar ... Och han var nog inte barskrapad."

Gertrud satte sig käpprak upp i sängen.

"Var det kräftan? Dog han av kräfta?"

Osvald ryckte på axlarna. Inte fan visste han. Men det kvittade, Gertrud hade redan svarat sig själv.

"Visst fan! Nu vet jag vem det är. En liten människa, fyrkantig på något vis ... Ha!"

Hon drog ett djupt bloss och kisade mot Birgitta:

"Du kan hälsa henne från mig. Hälsa henne att jag minns både henne och hennes missfoster. Vi låg på samma sal på BB en gång i världen."

"SCHYST BIL", SÄGER BIRGITTA när hon äntligen har fått på sig säkerhetsbältet.

Margareta skrattar till som om hon sagt något lustigt.

"Inte så värst. Den börjar bli ganska risig, avgassystemet pajade i går. Det var därför jag måste hämta den på en verkstad ..."

Har bilen varit på verkstad? Och förväntas Birgitta veta någonting om den saken? Det låter så, det låter som om Margareta anser att Birgitta är informerad. Folk gör ofta på det viset, har hon märkt. Det måste vara en utbredd föreställning att Birgitta Fredriksson är tankeläsare. Hon har inga planer på att avslöja att så inte är fallet, därför är det säkrast att byta samtalsämne.

"Har du kört hela vägen från lapphelvetet?"

Margareta skakar på huvudet, hon har stuckit tungspetsen mellan läpparna, det är som om hon styr med tungan medan hon försöker kryssa sig in i rondellen framför polishuset.

"Nej, jag flög till Stockholm från Kiruna. Det är inte min bil, jag har bara fått låna den."

Birgitta gräver i fickan efter cigarretterna:

"Av vem då?"

Margareta ler igen:

"Av en karl som jag känner. Claes heter han."

Birgitta höjer på ögonbrynen medan hon rotar fram en Blend ur paketet. Det är inte många cigarretter kvar.

"Schyst typ?"

"Ganska. Jo, förresten, han är nog en helt igenom schyst typ."

"Ska ni gifta er?"

Margareta skrattar till, värst vad hon har blivit munter plötsligt.

"Knappast. Ingen av oss är *the marrying kind* ..."

Vad fan är det med henne? Kan hon inte prata svenska längre? Birgitta har glömt nästan all sin skolengelska, hon förstod inte det där, men det tänker hon minsann inte avslöja bara för att Margareta sitter där och gör sig märkvärdig. Alltså tiger hon och tänder sin cigg.

"Jag får en också", säger Margareta och sträcker fram handen med blicken fortfarande fäst på gatan. Birgitta kikar ner i paketet:

"Jag har inte så många kvar."

Sekunden efteråt inser hon att formuleringen var illa vald. Hon har väckt rottweilern.

"Det är faktiskt mina ciggisar!" fräser Margareta och sliter åt sig paketet.

Det är rätt härligt att sitta så här i en bil och bli skjutsad, även om chauffören är lite bitsk av sig. Birgitta gäspar och sträcker lite på sig. Fan, när hon väl är hemma i kvarten och har fått i sig några öl, då ska hon knoppa in och sova som en död. Och när hon vaknar i morgon så kommer hon att ha glömt alltihop: anonyma brev och snobbor, rubbet.

"Är du trött?"

Margaretas röst har en liten egg, hon är tydligen fortfarande förbannad, trots att cigarrettpaketet ligger på hennes sida nu, långt utom räckhåll för Birgitta. Dessutom har hon ju en cigarrett mellan läpparna, då borde hon väl vara nöjd och inte låta så sur. Birgitta tänker inte svara, hon lutar sig bakåt och sluter ögonen. Men Margareta fattar tydligen inte att hon tänker sova, hon fortsätter bara att prata på:

"Jag är faktiskt också ganska trött. Jag vet inte riktigt om jag orkar köra ända till Stockholm i kväll. Jag kanske somnar vid ratten."

Jaha. Spännande. Högst intressant. Men Birgitta vill faktiskt sova nu, hon har nog med sina egna problem och har inte minsta lust att lyssna till Margaretas. Vem av dem är det förresten som är mer eller mindre döende och därför har rätt till en smula hänsyn? Va? Hon bara undrar. Men hon tänker sannerligen inte öppna näbben och släppa ut sin undran. Då blir hon väl rottweilerstuvning inom en sekund.

Men Margareta slutar inte prata:

"Jo", säger hon med samma vassa röst. "Det blev en lång natt i natt. Vi fick inte en blund i ögonen. Som du kanske förstår."

Va? Birgitta öppnar ögonen och klipper med dem.

"Vad menar du?"

Margareta sitter lite framåtlutad och håller fortfarande blicken stadigt fäst på vägen. Birgitta måste faktiskt ha slumrat till ett tag, de är långt ute på motorvägen, nästan halvvägs till Linköping.

"Gör dig inte till", säger Margareta. "Du vet nog vad jag menar."

Birgitta hasar sig högre upp i sätet:

"Vad fan snackar du om?"

Margareta måtte ha trampat gasen i botten, hastighetsmätaren darrar någonstans runt hundratrettio. Ett hastig vision av Den Stora Trafikolyckan fladdrar till i Birgittas huvud, men hon skjuter den åt sidan. Hon har inte tid med någon kortfilm nu.

"Va?" säger hon igen. "Vad är det du snackar om?"

Margareta släpper inte vägen med blicken, men fimpar sin cigarrett i askfatet med fullständig precision och tänder omedelbart en ny.

"Jag talar om den där lilla leken som du ägnade dig åt i går kväll."

Vilken lilla lek? Birgitta kan inte minnas någon lek, hon har bara vaga hågkomster av något slags partaj någonstans. I Norrköping. Just det. Det var i Norrköping.

"Jag talar om det faktum att det kom ett telefonsamtal hem till Christina vid halvtolvtiden", säger Margareta med betydelsediger röst.

"Ett telefonsamtal?" kväker Birgitta. "Än sen då?"

Margareta verkar inte höra henne, hon bara fortsätter att prata:

"Det var någon som påstod att du hade blivit misshandlad, att du låg på Motala lasarett och väntade på döden. Du hade sagt att du ville träffa oss en sista gång, så vi åkte faktiskt dit, Christina och jag. Så lättlurade är vi. Och när det visade sig att du inte fanns på sjukhuset så ägnade vi resten av natten åt att åka runt i Motala och leta efter dig."

Hon drar ett djupt bloss och sluter munnen som om hon tänkte svälja röken. Det lyckas inte, den sipprar ut genom hennes näsborrar. När hon talar på nytt är hennes röst mjukare, det låter som om hon talar för sig själv.

"För ett par timmar sedan trodde jag faktiskt att det var Christina som hade fått en knäpp, men när du drog den där valsen om hur sjuk du är och lyckades lura till dig att få sitta och dra dig på en bänk i solgasset medan jag hämtade bilen så begrep jag ju. Det tog bara en stund innan polletten föll ner. Men du borde variera dina metoder. Man kan ju inte tycka synd om dig för att du är misshandlad halvt till döds ena dagen och för att du är döende i skrumplever den andra. Vi är inte helt bakom flötet, varken Christina eller jag."

Hon släpper vägen med blicken och ser hastigt på Birgitta:

"Herregud", säger hon sedan och rycker på axlarna. "Du super och knarkar. Du ljuger och stjäl. Du ägnar dig åt knarklangning och bedrägerier. Du har till och med lagt en påse med ditt eget bajs på Christinas skrivbord. Va! Som om hon någonsin har gjort dig något ont. Och nu ägnar du dig åt anonyma brev och mystiska telefonsamtal. Du har aldrig övervägt att bli vuxen?"

Hon sitter tyst en stund, röker i korta puffar, innan hon tar cigarretten ur munnen och dödar den i askfatet.

"Jag kör dig till Motala, eftersom jag ändå ska dit och sätta en blomma på Tant Ellens grav. Se det som en sista tjänst. För när du har gått ut ur den här bilen vill jag aldrig se dig igen. Du äcklar mig."

Birgitta sluter ögonen. Hon är i en annan tid och hör en annan röst när Margaretas tystnar.

"Om du hade uppfört dig som en vuxen så hade du blivit behandlad som en vuxen", sa Marianne och lade sin vita hand på Birgittas köksbord. Birgitta skrek högt, fullkomligt äkta tårar rann nerför hennes kinder:

"Men det var ju inte mitt fel! Varför ska jag bli straffad? Det var ju Doggen som slog, inte jag!"

Marianne böjde sig fram och knackade med knogen i bordet:

"Doggen slog dig och inte pojken, så vitt jag vet. Han kommer att dömas för det och en hel massa annat. Och vi kunde väl inte ha låtit pojken ligga kvar här i lägenheten alldeles ensam när du for i väg i ambulans och Doggen i polisbil? Vi var tvungna att ta hand om honom, det förstår du väl."

Birgitta slog knytnävarna i bordet, hamrade en häftig trumvirvel och skrek:

"Men jag vill ha honom tillbaka! Det är min unge!"

Marianne lutade sig bakåt i stolen och skakade på huvudet:

"Sluta bära dig åt, Birgitta. Det hjälper inte. Tänk efter. Pojken är åtta månader gammal men väger inte mer än en fyra månaders baby. Han hade blåmärken på låren och frätsår i rumpan när han kom till fosterhemmet. Dessutom var han uttorkad. Det kallas vanvård, Birgitta. Försumlighet. Om det nu inte är ren misshandel. Mamman är sjuksköterska, hon insåg att det var risk för permanenta skador och tog honom till sjukhus direkt. Han ligger fortfarande kvar och fosterföräldrarna besöker honom varenda dag, ja, mamman sitter där hela tiden ..."

Birgitta grep tag i sin tupering och slet till, plötsligt kraxade hennes röst som en häxas:

"Hon är inte hans mamma. Fatta det, ditt jävla as! Det är jag som är hans mamma! Jag! Ingen annan!"

Marianne såg ut som om hon skulle börja gråta, mitt i sin egen vrede kunde Birgitta faktiskt se det: för första gången på alla år reagerade Marianne från barnavårdsnämnden med annat än snusförnuft och moralkakor. Hon hade öppnat sin handväska och famlade efter en näsduk, snodde den om pekfingret som en satans grevinna!

"Det är bra människor, Birgitta. De älskar honom. Du och Doggen har inte ens orkat ge honom ett namn, därför har de gjort det. De kallar honom Benjamin."

Benjamin! Vilket jävla skitnamn! Han skulle ju heta Steve. Eller Dick. Eller Ronny. Det hade ju hon och Doggen bestämt redan när hon var på tjocken. Vad fan angick det Marianne om de inte riktigt hade bestämt sig än!

"Snälla Birgitta", sa Marianne och drog näsduken under nosen. "Jag förstår att du är ledsen och upprörd, men du är bara nitton år, du har hela livet framför dig. Om några år kommer du att förstå. Det är inte bra för ett litet barn att växa upp där det är skrik och bråk hela tiden och du och Doggen har ju haft era meningsskiljaktigheter det sista året efter vad jag har förstått. Dessutom ..."

Marianne sänkte rösten och lutade sig fram, knackade lätt i bordet:

"Dessutom har jag förstått att du åker till Norrköping ibland. Till Saltängen. Att du går i din mammas fotspår på både det ena och det andra viset. Det är inte olagligt, det vet jag, det är inte mycket vi på socialnämnden kan göra åt den saken. Men att lämna ett spädbarn åt sig själv i mer än tjugofyra timmar det är grav vanvård och allvarlig försumlighet. Och enligt grannarna är det vad du har gjort, gång efter annan, när du har åkt till Norrköping. Då måste vi helt enkelt gripa in. För pojkens skull."

Hon lutade sig bakåt igen, stoppade ner näsduken i handväskan och knäppte den. Gråtvalsen var tydligen över, hon var alldeles torr i ögonen när hon såg upp på Birgitta och sa:

"Låt honom vara kvar där han är Birgitta. Han kommer att få det bra. För du vill väl inte att han ska få det som du har haft det?"

Birgitta väntade sig att de skulle ta henne till snuthäcken efteråt, men snutarna körde henne till ett dårhus i Vadstena i stället. Fruntimmer som slogs ansågs galna på den tiden, ingen kunde föreställa sig att en tjej som kunde dela ut en snyting kunde vara vid sina sinnens fulla bruk. Och Birgitta hade fått in ett par rejäla smällar på Marianne, hon hade fått omkull henne på köksgolvet och ömsom spottat, ömsom slagit henne i ansiktet. Det sades att hon hade fått förtidspension efter den betan och flyttat från stan. Det kanske var sant. Birgitta har i vilket fall som helst aldrig sett henne igen och det är djävligt skönt. Det kommer att bli skönt att slippa den där skenheliga Margareta också. Fast hon ska också få en snyting innan de skiljs åt, om än på ett annat sätt. Det vore ju korkat att smocka till chauffören så här mitt ute på motorvägen. Men en sprucken illusion kan ibland göra lika ont som ett sprucket käkben. Fråga Birgitta. Hon vet. Hon har fått pröva på bådadera.

"Vad flinar du åt?" säger Margareta. "Tycker du att det här är lustigt på något sätt?"

Birgitta trummar med fingrarna på instrumentbrädan, gnolar lite tyst för sig själv. Cigarretterna ligger till vänster om Margareta, kanske skulle hon kunna nå dem om hon inte hade säkerhetsbältet på sig.

"Vad tar du dig till?" säger Margareta skärrat när Birgitta knäpper upp spännet. Birgitta svarar inte, hon sträcker sig bara lugnt över ratten och griper efter det gula paketet. Margareta bromsar så häftigt att hon nästan får sladd, hennes röst stiger till ett skrik:

"Är du inte klok!"

Birgitta svarar fortfarande inte, hon sätter bara långsamt och omsorgsfullt säkerhetsbältet på plats igen.

"Är du inte klok! Vi kunde ju ha kört i diket!"

Herregud. Hon låter ju helhispig. Halvt hysterisk.

Det finns bara en enda cigarrett kvar, Birgitta tänder den och drar ett långt och njutningslystet bloss, innan hon skrynklar ihop paketet och slänger det på golvet. Det är en markering: Margareta måste få veta att cigarretterna är slut, hon måste få sukta lite ...

"Jo", säger Birgitta sedan och sträcker lite på sig. "Apropå det här med anonyma brev ... Jag har också fått den äran. Christina skickade ett till mig också. Det stod till och med hennes namn på det ..."

"Då var det väl för fan inte anonymt", fräser Margareta. "Ett anonymt brev kännetecknas av att man inte vet vem som har skrivit det."

Ojsan, ojsan. Damen har börjat svära. Om Birgitta hade haft en penna så skulle hon kunna tänka sig att rita ett kors i biltaket. Hon sträcker upp fingret och drar det hastigt i ett kryss på den vita plasten, men Margareta märker ingenting, hon nästan ligger över ratten och pressar gasen hårdare än tidigare. Nu ligger hon definitivt över hundratrettio. Hennes körkort kommer att ryka om snuten får syn på henne. För första gången i sitt liv skulle Birgitta faktiskt vara beredd att ge en öl eller två för att få se en snutbil dyka upp i grannskapet.

"Nu är det så att det visst kan finnas namn på anonyma brev", säger hon mycket lugnt och formulerar sig med omsorg, hon låter nästan lika kall och saklig som hon brukar göra i tingsrätten. Livet har trots allt lärt henne en del; i vissa lägen slår man hårdare om man håller sig lugn.

"Christina hade inte undertecknat brevet. Hon hade inte skrivit sitt namn. Men hon hade skrivit det på en av sina egna receptblanketter, den dumma kossan!"

Fan! Hon måste behärska sig. Hon sluter ögonen och drar efter andan, knyter näven och dunkar den lätt i vindrutan några gånger.

"Och?" säger Margareta.

Vadå och? Birgitta fnyser och drar ett djupt bloss, blåser sedan röken i riktning mot Margareta. Det fungerar. Hennes ögon tåras och hon börjar fäkta med ena handen. Känslig typ. För att vara rökare, alltså.

"Du ska nödvändigtvis se till att vi hamnar i diket, antar jag", säger Margareta.

"Håll käften", säger Birgitta. "Jag har faktiskt fått djävligt ont i magen av ditt förbannade gläfsande ..."

Det är sant. Någon river med en klo i hennes inälvor. Kanske är det den gamla godisråttan som till slut har bestämt sig för att slita sönder hennes tarmar. Fast det är ju inte godis den har varit ute efter de senaste trettio åren, precis. Dess smak har utvecklats i samma riktning som Birgittas ...

"Att du bara orkar", säger Margareta igen. "Jag går inte på dina tricks längre. Har du inte fattat det?"

Birgitta svarar inte. Hon böjer sig fram och kräks mellan sina utspärrade ben.

När hon tittar upp på nytt står bilen stilla. Margareta har kört in på en mack, nu sliter hon i gummimattan under Birgittas fötter och fräser:

"Kan du inte lyfta på benen åtminstone?"

Birgitta lyfter på benen en aning, men sänker dem omedelbart igen när Margareta har dragit ut gummimattan. Fan. Så här trött har hon inte varit någon gång i hela sitt liv. Inte ens när hon har legat på sjukhus med dropp och sprutor och allt.

Margareta står vid en vattenkran en bit bort och sköljer av gummimattan. Bildörren är öppen, Birgitta tar stöd mot instrumentbrädan och vrider hela kroppen så att benen kommer ut, häver sig sedan mödosamt upp i stående ställning. Hon får stå och stödja sig mot bilen en stund innan yrseln har gett vika och hon kan börja gå.

"Vart ska du ta vägen?" ropar Margareta bakom hennes rygg.

Birgitta svarar inte, gör bara en avvisande gest, och hasar bort mot macken. Får man inte ens gå på muggen nu, va?

Det är nästan tomt därinne, inte en enda kund. En ensam kille står borta vid disken och talar i telefon, han kastar bara en hastig blick på Birgitta. Hon har stramat upp sig, håller ryggen rak och munnen stängd. På avstånd måste hon se ut nästan som vem som helst.

Toaletterna ligger längst bort och vägen dit är paradisisk: det står en trave Pripps Blå alldeles i närheten. Birgitta slänger en hastig blick mot killen. Ja, Gud finns! För nu vrider killen sig långsamt om med luren tryckt mot örat, böjer sig mot fönstret och kikar ut. Han kan inte se henne, han kan omöjligen se att Birgitta låter sin vänstra hand glida upp ur jackfickan och gripa om en sexpack folköl medan hon sakta skrider bort mot toaletten.

Margareta står vid disken och betalar något när Birgitta kommer ut, hon vänder sig om och säger i nästan vänlig ton:

"Jaså, där är du. Mår du bättre nu?"

Frågan är inte avsedd att besvaras, Margareta ställer den bara för att framstå som en schyst typ inför killen. Alltså svarar Birgitta inte, hon nickar bara och kväver en rapning. Ja, hon mår faktiskt mycket bättre. Folköl är visserligen ett jävla piss, men det är fan så mycket bättre än den Coca-Cola Light som Birgitta dyvlade på henne i Norrköping.

"Vill du ha något att dricka?"

Hon menar säkert inte öl. Hon menar hallonsoda eller sockerdricka eller något. Men det räcker nu, killen har alldeles säkert begripit att Margareta är en makalöst nobel typ, hon behöver inte anstränga sig så förbannat. Birgitta skakar bara på huvudet och går ut genom dörren. Hon har inte för bråttom och är inte överdrivet långsam, hon går i alldeles normal takt i riktning mot bilen.

När Margareta dyker upp sitter hon prydligt och ordentligt på sin plats med säkerhetsbältet fastspänt. Margareta ser belåten ut, hon slänger ett paket gula Blend i Birgittas knä och flinar till.

"Här har du", säger hon. "Jag har ett eget."

Jaha. Och vad är det meningen att hon ska göra nu? Brista ut i jubel och lovsånger? Eller gå ut och rulla sig i smältsnö och spillolja av pur tacksamhet? Visst har Birgitta varit till salu i sin dar. Många gånger. Men fullt så billig är hon inte att man kan köpa hennes förlåtelse för ett paket Blend.

Äcklig! Hon vet nog vem som är äcklig. Och vem som ljuger bäst och mest för både sig själv och andra.

Hon drar inte fram den första burken ur täckjackan förrän de har passerat Linköping, hon tryckte i sig de första fyra inne på muggen så behovet är inte alldeles akut. Nu kan hon unna sig att njuta av de sista två, av att känna smaken i gommen och av att slicka skum från överläppen.

Bilen svajar till när burken pyser. Margareta stelnar till av ljudet, glömmer att hålla blicken fäst på vägen och händerna på ratten följer ögonen. För några sekunder är de i god fart på väg mot diket, det är rena turen att de ligger i vänsterfil och att högerfilen råkar vara tom bredvid dem.

"Se upp!" säger Birgitta. Hon skriker inte, hennes röst är dov och dämpad. Margareta rätar upp bilen och saktar farten, drar med handen över pannan.

"Var har du fått öl ifrån?" säger hon och darrar på rösten så att man skulle kunna tro att hon har blivit vittne till en världskatastrof eller något. Birgitta nickar ut mot vägen:

"Du ska ta av här. Såg du inte skylten? Eller ska du inte till Motala längre?"

Margareta slänger en hastig blick i backspegeln och puttar till blinkern, hon är svettig på överläppen. Vilken klimakteriehäxa hon ändå är, trots sina tjusiga kläder och mirakelkrämer. Birgitta ler lite innan hon höjer burken och för den mot sin mun. Ah! Doften! Man skulle nästan kunna tro att det var riktigt öl, inte pissigt folköl. Men om det räcker för att hålla godisråttan lugn och glad tills de kommer fram till Motala, så har hon för sin del ingenting att invända. I brist på bröd får man äta skorpor, som Kärringen Ellen brukade säga.

Margareta stannar till på uppfartsvägen innan de kommer ut på Motalavägen. Det är alldeles tomt, inte en enda bil i sikte, men Margareta kör inte vidare, hon låter motorn dö och bryr sig inte om att vrida om nyckeln, sjunker bara samman över ratten och stönar:

"Du stal dom! Du gick in på den där macken och stal deras öl!"

När hon tittar upp igen är hennes ansikte alldeles flammigt.

"Du inser väl att jag måste gå in på den där macken och betala dina öl när jag åker tillbaka till Stockholm? Eller hur? Jag måste gå in där och tala om att jag har låtit mig luras av en gammal knarkare för femtielfte gången i mitt liv!"

Hon skakar långsamt på huvudet:

"Aldrig i hela mitt liv har jag varit med om något så förödmjukande. Aldrig i hela mitt liv!"

Birgitta svarar inte, hon dricker bara sin öl i långa, njutningslystna klunkar och väntar på att Margareta ska starta bilen på nytt.

Annars skulle hon ju ha ett och annat att berätta om förödmjukelser.

Hon skulle kunna berätta hur det känns att kallas hora, till exempel. Hon skulle kunna göra jämförelser, lägga ut texten om skillnaden i att kallas hora när man är fjorton år och oskuld och när man är sjutton år och faktiskt är en hora. Hon skulle rentav kunna beskriva hur det känns att kallas en gammal hora, så ful att man måste dölja hennes ansikte med handen för att inte kuken ska slakna.

Vilket är värst?

Tja. Det är en smaksak, naturligtvis, men för sin del skulle nog Birgitta luta åt att det är värre att faktiskt vara en hora än att bara kallas hora. Det går att hålla huvudet högt och intala sig att det bara är gamla gubbars surnade kättja som får det att susa av viskningar bakom ryggen när man går genom en fabrikslokal, trots att man vet att gubbarna juckar och flinar bakom ens rygg. Man vet ju vad man är: fjorton år och oskuld, med svällande bröst och liljevit hy, en blomma som alla män i världen drömmer om att plocka och som därför äger makt över alla män i världen.

Det är värre några år senare när man vet att man är en hora, förstår det med sitt förnuft och ser bevisen hopa sig i sin plånbok och i sina gonorrékladdiga underbyxor. Man tar sitt penicillin som en duktig flicka, man tvättar sig och tvättar sig och tvättar sig och ändå blir man aldrig tillräckligt ren för att älskas och förlåtas av den man verkligen älskar. Man får inte avslöja att man egentligen bara skulle vilja lägga sitt huvud mot hans bröst och lyssna på hans hjärta. Och därför måste man ständigt utmana honom, man måste gunga sina nakna bröst framför hans ansikte, gripa om hans hand när man sitter bredvid honom i en bil och föra den in mellan sina lår, låta honom känna att man faktiskt inte har några trosor under den snäva kjolen. Och därför vrålar han ibland av förtvivlan och vanmäktig lust, knyter sin näve och drämmer den i horans tinning just i det ögonblick hon trodde sig trygg och nästan hade glömt vad hon var. Hon får aldrig glömma. Han får aldrig glömma. Därför får de älska och hata varandra, skrika och slåss, dag efter dag, år efter år, ända till den dag då han tar en spruta för mycket och lämnar henne ensam med skulden. För det är hennes fel, hon drev honom i döden genom att vara den hon är. En hora.

Och när man är en gammal hora, så ful att ...

Tja. Man gör en tjurrusning mot hela världen då och då, spottar på en polis om man får chansen, slänger ut någon liten taskmört till karl som har legat och dragit sig i ens kvart lite för länge och klipper till var och en som får en att vilja gråta. Sedan tar man sig en öl, för ingenting hjälper mot förödmjukelser bättre än öl. Dessutom är det gott.

Birgitta drar handen över överläppen och torkar bort lite skum, ger Margareta ett snett ögonkast. Hon har startat bilen igen, men kör långsammare än förut. Skulle hennes små rosenöron trilla av om Birgitta berättade, om hon fick veta vad förödmjukelse verkligen är?

Förmodligen. Birgitta placerar ölburken mellan sina knän och börjar fumla med cigarrettpaketet, river i cellofanet för att få upp det. Hon vet inte varifrån orden kommer, varför de plötsligt väller upp ur hennes hals och inte låter sig hejdas:

"Oäkting. Horunge. Skitunge. Satans avföda. Skitgris. Lortgris. Lortfia. Kloakråtta. Sophög. Äckelpotta. Satunge. Problembarn. Fylleunge ..."

Margareta vrider på huvudet:

"Vad håller du på med?"

Men Birgitta kan inte svara, det finns inte plats för några andra ord i hennes mun än de som i årtionde efter årtionde har tryckts ner i hennes strupe och som nu bubblar upp av sig själv. Det är som att kräkas, hon kan faktiskt inte hjälpa det.

"Slyna. Hora. Stinkfitta. Skitfitta. Tjugofemöresfitta. Slemfitta. Slemknull. Knullröv. Knullfia. Knarkhora. Tjackhora. Langarhora. Pundarbrud. Amfetaminfitta. Flaffitta. Flaff-flaff-flaff-fitta."

"Tyst", väser Margareta. "Tyst med dig!"

Men Birgitta kan inte hejda orden, de trängs och knuffas i hennes mun, får henne att fumla med cigarrettpaketet som om det vore inbrottssäkert. Hon river och sliter i det genomskinliga papperet, men det vill inte lyckas, hon kan inte ens öppna ett paket cigarretter längre. Hennes händer darrar för mycket och hennes mun vägrar att tiga.

"Häxa. Huggorm. Sugkärring. Svin. Äckel. Alkis. Fyllkärring. Fulkärring. Svikare. Falskspelare. Socialfall. Tiggare. Schana. Bedragare. Tjuv. Dråpare. Mördare. Lögnare! Lögnare! Lögnare!"

Margareta skriker nästan:

"Tyst! Kan du inte vara tyst!"

Och Birgitta tystnar, hon lutar sig mot ryggstödet och sluter ögonen. Orden har lämnat henne, händerna har slutat darra. Äntligen är hon framme vid sanningen.

DET VAR OVANLIGT TYST i huset den morgonen, Ellen, Christina och Margareta satt ruggiga som ett gäng frusna sparvar vid köksbordet när Birgitta stack in huvudet i köket och sa hejdå. Bara Ellen muttrade ett svar, Christina och Margareta bara nickade. Trötta, förstås. Trots att de bara gick i skolan och inte behövde gå upp lika tidigt om morgnarna som Birgitta.

Det regnade lite, höstluften var sval och lätt att andas, men bussen pös en stinkade pust i hennes ansikte när den kom. Hon gjorde en grimas och vände bort huvudet, precis som de andra vid busshållplatsen. Det var bara de vanliga: gubben Nilsson och kärringen Bladh och några till. Alla jobbade de på Luxor, de som jobbade på Motala Verkstad hade tagit en tidigare buss. Gubben Nilsson brukade sätta sig bredvid Birgitta om han fick en chans, han brukade läsa sin morgontidning utan att låtsas om att han samtidigt tryckte sitt lår mot hennes. Birgitta lät honom hållas, för det mesta, trots att han var äcklig, trots att hans läppar alltid var fuktiga och trots att han hade snusränder kring framtänderna. Han var ju förman, han hade makten över timmar och minuter, över stämpelklocka och löneavdrag.

Han flinade till lite när han såg att hon hade satt sig vid en fönsterplats och fått en tom plats vid sin sida.

"Morrn", sa han och satte sig. Han slog upp Motala Tidning över knäet och tryckte som förväntat sitt lår mot hennes. Birgitta satt orörlig, log inte, men makade sig inte heller åt sidan. Hon slängde bara en blick i hans tidning och vände sedan bort ansiktet, såg ut i regn och grådis en stund, innan det gick upp för henne vad hon sett. Hon lutade sig fram över tidningen igen, gubben drog efter andan när hennes jacka öppnade sig och blottade den uppknäppta blusen och klyftan mellan brösten. Jo. Hon hade sett rätt. Det var den femte oktober i dag. Tre år sedan Gertruds död. På dagen.

"Du", sade hon dämpat och förde försiktigt sin hand in under tidningen och lade den på Nilssons lår. Han blinkade till och fixerade tidningen med stirrande blick som om han just hade sett något avgörande, en oerhört intressant artikel som skulle förändra hela hans liv. Birgittas hand kramade till helt hastigt.

"Skulle du kunna fixa så att jag får smita lite tidigare i dag? Utan att det märks?"

Nilsson grymtade till och vände blad, han såg inte på henne, ändå tycktes hans ögon vara på väg att tränga ut ur skallen. Birgitta drog sin hand i en lätt smekning över hans lår innan hon drog den åt sig.

"Tack", viskade hon. "Jättebussigt. Det ska jag inte glömma."

Så kom det sig att hon kunde gå till kyrkogården redan på eftermiddagen, innan det hade blivit mörkt. Förra året hade hon inte kommit i väg förrän efter jobbet, hon hade rusat som en galning från fabriken till en blomsteraffär, men när hon väl kom fram hade hon inte kunnat bestämma sig för om hon skulle ta röda eller vita rosor, hon hade tvekat så länge att hon till slut blivit alldeles tårögd av stress. Och när hon kom ut från blomsteraffären med blommorna i en strut var alla gatlyktor redan tända och det var nästan mörkt. Någon vred om en nyckel bakom hennes rygg. Blomsteraffären skulle just stänga. Alla affärer skulle just stänga.

Det hann bli ännu mörkare medan hon gick mot kyrkogården. Motalas gator låg öde, hon kunde höra sina egna steg eka mellan husväggarna och se sin egen skugga växa och krympa i ljuset från gatlyktorna. Hennes hjärta bankade, det var som om hon inte kunde andas riktigt djupt längre.

Hon hade inte vågat gå in. Det fanns inga lampor inne på kyrkogården och därför hade hon inte vågat gå in, hon hade bara stått vid grinden med sina blommor tryckta mot bröstet en lång stund. Och plötsligt hade hon tyckt sig höra ett skratt, ett kvinnligt litet silverskratt, som trängde genom mörkret. Det var som om någon låg inne på kyrkogården och skrattade åt henne, någon som lockade på henne med glittrande silverröst, någon som hade en kniv dold i sin svepning.

Hon hade slängt blommorna över grinden och sprungit. Hon hade betett sig som en jävla idiot. Men i år skulle det bli annorlunda.

Nilsson nickade och vände ryggen till så att hon kunde smita, han skulle se till att hennes kort stämplades i rätt tid. Kanske skulle han kräva betalt inne på en toalett någon dag, men det kunde det vara värt. Det var ju bara hennes kropp han ville ha.

Hon sprang över torget mot blomsterhandeln. I år skulle hon inte tveka, hon hade redan bestämt sig. Röda rosor. Det var självklart att Gertrud skulle få röda rosor på sin grav.

I tre år hade hon varit död, ändå tyckte sig Birgitta fortfarande se henne varje dag. Hon skymtade henne i en främmande nacke på bussen, i en rörelse hos en förbipasserande, i ett skratt långt borta; gång på gång kände hon sitt hopp blossa upp, vred på huvudet och blev besviken. Gertrud var död. Hon skulle inte komma tillbaka.

Hon stannade vid kyrkogårdsgrinden och drog ett djupt andetag. Det var inte mörkt ännu, men eftermiddagen var grå och dimmig. Träden såg ut som skuggor, molnen hade sänkt sig över dem och beredde sig att upplösa och förinta dem.

Strunt samma. Molnen fick väl förinta Birgitta också om det knep. Hon skulle gå till Gertrud. Hon skulle lägga röda rosor i minneslundens höstgula gräs, hon skulle stå där en stund med böjd nacke och minnas.

Ellen blev förvånad när hon kom. Hon satt i vardagsrummet och broderade som vanligt och när Birgitta dök upp i vardagsrummets dörrvalv såg hon upp, kisade över glasögonbågen och lät sybågen sjunka.

"Kommer du redan?"

Birgitta nickade, knöt upp sjaletten och började knäppa upp sin jacka medan hon svarade.

"Ja. Jag tog ledigt några timmar."

Ellen rynkade pannan.

"Fick du lov till det?"

Birgitta tog av sig jackan och lät den dingla på pekfingret medan hon gick ut och hängde upp den i hallen. Det skulle tydligen bli kåldolmar till middag, doften från köket var omisskänlig. Hon gick tillbaka in i vardagsrummet igen, strök med handen över tuperingen medan hon slog sig ner i soffan.

"Det gick bra. Det var ingen som sa något."

Ellen hade lyft sybågen till sitt bröst och börjat brodera igen, hon drog tråden till ett rött streck i luften mellan varje stygn.

"Får du löneavdrag då?"

Birgitta skakade på huvudet. Nej. Det skulle ordna sig. Men Ellen släppte henne inte med blicken, det var som om hennes händer broderade av sig själva medan hon stirrade över glasögonbågen på Birgitta. Genomborrande blick. Var det inte så Margareta brukade kalla den där sortens blickar när hon berättade någon historia ur sina böcker?

"Varför tog du ledigt då?"

Birgitta såg ner på sina händer, plötsligt insåg hon att hon satt på yttersta kanten av soffan, som om hon var en gäst som just skulle ge sig i väg.

"Jag ville gå till kyrkogården. Det är tre år sedan i dag. Förra året gick jag dit efter jobbet, men det var så mörkt. I år ville jag hinna dit innan det började skymma."

Ellen nickade, men utan att släppa Birgitta med blicken.

"Köpte du en blomma?" sa hon.

Birgitta nickade.

"Vilken sort?"

Vad angick det henne? Det var väl en sak mellan Birgitta och Gertrud. Ändå måste hon svara, i det här huset måste man alltid svara. Birgitta satte sig på sina händer och öppnade munnen:

"Rosor. Tre röda rosor."

Ellen nickade. Det var tydligen ett bra val. Godkänt utan minsta invändning.

Det blev tyst i rummet en stund, allt som hördes var väggklockans tickande. Birgitta sjönk mot soffans ryggstöd och såg sig om. Inte en pinal hade ändrats i det här rummet sedan hon kom till huset. Allt var sig fullkomligt likt, varje blomma, varje möbel, varje prydnadsföremål var på samma plats som tidigare. Klockan tickade i samma takt som den alltid hade tickat, trots att tiden stod stilla, regnet pickade mot rutan som det alltid hade pickat mot rutan.

Ellen sköt glasögonen på plats och famlade efter brodersaxen, klippte av tråden och synade sitt arbete. Det var väl perfekt som vanligt. Kunde man förmoda.

Birgitta var plötsligt röksugen. Det låg ett nästan fullt paket Prince i hennes handväska, men hon vågade inte gå ut i hallen för att hämta det.

Hon hade aldrig rökt hemma hos Ellen, trots att det inte var uttryckligen förbjudet. Kanske skulle hon kunna smita ut i trädgården och ta ett bloss i skymundan. Hon satte knogarna mot soffan och reste sig upp.

"Vart ska du ta vägen?"

Birgitta sjönk tillbaka igen.

"Ingenstans. Till tomrummet bara."

Ellen lade ifrån sig sybågen och brodersaxen och tog av sig glasögonen.

"Inte riktigt än", sa hon och strök med handen över ansiktet, gned glasögonfläckarna på näsroten mellan tumme och pekfinger. "Jag skulle vilja tala med dig."

Birgittas rygg raknade, hon stack händerna under sina lår igen.

"Prata med mig? Om vadå?"

"Om ditt uppförande. Jag har fått höra saker som inte är så trevliga. Vad hade du för dig i lördags, till exempel?"

Birgitta pressade samman läpparna, bet i dem så att det gjorde ont.

"Nå?" sa Ellen.

Birgitta krängde till med kroppen:

"Jag gjorde inget särskilt i lördags. Är det Margareta och Christina som har pratat skit om mig igen? Fan, de är alltid på mig, de ljuger om mig och hackar på mig hela tiden. Jag begriper inte varför de ska hålla på ..."

Ellen drog efter andan och avbröt:

"Ingen har pratat skit om dig, Birgitta. Lugna ner dig nu. Jag har hört ett och annat, både från flickorna och från andra, och jag vill veta om det är sant."

Birgitta böjde sig fram, fortfarande med händerna under låren, hennes röst var en viskning:

"Vad har du hört?"

Ellen harklade sig och gned än en gång glasögonmärkena på näsroten.

"Jag talade med Marianne på barnavårdsnämnden i dag. Hon sa att du håller på att bli en visa i hela stan. Bokstavligen. Någon ramsa som handlar om dig är visst på modet. Christina och Margareta har också hört den, men de har inte velat tala om för mig vad den handlar om, hur den låter ..."

Hon släppte taget om näsroten och lät handen sjunka ner i knäet, drog efter andan och sänkte blicken mot sitt eget knä:

"Farbror Stig ringde i eftermiddags. Han hade också hört om den där ramsan. Han kunde den faktiskt utantill. Dessutom sa han att du hade legat med tre olika pojkar i lördags. Han hade själv talat med en flicka som hade sett det. Hon är omhändertagen av barnavårdsnämnden, Stig hade själv skjutsat henne till ett flickhem någonstans. Han säger att hon berättade en massa om dig medan de satt i bilen. I synnerhet om det som hände i lördags. Att du var berusad. Att du låg i gräset borta i Varamon och bara lät det hända, lät den ene pojken efter den andre ..."

Hennes röst stockade sig, hon lade handen på halsen och kunde inte fortsätta.

Birgitta hade krökt sig borta i soffan, hon hade dragit samman kroppen som ett vaksamt djur och gjort sig beredd till språng. Men ännu rörde hon sig inte, hon varken rörde sig eller talade, men hon kunde känna hur ett litet väsande började sippra fram mellan tänderna.

Marianne! Stig med Gäddkäften! Christina och Margareta! Något jävla litet flickhemsvåp med såpad trut! När skulle hon bli kvitt dem? När fan skulle hon bli kvitt alla dessa jävla as som hade tagit till sin uppgift att förstöra hennes liv så som de en gång hade förstört Gertruds! De ville döda henne, allihop! De ville slita henne i stycken, så som de hade slitit Gertrud i stycken med sin ondska och sitt förtal, med sina beslut i nykterhetsnämnd och barnavårdsnämnd! Varför kunde de inte ha fått vara i fred? Varför hade de inte kunnat låta henne och Gertrud få leva i fred, varför hade de varit tvungna att slita Birgitta från den enda människa hon ville vara hos? Det var därför Gertrud hade fått ligga ensam och dö i sin lägenhet, om Birgitta hade fått vara kvar, om de inte hade släpat henne till Kärringen Ellen och tvingat henne att stanna där, så skulle det aldrig ha hänt. För Birgitta brukade vända på Gertrud när hon blev sjuk och mådde illa, hon visste redan som liten att Gertrud måste ligga på magen, att man inte kunde låta henne ligga på rygg när hon hade tagit sig ett järn eller två. Men Birgitta var inte där. De hade dödat Gertrud genom att ta Birgitta ifrån henne! Och nu var det Birgittas tur, nu var det hon som skulle slitas i stycken!

Nu kom orden. Äntligen. Birgitta kunde känna hur de steg i hennes hals, de var hesa och de kom ryckigt, men de föll ur hennes mun ett efter ett, precis som de skulle:

"Ni! Dödade! Henne!"

Ellen ryggade tillbaka där hon satt:

"Vad menar du? Vem är död?"

Birgitta flinade till, proppen i halsen hade lossnat, nu rann orden ur henne:

"Gör dig inte dum, kärring! Gertrud förstås. Ni dödade henne, du och ditt satans anhang. Du och Marianne och Gäddkäften!"

Ellen blinkade:

"Vad menar du? Dödade? Gäddkäften?"

Birgitta reste sig upp ur soffan, hon kunde känna hur hon växte. Snart skulle hon nå taket, hon skulle spränga sönder det och växa ytterligare, hennes kropp skulle tränga genom Hubertssons lägenhet och vidare upp på vinden, hon skulle få det satans taket att flyga av detta satans hus!

Hon tumlade ut mitt på golvet, ställde sig så bredbent hon kunde i sin snäva kjol, och riktade ett anklagande finger mot fåtöljen. Hennes röst for som en målbrottspojkes från den dovaste bas till ett skärande skri:

"Håll käften på dig, skitkärring! Jag är så trött på dig och ditt anhang. Om inte du och Stig med Gäddkäften och Marianne hade lagt näsan i blöt så skulle Gertrud fortfarande ha levat. Om jag hade fått bo hos henne, vara hos henne, ta hand om henne som jag ville! Då hade hon inte dött. Då hade jag sett till att hon hade fått leva!"

Ellen skiftade färg, hon blev vit och röd och vit igen, medan hon mödosamt som en gammal kvinna reste sig upp ur fåtöljen och sträckte fram sina händer:

"Men lilla barn! Lilla Birgitta, inte visste jag..."

Birgitta fäktade i luften framför sig, hon ville e inte vidröras av de där händerna. Vad som helst fick ske, men inte det, Birgitta skulle aldrig låta sig vidröras av just dessa händer! Vem som helst i världen fick annars röra vid henne, andra människor kunde få bruka hennes kropp bäst de gitte, men inte hon! Inte hon! Aldrig någonsin hon!

Kärringen hade börjat böla nu, stora tårar rann nerför hennes kinder, medan hon fortsatte att stå där med händerna framsträckta:

"Stackars liten", viskade hon. "Stackars lilla Birgitta! Visst kunde du ha fått flytta hem, men din mamma ville det inte. Jag pratade själv med henne, hon sa att hon inte orkade."

Lögn! Den satans kärringen stod där och kastade en lögn rakt i Birgittas ansikte! Hon kunde se den. Birgitta kunde faktiskt se lögnen komma farande genom luften som en vitglödgad kula av eld. Hon fäktade blint framför sig i luften, men det hjälpte inte, hennes ögon bländades och sveddes till aska, hennes hud flammade upp och förkolnade på en sekund.

Det gjorde så ont!

Birgitta slog handen för magen, krökte sig dubbel och vrålade, ylade rakt ut, utan ord och innebörd. Hon brast! Nu visste hon vad det var att slitas i stycken, snart skulle hon segna till golvet och vara död ... Slippa! Slippa! Slippa!

Men hon dog inte. Hon kunde känna hur den första vilda smärtan ebbade ut och hur skriket tystnade. Hon reste sig långsamt upp och såg på Ellen. Kärringen stod kvar, men hon hade sänkt sina händer, de hängde slappa och öppna nu. Tårar rann fortfarande utefter hennes kinder och en liten strimma blod sipprade fram under näsan.

"Att du sörjer så", sa Ellen och skakade på huvudet. "Inte anade jag att du fortfarande sörjer henne så ..."

Hon tog ett steg framåt, Birgitta skyggade och backade närmare fönsterväggen, höjde armen till skydd och väste:

"Du rör mig inte, det säger jag dig bara! Hör du det! Du rör mig inte! För jag vet nog vad du är för en, din förbannade hycklare!"

Ellen hejdade sig och svajade till, det hade kommit en vaksam glimt i hennes öga.

"Vad menar du", sa hon och strök bort tårarna från kinden med handleden. "Vad menar du, Birgitta?"

Birgitta backade ytterligare ett steg och spottade på golvet framför sig:

"Jag vet nog!"

Strängen av blod under Ellens näsa hade tjocknat och hon tycktes bli allt stelare i ansiktet för varje sekund, ju mer hon ansträngde sig för att låtsas oberörd och ovetande:

"Lugna dig nu, Birgitta. Vad är det du vet?"

Birgitta drog handen under näsan och snörvlade till:

"Missfostret! Jag vet allt om ditt jävla missfoster!"

Ellen blev vit, Birgitta kunde se det hända, det gick på ett ögonblick. Ellen svajade till där hon stod, men sa ingenting. Birgitta skrattade till:

"Gertrud låg i sängen bredvid dig, din dumma kossa! Hon visste hela tiden vad du var för en, att du hade lämnat bort ditt eget missfoster bara för att det var för besvärligt att ha en sådan i huset! Du var för lat. Och för snål. Du föredrog friska ungar. Sådana som du fick betalt för!"

Ellen stod orörlig, Birgitta backade ytterligare ett steg bort från de händer som inte längre var sträckta mot henne och lutade sig mot fönsterväggen. Hon skrattade till igen, högt och glasklart den här gången, och plötsligt bara vällde skrattet ur henne, hon skrattade så hon skrek, så att hennes mage började värka och hennes ögon tårades. Hon var tvungen att dra efter andan och torka sig i ögonen innan hon kunde tala på nytt:

"Här har du gått omkring som något jävla helgon i alla år! Och Margareta och Christina har svassat omkring dig, kysst dina fötter och slickat dig i röven. För du är ju så jävla underbar, du är ju inte det minsta lik deras egna sketna morsor. Och jag har vetat om det hela tiden ... Hela tiden har jag vetat att du är på pricken lik deras egna morsor!"

Birgitta skrattade igen, hon kunde inte hejda sig, hon skrattade så att hon fick korsa benen för att inte kissa på sig. Hon skrattade och skrattade, knäna ville vika sig under henne, hon fick blunda och ta stöd mot väggen för att inte falla omkull. Hon kunde knappt tala längre, hon fick verkligen anstränga sig:

"Och jag har vetat det hela tiden!" flämtade hon och drog handen under näsan. "I alla år har jag vetat vilken skit du egentligen är... Att du inte skulle dra dig för något!"

Hon öppnade ögonen och såg på Ellen. Kärringen var röd av blod under näsan, hon hade gnidit runt och smetat ut sitt näsblod. Men nu rörde hon sig inte, nu stod hon alldeles orörlig och viskade:

"Jag vet. Men du förstår inte ..."

Mer hann hon inte säga innan hon stirrade till och stönade. Hon sträckte ut handen, trevade och sökte i tomma luften efter ett stöd som inte fanns, innan benen vek sig och hon föll i golvet.

Hur länge stod Birgitta tryckt mot fönsterväggen och stirrade på Ellens kropp? Ett par minuter? Ett par timmar? Ett par år?

Det vet hon inte. Hon vet bara att det var i den stunden vissheten sköljde in och fyllde varje cell i hennes kropp, vissheten om att allt hopp var ute, att en livstidsdom hade avkunnats. Det viskade och väste från

väggar och tak, osynliga domare lät sina röster blanda sig med vägg-
klockans tickande, med regnets pickande mot rutan: *skyldig, skyldig,
skyldig!* Det hjälpte inte att hon försökte försvara sig, att hon höjde sina
armar till skydd och tryckte sig mot fönsterväggen, att hon gnällde med
gäll röst:

"Inte mitt fel! Inte mitt fel! Det var inte mitt fel!"

"DU LJUGER", SÄGER MARGARETA och växlar ner.

Birgitta svarar inte, suckar bara och öppnar den andra ölburken. Visst ljuger hon. Självklart. Hon har ju aldrig gjort annat än ljugit i hela sitt liv. I själva verket drog hon upp en huggorm ur handväskan den där gången och skrämde lilla Tant Ellen till hjärnblödning. Självklart. När Birgitta gick på Allmänna Vidrighetskursen på ABF och utbildade sig till skitstövel så hade hon fått lära sig att alltid ha ett gäng huggormar i handväskan, för den händelse hon skulle stöta på någon som det kunde vara trevligt att jävlas med. Visst. Om det nu inte var så att Vita Frun helt plötsligt kom knallande genom Ellens vardagsrum och skrämde vettet ur henne. Annars råkade tanten kanske snava på en okammad mattfrans, snubblade och föll med huvudet före i golvet. Så var det säkert. Vilken förklaring som helst duger. Vad är det som säger att man måste nöja sig med sanningen?

Vägen har smalnat och blivit mörk, det är skog på ömse sidor. Snart kommer det att ljusna igen, slätten kommer att öppna sig och vägen att bli bredare. Då är de nästan framme i Motala. Birgitta har råd att klunka i sig den här låtsasölen i djupa drag, för snart är hon hemma och kan rota fram en riktig ur sina gömslen.

"Så Ellen skulle ha haft ett barn", säger Margareta och skakar på huvudet. "Det är inte möjligt. Hon sa ju aldrig ett ord om det ... Och ingen annan heller."

"Det kan hända", säger Birgitta och spanar ut mot skogen, det är fortfarande vitt av snö under träden. "Men en unge hade hon i alla fall. En som hon övergav."

Margareta biter ihop läpparna och skakar på huvudet, men säger ingenting på en lång stund. När hon öppnar munnen på nytt, blöder det lite i hennes underläpp.

"Den kan ju ha dött", säger hon och slickar hastigt bort blodet. "Om den nu var så illa skadad."

"Den dog inte", säger Birgitta. "Hugo dog, men inte ungen."

Margareta slänger en nedlåtande blick på henne och ökar farten. "Och det vet du?"

Birgitta nickar och torkar sig om munnen. Jo, minsann. Det vet hon. "Jag vet till och med vad hon hette."

Men Margareta frågar inte efter namnet, hon sticker en cigarrett i munnen och famlar efter tändaren, samtidigt som hon ökar farten. Det ser rent livsfarligt ut och det är av purt egenintresse som Birgitta lutar sig fram och tänder åt henne. Hon har ingen lust att klistras som ett plåster runt en tall, inte nu när hon är så nära sitt ljuva hem. Snart kommer hon att få kura ihop sig på sin madrass och njuta av mörkret. Hon ska fästa upp den där filten som Roger drog ner från fönstret när de bråkade i går. Visserligen börjar det bli mörkt, men Birgitta tänker inte vakna när solen går upp i morgon. Hon tänker sova i dagar.

Men just nu är hon glad för att det ljusnar mitt i skymningen. Skogen viker för slätten, snart är de i Motala. Birgitta lutar sig bakåt. Hon är trött. Mycket trött. Hon skulle kunna knoppa in direkt.

Hon slår upp ögonen just när de passerar gamla Folkets hus, sträcker sig efter ölburken och vickar lite på den för att kolla om det finns en slurk kvar. Det gör det. Faktiskt mer än hon trott, det skvalpar riktigt löftesrikt i burken.

"Du ska ta av till vänster", säger hon och torkar sig om munnen när hon har tagit den första klunken. "Fast inte riktigt än. Inte förrän du kommer till Charlottenborgsvägen. Jag bor uppe i Charlottenborg."

Margareta svarar inte. Hon har plockat fram frökenminen medan Birgitta har sovit, sitter med näsan i vädret och ansiktet alldeles orörligt. Pöh! Det kan hon ju roa sig med så här på sluttampen, innan de skiljs åt för eviga tider.

"Skål på dig, syrran", säger Birgitta och höjer sin burk i riktning mot Margareta. "Det ska bli jävligt skönt att slippa se dig i fortsättningen. Sväng till vänster här!"

Men Margareta svänger inte till vänster, hon missar avfarten och fortsätter bara rakt fram. Fan! Birgitta slår knytnäven i instrumentbrädan. Hon vill inte ha något krångel, inte nu när hon är så nära!

"Du glömde att svänga, din dumma kossa!"

Margareta vrider på huvudet och ser hastigt på henne.

"Inte alls. Jag glömde inte att svänga."

"Vadå? Jag bor ju i Charlottenborg och det ligger till vänster. Vad fan håller du på med?"

Margareta vänder sig som hastigast mot henne igen och ler riktigt vänligt:

"Jamen vi är inte på väg hem till dig. Vi är på väg till Vadstena. Jag tänkte att Christina skulle få höra din historia. Och att du själv för en gångs skull skulle få stå för vad du har sagt."

Det är kidnappning. Ingenting annat!

Birgitta sliter i dörrhandtaget när Margareta tvingas stanna för rödljus, men det går inte att öppna dörren. Margareta trampar otåligt på gasen, driver motorn till en serie låga morrningar. Hon ser inte ens på Birgitta.

"Dra inte i dörrhandtaget", säger hon bara. "Det kan gå sönder. Jag har låst centrallåset så du kommer ändå inte ut."

Ljuset slår om och bilen börjar rulla, Margareta tycks minnas vägen, här svänger hon minsann till vänster utan minsta tvekan. Kanske är det inte så konstigt. En gång var detta hennes skolväg. Ellens hus ligger inte långt härifrån.

Margareta slänger med huvudet när de passerar huset, det är som om hon inbillar sig att hon skulle kunna se mer än en vit skugga i den här farten, sedan vänder hon sig om och kisar ut mot vägen. Hon kör som en biltjuv, en närsynt jävla biltjuv. Birgitta får vara glad om hon kommer levande till Vadstena, trots att hon inte för sitt liv vill till Vadstena och konfronteras med den där andra kallögda snobban.

"Det här är kidnappning", säger hon innan hon höjer sin ölburk och sätter i sig den sista klunken. "Jag tänker anmäla dig i morgon."

Margareta skrattar till.

"Ja, gör det för all del. Så får vi se vem av oss polisen tror mest på."

Därmed tycks allt vara sagt dem emellan och det blir tyst i bilen.

Det mörknar hastigt nu, det ser ut som om natten stiger upp ur själva jorden. Åkrarna och de glesa dungarna ute på slätten är alldeles svarta, men himlen ovanför är fortfarande blek. Den har samma färg som vissna syrener. Birgitta ler lite åt minnet. Hemma hos mormor bleknade alltid syrenerna innan de vissnade, de blev nästan vita.

Margaretas anletsdrag har suddats ut, Birgitta kan inte längre se hennes ögon och ansiktsuttryck, hon är bara en skugga. Birgitta kramar sin ölburk bucklig och ser ut i mörkret. Hon som aldrig brukar ångra en lögn ångrar nu att hon sagt sanningen. Inte för kidnappningens skull, den kan hon väl stå ut med, det är väl inte så jävla farligt att behöva åka till Vadstena, utan för att hon än en gång har fått en smäll på nosen av verkligheten. Ett ögonblick – just när hon började berätta – var hon dum nog att inbilla sig att hon skulle bli trodd och att sanningen skulle förändra något. Men nu är allt sagt och ändå är ingenting förändrat. Domen står fast. Benådning är icke möjlig.

Birgitta fnyser till och tänder en cigarrett. Som om hon skulle vilja ha nåd av dem! Ett par sketna snobbor.

Hon sitter kvar i bilen när de har kommit till Vadstena och Margareta har stannat utanför ett gammalt hus. Det är tydligen här Christina bor, Margareta har ringt på dörren på framsidan och sedan gått in i trädgården för att leta efter en annan dörr. Att hon ids. Vem som helst kan se att det inte är någon hemma, fönstren är svarta och blanka.

Birgitta vilar bakåtlutad i sin stol, plötsligt kan hon känna en besynnerligt värme, den sprider sig i hennes kropp som när en blomma slår ut sina kronblad i soluppgången. Hon kan känna hur axlarna sjunker, hur de knutna händerna öppnar sig, hur hjärtat slår allt långsammare. Det måste bero på tystnaden. Det är så tyst i Vadstena, hon kan inte höra ett ljud. Inga bilars motorljud. Inga människors röster. Inga fåglars skrin.

Det var mycket länge sedan det var så tyst i världen.

Den lilla lampan tänds, Margareta har öppnat bildörren och slänger in sin väska. Hon öppnar munnen för att säga något, men ser på Birgitta och hejdar sig. Utan ett ord sätter hon sig på sin plats och vrider om startnyckeln. Men innan hon börjar köra vänder hon sig om och stryker hastigt sin syster över kinden.

De Dödas Procession

"Hur snart blir kinderna vita.
Kom kyss mig med läppar av vatten.
Se måsarna tecknar med krita
en dikt i den svarta natten."
Stig Dagerman

DET GÅR EN LITEN TRUMSLAGARPOJKE genom Vadstena medan mörkret stiger upp ur jorden. Han är djupt koncentrerad: ögonen är nästan slutna, tungspetsen sticker ut mellan läpparna, munnen gör små grimaser i samma takt som slagen når trumskinnet. Han är skicklig, trots att han är så liten, han kan knappt vara mycket äldre än tio år. Men hans knubbiga fingrar är beslutsamt slutna om trumpinnarna i ett mycket vuxet grepp, han slår dem i rappa slag mot skinnet utan ett spår av tvekan. Bakom de slutna ögonen viskar han en ramsa för sig själv, en enkel liten ramsa som hjälper honom att hålla takten:

> Liv. Liv. Leva.
> Liv. Liv. Leva.
> Liv. Liv. Liv.
> Liv. Liv. Liv.
> Liv. Liv. Leva.

Han har lärt sig trumma på kommunala musikskolan, men det är inte där han lärt sig ramsan. Han är *benandante*, men det vet han inte. Han vet bara att han kröp upp i sin mammas knä framåt eftermiddagen, trots att han i vanliga fall inte gör så, trots att han har svart tröja med en bild av Iron Maiden på magen, och lutade sitt vitlockiga huvud mot hennes bröst. Han kände sig så konstig. Som om han bara ville sova. Mamman kysste honom på pannan och sa att han kändes lite varm, att han kanske höll på att bli förkyld och att det kanske var bäst att han gick till sängs, trots att det var så tidigt. Hon satt en stund på hans sängkant med hans hand i sin och tittade på bilderna som han satt upp på väggen, log lite åt deras pråliga drömmar om manlighet. Kiss. Iron Maiden. AC/DC. Läder. Nitar. Grimaser. Hon såg på hans knubbiga hand, där den vilade i hennes, strök med pekfingret över den mjuka huden och tänkte på den manshand som knoppades där inne. Vad för slags man skulle hennes son bli? En god man, det visste hon, därför att hans hjärta var gott. Han och hans lillebror var båda födda till att leva i musik och berättelser, i sånger och bilder. Hon reste sig upp, strök honom över pannan och log igen. Han svettades när han sov så som han hade gjort ända sedan han föddes.

Redan då hade hon vetat att allt skulle gå bra: han föddes ju med segerhuva.

Och nu går pojken, som ännu inte vet att han är *benandante*, genom Vadstenas gator och gränder med sin trumma. Han tror att det är en dröm, han tror att han är kvar i sin säng, att han egentligen sover under hårdrockshjältarnas vakande blickar, och att de skepnader han ibland skymtar bakom sina halvslutna ögonlock bara är drömskuggor. Han vet inte varför han trummar. Han förstår inte att han har en uppgift, att han ska kalla *benandanti* och alla som har dött i förtid till procession. Det är vårdagjämning i morgon. I natt ska de döda besjunga livet.

Jag hör honom mycket tydligt, trots att jag fortfarande är kvar i min kropp. Just nu är det vindstilla; bara mina spasmer får mig att rycka till ibland, annars kan jag ligga alldeles avslappnad i min säng, lyssna till trummans slag och betrakta världen.

Maria är tillbaka i sitt rum och det gör henne lycklig. Hon sitter vid sitt bord, innesluten i en kon av ljus från bordslampan, och nynnar för sig själv medan hon klipper ännu en änglavinge ur landstingets kvarglömda kartong. Skymningen har krupit in i rummet, den sveper sig som en sjal om hennes axlar och rygg. Änglarna på väggen har tagit ett steg tillbaka, de lägger huvudena på sned och ser på henne, ler och vinkar medan de sakta sjunker in i mörkret.

Men ännu är det inte riktig natt. Himlen utanför fönstret har fortfarande nästan samma nyans som Birgittas vissnande syrener. Så är det alltid. Vinterns sista dag slocknar bara långsamt. Än kan jag alltså se ut, där jag ligger i min säng, jag kan se med mina egna ögon ut mot parkeringsplatsen och vårdcentralen. Lönnen ute på gräsmattan sträcker nyvaket på sig, det är som om den vill snudda vid himlen med sina svarta grenar.

Luften måste vara skön att andas, Kerstin Ett och Ulrika stannade på parkeringsplatsen när de gick hem för dagen, de stod där alldeles stilla en stund och bara andades, utan att le och utan att tala, innan de långsamt höjde händerna till hälsning och gick i var sin riktning.

Kerstin Två har kommit. Hon har varit inne några gånger på rummet för att se att jag och Maria har det bra, att nya stormar inte rister någon av oss. När hon öppnade dörren sist bar hon på en kopp, hon kom med kaffe till Maria och med kaffedoft till mig. När hon hade ställt koppen på Marias bord, kom hon fram till mig, höjde sängens huvudända ytterligare en aning, böjde mig framåt och strök med en ljummen tvättlapp över min rygg. Det var skönt. Jag var mycket svettig.

"Vi ringer hem till Hubertsson hela tiden", sa hon dämpat. "Än har han inte svarat, men det gör han snart. Och då kommer han till dig, det vet du."

Jag nickade. Han kommer. Det är klart att Hubertsson kommer.

Just nu vill jag vila i min egen kropp, jag har inte ork att fånga någon mås eller kråka och flyga över Vadstena på jakt efter Hubertsson. Dessutom börjar det säkert bli ont om både måsar och kråkor vid det här laget, för i lägenheter och hus över hela Vadstena, har män och kvinnor – alla en gång födda med segerhuva – ställt sig vid sina fönster och tyst lockat blivande bärare till sig. Nu sitter deras fåglar på nakna grenar och fönsterbleck, putsar sina fjäderdräkter och väntar på att det ska bli natt och på att få föra sina herrar till Stora torget. De vet av erfarenhet att det är en lätt uppgift. När de väl är framme vid torget byter *benandanti* skepnad, de lämnar fåglarna och blir sina egna skuggor. Bara en enda fågel brukar få vara bärare hela natten, bara en enda fågel brukar sväva över De Dödas Procession. Min. Men i kväll kommer jag inte. *Benandanti* och de som dött i förtid får vandra genom gator och gränder utan mig, de kommer att få marschera ut ur staden och ut på slätten för första gången på många år, utan att en svart fågel flyger över deras huvuden och skriar om gamla tiders hunger. Det gör inget. De kommer att bli så förtjusta över den lille trumslagarpojken att de inte ens kommer att märka att jag inte är där. Det är mycket länge sedan de sist hade en liten trumslagarpojke.

Det har alltid förvånat mig att Hubertsson inte är *benandante*, han är ju född med segerhuva. Men aldrig att jag har skymtat hans skugga bland de andra. Han har varit lika fast i konturen varje gång jag sett honom, oavsett om det är med mina egna ögon eller med andras. Annars skulle han nog ha blivit en utmärkt *benandanti*-kapten. Jag kan se honom framför mig, hur han står på Stora torget och ordnar leden, hur han delar ut order till sina underhuggare bland *benandanti* och hur han lägger armen om dem som dött i förtid, tröstar dem som om de vore hans patienter.

De är alltid mycket förvirrade, dessa lemlästade trafikoffer och bleka självmördare, dessa före detta cancerpatienter och hjärtinfarktsfall. De ser sig om med stora ögon, men förstår inte vad de ser. Det är så ovanligt numera att inte få leva sitt liv till slut att människor inte längre vet att tiden är utmätt på ett annat sätt än de tror, att man inte som död tillåts lämna världen förrän alla de år har gått då man borde ha levat.

Ellen tog det ganska bra, hon blev inte rädd. Hon såg sig bara förundrat om, log ett hastigt leende och strök med handen över det som en gång varit hennes egen arm. Hon blev inte allvarlig förrän en fågel började skria över hennes huvud, en svart fågel som ropade om gamla tiders hunger.

Hon fick aldrig veta vem jag är. Och nu har hon lämnat världen.

Jag tror att Maria hör den lille trumslagarpojken, hon har börjat nynna hans ramsa: *Liv. Liv. Leva. Liv. Liv. Leva* ... Hon har inte sagt ett ord till mig sedan hon kom tillbaka från dagrummet, men nu vänder hon sitt ansikte mot mig och ger mig ett hastigt leende, lyfter sin senaste ängel så att jag ska se hur fin den är. Jag nickar och höjer handen till en vinkning. Den är faktiskt fin. Hon har fått den grå landstingspappen att skimra.

Christina är fortfarande kvar på Vårdcentralen, det vet jag, trots att jag har stannat i min kropp ända sedan jag lämnade våra systrar utanför Det Postindustriella Paradiset. Jag har inte brytt mig om att sluta ögonen och se henne, men det lyser i hennes fönster. Å andra sidan lyser det i vårdcentralens alla fönster, också i Hubertssons, och han är inte där. Det har Helena försäkrat, gång på gång, till både Kerstin Ett och Kerstin Två. Kanske har Helena gått in på hans rum ett tag, tänt ljuset och ordnat hans papper. För hon är definitivt kvar. Jag skymtade henne för en stund sedan när hon låste dörren. Vårdcentralen är stängd, men Helena har inte bråttom hem. Hon har ingen som väntar.

Jag känner igen motorljudet. Redan innan jag ser dem vet jag att Margareta och Birgitta är på väg. De har ändå dröjt längre än jag trodde. Kanske hittade de inte, trots att Birgitta av vissa skäl borde ha anledning att minnas vägen till Christinas arbetsrum och skrivbord och Margareta borde minnas vägen till huset där Tant Ellen dog.

Den sjaskiga snödrivan i parkeringsplatsens utkant får liv och börjar glittra i strålkastarljuset. Margareta parkerar lite slarvigt, som om hon plötsligt har fått bråttom, och öppnar dörren redan innan hon har knäppt av sig säkerhetsbältet. Birgitta sitter fortfarande bakåtlutad i framsätet, men den här gången tänker hon tydligen inte sitta kvar i bilen medan Margareta letar efter Christina. Hon har redan lossat sitt eget säkerhetsbälte, nu öppnar hon dörren och reser sig tungt ur sätet. För ett ögonblick tycks det bli för mycket för henne. Hon böjer sig fram, lägger armarna på bilens tak och låter sitt huvud sjunka.

Långt borta slår den lille trumslagarpojken på sin trumma. Maria nynnar i samma takt.

"Behöver du hjälp?" säger Margareta.

Birgitta ser upp och skakar på huvudet.

"Jag blev bara lite yr."

"Är det bättre nu?"

Ja. Det är bättre. Birgitta nickar och slår igen dörren, Margareta låser.

"Tror du att det är öppet så här dags?" säger Birgitta. Det låter nästan som om hon tvekar. Något måste ha hänt med henne. Mycket kan man säga om Birgitta och mycket har också sagts, men aldrig någonsin att hon är tveksam av sig. Inte ens när hon är rädd, aldrig brukar hon rusa mer vildögd mot en fiende än när hon verkligen fruktar honom.

"Nej, men Christina är nog kvar", säger Margareta. "Nu när Erik inte är hemma så har hon ju inga tider att passa ..."

Hon står med händerna djupt nertryckta i fickorna i en liten ruta av gult ljus. Det är Hubertssons upplysta fönster som speglar sig i asfalten, Det vilar en tyngd över Margaretas nacke och det syns, hon ser trött ut. Det är mer än ett dygn sedan allt började och ännu är det inte slut.

Birgitta stannar nere på asfalten när Margareta går uppför trappan till Vårdcentralens dörr. Plötsligt tycks hon inse att också hon står i ljuset från ett fönster och drar sig undan, hon viker som en skugga in bland andra skuggor.

Dörren är mycket riktigt låst, men Margareta rycker ändå i den några gånger innan hon hon börjar knacka på glaset. Ingen verkar höra henne, trots att hon snart övergår från att knacka med pekfingret till att bulta med hela knogen. Hon bultar länge, men korridoren därinne ligger upplyst och öde.

"Hallå!" ropar Margareta. "Hallå!"

Och äntligen kommer någon.

Helena öppnar bara dörren på glänt, hon är rödögd och flammig i ansiktet. Kanske håller hon på att bli förkyld, kanske har ett litet virus hoppat från en patients huvud över till Helenas.

"Det är stängt", säger hon grötigt. "Om det är akut får ni åka till Motala."

Margareta ler sitt artigaste leende:

"Ursäkta att vi stör. Vi är inte patienter, vi är Christinas systrar. Och när hon inte var hemma så tänkte vi att hon var kvar på jobbet."

Helena stirrar på henne som om hon tror att Margareta ljuger.

"Christina är inte här", säger hon sedan och snörvlar till.

Margareta gör en grimas:

"Då har vi åkt om varandra. Då får vi försöka hemma hos henne igen. Tack i alla fall."

Hon har just vänt sig om och ska sätta foten på det första trappsteget när Helena säger:

"Christina är inte hemma. Hon har inte åkt hem."

Margareta vänder sig om och ser förvånad ut:

"Var är hon då?"

Helena brister i gråt och skjuter upp dörren på vid gavel:

"I Hamnparken. Polisen ringde och sa att de hade hittat Hubertsson i Hamnparken. Och att han var död!"

Margareta rusar nerför trappan och börjar springa över parkeringsplatsen, Birgitta stiger fram ur skuggorna och följer henne, Helenas klagoskri spräcker luften bakom dem:

"Han är död! De sa att Hubertsson var död!"

Nej!

Det var inte så det skulle gå! Hubertsson skulle inte dö, inte nu! Han skulle sitta vid min säng, i tre dagar och tre nätter, vid min sida ända till slutet, och småleende följa berättelsen om mina systrar när den rullade fram på min bildskärm.

Han får inte dö! Han får inte lämna mig! Hur ska jag kunna leva i tre dagar till om Hubertsson är död?

Vinterns sista storm sveper in över Östgötaslätten, den kommer från norr och är mycket kall. Där den drar fram fryser marken på ett ögonblick, den spirande grönska som gömmer sig under löv och fjolårsgräs vissnar på ett ögonblick och dör. Ris och buskar hukar sig och kurar, den kalla vinden skrattar åt dem och pressar dem mot marken, sliter upp dem igen och ruskar dem så att spröda grenar bryts och blir hängande som brutna löften. Lövträden bugar sig och ber att bli skonade, men denna storm skonar ingen, den rister dem och böjer dem, vräker dem åt sidan så att deras smala midjor knäcks och det vita träet i deras stammar blottas. Då stannar vinden och spottar på dem, vräker jord och sand och virvlande spindelvävstunna löv från förra hösten över deras sår, innan den tar fart på nytt och störtar som en rasande jätte in i tallskogen.

Tallarna står stumma och raka som soldater, de vägrar att tigga om nåd. Stormen skrattar åt deras stelnade stolthet, skrattar och hånar dem en stund, innan den vräker den ena efter den andra åt sidan, sliter upp dem med rötterna och välter dem, blottar de tusen varelser som gömmer sig i marken under deras rötter. Och ingen av dessa varelser lever mer än ett ögonblick efteråt, frosten dröjer kvar en stund, kniper om dem med kalla fingrar och krossar dem, medan stormen rusar vidare ut över slätten, bort mot en stad och ett sjukhem.

Där stannar den ett ögonblick, drar efter andan och samlar sina krafter, innan den med förnyad kraft vräker sig mot den gula byggnaden, skakar den i grunden, rister den så att tegelpannorna på taket skallrande slår mot varandra, så att väggarna kvider och gnyr, så att glaset i fönstren bågnar och bereder sig att brista ...

Maria gråter. Hon står bredvid min säng och försöker gripa om min fladdrande hand, gråter över att den är så svår att fånga och över det som rister min kropp. Maria vet vad det är att fångas av stormen och slitas som ett visset löv från sin gren, att kastas runt i tomma luften och att falla till marken efteråt.

"Kerstin!" ropar hon. "Kerstin! Kom!"

Och Kerstin Två kommer.

Jag tycker om Kerstin Två. Jag tycker om henne för att hon är robust och fyrkantig, för att hon sällan ler men ofta skrattar, för att det låter som om en liten duva har byggt bo i hennes strupe, för att hon ibland kisande ser på mig över glasögonbågen.

Men nu skrattar hon inte, ingen liten duva kuttrar i hennes hals. Hon har slagit armarna om mig, biter sig i läppen och trycker mig hårt intill sig. Hon våndas. Hon kan inte ge mig mer Stesolid än den jag redan fått och ingen läkare som kan sätta dropp finns att tillgå. Christina är inte längre på Vårdcentralen och Hubertsson har gått någon annanstans.

I en millisekund mellan två kramper stannar tiden, stormen står stilla och min kropp rister inte längre. I detta hål i tiden ligger jag med huvudet mot Kerstin Tvås vita rock och plötsligt hör jag hennes hjärta slå. Alla klockor i världen står stilla, alla elektroner i universum har frusit fast i en enda position, men det bekommer inte Kerstin Två. Hennes hjärta pickar stadigt vidare. Och plötsligt inser jag att det inte längre finns några skäl att dröja, att jag kan lämna sjukhemmet i denna stund och gå varthelst det mig lyster. Andra hjärtan kommer att slå för min räkning. Det finns alltid hjärtan som slår.

Jag sluter ögonen och släpper taget. Stormen är över.

Ingen mås med bländande vita fjädrar väntar på mig i lönnen, ingen svartskimrande korp med gyllene blick, inte ens en kråka med stålgrå iris. Bara en grå liten fågel. En ängslig liten gråsparv med ruggig fjäderdräkt.

Men som denna fågel kan flyga! Hon lyfter mig högt över Vadstenas gator och gränder, högre än jag någonsin flugit förut. Hon för mig skrattande i vida cirklar upp genom luften, allt högre och högre, tills vi nästan snuddar vid molnen, de moln som nu är vitare än himlen bakom dem. Långt borta i väster, just där solen har gått ner, sprakar Hale-Bopps komet som ett silverskimrande fyrverkeri. Det är fest i natt, årets sista vinternatt är alltid en fest. Mörkret gör en sista kraftansträngning, ändå är vi omgivna av ljus, min fågel och jag. En stjärnhimmel gnistrar över oss, en annan under oss, städerna runt Vättern har tänt sina ljus.

För ett ögonblick får jag sväva mellan himmel och jord, för ett ögonblick tillåts jag välja mellan dem.

Jag väljer jorden. Jag kommer alltid att välja jorden.

Den lille trumslagarpojken är framme nu. Han står stram och rakryggad på Stora torget och slår på sin trumma, medan skuggorna djupnar omkring honom och tusen viskande röster stämmer in i rytmen:

> "Liv. Liv. Leva.
> Liv. Liv. Leva.
> Liv. Liv. Liv.
> Liv. Liv. Liv.
> Liv. Liv. Leva."

Ingen enda *benandante* ser mig när jag flyger över torget. Jag är bara en tyst liten gråsparv, inte en stor svart fågel. Jag skriar inte längre om gamla tiders hunger.

Mina systrar står inne i Hamnparken. Det är mörkt omkring dem. Gatlykornas ljus når inte in under träden, inte ens det blinkande blåljuset från ambulansen ute på gatan når fram till dem.

De står tätt intill varandra och ser hur ambulansmännen lyfter upp Hubertssons kropp på båren. Ingen av dem gråter, ingen av dem säger något, men Margareta böjer sig plötsligt fram och stoppar filten tätare om honom, som om hon tror att han ligger där och fryser. När hon rätar på ryggen igen griper Christina hennes hand och kramar den lätt, Margareta ser på henne och griper sedan med sin andra hand efter Birgittas. Och plötsligt är det som om en tanke kilar genom deras armar och händer och för ett ögonblick förenar dem.

"Han var den siste", säger Christina. "Nu finns det inte längre någon kvar, som var vuxen när vi var barn."

"Ingen annan som minns Tant Ellen som vi", säger Margareta.

"Han visste nog mer än vi trodde", muttrar Birgitta.

Margareta försöker lossa lite på sin hand, men Birgitta släpper inte taget. Christina märker inte hur deras händer brottas.

"Jag skulle ha velat träffa henne", säger hon. "Som jämnårig. Jag skulle ha velat lära känna henne som vuxen ... Ibland drömmer jag att vi sitter på ett café tillsammans. Men det är bara jag som talar. Hon säger aldrig något."

Margaretas hand vrider sig inte längre i Birgittas.

"Det fanns ett tomrum", säger hon med dämpad röst. "Det fanns sådant vi aldrig fick veta."

Ett leende fladdrar till över Christinas ansikte:

"Men vi fyllde ju tomrummet!"

Birgitta böjer sig en aning framåt och spottar i gruset.

"Vissa tomrum kan inte fyllas", säger hon. "Aldrig. Hur man än försöker."

De står tysta ett ögonblick medan ambulansmännen lyfter upp Hubertssons bår, nickar mot de tre kvinnorna och börjar gå. Då släpper Birgitta taget om Margaretas hand och Margareta släpper Christinas. De ser inte på varandra.

"Vi får väl åka hem till Det Postindustriella Paradiset och ta en kopp te och en smörgås", säger Christina och drar luggen ur pannan med sin vita hand, capen följer hennes rörelser. Hon vänder ryggen till och börjar gå ut mot gatan innan hon fortsätter:

"Så att ni har något i magen innan ni ger er i väg igen."

Margareta skrattar till och sluter upp bakom henne, hon har förstått vinken.

"Tack gärna", säger hon till Christinas rygg. "Om det inte är för stort besvär."

Birgitta står kvar ett ögonblick, innan hon följer efter de andra. Hon sparkar irriterat i gruset medan hon går, hennes Mimmi Pigg-pumps glappar. Teblask och mackor! Typiskt! Vad hon behöver är en öl.

Hubertsson sitter på en parkbänk inne i skuggorna. Hans ansikte är allvarligt, men hans hållning är arrogant, han har sträckt ut benen och korsat dem, högerarmen är utsträckt över bänkens ryggstöd. Jag stannar till i mörkret, tvekar en sekund. Än kan han inte se mig. Han kan inte se mig sådan jag skulle ha varit om allt hade varit annorlunda.

Borta på torget slår pojken på sin trumma. Ljudet är mäktigt nu, det mullrar i gator och gränder, det ekar i klostertak och kyrkväggar, det dånar som en vårvind över Vättern.

Men Hubertsson lystrar inte till kallelsen, han reser sig inte upp och går mot Stora torget. Han sitter lugnt kvar på sin bänk och väntar på att jag ska stiga ut ur mörkret.